D0419282

SEYM

De onbekende soldaat

Van dezelfde auteur:

Judaskus
In het vizier
De Onaantastbare

Gerald Seymour

De onbekende soldaat

2005 – De Boekerij – Amsterdam

Oorspronkelijke titel: The Unknown Soldier (Bantam Press)
Vertaling: Paul Witte
Omslagontwerp/artwork: Hesseling Design, Ede

ISBN 90-225-4027-8

Voor Gillian

Proloog

'Ik leefde. Het was geen goed leven en het was geen slecht leven, maar ik leefde. Het was zwaar, het was een gevecht. Maar ik beklaagde me niet, want het was het leven dat God me had geschonken. Ik was tevreden.'

Hij mompelde een beetje. Soms werd hij onverstaanbaar, dan ging hij verloren in het lawaai van de motor van het busje. Soms was het niet meer dan gefluister.

'Ik was een gezegend mens. Mijn vrouw heette Muna. Onze zoon was drie, onze dochter bijna één. Fantastische kinderen... Mijn dochter had prachtige ogen, ze hadden de kleur die de hemel 's zomers in de ochtend heeft. Ze zou een mooie vrouw zijn geworden. We woonden in een dorpje, bij de ouders van mijn vrouw. Vier huizen verderop woonden mijn ouders. Haar vader had velden waar hij zijn geiten op liet lopen, mijn vader had een boomgaard met appels en perziken. Haar vader zei na ons huwelijk dat hij niet langer in de taxi wilde rijden, en hij gaf de taxi aan mij. Het was heel genereus van hem om de taxi aan mij te geven, en ik dacht dat ik op een dag misschien wel genoeg geld zou hebben om een tweede wagen te kopen en een chauffeur in dienst te nemen. Dat was mijn droom. Een man met twee taxi's is een rijk man.'

Caleb had het idee dat de chauffeur praatte om wakker te blijven. De anderen sliepen. Het busje stonk naar de rook die uit de motor kwam en naar de olie waar ze de wapens mee schoonmaakten. Geen van hen had zich de afgelopen week gewassen. Caleb kon niet slapen omdat hij tegen de chauffeur aan zat; iedere keer dat de chauffeur aan het stuur draaide of schakelde, stootte hij met zijn elleboog tegen zijn ribbenkast en dan schrok hij onmiddellijk wakker. Drie van zijn vrienden zaten tegen elkaar aan gepropt op de achterbank, samen met hun geweer, de granaatwerper en de rugzak met de granaten. Meteen achter hem zaten nog drie vrienden. Op hun schoot lag het roestige 0.5 kaliber machinegeweer dat ze elf jaar geleden op het Russische leger hadden buitgemaakt. Caleb zat tussen de Tsjetsjeen en de chauffeur ingeklemd. Hij was de enige die naar de chauffeur luisterde.

'We hadden niet gedacht dat de oorlog ons zou bereiken. We dachten dat oorlog iets voor de steden was, voor Kabul, Kandahar, Jalalabad. Ooit was er in de buurt van het dorp een kamp voor de buitenlanders, maar dat was al twee jaar niet meer in gebruik, en we dachten dat we geen doelwit waren. Waarom zouden we dat wel zijn?

Het was vroeg op een ochtend die niet van andere ochtenden verschilde. Ik had bij zonsopgang in de moskee gebeden en de imam had ons toegesproken. Ik had mijn vader en mijn schoonvader hout gebracht, ik had water uit de put gehaald, de taxi gewassen en het oliepeil gecontroleerd, en ik had mijn vrouw verteld hoe laat ik die avond weer thuis zou komen. We maakten ons zorgen over onze zoon, want hij hoestte. Ik had tegen mijn vrouw gezegd dat ik zou proberen in de stad medicijnen te kopen. Die dag zou mijn vader een geit uitzoeken voor de slacht, want mijn vrouw was bijna jarig. De vader van mijn vrouw was die dag van plan de bomen in de boomgaard te snoeien. Het was een dag als alle andere dagen, en de oorlog was ver weg. Ik zei mijn vrouw gedag, drukte mijn hoestende zoon tegen mijn schouder en kuste mijn dochtertje. God moge me vergeven, maar ik werd boos op mijn vrouw omdat het slijm uit de mond van mijn zoon een vlek op mijn overhemd had gemaakt; dat was niet goed als ik in de stad op klanten voor mijn taxi zou zitten te wachten. Ik vertrok. Ik reed langs de moskee, langs de velden waar de geiten van de vader van mijn vrouw liepen en langs de boomgaard van mijn vader. En toen ik de heuvel af reed, heel langzaam omdat er geen asfalt maar steengruis op de weg lag, zag ik de sporen van de vliegtuigen in de lucht.'

Caleb was voor de Tsjetsjeen, die een leren ooglapje voor zijn rechteroog en een metalen haak op de plaats van zijn linkerhand had, Abu Khaleb. Hij had met de andere mannen gevochten: eerst in het noorden en op de vlakte ten zuiden van Kabul, daarna ten noorden van Kandahar. Ze hadden gevochten en waren op de vlucht geslagen toen zich een ramp leek te voltrekken. Daarna hadden ze opnieuw gevochten en waren ze opnieuw op de vlucht geslagen. In de week die achter hen lag, hadden ze niet gerust en nauwelijks gegeten. Stuk voor stuk konden ze, zoals ze daar in het busje – de taxi – waren samengepakt, moeilijk verkroppen dat ze waren verslagen. Ze reden door een eentonige, vlakke streek, zonder bomen of heuvels, zonder dekking. Ze waren op weg naar de bergen, waar ze zich, als dat hun werd opgedragen, zouden hergroeperen en vanuit de grotten en ravijnen verder zouden vechten. Als ze de bergen tenminste zouden bereiken...

'Ik reed de heuvel waarop mijn dorp ligt af, heel voorzichtig om te voorkomen dat de gaten in de weg de onderkant van de taxi beschadigden, en ik zag het spoor van de drie vliegtuigen op me afkomen. Ze vlogen hoog in de lucht. De vliegtuigen zelf kon ik niet zien, ik zag alleen de witte strepen die ze achterlieten. In ons dorp wisten we weinig van de oorlog. Wat we wisten, hoorden we van de imam. Die had een radio en luisterde naar de uitzendingen van de leiders in Kabul, maar wij woonden ver van Kabul. Ik herinner me dat ik kwaad was omdat er zo veel stof van de weg kwam, want ik had net de ramen van mijn taxi gewassen. Van de vliegtuigen trok ik me niets aan. Het was een mooie ochtend en de zon scheen... Ik bedacht dat God het goed met me voorhad, en ik dacht aan het feest voor de verjaardag van mijn vrouw. Het speet me dat ik tegen haar was uitgevallen vanwege die vlek op mijn overhemd.'

Hij was zo moe dat hij zat te knikkebollen; zijn kin was al een paar keer op zijn borst gezakt. Zelfs als Caleb had kunnen slapen, zou hij het niet hebben gedaan. De elleboog porde in zijn ribbenkast. De taxichauffeur, die alleen de lampen aan de zijkant van zijn busje liet branden, was al twee keer op het puin naast de geasfalteerde weg terechtgekomen. Beide keren had Caleb het stuur gegrepen en er een ruk aan gegeven, waarmee hij had voorkomen dat ze van de weg af waren geschoten.

Daarvóór hadden ze in de pick-up gezeten, in de Toyota met het 0.5 kaliber machinegeweer op het dak. Ze hadden achter in een konvooi van vijf voertuigen gereden, op de vlucht, op weg naar de bergen. De eerste vier pick-ups hadden gewoon geluk gehad, pure mazzel; de eerste vier pick-ups waren de oude wegversperring van met cement gevulde olievaten gepasseerd zonder het op de grond liggende stuk prikkeldraad te raken. Hun pick-up was er wel overheen gereden. Zij waren door de wegversperring gereden en hadden gehoord dat er een stuk prikkeldraad onder hun auto bleef zitten. Ze hadden gedacht dat ze het wel zouden kwijtraken, maar dat was niet gebeurd. Eerst liep de linkervoorband leeg, daarna de rechterachterband. Een kilometer verderop lagen de twee banden aan flarden en waren ze, met om hen heen de koude nacht, het konvooi uit het oog verloren. Er was een discussie ontstaan. Te midden van al die stemmen had Caleb gezegd dat ze bij de weg moesten blijven, en de Tsjetsjeen had hem gesteund. Hij was de favoriet van de Tsjetsjeen.

Vier uur later kwam de taxi over de weg aanrijden. Toen ze de chauffeur met hun geweren in de aanslag tot een halt hadden gedwongen, werd er opnieuw gediscussieerd. Ze bevonden zich buiten het deel van Afghanistan dat ze kenden, ze waren vreemden daar. Caleb had gezegd dat ze de chauffeur moesten gebruiken, en de Tsjetsjeen was het, opnieuw, met hem eens geweest. Drie uur later – en Caleb glimlachte bij de gedachte – kende hij de chauffeur, zijn naaste familie, zijn schoonfamilie en zijn dorp. Het was heet in de auto en hij had zijn camouflagetenue uitgetrokken – met de wijde broek, het lange hemd en de wollen muts had hij het warm genoeg.

'Ik kwam mijn vriend Omar tegen. Hij was op zoek geweest naar graasland en was over de weg het dorp uit gelopen. Hij is een goed mens. In de tijd dat ik nog niet met de taxi in de stad reed, kwamen we vaak bij elkaar om te praten en koffie te drinken. Ik remde al af toen het leek of hemel en aarde vergingen. De taxi werd opgetild. Als ik Omar niet had gezien en niet had geremd om een praatje met hem te maken, zou de taxi van de weg zijn geraakt. Dan zou ik dood zijn geweest – en het zou beter zijn geweest als ik dood was, maar zo heeft God het niet gewild. Ik was op twee kilometer afstand van het dorp, misschien iets meer, en het geluid was als onweer, maar veel harder dan ik ooit van mijn leven heb gehoord. Ik trapte op de rem, rende de auto uit en dook samen met Omar de greppel in. Ik lag met mijn gezicht in het water. Ik had het gevoel dat mijn trommelvliezen zouden scheuren van de donderslagen... Toen was het voorbij. Ik waagde het op te kijken en zag in de verte de sporen van de vliegtuigen verdwijnen. Maar ons dorp kon ik niet zien. Het was verdwenen in een wolk, een wolk van stof. De wolk kwam van het kamp dat al twee jaar niet meer werd gebruikt, het kamp dat naast het dorp lag. Het oude kamp en het dorp lagen onder de wolk. En er heerste een doodse stilte. Wil je een foto van mijn familie zien?'

Caleb knikte. Hij wist hoe het verhaal zou eindigen. Er werd hem een portemonnee aangereikt, en hij maakte hem open. Hij zag het identiteitsbewijs achter het broze plastic. Fawzi al-Ateh. Hij zag de geboortedatum. De chauffeur was vijfentwintig, vier maanden ouder dan hijzelf. Er zat ook een foto van de chauffeur in, een verbleekte zwartwitfoto die waarschijnlijk op zijn bruiloft was gemaakt en waarop hij een wilde baard en een piekerige snor had. De vinger van de chauffeur ging naar de foto naast het identiteitsbewijs. Op die foto stond Fawzi al-Ateh naast een tengere vrouw met een donkere chador. Caleb kon haar gezicht niet zien. De chauffeur hield hun zoontje op zijn arm en de vrouw drukte hun dochter tegen haar heup. Hij hield de portemonnee bij zijn knieën, zodat het licht van het dashboard erop viel.

'Ze waren allemaal dood. Mijn vrouw, mijn zoon en mijn dochter waren dood. Mijn ouders waren dood, en de ouders van mijn vrouw. De imam was dood. De familie van Omar was dood. 's Middags vloog er een helikopter over, maar hij landde niet. We begroeven alle doden die we konden vinden. Er waren ook lijken waar we niet bij konden, maar die we wel konden ruiken. Ik denk dat God goed voor me is geweest, want we begroeven mijn vrouw, mijn zoon en mijn dochter, en de ouders van mijn vrouw. Maar mijn vader en mijn moeder hebben we niet gevonden. Pas na zes dagen kwam er hulp. Het waren buitenlanders in soldatenuniformen. Het waren Amerikanen. Ze gaven Omar en mij geld. Ik heb mijn geld gehouden, moge God het me vergeven, maar Omar gooide het voor hun voeten en ze namen hem mee in hun vrachtwagens. Mij lieten ze achter. Ik bleef achter met een paar honden en de geiten die in de velden hadden gestaan. Ik nam de taxi en reed naar de stad. Ik...'

Plotseling ging er een zoeklicht aan en danste de lichtbundel over het stof op de voorruit.

Hij zag het silhouet van een man; zijn schaduw viel grotesk voor hem uit. Hij hield een geweer in de aanslag en had, hoog boven de symmetrische vorm van zijn helm, zijn hand opgestoken.

Misschien raakte de chauffeur in paniek. Misschien drukte hij het gaspedaal van schrik diep in. Misschien was het de eerste keer dat hij een halfverlicht silhouet van een Amerikaanse soldaat zag.

Het busje schoot rakelings langs de soldaat, toen waren ze erlangs.

Caleb had zijn vuist om de portemonnee gesloten. Hij keek er niet naar en voelde hem niet. Achter hem werd geschreeuwd; het was het lawaai van de mannen die wakker schrokken. De Tsjetsjeen probeerde zijn evenwicht te bewaren en greep Calebs arm. Hij kneep zo hard dat zijn nagels in Calebs vlees drongen. Het busje slingerde over de weg en het licht van de lampen aan de zijkant van het busje scheen op mannen in uniform, die op de grond langs de weg lagen. Caleb hoorde hen roepen; toen troffen de eerste kogels het busje.

Vanuit zijn ooghoek zag hij de angst op het gezicht van de chauffeur, en meteen daarna voelde hij het warme bloed van de man op zijn wang en in zijn baard spuiten.

Het busje was onbestuurbaar geworden en reed van de weg af. Het sloeg één keer over de kop en kwam toen tot stilstand. Het portier was opengevlogen en Caleb werd over het lichaam van de chauffeur heen naar buiten geslingerd. De adem werd uit zijn longen geperst. De geweren bleven vuren. De kogels ranselden het autowrak. Hij hoorde een hoop geschreeuw: 'Kijk uit voor die klootzakken! Kom niet te dichtbij! Pas op, jongens, pas op, geef die klojo's de volle laag.' Er volgde weer een spervuur van kogels uit automatische wapens. Caleb drukte zich tegen de grond tussen de stenen. Hij had al meer dan twee jaar geen woorden meer in die taal gehoord. Ze kwamen uit het verleden, uit een cultuur die hij had afgewezen. Het was even stil, toen klonk er dof gekreun uit het busje. Een laatste kogelregen maakte een eind aan het gekreun.

Hij lag op de grond. Zijn tanden klapperden en zijn mond zat vol droge aarde. Het zoeklicht gleed over het busje. Hij had eerder mannen zien sterven. Hij had de pijn op het gezicht van de mannen in de loopgraven gezien als de helikopters overkwamen. Hij had gezien hoe mannen over het voetbalveld werden geleid, naar de strop die aan de lat van de goal hing. Hij had de mannen gezien die achter de Noordelijke Alliantie aan waren gegaan, die al hun munitie en granaten hadden verbruikt en toen tegenover hun genadeloze overwinnaars stonden. Het zoeklicht dwaalde over het busje en kwam toen zijn kant op, leek tegen hem aan te schurken en greep hem toen. Als hij werd doodgeschoten, zou het nu gebeuren. Wilden ze gevangenen? Of wilden ze lijken?

Hij hoorde de jonge stem, schril van opwinding: 'Sergeant, hier ligt er een die nog leeft! Hier, hier, een van die klootzakken leeft nog!'

Hij wachtte op het schot. Alleen de laatste twee jaar van zijn leven trokken aan zijn geestesoog voorbij – het oudere deel was hij vergeten.

Hij hoorde het geschreeuwde antwoord, van verder weg, bezorgd. 'Opgepast, knul, hou hem goed in de gaten. Als hij zijn hand beweegt, schiet je. Ik kom eraan. Pas goed op, neem geen risico.'

Caleb was verleden tijd. Hij had hem uitgewist. Nu was hij Abu Khaleb, dat was zijn heden. In zijn hand hield hij de opengeslagen portemonnee met de foto van de taxichauffeur, zijn vrouw en zijn kinderen, en het identiteitsbewijs van Fawzi al-Ateh. Zijn hersens werkten razendsnel, werkten aan zijn toekomst, aan zijn overleving. En de foto van de man wiens gezicht sprekend op dat van hem leek, was zijn reddingsboei.

1

Het vliegtuig maakte de laatste bocht; daarna zakte zijn neus en zette het de landing in.

De stem boven hem was luid, de mannen moesten schreeuwen om boven het toegenomen lawaai van de motoren uit te komen. 'Ik moet zeggen dat dit wel een helse reis is geweest.'

Een andere man blafte terug: 'Misschien wen je eraan als je het iedere week doet.'

'Het zijn die schijtemmers, denk je niet? Ik blijf die lucht maar ruiken.'

'Dat je die lui hun reet moet afvegen vind ik nog erger dan de stank.'

Hij werd volkomen genegeerd, alsof hij niet bestond. Hij was net zo'n stuk lading als de kisten die bij hen in het vrachtvliegtuig waren geladen nadat hij en de vier anderen stevig aan de stalen vloer waren vastgebonden. Sinds de reis was begonnen waren ze een dag of vier, vijf onderweg – precies wist hij het niet. Ze hadden drie of vier landingen gemaakt, om te tanken.

Nu dook het vliegtuig naar beneden. Hij wist dat dit het laatste deel van de reis was. Als ze hem niet met banden hadden vastgemaakt, zou hij over de vloer van de vliegtuigromp naar beneden zijn gegleden en tegen een obstakel aan zijn geknald. Hij bewoog zich niet. Dat kon ook niet. Hij zat op een klein kussentje van schuimrubber, maar dat was veel te dun om zijn achterwerk tegen de klinknagels in de vloer te beschermen. En het kussentje was vochtig van de urine die hij tijdens de hevige turbulentie op het eerste stuk van de reis had verloren. Hij kon zich, door de banden die hem en de anderen op hun plaats hielden, niet bewegen. Door de daling drukten zijn sandalen in de rug van de man voor hem, en de voeten achter hem drukten pijnlijk tegen zijn rug onder zijn geboeide armen. Hij kwam aan zoals hij was vertrokken: stevig vastgebonden aan de vloer van het vliegtuig. Zijn polsen zaten met kettingen aan elkaar, en die zaten weer vast aan een ketting om zijn middel. Vanaf die ketting liepen er kettingen naar zijn enkels, die ook aan elkaar waren geketend. Banden waarmee de lading normaal gesproken werd vastgesjord, liepen tussen zijn ellebogen en zijn rug door naar de wanden van de vliegtuigromp. Een andere band die voor zijn borst langs liep, beperkte zijn bewegingsvrijheid naar voren, en een laatste band liep tussen zijn benen door. Hij droeg een hemd en een onderbroek, en daaroverheen een feloranje overall. Voor zijn mond zat een maskertje, dat alleen werd verwijderd als ze hem voerden. Hij droeg oorbeschermers en een plastic bril waarvan de glazen waren afgeplakt. De oorbeschermers en de bril waren de afgelopen vijf of zes dagen, sinds ze uit het kamp waren vertrokken, niet meer af geweest. Ze spraken niet tegen hem, niet als hij zijn behoefte deed of urineerde en niet als ze het masker voor zijn mond weghaalden om hem te voeren. Terwijl het vliegtuig naar beneden dook, hielden de banden hem op zijn plaats. Waarschijnlijk zwollen door de drukverandering zijn polsen op, want de boeien deden meer pijn en schuurden tegen de plastic armband om zijn rechterpols.

'Neem me niet kwalijk dat ik het vraag, maar waarom laten we deze rotzakken eigenlijk gaan?'

'We hebben er zeshonderd naar Gitmo gehaald, het is goed voor ons imago om er een paar los te laten. Dit is het vierde groepje. Ze zijn totaal ongevaarlijk, we hebben niets aan hen, ze zijn geen lid van al-Qaeda. We laten zien dat we rechtvaardig zijn – zie het maar als het uitdelen van snoep. Het is een gebaar, en het haalt wat druk van de ketel.'

'Is het een loterij wie er wel en wie er niet uit worden gepikt?'

'Dat kun je rustig zeggen... Je moet het zo zien: de meeste jongens die in Gitmo zitten, waren gewoon op het verkeerde moment op de verkeerde plek. Degene die vooraan zit, heeft maagkanker waar niets meer aan te doen is, hij gaat naar huis om te sterven. Degene daarachter is minstens zeventig en heeft een beroerte gehad; die tilt nog geen handgranaat op. De man die naast jou zit, is een simpele ziel, een of andere corrupte krijgsheer heeft hem aan ons verkocht. En de man die helemaal achteraan zit, is halfblind, die ziet geen hand voor ogen... Ze hebben twee jaar bij ons gezeten. Waar gehakt wordt, vallen spaanders.'

'En deze hier?'

Zijn stem klonk laatdunkend. 'Een boertje, hij komt uit het binnenland. Hij was taxichauffeur...'

'Misschien een stomme vraag, maar als ze zo ongevaarlijk zijn, waarom zijn ze dan als rollades ingesnoerd?'

'Lees het handboek er maar op na. Het is de standaardbehandeling bij het transporteren van gevangenen. Je moet het mij ook niet vragen, het is niet mijn idee. Ik hoef ze alleen maar aan de Afghaanse veiligheidsdienst over te dragen. Daarna heb ik nog een handtekening nodig en dan zit het er wat mij betreft op.'

Ze verwijderden zich. Hij voelde dat het vliegtuig horizontaal ging vliegen en hoorde door zijn oorbeschermers heen dat het landingsgestel werd uitgeklapt. De motoren draaiden op volle toeren en maakten zo veel lawaai dat hij behalve het gesmoorde gejammer van de man voor hem niets hoorde. Hij zette zich schrap. De landing was slecht. Het transportvliegtuig raakte de grond, schoot weer omhoog en raakte de grond opnieuw, maar deze keer harder. De bewakers en het deel van de bemanning dat zich in de vliegtuigromp bevond, klapten zonder enthousiasme. Het lawaai van de motoren die in hun achteruit stonden, jankte door de oorbeschermers heen. Het vliegtuig remde en hij werd naar voren gedrukt.

Langzaam kwam het vliegtuig tot stilstand. Eén jaar en acht maanden geleden hadden ze hem geboeid, geblinddoekt en oorbeschermers opgezet. Ze hadden hem het vliegtuig in gesleept, op dezelfde plek als waar hij nu zat vastgeketend en hem naar het kamp gevlogen.

De klep van het laadruim werd neergelaten en hij voelde de koele nachtlucht naar binnen stromen. Buiten, op het platform, werd met stemverheffing gesproken. Er ontstond een discussie. Hij werd losgemaakt. Hij had kunnen verschuiven en zijn arm- en beenspieren kunnen strekken, maar dat deed hij niet. Tijdens de twintig maanden in het kamp had hij geleerd dat hij niets moest doen waarmee hij de aandacht op zich zou kunnen vestigen. Ze hadden hem teruggebracht: zijn naam was er uitgepikt omdat hij geen aandacht op zich had gevestigd. Hij luisterde naar de discussie. Het vliegtuig had vanwege onderhoudsproblemen aan de buitenste motor van de linkervleugel zeven uur vertraging opgelopen. De mannen van de Afghaanse veiligheidsdienst hadden de gevangenen moeten ophalen en hen voor verhoor naar Kabul moeten brengen, om ze daarna vrij te kunnen laten. Maar die mannen waren drie uur geleden vertrokken. De officier die gedurende die nacht verantwoordelijk was voor de basis waar ze waren geland, was niet bereid toe te staan dat de vijf Afghaanse gevangenen de rest van de nacht op zijn territorium zouden blijven: hij wilde ze weg hebben. Er was al naar de detentiebarak gebeld, maar alle cellen zaten vol. En bij de Afghaanse veiligheidsdienst namen ze de telefoon niet op. En... Hij hoorde hoe de officier zijn verantwoordelijkheid bars afschoof.

'Jullie krijgen vervoer, een chauffeur en een escorte. Dan rijden jullie naar de stad en bellen jullie bij de Afghaanse veiligheidsdienst aan, dat wil zeggen, bij de Pol-i-Charkigevangenis. Daar dumpen jullie hen. Einde discussie.'

'Misschien begrijpt u het niet helemaal, kapitein. Ik zit al vier dagen met die schooiers opgescheept, het hele stuk vanaf Guantánamo Bay. Ik ben dringend aan een veldbed toe.'

'Hebt u me niet gehoord, luitenant? Als u die sukkels bij de Pol-i-Charki hebt afgeleverd, kunt u hier terugkomen en krijgt u een veldbed. Gesnopen?'

'Ja.'

Vervolgens ontstond er een nieuwe discussie. 'Sergeant, ik breng deze mannen naar de stad. Hun boeien zijn verwijderd. Ik wil dat ze weer geboeid worden.'

'Dat zal helaas niet gaan.'

'Dit is een bevel. Boei hen.'

'Het spijt me, maar ik ben verantwoordelijk voor alle spullen die van de luchtmacht zijn. Die spullen verlies ik niet uit het oog, ze komen het vliegtuig niet uit. De boeien, kettingen, oorbeschermers, mondmaskers, brillen en kussentjes zijn allemaal eigendom van de luchtmacht.'

'Godverdomme!'

'Het spijt me. En nog iets: het vliegtuig vertrekt om 11.00 uur precies. Als u mee terug wilt, kunt u er maar beter voor zorgen dat u er dan ook bent. Succes.'

Hij wist hoe het werkte. Hij had twintig maanden in militaire hechtenis gezeten en kende de regels. De discussies hadden hem niet geamuseerd. Hij was roerloos en met gebogen hoofd blijven zitten. Toen de bril van zijn gezicht werd gehaald, hield hij zijn ogen gesloten. Hij liet uit niets blijken dat hij ook maar een woord van de gesprekken had begrepen. Een voertuig stopte en parkeerde vlak bij het neergelaten luik van het laadruim. Er ging een portier open en hij werd overeind getrokken. Zijn ogen waren nu geopend, maar hij keek niet om zich heen. Hij strompelde over de laadklep naar beneden, de koele nacht in, en ademde de frisse nachtlucht in. Voorzover hij het zich kon herinneren, ademde hij voor het eerst frisse lucht in sinds hij 's nachts met de Tsjetsjeen en de anderen met de Toyota met de lekke banden op de lange rechte weg had gestaan. In het taxibusje was de lucht niet fris geweest, en toen ze in de hinderlaag waren gelopen, was er een wolk van cordiet op hen neergedaald. Daarna waren er de stank van de vijand in het militaire voertuig en de geuren van de gevangenis geweest. Die waren op hun beurt weer ingeruild voor de stank van de schijtemmer in het vliegtuig naar Amerika. En zelfs in het kamp was nergens schone, zuivere lucht geweest, ook niet op de binnenplaats waar ze een stukje mochten lopen.

Hij ademde de lucht diep in zijn longen. Ze zouden hem naar Kabul brengen en bij de Pol-i-Charki afleveren. Hij kende de gevangenis: hij had er zelf gevangenen verhoord, mannen van de Noordelijke Alliantie die tegen al-Qaeda en de Taliban hadden gevochten. Maar dat was lang geleden. Hij herinnerde zich niet alleen de Pol-i-Charki, maar ook de weg van de militaire basis in Bagram naar de stad. Als hij in de Pol-i-Charki aankwam, zou dat zijn dood worden... En hij was niet thuisgekomen om te sterven. Hij werd een busje met geblindeerde ramen in geduwd. De bestuurder gaapte en wreef met zijn onderarm de slaap uit zijn ogen. Achterin zat een marinier met een geweer tussen zijn benen. Hij maakte knorrig ruimte voor de gevangenen. De officier ging voorin zitten, op de stoel naast de chauffeur. De chauffeur grijnsde en gaf een reep noga aan de marinier achter hem. Toen reden ze weg, gevolgd door een open jeep met een machinegeweer op een statief.

Hij herinnerde zich de basis als een ruïne waar het spookte. In zijn herinnering was de basis verlaten, leeggeplunderd. Nu zag hij, zonder zijn hoofd te draaien, nieuwe, kant-en-klare barakken en tenten. Hij zag het ijzeren hek met rollen prikkeldraad erbovenop en zandzakken ervoor, hij zag de bewaking van mannen in gevechtstenue. Hij vatte moed. Hij had twintig maanden lang in een vacuüm geleefd, zonder besef van tijd en zonder informatie. Daar kwam nu verandering in. De poort werd bewaakt. Daaruit trok hij de conclusie dat de Amerikanen op de vijftig kilometer lange weg van de basis in Bagram naar de hoofdstad Kabul nog steeds kans liepen op vijandelijk vuur te stuiten. De bewakers deden de slagboom omhoog en Caleb hoorde dat de haan van het machinegeweer op de jeep werd gespannen. Ze lieten de schijnwerpers en de prikkeldraadversperring achter zich en de chauffeur zette de radio aan. Hij stemde af op de zender van de geallieerde strijdkrachten en glimlachte breed om het ongenoegen van de officier naast hem.

Het zou, zo meende hij zich te herinneren, ongeveer een uur duren voordat ze de buitenwijken van de stad zouden bereiken. Zijn enige kans lag in het vlakke boerenland waar ze tot die tijd doorheen zouden rijden. Ze reden langs een dorpje. De officier negeerde de sticker met het rookverbod en stak een sigaret op. De chauffeur grijnsde.

Als hij in de Pol-i-Charkigevangenis belandde en door de Afghaanse veiligheidsdienst werd verhoord – door die meedogenloze rotzakken van de Noordelijke Alliantie – dan zou hij door de mand vallen. Dat zou zijn dood worden. De herinneringen aan de weg verzandden in zijn hoofd. Een dorpje dat hij nog kende van meer dan twintig maanden geleden, flitste voorbij in de koplampen. Rechts van hen lagen twee militaire posten die bij gevechten zwaar waren beschadigd. Ze reden langs velden en door een gebied waar alleen wat struikgewas groeide...

Daarna zou er, als zijn geheugen hem niet in de steek liet, een stuk weg komen met aan weerszijden bomen erlangs. Zijn vingers speelden met de scherpe rand van de plastic armband om zijn pols. Hij kuchte, werd genegeerd en kuchte nog een keer. De officier draaide zich geïrriteerd om en blies sigarettenrook in zijn gezicht. Hij keek hem zielig aan, kromp ineen en wees naar beneden. De officier keek in de richting waar hij naar wees, naar zijn kruis. Ook de chauffeur had zich omgedraaid.

'O nee, hè,' klaagde de chauffeur. 'Niet hier, niet in mijn wagen. Ik wil niet dat hij in mijn wagen pist.'

De chauffeur wachtte niet op goedkeuring van de officier. Hij trapte op de rem, slingerde heen en weer over de onverharde weg en kwam tot stilstand.

'Ik vervoer generaals in deze wagen. Ik wil niet dat hij hier pist.'

De officier stapte uit, gooide zijn sigaret op de grond en maakte het achterportier open. Caleb klom de wagen uit, geholpen door de officier, en glimlachte dankbaar. Hij liep naar de rand van de weg en wist dat hij in de gaten werd gehouden door de mannen achter het machinegeweer, waarvan de haan was gespannen. Hij stapte van de weg, het struikgewas in. Hij prutste wat aan de gulp van zijn overall. Achter hem streek de officier een lucifer af om een nieuwe sigaret op te steken. Het licht van een zaklamp danste over zijn rug. Hij was gespannen als een veer. Hij wist niet of hij na de vier dagen in het vliegtuig en de maanden in het kamp in staat zou zijn om te rennen. Als hij in de Pol-i-Charki terechtkwam, was hij ten dode opgeschreven... Hij rende. Hij rende zigzaggend en het licht danste om hem heen. Zijn benen waren loodzwaar. Hij hijgde al toen hij de eerste bomen bereikte. De knal van een schot weerkaatste in zijn oren. Hij hoorde geschreeuw en de stem van de officier.

'Nee, laat maar... Hij is de moeite van het doden niet waard...'

Hij rende hijgend, hij snakte naar adem, hij schopte zijn benen naar voren.

'... het is maar een taxichauffeur.'

Hij raakte uit het zicht van de lichten en voelde de vrijheid. Hij rende tot hij viel. Daarna krabbelde hij overeind en rende hij verder.

De dageraad kwam over de bergen, en de eerste zonnestralen schenen tussen de bergtoppen in het oosten door. Het licht boorde zich door de rollen prikkeldraad op het hek rondom Bagram – dat wil zeggen, rondom de militaire basis op een uur rijden ten westen van Kabul, die in eerste instantie door de Russen was gebouwd en die inmiddels naar alle kanten was uitgegroeid. De zonnestralen doorkliefden de mist die in de nacht was opgekomen, schitterden op de aluminium golfplaten van de daken van de gerenoveerde gebouwen, en vingen de slaperige gezichten van de soldaten die slaapdronken naar de douchebarakken liepen. De zonnestralen sneden door de rook die verstild uit de schoorstenen van de keuken omhoog kringelde en zetten de doffe camouflagekleuren van het transportvliegtuig dat op het platform was geparkeerd in vuur en vlam. De zon wierp lange schaduwen. Ook de vleugels en de staartvinnen van twee kleine, witte vliegtuigen die met veel moeite door een aantal mannen van hun plaats werden gehaald en onder de bescherming van tentzeilen uit werden geduwd, wierpen hun lange schaduwen op de grond.

Het was net speelgoed voor volwassenen. Mannen in burgerkleding zetten zich zij aan zij schrap tegen de ranke vleugels en duwden de vliegtuigjes naar de startbaan. Een bommenwerper denderde met loeiende motoren langs, en ze wendden het hoofd even af. De twee vliegtuigjes verschilden sterk van wat er verder opsteeg van en landde op het vliegveld van Bagram. Ze waren maar 8,12 meter lang en hadden een spanwijdte van 14,80 meter. Hun hoogte vanaf het met olievlekken besmeurde asfalt bedroeg 1,85 meter. De romp was op zijn breedste punt 1,11 meter, op zijn smalste punt 58 centimeter. Ze zagen er fragiel en kwetsbaar uit – vergeleken met de rest van de lompe militaire vliegtuigen leken het wel balletdanseressen. De vliegtuigjes werden aangedreven door een propellermotor en konden een maximale snelheid van 204 kilometer per uur halen. De kruissnelheid, van belang als de brandstofvoorraad in het geding was, lag op 120 kilometer per uur. Een vreemdeling die voor het eerst op de basis kwam en niet op de hoogte was van de ontwikkelingen in de moderne technologie, zou zich het meest verbazen over het feit dat ook de voorkant van de romp wit was geschilderd en zich daar geen glas van een cockpit bevond. Hij zou niet beseffen dat deze onbemande vliegtuigen door degenen die er wel verstand van hadden, als het geavanceerdste wapen in het arsenaal van de bezettingsmacht werden gezien. Ze zagen er in hun helderwitte jasje onschuldig en ongevaarlijk uit, maar hun naam was Predator: roofvogel.

Het licht van de opkomende zon viel op een jonge man en een jonge vrouw. Ze verwijderden zich gehaast van een trailer met camouflagekleuren. Deze trailer stond naast het tentzeil waarvandaan het grondpersoneel de Predators, type MQ-1, naar de startbaan had geduwd. Ze passeerden een satellietschotel die op het dak van een tweede trailer stond. Deze trailer was aan een afgesloten vrachtwagen zonder nummerbord gekoppeld. Marty droeg een slobberige korte broek en een T-shirt met de bruine beer van het embleem van Yellowstone Park erop. Aan zijn voeten zaten teenslippers. Zij droeg een spijkerbroek met gerafelde pijpen en stukken op de knieën, een wijd, effen groen T-shirt dat zo verkreukeld was dat het wel leek alsof ze erin had geslapen, en een paar oude sportschoenen. Zijn ogen gingen schuil achter dikke brillenglazen met een metalen montuur. Zijn huid was bleek. Hij had dikke, muisgrijze krullen die in de war zaten, en een tenger postuur. Lizzy-Jo was langer dan hij. Bovendien was ze tijdens haar zwangerschap aangekomen, en dat overgewicht was ze nooit meer helemaal kwijtgeraakt. Er zat een zonnebril in haar wilde kastanjebruine haar, dat door een opvallend oranje lint op haar achterhoofd bij elkaar werd gehouden. De vreemdeling zou, als hij hen had gezien, niet hebben vermoed dat zij de Predator bestuurden.

Het verschil tussen de karakters van de twee had nauwelijks groter kunnen zijn. Hij was stil en teruggetrokken, zij was luidruchtig en uitbundig. Maar ze hadden twee dingen gemeen waardoor ze toch een hechte band hadden gesmeed: ten eerste werkten ze wel allebei voor de CIA en kregen ze hun orders van Langley, maar stonden ze beiden buiten het militaire regime dat de basis in zijn greep hield; en ten tweede hadden ze allebei – ieder op zijn eigen manier – een enorme bewondering voor de kracht en het vernuft van de Predator, type MQ-1. Toen ze nog maar net op de basis bij Bagram waren gestationeerd, woonden ze in het binnenste complex, dat door de CIA werd gebruikt. Ze woonden daar samen met de teams van de CIA en met de FBI-agenten die de gevangenisbarak runden, in het midden van de basis, achter een hek met dubbel prikkeldraad. Ze hadden hun eigen slaap-, eet- en recreatiezalen en leefden op dat eilandje voor de elite, afgescheiden van de mariniers en de troepen van de luchtmacht. In het begin hadden ze geen deel van het gewone leven op de enorme basis uitgemaakt. Maar de oorlog liep op z'n eind. Er vonden nog maar weinig confrontaties met strijders van al-Qaeda plaats, en de oude discipline werd losgelaten.

Het beste ontbijt van Bagram werd bij de mariniers geserveerd. De mariniers hadden de beste koks, de meest gevarieerde maaltijden en de lekkerste koffie. En een goed ontbijt hielp hen in de verzengende hitte van het vluchtleidingscentrum de dag door.

Hij had zijn identiteitskaart aan zijn riem bevestigd. Zij had die van haar aan de hals van haar T-shirt vastgemaakt, zodat hij uitdagend tussen haar borsten hing. Ze werden door een bewaker gecontroleerd. Daarna liepen ze door de poort naar het complex van de mariniers en gingen in de kantine in de rij staan.

Voor hen stond een luitenant tegen een loadmaster te klagen. Ze luisterden en rolden geamuseerd met hun ogen.

De luitenant, die er doodmoe uitzag en brabbelde alsof hij nauwelijks had geslapen, zei: 'Ik voelde me zo stom. Ik had nooit verwacht dat die rotzak me in de maling zou nemen en ervandoor zou gaan. Wat moest ik doen? Dat eikeltje neerknallen? Dat kon ik toch niet maken? Hij was vrij – we hadden niets meer aan hem en hij was volkomen ongevaarlijk. Maar zijn naam stond op de lijst en ik had opdracht hem naar de Pol-i-Charki te brengen. Ik had mazzel dat de mensen daar in die gevangenis niet eens naar de namen hebben gekeken. Ze hebben ze zelfs niet geteld; ze smeten de vier kerels die we wel bij ons hadden zonder commentaar naar binnen. Maar ik vond het zo stom van mezelf dat ik in dat oude trucje ben getrapt, dat hij wilde pissen. Zo'n stomme woestijnrat, en die neemt de benen. En dat terwijl hij in een kooi in Guantánamo Bay heeft gezeten... Waarom zou hij het dan nu nog op een lopen zetten?'

'Maak je geen zorgen. Het was Bin Laden toch niet? Je zei zelf al dat het maar een taxichauffeur was.'

Marty en Lizzy-Jo trokken altijd hun gewone kloffie aan om te benadrukken dat ze geen militairen waren. Militairen die de boel in het honderd hadden laten lopen waren altijd vermakelijk. Het was een goed begin van de dag.

Een halfuur later stond de zon hoog aan de hemel en was de mist volledig opgetrokken. In het vluchtleidingscentrum stuurde Marty de Predator – *First Lady* – de startbaan op. Zijn hand bediende de kleine joystick op het werkblad boven zijn knieën. *Carnival Girl*, het tweede vliegtuig, werd achter de hand gehouden en bleef aan de grond zolang er geen beroep op gedaan hoefde te worden. Lizzy-Jo liet haar vingers over het toetsenbord roffelen en keek op toen de eerste flikkerende beelden schuin voor haar verschenen. Daarna bleef haar blik op de schermen rusten. Die dag moesten ze een verkenningsvlucht boven het zuidwesten van de Tora Bora uitvoeren. De vogel klom onder optimale omstandigheden bij een lichte noordoostenwind naar een hoogte van 15.000 voet. Ze boog zich naar voren, tikte op zijn schouder en wees op het centrale scherm, dat het beeld van de camera onder de buik van de Predator live weergaf. Ze giechelde. 'Zo te zien is hij op weg naar de garage waar zijn gele taxi staat.'

De camera gaf een helder en haarscherp beeld van een figuurtje in een oranje overall dat langzaam over een donkergrijze rotsbodem rende. Marty grijnsde. Het was hun zaak niet: de Predator joeg op grotere prooien. Het oranje figuurtje struikelde, viel en strompelde verder. Toen zwenkte de camera naar voren en verdween hij uit beeld.

'Hoe zou Guantánamo eruitzien?'

'Ik weet het niet en ik wil het ook niet weten,' mompelde Marty tussen zijn lippen door. 'Ik stijg naar 17.000 voet, die hoogte houden we aan... Nou ja, oké: Guantánamo zal wel niet zo'n leuke plek zijn.'

Camp X-Ray, Guantánamo Bay

De eerste week liep ten einde en hij leerde. De zwaarste beproeving had hij goed doorstaan. Het moeilijkste was niet te reageren als er een bevel in het Engels in zijn oor werd geschreeuwd. Hij mocht niet bewegen en niet gehoorzamen voordat het bevel in het Pashto was vertaald of hem via een gebaar duidelijk was gemaakt wat hij moest doen.

De aantallen die het kamp binnenkwamen waren zo groot dat er een week voorbij was gegaan voordat hij werd geregistreerd. Hij werd vastgepakt en voor een wit scherm gezet. Een sterke hand greep zijn kin en duwde die omhoog. Hij staarde in de camera. Het licht flitste. Daarna werd hij weer vastgegrepen en zo gedraaid dat hij en profil voor de camera stond. Weer flitste het licht. De handen grepen hem bij zijn armen. Hij werd naar buiten geschoven en voor een bureau gezet. De kettingen knelden om zijn enkels en zijn armen waren achter zijn rug geboeid. De boeien om zijn enkels en zijn polsen zaten vast aan een ketting om zijn middel. Het masker werd weer voor zijn mond geschoven. Een zwaargebouwde soldaat met een dikke pens en een kaalgeschoren kop keek naar het nummer dat met onuitwisbare inkt op zijn voorhoofd was gezet en liep de stapel dossiers die op zijn bureau lag door. Naast hem zat een vrouw van middelbare leeftijd. Ze begon grijs te worden. Haar haar ging gedeeltelijk schuil onder een hoofddoek.

'Goed, knul, we beginnen bij het begin. Hoe heet je?'

Hij staarde voor zich uit en zag de eerste tekenen van ongeduld in de ogen van de soldaat.

De vrouw vertaalde de vraag in het Pashto.

De Tsjetsjeen had gezegd dat de Amerikanen hen zouden vermoorden als ze hen gevangen zouden nemen. Ze zouden hen eerst martelen en daarna doodschieten. Ze zouden hun vrouwen verkrachten en hun kinderen spietsen. De Tsjetsjeen had gezegd dat je beter kon sterven door je laatste kogel of je laatste handgranaat dan dat je je door de Amerikanen gevangen liet nemen.

'Mijn naam is Fawzi al-Ateh. Ik ben taxichauffeur. Ik...'

'Beantwoord mijn vraag. Ik wil alleen antwoord op wat ik heb gevraagd. Begrepen?'

Ze vertaalde het snel.

In het eerste kamp waar hij naartoe werd gebracht, hadden ze hem geslagen. Ze lieten hem niet slapen. Ze bestookten hem niet alleen met vuistslagen, maar ook met vragen. Ze hadden in zijn oren geschreeuwd en door luidsprekers schrille, jankende geluiden laten horen. Er hadden lichten in zijn gezicht geschenen en als hij van uitputting in elkaar zakte, trapten ze hem weer overeind en dwongen ze hem op zijn benen te blijven staan. Daarna was hij op een vliegtuig gezet. Hij had geen idee waar ze hem naartoe brachten – dat wist hij toen nog niet. Hij zat een week lang in een kooi van gaas, in een rij met andere kooien. Als iemand door het gaas met de gevangene naast hem sprak, kwamen er schreeuwende bewakers, die hun slachtoffer met veel geweld afvoerden. In de kooi bevonden zich een matje voor het gebed en een emmer. Hij had geleerd door te observeren: de mannen die gelijktijdig met hem in het kamp waren aangekomen en de mannen die er al waren. Sommigen hadden zich verzet, gevochten, naar de bewakers gespuugd. Zij kregen er schoppen voor terug. Sommigen waren ingestort, de weg kwijt geraakt. Zij werden op een brancard gelegd, met banden vastgesnoerd en afgevoerd; hij wist niet waarheen. Hij was onderzocht. Hij had naakt voor hen gestaan en ze hadden met een vinger die in een plastic handschoen was gestoken in zijn oren, zijn mond en zijn anus geprikt. Hij had zich niet verzet. Op de moeilijkste momenten had hij in zijn geheugen gegraven naar iedere zin en ieder woord van het verhaal van de taxichauffeur, naar ieder detail en ieder feitje dat hij over het leven van de taxichauffeur kende.

'Moet je horen, knul. Je bent een gevangene van de Verenigde Staten van Amerika. Je zit in Camp X-Ray op Guantánamo Bay. Je weet waarschijnlijk niet waar dat ligt, maar Guantánamo Bay is een Amerikaanse militaire basis op Cuba. Je wordt niet als krijgsgevangene maar als onwettige strijder behandeld. Je hebt geen rechten. We houden je hier vast zolang wij denken dat je een bedreiging voor ons land vormt. We verhoren je hier om erachter te komen wat je banden met al-Qaeda zijn. Ik adviseer je om met je ondervragers mee te werken zodra je wordt voorgeleid. Een weigering mee

te werken zal hard worden bestraft. In Camp X-Ray ben je vergeten. Je bent van de aardbodem verdwenen. We kunnen met je doen wat we willen. Misschien denk je dat dit een nachtmerrie is, knul, en dat je binnenkort naar huis mag – nou, zet dat maar uit je hoofd.

De tolk sprak met een monotone stem, alsof het een vertrouwde handeling was, alsof de woorden voor haar geen betekenis hadden.

Hij hoorde het gestamp van laarzen achter zich, en hij voelde dat er iets aan zijn rechterpols werd bevestigd.

'Voer hem af.'

Hij werd naar de barak met de kooien teruggebracht. Er zaten vliegen op zijn gezicht, maar hij kon ze niet doodslaan omdat er een ketting om zijn armen zat. De ketting om zijn enkels beperkte hem in zijn bewegingsvrijheid en de bewakers sleepten hem voort, zodat hij steeds met twee voeten tegelijk vooruit moest springen om te voorkomen dat zijn tenen over de grond schuurden. Ze voerden hem door gangen van gaas die met groene stof waren afgedekt. Hij had geen flauw idee hoe groot het kamp was, maar overal hoorde hij het gekerm van mannen die waren doorgedraaid. Hij verstond het gemompel van de bewakers, wat ze die dag zouden gaan eten, welke film ze die avond zouden gaan zien, maar hij liet niet merken dat hij begreep wat ze zeiden. Hij dacht dat ze hem, als ze wisten dat hij Caleb was geweest en Abu Khaleb was geworden, op een ochtend vroeg naar buiten zouden slepen en zouden doodschieten of ophangen. Hij dacht dat het zou gaan zoals de Tsjetsjeen had gezegd: dat zijn ondervragers hem zouden martelen. De enige bescherming die hij had was de naam van de taxichauffeur. Het levensverhaal van de taxichauffeur – ieder detail van wat hij aan hem had verteld toen hij van vermoeidheid had zitten knikkebollen op de voorbank van het busje – beschermde hem tegen de angst. Hij werd naar zijn kooi gebracht. Hij was zich bewust van de haat van de bewakers. Ze wilden niets liever dan dat hij zich zou verzetten, dat hij zou trappen en spugen en hun een excuus zou geven om hem te slaan. De kettingen werden van zijn enkels en zijn middel gehaald en ze maakten de boeien om zijn polsen los. Hij werd ruw in zijn kooi geduwd. Hij hurkte neer en kroop tegen de achtermuur in elkaar, vlak bij de emmer. Er kwam wat zeewind door het gaas aan de zijkanten van de kooi. Hij hield zijn rechterpols voor zijn gezicht. Hij zag zijn foto op de plastic armband, het registratienummer US8AF-000593DP, zijn sekse, zijn lengte, zijn gewicht, zijn geboortedatum en zijn naam.

Hij probeerde zich alles van Fawzi al-Ateh te herinneren. Het was de enige strohalm waaraan hij zich kon vastklampen.

De zon kwam op.

Caleb zag de grijsblauwe strook voor zich. Het waren de bergen. De pieken met daarboven een paar wolkenpartijen werden door witte vlekken sneeuw van de hemel gescheiden. Het gebergte was zijn eerste bestemming. Hij trok nu door een kale wildernis met hier en daar uitstekende rotsen. Voordat hij gevangen werd genomen, voordat hij twintig maanden in de kooien van Guantánamo Bay had doorgebracht – eerst in wat Camp X-Ray werd genoemd en daarna in Camp Delta, dat later was gebouwd en voor permanent verblijf was bedoeld – was hij er trots op geweest dat hij het tempo van de geforceerde mars zo lang kon volhouden. Toen hij met de Saudi-Arabiërs, Jemenieten, Koeweiti, Egyptenaren en Oezbeken in de 55ste Brigade zat, was hij een van de mannen met de beste conditie geweest. De twintig maanden in de kooien – als Fawzi al-Ateh, de taxichauffeur – hadden de kracht uit zijn benen gezogen en zijn longinhoud gedecimeerd. Als hij niet thuis was geweest, als hij niet naar zijn familie had hoeven terugkeren, dan zou hij niet in staat zijn geweest zich zo snel over de kale, rotsachtige grond voort te bewegen. In het trainingskamp liet de Tsjetsjeen die hem had gerekruteerd de zwaarste hindernissen altijd als eerste door hem nemen, omdat de Tsjetsjeen wist dat hij het er goed af zou brengen en de maatstaf voor nieuwkomers zou zijn. Afghanistan was het enige thuis dat hij kende en de 55ste Brigade was zijn enige familie. Alles wat met het leven van vóór de trainingskampen had te maken, had hij uit zijn gedachten gezet; het bestond niet meer.

In de twintig maanden die achter hem lagen, had hij twee keer per week gedurende één kwartier mogen bewegen. Daarbij waren zijn enkels geketend geweest en werd de lengte van zijn passen gehinderd door de korte ketting. Als hij niet oplette, struikelde hij. Hij werd aan beide armen door een bewaker vastgehouden, en zijn sandalen sloften over de platgelopen en uitgesleten vuile binnenplaats. Gedurende die twintig maanden had hij negen keer de honderd meter naar de verhoorbarak afgelegd. Zijn beenspieren waren weggekwijnd. Maar hij bleef rennen.

Hij kreunde van de pijn. Ten overstaan van een ander, van een instructeur in het trainingskamp, van een Arabier van de 55ste Brigade, van een bewaker of een ondervrager in Camp X-Ray of Camp Delta, zou hij nooit hebben laten zien hoe hij door pijn gekweld werd. Maar nu was hij alleen. Hij had pijn in zijn benen, in de spieren van zijn dijen en zijn kuiten. Terwijl hij rende, leken zijn ongeoefende spieren het uit te schreeuwen. Als hij viel, en hij viel voortdurend, haalde hij de huid van zijn handen, ellebogen en knieën open. Zijn katoenen overall kwam onder de bloedvlekken te zitten. Er was nergens water en zijn keel werd rauw van de droogte. Hij zoog de lucht, die langzaam warmer werd, zijn longen in. Hij was maar één keer gestopt, toen hij bij een onverharde weg met diepe voren was aangekomen. Hij was in het struikgewas ernaast gaan liggen en had de geur van wilde bloemen in zijn neus gekregen. Hij had gewacht tot zijn wild kloppende hart tot bedaren was gekomen, zodat hij kon luisteren of hij een voertuig, een man of de bel van een geit kon horen. Maar hij had alleen de wind gehoord. Hij was de onverharde weg overgestoken en verdergegaan.

Ergens in de ruimte voor hem, aan de voet van de bergen, was de familie waarnaar hij zo hevig verlangde.

Achter de Afghaanse bergen, Iran en de Golf van Oman rees dezelfde zon aan de hemel boven de eindeloze woestijn van zoutvlaktes en okerkleurige zandduinen. De woestijn, de grootste zandbak van de aarde, grensde in het noorden aan de Saudi-Arabische provincie Al Najd. Meer naar het oosten lagen de oliestreek Al Hasa, die haar rijkdom aan de raffinaderijen bij de stad Ad Dammam had te danken, en de staatjes van de Verenigde Arabische Emiraten. In het zuiden had je de heuvels van Oman en Jemen, en in het westen lag het Saudi-Arabische Asirgebergte. Het woestijnzand bewoog, gegeseld door de wind, voortdurend. Het vormde steeds nieuwe heuvelruggen en patronen, en het enorme gebied, dat duizend kilometer lang en zeshonderd kilometer breed was, baadde sinds mensenheugenis in de meest verzengende zon. De rondtrekkende bedoeïenen, de enige bevolkingsgroep die de ontberingen van de woestijn wist te doorstaan, noemden de woestijn Rub' al-Khali, het Lege Kwartier.

Het licht van de opkomende zon viel op de roodbruine vleugels van een jagende adelaar en zette de donkere vacht van de rondzwervende vos in vuur en vlam. De vacht van de woestijnspringmuis, prooi voor zowel de adelaar als de vos, glansde fel. De fluim van een kameel die twee dagen eerder voorbij was gekomen, was nog vochtig en glinsterde. Het licht nestelde zich in de zwarte duisternis van een kloof tussen de rotsen, waar de bergen in het westelijk deel van de woestijn begonnen.

De ingang tot de grot was, anders dan tijdens de eerste minuten waarin de zon in het oosten opkwam, onzichtbaar. Er kwam een man uit te voorschijn. Hij had de nacht in de donkere grot doorgebracht en knipperde met zijn ogen tegen het felle zonlicht. Achter hem, in de diepte van de duisternis, sloeg een dieselgenerator aan; na enig gerochel kwam hij op gang. De man spuugde en stak zijn eerste sigaret van de dag op. Hij keek uit over de vlakte voor hem. Toen zag hij de man in de kloof boven de ingang van de grot. Hij zat op zijn hurken op de uitkijk, een geweer losjes in zijn schoot. Hij maakte de sigaret uit op de grond en stak de peuk in een klein blikken doosje; later zou het met de rest van het afval verdwijnen in een gat dat ze in het zand zouden graven en dat ze daarna weer zouden dichtgooien. Hij floot naar de bewaker. Die draaide zich om, glimlachte grimmig en schudde zijn hoofd. Ze hadden alleen de woestijn te duchten; verder was er geen gevaar. Hij riep met kalme stem iets de grot in.

Er kwamen anderen naar buiten.

Toen ze de grot hadden ontdekt en hadden besloten dat hij ver genoeg in de steile helling doorliep, hadden ze met een kompas bepaald waar de heilige stad Mekka lag. Die plek had zich bij ieder van hen in het geheugen gegrift, en nu ze in het halfduister de grot uit kwamen om op de vierkante plek tussen de rotsen te gaan bidden, wisten ze precies in welke richting ze zich moesten buigen. Ze knielden neer: een van de vijf pijlers van hun geloof was de verplichting vijf keer per dag te bidden. De *fair* was het eerste verplichte gebed, bij zonsopkomst. Ze knielden zwijgend, ieder van hen in zijn eigen gedachten verzonken. Maar allen waren met elkaar verbonden in de smeekbede aan hun god. Ze smeekten om de mogelijkheid zich te wreken, terug te slaan tegen de allesomvattende macht van hun vijand. Ze waren ook met elkaar verbonden in hun hoedanigheid van opgejaagde mannen, met strakke gezichten, magere lichamen en een vermoeide geest.

Maar heel weinig mensen waren van het bestaan van de grot op de hoogte. Ze beschikten over een satelliettelefoon, maar die was gevoelig voor stof en werd niet gebruikt. Met de generator konden ze de batterijen van een laptop opladen, maar die gebruikten ze evenmin. Koeriers die ze vertrouwden brachten hun eens per week – maar als de veiligheidssituatie dat niet toeliet minder vaak – boodschappen, voedsel en water door de woestijn. De opgejaagde, in het nauw gedreven en gedoemde mannen in de grot wisten dat hun foto en persoonsgegevens op sites met gezochte personen stonden. Ze wisten hoeveel miljoen vervloekte dollars er werd betaald voor informatie over hun verblijfplaats, of voor hun gevangenneming, of voor hun dood.

De schaduw die over de ingang van de grot lag, zou binnen een paar minuten, als de zon hoger aan de hemel stond, verdwenen zijn.

Uren later kwam dezelfde zon op, duizenden kilometers verderop. Deze keer sijpelde haar langzaam groeiende licht moeizaam door een donker, metaalgrijs wolkendek. Het zag eruit alsof er ieder moment een tweede zware sneeuwbui zou kunnen vallen. Het was de laatste dag in het huurhuisje. Over drie uur zou Jed Dietrich de spullen van zijn gezin in de auto laden en het ruige merengebied van Wisconsin de rug toekeren. Het was eigenlijk te laat in het seizoen om nog een mooie snoek te vangen, maar hij had er de laatste acht maanden tijdens zijn werk in het diepe zuiden wel van gedroomd. Hij nam Arnie Junior mee en liet Brigitte de koffers pakken en het huurhuisje opruimen. De eerste sneeuw lag na de koude nacht als een bevroren smurrie op de grond, en op het water rondom de aanlegsteigers, waar de boten waren afgemeerd, lag een dun laagje ijs.

Hij controleerde of het reddingsvest van zijn zoontje en van hemzelf goed vastzat en zag dat het vijf jaar oude ventje rilde van de kou. Ze zouden er niet lang op uit trekken, maar hij kon de laatste kans van het jaar om een goede vangst te doen, niet zomaar opgeven.

In de boot glimlachte Jed geruststellend naar zijn zoon. Hij startte de buitenboordmotor en voer naar dieper water. Het ijs brak krakend onder de boeg.

Als Dietrich naar zijn werk in het zuiden ging, bleven Brigitte en Arnie Junior thuis. Op zijn werk had hij lekker weer, warm water en ideale omstandigheden voor de sportvisserij, maar patrouilleboten zorgden ervoor dat geen pleziervaartuig de haven in of uit voer. Ook de stranden waren taboe voor militairen en burgers; de hele kustlijn werd met infraroodcamera's in de gaten gehouden. Hij kon er wel naar de zee kijken, maar er niet op vissen...

Ze hadden geprobeerd nog een kind te krijgen, een broertje of een zusje voor Arnie Junior, maar dat was niet gelukt. Dat was des te meer reden om ieder kostbaar moment dat er was met hem door te brengen. Hij liet het bootje met een slakkengangetje verder varen, gooide lokaas in het water en liet de lepel, die met lood was verzwaard, rustig in de diepte zakken. Hij koesterde weinig hoop dat de snoekbaarzen, baarzen en karpers hongeriger zouden zijn dan de snoeken, maar hij knipoogde bemoedigend naar zijn zoontje. Terwijl ze de sleeplijn onder het dikke, donkere wolkendek door het water trokken, vertelde hij vissersverhalen – dezelfde verhalen als Arnie Senior hem had verteld toen hij nog een kind was: over monsters met een enorme bek en twee rijen slagtanden, over de grootste vissen die hij ooit had gevangen, over riffen en rotswanden waar veel snoek zat, over het gedrag en de gewoonten van de snoek. Het kleine ventje genoot ervan. Als Jed weg was, moest hij het met de foto van Brigitte en Arnie Junior doen, en met de telefoongesprekken waarin het jochie met stomheid leek te zijn geslagen. Dan koesterde hij deze momenten in zijn herinnering.

Nu voelde Jed Dietrich zich op zijn gemak. Hij was zesendertig jaar en werkte bij de Defense Intelligence Agency.

In de zon, in de buurt van de heldere Caribische Zee waar hij niet kon vissen, voelde hij zich helemaal niet op zijn gemak.

Hij was lang en gespierd, en hij hield zijn conditie op peil. Hij verwachtte dat Arnie Junior zich net zo zou ontwikkelen als hijzelf. Hij zou goed in football of honkbal worden, en het zou niet lang duren voordat hij zonder zijn vader met een bootje kon gaan varen. Hij dacht vaak aan Arnie Junior, het was het enige lichtpuntje tijdens zijn werk, dat nu saai, zinloos en vervelend was. Als hij in het verre zuiden naar het monotone gejengel van de tolk luisterde, dreven zijn gedachten maar al te vaak weg naar zijn zoon en merkte hij dat hij de aandacht voor de verdachte verloor.

Hij had gemerkt dat op het water, waar de stilte om hem heen alleen door het gebabbel van zijn zoontje en het gepruttel van de motor werd verstoord, de stress uit hem wegvloeide. Hij voelde zich goed. Het maakte niet uit dat er geen vis was... En op dat moment gaf zijn zoon een gil en boog zijn hengel door. Ze lachten en schreeuwden, en haalden een baars van tweeëntwintig centimeter op het droge. Daarna gooiden ze hem weer terug in het water, want Jed leerde zijn zoon de prooi te respecteren. Ze visten nog een uur. Ze vingen niets meer

– ze hadden zelfs geen beet – maar dat maakte niet uit. Hij voelde zich volkomen op zijn gemak. Ze zouden eerst terugvliegen naar Washington DC en een paar dagen bij Arnie Senior en Wilhelmina logeren. Daarna ging Brigitte terug naar het appartementje dat ze in de buurt van het Pentagon hadden gehuurd en vloog hij via Puerto Rico naar Guantánamo.

Brigitte maakte een eind aan zijn prettige gemoedstoestand. Ze stond in haar windjack op de steiger, ze zwaaide en riep naar hen... De vakantie was voorbij. Vóór hem lagen het kamp, de gevangenen, de eentonigheid, de onderdanige antwoorden, de gebruikelijke procedures, het eindeloos afgraven van allang bekend terrein. Het kamp leek hem te roepen, en hij wendde zijn gezicht af van zijn zoon en vloekte binnensmonds, maar het kind lette niet op de frons van irritatie of de grove taal. Camp Delta sleurde hem terug.

Er was een dag voorbijgegaan, en een nacht. Een nieuwe zonsopgang, een nieuwe dag, nog een nacht. De zon kwam weer te voorschijn.

Caleb werd wakker. Iemand trok aan de mouw van zijn overall, met korte rukjes die niet opgaven. Warme adem spreidde zich uit over zijn gezicht. Hij deed zijn ogen open en sloeg wild om zich heen.

De honden deinsden terug. Ze waren mager, maar hun ogen glansden van de opwinding en hun nekharen stonden overeind. Ze toonden hem dreigend hun tanden. Hij kwam overeind, en ze deinsden grommend verder terug. Eén hond, die iets meer lef had dan de andere, deed een uitval naar zijn linkerenkel en beet in de huid onder de zoom van de overall. Maar hij haalde uit en zijn zware sandaal trof de kaak van de hond, die zijn moed verloor. De oudste hond, met gele hoektanden en een grijze vacht, gooide zijn kop in zijn nek en jankte.

Hij had 's nachts het zwakke licht van een dorp gezien. Hij was tot op een honderdtal meters van het dichtstbijzijnde gebouw gestrompeld en daar was hij ingestort. Hij had in het stof op de rotsachtige bodem gelegen, achter een doornhaag. Hij had stemmen gehoord en hij had geweten dat hij niet genoeg kracht overhad om de laatste honderd meter van de haag naar het gebouw af te leggen. Toen was hij in slaap gevallen. De slaap had een eind gemaakt aan de pijn in iedere spier van zijn lichaam. Als de honden niet aan de mouw van zijn overall hadden getrokken, zou Caleb door hebben geslapen tot de zon hoog aan de hemel stond.

Achter een wirwar van kleine omzoomde veldjes zag hij een stuk of tien lage bakstenen huizen met platte daken liggen. De honden bleven naar hem kijken. Ze waren nog steeds op hun hoede. Er was geen reactie gekomen op het waakzame gejank; de deuren bleven gesloten. Op enige afstand van de dorpshuizen, ervan gescheiden, stond een stenen gebouw dat nieuwer leek te zijn dan de andere gebouwen. Op de muren wapperden frisse wit-rood-groene vlaggen, en Caleb wist dat het een kort geleden gebouwd grafmonument was, een tombe voor martelaren.

Om zijn familie te kunnen vinden moest Caleb voedsel, water en kleren hebben. Hij had hulp nodig.

Hij duwde zichzelf overeind, maar zijn benen begaven het en hij zakte weer in elkaar. Hij probeerde het opnieuw, en deze keer slaagde hij erin te blijven staan. Zijn benen, armen, schouders en borst deden vreselijk veel pijn. Hij had geen andere keus dan het dorp in te gaan. In dat deel van zijn leven dat hij kende – de twee jaar en de twintig maanden – had het hem nooit moeite gekost een beslissing te nemen. Hij was te veel verzwakt om het dorp te mijden, om het kardinale ogenblik waarop hij contact met vreemden zou zoeken uit te stellen. Hij moest vertrouwen hebben en hopen.

Hij wist dat zijn komst tot paniek zou leiden. In Camp X-Ray en Camp Delta hadden zijn ondervragers hem verteld dat de macht van al-Qaeda in Afghanistan definitief was gebroken en dat de leiders van zijn familie op de vlucht waren. Hij had hen geloofd, ze hadden hem dat verhaal verteld zodat hij zijn betrokkenheid zou bekennen en zou zeggen wie zijn contacten waren... Maar hij was maar een gewone taxichauffeur, Fawzi al-Ateh, en hij wist niets. Hij moest, om naar zijn familie terug te kunnen keren, naar het dorp gaan en hopen dat ze hem zouden helpen.

De honden liepen achter hem aan. Hij strompelde tot halverwege het dorpje en zag het gezicht van een vrouw in een raam van het dichtstbijzijnde huis. Ze dook weg. Hoe dichter hij bij het dorp kwam, hoe groter de kakofonie van blaffende honden werd. Er ging een deur open.

In de opening verscheen een man die net wakker was geworden en zich haastig had aangekleed. Hij hield een geweer in de aanslag.

Op dat moment bungelde het leven van Caleb aan een zijden draadje.

Hij wist dat de Arabieren van de 55ste Brigade in sommige dorpen werden veracht en als arrogante vreemdelingen werden gezien. Ze zouden hem kunnen neerschieten, of ze zouden hem gevangen kunnen nemen en aan de Amerikanen kunnen verkopen. Hij rechtte zijn rug en glimlachte. Hij sprak in de taal die hij had geleerd, de taal die hij ook in Camp X-Ray en Camp Delta had gesproken, de taal van Fawzi al-Ateh.

Hij groette de man die zijn geweer op hem gericht hield. 'Vrede zij met u.'

De man gromde argwanend terug: 'Vrede zij met u.'

Caleb kende het wapen. Hij kon het blindelings demonteren en weer in elkaar zetten. De veiligheidspal was niet gespannen, en hij had zijn vinger aan de trekker, maar losjes. Hij zette zich schrap en stak zijn armen uit, die open lagen van de ontelbare keren dat hij was gevallen; hij liet zien dat hij geen wapen bij zich had. De man liet de loop van het geweer zakken. Hij boog zijn hoofd, als teken van nederigheid, maar hij toonde geen angst. Angst zou de man, net als de honden, niet vertrouwen. Caleb vroeg zachtjes om gastvrijheid, onderdak en hulp.

Zonder zijn blik van Caleb af te wenden, riep de man instructies naar een al wat ouder kind. Caleb verstond hem. Het kind ging hen voor. Caleb volgde, en de man kwam daar achteraan. De opslagruimte was gemaakt van stenen, die met modder waren ingesmeerd. Het kind opende een zware deur en rende weg. Caleb ging naar binnen. Hij zag geiten, hun voer, spaden met lange stelen en... Toen werd de deur achter hem dichtgegooid. Om hem heen werd het aardedonker – er waren geen ramen in de schuur. Waarschijnlijk bewaakte de man hem, nu op zijn hurken, met het geweer in de aanslag, en haalde het kind de dorpsoudsten.

Hij ging op het tapijt van hooi zitten en de geiten besnuffelden hem. Misschien zouden ze hem doodschieten en zijn lichaam op de vuilstortplaats van het dorp begraven, of hem verkopen. Of ze zouden hem helpen.

Hij viel in slaap.

Caleb werd wakker van het geluid van de deur, die schurend over de grond opengіng. Hij wankelde het felle zonlicht in, en zette zich in kleermakerszit tegenover een halve kring van mannen uit het dorp. De oudste mannen zaten in het midden. Hij vertelde zijn verhaal. Misschien hadden ze de pest aan al-Qaeda, of aan de Arabieren, maar het zou ook kunnen dat ze met hen hadden meegevochten; hij sprak de waarheid zoals hij die kende. Hij sprak zacht, op vriendelijke toon, zonder aarzeling. Hun gezichten waren uitdrukkingsloos. Terwijl hij sprak, vloog er hoog in de lucht een helikopter over. Zijn aanwezigheid bracht het dorp in gevaar. Als ze hem verkochten, zou het dorp meer rijkdom verwerven dan de dorpelingen zich konden voorstellen. Hij stak zijn arm uit en toonde hun het plastic armbandje met zijn foto, zijn naam Fawzi al-Ateh en het registratienummer US8AF-000593DP. Hij wist dat ze hem geloofden. Hij was lang voor een Arabier, maar zijn huid was donker van teint, en in de tijd die hij in hun land had doorgebracht had hij de taal goed leren spreken. Ze luisterden geboeid, maar pas toen hij zijn verhaal had verteld en hij zijn hoofd boog om hun te laten zien dat hij zich ervan bewust was dat zijn lot in hun handen lag, wist hij dat ze hem niet zouden verkopen of doodschieten. De oudste dorpsbewoner kwam naar hem toe, hielp hem overeind en liep met hem naar het grafmonument.

Een jaar eerder waren op een dag lopen van het dorp strijders gedood. Ze waren te voet geweest, in het open veld, en ze waren door helikopters beschoten. De jongere dorpsbewoners hadden de lijken met ezels naar het dorp gebracht. Ze hadden een eervolle begrafenis gekregen... De strijders waren *Shuhadaa*, martelaren in de naam van God. Hun lichaam lag in de graftombe, maar hun ziel was in het paradijs.

Die middag verliet een boodschapper het dorp. Hij ging met de naam Abu Khaleb en de naam van de Tsjetsjeen op weg naar de bergen, naar de verblijfplaats van de krijgsheer.

Die nacht werd er een jong geitje gedood. De ingewanden en de huid werden verwijderd en er werd een vuur ontstoken. Caleb werd gevoed en kreeg vruchtensap te drinken.

Die nacht werd zijn oranje overall op het smeulende vuur gegooid, en het vuur laaide op. Hij droeg nu kleren van een van de jonge mannen uit het dorp.

Die week was hij de beschermde gast van het dorp. De ouderen wachtten op de instructies die duidelijk zouden maken hoe Caleb naar zijn familie kon worden teruggebracht. Hij wist niet hoe lang die reis zou duren, of waar die reis hem naartoe zou voeren, of wat zijn lot zou zijn. Hij wist alleen dat hij die reis zou maken.

2

Calebs lichaam en gezicht baadden in het licht. De mannen om hem heen verspreidden zich.

De week in het dorp was snel voorbijgegaan. Eerst had hij uitgerust. Daarna was hij aan zijn conditie gaan werken. Hij was de heuvels boven het dorp in gegaan, om zijn beenspieren te trainen en zijn uithoudingsvermogen te verbeteren. Hij had goed gegeten, hij wist dat de dorpelingen kostbare voorraden vlees, rijst en meel hadden aangesproken om hem te voeden. Toen hij het dorp verliet, werd hij vergezeld door gewapende mannen – zij verloren hem niet uit het oog. Deze mensen, zo wist hij, leefden volgens de wetten van de *pukhtunwali*, en die bestond uit twee basisregels. De eerste, de *malmastiya*, was de verplichting een vreemdeling gastvrijheid te bieden zonder te hopen dat hij daar iets voor terugdoet. De tweede, de *nanawati*, was de verplichting het leven van een vreemdeling die onderdak had gekregen met je eigen leven te beschermen. In de afgelopen week was er twee keer, hoog in de lucht, een formatie helikopters overgevlogen. Eén keer had hij in de verte een stofwolk langs zien trekken en hij had gedacht dat het een patrouille van vijandige militaire voertuigen was geweest. De dorpelingen waren naar hem toe gekomen – als het moest zouden ze zich doodvechten om zijn leven te beschermen, want ze hadden hem verwelkomd als hun gast. In de middag van de zevende dag kwam er een oude blinde man aan die schrijlings op een door een jongen geleide ezel zat. Hij bracht het antwoord. Die laatste avond hadden ze weer uitgebreid gegeten en gedronken, de dorpelingen hadden weer een deel van hun kostbare voorraden aangesproken. Er werd geen muziek gemaakt en er werd niet gedanst, maar twee oudere mannen hadden verhalen verteld over de strijd tegen de Russen, en hij had hun zijn verhaal over de strijd tegen de Amerikanen aangeboden. Ze waren verlicht geweest door de vlammen van het vuur en de oude blinde man had een gedicht over de strijd voorgedragen waarnaar iedereen zwijgend had geluisterd. Aan het eind van de avond, toen het vuur al begon te doven, had hij beseft dat alle ogen op hem gericht waren geweest. In de schaduwen had hij de heimelijke bewegingen van vrouwen gezien, en hij had geweten dat ook zij naar hem hadden gekeken. Ze hadden hem een helderwitte kaftan geschonken en hij was gaan staan en had hem over zijn schouders getrokken en naar beneden laten zakken, zodat hij hem omhulde. Hij wist niet wat zijn waarde voor de familie was, maar de mannen uit het dorp wisten het wel, en de vrouwen ook. Hij stond daar in zijn kaftan en in het licht van de laatste vlammen van het kampvuur zag hij met hoeveel respect ze naar hem keken. Iedere man uit het dorp kwam naar hem toe, omhelsde hem en kuste hem op de wangen. Hij was de uitverkorene.

De volgende morgen was de oude man een halve dag met Caleb meegelopen. Op het punt waar het pad naar een bergpas liep, had hij Calebs hand gepakt en in een ijzeren greep gehouden. De tranen stroomden uit zijn dode ogen, en hij had hem daar achtergelaten. Hij had een uur op een rots zitten wachten en toen een kleine colonne mannen en ezels over de pas zien komen. Er werden een paar woorden gesproken en een paar norse gebaren gemaakt en hij was met hen meegegaan. Ze hadden hem negen dagen lang met grote behoedzaamheid van het dorp weggevoerd, naar het westen. Ze waren door de heuvels aan de voet van het gebergte getrokken, maar ze waren ook hoger geklommen, naar waar het 's nachts vroor. Van het begin af aan had hij geweten wat ze in de uitpuilende zakken op de ezels vervoerden. Hij rook de geur van de opiumzaden. Het was kwaadaardig volk; hij zag geen spoortje menslievendheid in hun gezicht. Aan hun gordel droegen ze een kromzwaard, als ze hem iets zouden willen aandoen was hij weerloos. Vanaf hun weerbarstige begroeting had Caleb betwijfeld of ze wel volgens de wetten van de *pukhtunwali* leefden. Ze deelden hun voedsel onwillig, spraken niet met hem en toonden geen enkele belangstelling voor wie hij was. Hij vermoedde dat ze, als hij achter was geraakt, niet op hem zouden hebben gewacht. Hij had niet geklaagd, hij was niet achtergebleven. Hij had hen niet gevreesd. Op de achtste dag had hij gemerkt dat ze een klein beetje ontdooiden. Tijdens de avondpauze kreeg hij een extra stuk gedroogd vlees toegeworpen, en er werd hem een net in een bergbeekje gevulde waterfles aangereikt; later, toen hij in een kloof tussen twee rotsen beschutting zocht tegen de natte sneeuw, werd er een extra deken in zijn richting gegooid. Hij merkte die avond dat hij hun respect had afgedwongen. Toen het grijze licht onder de nattesneeuwwolken afnam, zag hij dat de vier mannen naar hem keken zoals de dorpelingen naar hem hadden gekeken: alsof hij een bijzondere plaats innam. Hij wist niet wie hem die plaats deed toekomen, en de reden ervoor kende hij evenmin. De negende ochtend merkte hij dat ze gespannen waren. Die middag reisden ze langzamer, en een van de vier ging een halve kilometer voor hen uit – tot zover reikte zijn schelle fluitsignaal als alles in orde was. Die avond waren ze nog meer op hun hoede. Ze spanden de haan van hun geweer en praatten over de gevaren die hen wachtten nu ze Iraans grondgebied naderden. Ze waren betaald om hem aan de grens over te dragen, maar ze waren uiterst gespannen, want de zwaarbewapende grenstroepen patrouilleerden voortdurend. Ze trokken door een ravijn, langzaam, zodat de hoeven van de ezels minder lawaai maakten, toen plotseling een zaklamp aanfloepte en het licht op hen scheen.

Caleb stak zijn handen omhoog. Het licht reflecteerde op de witte kaftan, die nu bevlekt was met zweet, modder en stof.

Vanachter de lichtbundel riep een man naar hem – eerst in het Pashto, daarna in het Arabisch. Hij kreeg het bevel naar voren te komen. Caleb kon niet zien wat er achter het licht was. Hij liep ernaartoe, met zijn handen omhoog. Achter zich hoorde hij dat de mannen met de ezels de aftocht bliezen. Het was een krachtige stem; het bevel weerkaatste tegen de muren van het ravijn. Toen hij voor de man stond, werd hem opgedragen zijn arm uit te steken, zodat hij zijn pols kon bekijken. Het licht scheen op de plastic armband, op de pasfoto van hem en de naam van de taxichauffeur. Hij werd naar voren getrokken en kreeg het bevel om plat op zijn buik te gaan liggen. Hij lag op de stenen van het pad. Er volgde nog een bevel, in een taal die hij niet kende. Vanuit zijn ooghoeken zag hij dat de lichtbundel verder gleed, verder dwaalde... Toen begon het machinegeweer te ratelen.

Er werden lichtkogels over hem heen geschoten, een stuk of zes, zeven. Even was het stil, daarna ratelde het machinegeweer opnieuw. Er werd twee maal een salvo teruggevuurd, en er ontplofte een granaat. Een korte stilte en het geratel van het machinegeweer volgden. De mannen die hem negen dagen lang hadden geëscorteerd, zaten in de val tussen de muren van het ravijn. Caleb kronkelde met zijn lichaam, zodat het leek alsof hij zijn lichaam in de stenen en het stof van het pad wilde begraven. Iemand met laarzen aan liep met energieke, krachtige stappen langs hem heen, en hij hoorde de definitieve schoten waarmee de mannen werden geëxecuteerd en de ezels uit hun lijden werden verlost.

De laarzen kwamen terug. Iemand greep hem in zijn rug bij zijn kaftan en trok hem overeind. Zijn rechterarm werd ruw vastgepakt en de vingers gleden over de plastic armband.

'Welkom.' Er klonk geen warmte in de stem.

Caleb zei: 'Ze hebben me beleefd en met respect behandeld. Ze deelden hun voedsel met me. Ze hebben me hier gebracht.' Het was geen verwijt, maar een constatering.

Nu zag hij de man die hem had verwelkomd. Het was een officier in een keurig uniform, met een glanzende gordel. Aan de gordel hing een holster. Hij rook het cordiet. De officier was goed gebouwd en boven zijn bovenlip zat een verzorgd snorretje. Caleb ging er, gezien de epauletten op zijn schouders, van uit dat hij een vrij hoge rang had: waarschijnlijk was hij majoor of kapitein. De officier voerde hem langs de manschappen naar twee vrachtwagens en een Mercedes met geblindeerde ramen. Er sprong een chauffeur uit de Mercedes. Hij rende om de auto heen en opende het achterportier. De officier gebaarde dat Caleb hem moest volgen.

Ze reden weg in de Mercedes.

Hoewel ze weinig snelheid hadden, botsten ze op het droge pad alle kanten op. Ze verlieten het ravijn en kwamen op het vlakke land dat daarachter lag. Er werd hem een pakje sigaretten voorgehouden, maar dat sloeg hij af. De officier stak een sigaret op en liet de aansteker branden. Zijn zachte hand pakte Calebs pols en hij bekeek de plastic armband. 'Wie is Fawzi al-Ateh?'

'Hij was taxichauffeur. Hij is dood.'

'Heb jij zijn naam aangenomen?'

'Ja.'

'En onder die naam hebben ze je naar het Amerikaanse kamp bij Guantánamo gebracht.'

'Inderdaad.'

'Hebben de ondervragers van Guantánamo niet ontdekt dat je helemaal geen taxichauffeur was?'

'Nee, ze hebben het niet ontdekt.'

'Dat is opmerkelijk.' Hij lachte in Calebs gezicht. 'In feite zijn er twee mogelijkheden. Of je hebt de beste ondervragers van Guantánamo verslagen, of ze hebben je vrijgelaten om hier te spioneren. Spionnen hang ik op, maar van mensen die de Amerikanen verslaan, ben ik een goede vriend... Wat me meteen aan jou beviel, is dat je niets vraagt als je daar niet toe wordt uitgenodigd. Nu nodig ik je daartoe uit.'

'Waarom zijn zij doodgeschoten?'

De stem werd killer. 'Ze zijn niet doodgeschoten omdat ze in drugs handelden en dus criminelen waren. Ze zijn gestorven omdat ze getuigen waren. Dat zij ten dode waren opgeschreven, geeft aan hoeveel belang er aan jou wordt gehecht. Ik weet niet wie je bent, waarom je zo veel waard bent. Ze hadden je gezicht gezien.'

'Dat geldt ook voor de dorpelingen die me een week onderdak hebben geboden.'

De sigaret werd uitgemaakt. De officier liet zijn hoofd achterover-zakken en ademde rustig in en uit. Caleb had het gevoel dat hij in slaap zou vallen... Hij dacht aan het dorp en aan het vertrouwen van de dorpelingen. De officier zou de naam van het dorp anoniem aan Amerikaanse agenten doorgeven. Er zouden bommenwerpers aan de horizon verschijnen en er zou een regen van bommen op het dorp vallen – omdat zij die er woonden zijn gezicht hadden gezien. Hij dacht aan de blinde oude man en hij bad tot zijn God dat de oude

man, die zijn gezicht niet had kunnen zien, zou blijven leven.
'Waar gaan we naartoe?'
De officier mompelde: 'Je gaat ergens heen waar je nuttig bent, als je geen spion bent.'
'Ik ben een strijder.'
De Mercedes reed tot diep in Iran, en de nacht liep al bijna ten einde toen ze een villa met hoge muren eromheen bereikten. Het dikke stalen hek zwaaide open om hem binnen te laten.
Hij was een bloederige stap dichter bij zijn familie.

In de woestijn, ver weg, was het nacht. De maan stond aan de sterrenhemel, en de stilte was overal en allesomvattend.
Op het woestijnzand liepen twee kamelen, een met een bedoeïen erop. Ze verwijderden zich snel van de berghelling en de ingang van de grot. De bedoeïen had een boodschap gebracht, en vertrok nu met het antwoord.
Diep in de grot brandde een kaars – de generator werd 's nachts uitgezet om diesel uit te sparen. Een man werkte bij het kaarslicht aan de binnenkant van een gloednieuwe Samsonite-koffer, op het labeltje omschreven als een 'Executive Traveller'. De koffer was zeven weken eerder gekocht op de markt van Bir Orbeid, in Sanaa, de hoofdstad van Jemen. Bij de wegversperring aan de grens hadden de soldaten rauw gelachen toen ze zagen dat de woestijnbewoner een glanzende nieuwe koffer meenam naar zijn stam. Ze lieten hem passeren en in de richting van de Rub' al-Khali vertrekken. De man, die bezig was de printplaat in de binnenbekleding van de koffer weg te werken, luisterde naar de gesprekken om hem heen. Hij had zijn kennis verworven aan de Universiteit van Praag, waar hij was afgestudeerd in elektrotechniek. Zijn ogen brandden in het zwakke licht. Hij wist niet waar de koffer naartoe zou gaan als zijn werk erop zat, maar de emir, die naast hem zat te hoesten omdat hij een keelontsteking had opgelopen, had hem wel verteld dat de man die de koffer zou gaan gebruiken, naar hen op weg was. Hij had ook verteld dat de weg die de man moest afleggen vol gevaren was.
Er was weinig tijd – dat wist iedereen die in de grot was. Er werd op hen gejaagd, ze waren op de terugtocht. De tijd liep als zand tussen hun vingers door.

'Hallo, ik heb gehoord dat u dokter Bartholomew bent. Klopt dat?'
Hij stond langs de muur van de kamer. Hij was eerder iemand die toekeek dan iemand die meedeed, maar hij had niet gemerkt dat zij hem was genaderd. Hij ging vrijwel nooit op in het feestgewoel, omdat hij er de voorkeur aan gaf afstand te bewaren. Hij luisterde wel naar de gesprekken, maar nam er geen deel aan. Zijn glas stond binnen handbereik op een boekenplank. Iemand was tegen zijn arm aan-

gestoten en daarbij had hij van de Saudi-Arabische champagne gemorst. Er was een ronde vlek op het hout achtergebleven. De vlek interesseerde hem net zo weinig als de Arabische champagne. Die dronken buitenlanders in Riyad altijd aan het begin van een feestje. Saudi-Arabische champagne bestond uit een mix van appelsap, ginger ale en verse munt. Verder dreven er schijfjes komkommer en ijsblokjes in rond. Als hij wilde, zou hij iedere avond van de week naar een feestje zoals dit kunnen gaan. Hier kon hij gesprekken aanknopen met de vertrouwde meute ruimtevaartmedewerkers, oliemensen en artsen, plus hun vrouwen en de verpleegsters die er ter decoratie bij waren. De gesprekken om hem heen gingen over altijd dezelfde afstompende en eentonige onderwerpen: de huurprijs van de villa's in de woningcomplexen, de kwaliteit van het plaatselijke personeel, de hitte en de kosten van importvoedsel. Hij had niet gemerkt dat zij hem was genaderd.

'Dokter Samuel Bartholomew. Bart, voor de velen die me kennen en de enkeling die van me houdt.'

Hij besefte dat hij in de val zat. Zolang hij langs de muur had gestaan, was hij zijn eigen baas geweest; nu kon hij niet onder een gesprek uit. De stereo-installatie stond hard, alsof de combinatie van de dreun en de alcoholvrije champagne de gasten zou doen geloven dat ze zich werkelijk vermaakten... Ze was anders dan de verpleegsters en de vrouwen-van. Ze stond zo dat hij niet weg kon, en haar postuur, en het feit dat ze met haar benen uit elkaar voor hem stond, intimideerden hem. Bovendien stoorde ze hem. Zoals altijd op feestjes had hij zijn best staan doen om brokjes informatie op te vangen. Hij zoog onbenullige hoeveelheden indiscrete opmerkingen op en registreerde de geruchten en ontboezemingen. Zijn heimelijke aanwezigheid was het enige pleziertje in zijn leven: het gaf hem macht. Hij was zevenenveertig. Zijn doopnaam was Samuel Algernon Laker Bartholomew: zijn vader had altijd twee keer per jaar één week vakantie genomen; de ene voor het cricketfestival in Guildford en de andere voor de jaarlijkse landenwedstrijden op de Oval in Londen. Zijn derde naam kwam van de cricketspeler die de Australiërs iets had aangedaan in zijn geboortejaar. Als schooljongen met een onderkin en een slappe buik had hij een hekel aan sport gehad. Zijn motto was, zowel toen als nu: niet rennen als je ook kunt lopen, en niet lopen als je ook kunt rijden. Andere gasten op het feestje liepen 's ochtends vroeg, voordat de hitte ondraaglijk werd, rondjes over het trottoir langs de muren rondom het woningcomplex, of trainden in de sportschool. Zijn vader, die overleden was, dacht dat een man van cricket kon leren hoe hij zich moest gedragen – hij zou zich in zijn graf omdraaien als hij wist dat zijn zoon het vertrouwen dat hij in hem had gesteld, beschaamde.

'Ik ben Bethany Jenkins.'

'Aangenaam kennis te maken, mevrouw Jenkins.'

Bart gebruikte altijd ouderwetse omgangsvormen. Hij stond aan het begin van zijn derde jaar als huisarts in het koninkrijk. Hij functioneerde als verbindingsman tussen patiënten met vermeende of serieuze symptomen en de prijzige buitenlandse specialisten in het Koning Fahd Ziekenhuis, het Academisch Medisch Centrum Koning Faisil, of de KNO-afdeling van het Koning Khalid Ziekenhuis. Hij verwees hen door en streek een deel van het honorarium op; hij zorgde dat alles gladjes verliep en werd daarvoor beloond. De strekking van het gesprek rechts van hem dreigde hem te ontgaan. Het waren twee werknemers van de softwaredivisie van een Engels bedrijf dat was gespecialiseerd in ruimtevaarttechnologie, en de mannen voerden net een ernstig gesprek over gebreken in het radarsysteem aan boord van een Tornado-gevechtsvliegtuig dat aan de luchtmacht was verkocht. Hij probeerde zich weer op het gesprek te concentreren, maar ze had haar hand naar hem uitgestoken.

Hij gaf haar een slap handje, maar zij greep die van hem zo stevig vast dat hij haar niet langer kon negeren.

'Ik heb bij uw assistent een afspraak voor over een paar dagen gemaakt. Ik zit in het zuiden. Morgen ga ik naar Bahrein om te winkelen, en daarna kom ik bij u langs voordat ik weer terugga.'

'Ik kijk ernaar uit, mevrouw Jenkins.'

Ze zag er niet uit alsof er veel mis was. Ze leek in weinig op de overige vrouwen in de kamer: ze was diepbruin. De huid op haar benen, haar armen en haar gezicht onder het kortgeknipte blonde haar was door de wind en de zon verweerd. Ze moest achter in de twintig zijn, schatte hij in, maar doordat ze overduidelijk veel tijd in de buitenlucht had doorgebracht had ze de huid van een oudere vrouw. De overige vrouwen in de kamer probeerden zo weinig mogelijk aan de zon te worden blootgesteld. Als ze per se naar buiten moesten, smeerden ze zich in met zonnebrandcrème, droegen ze een hoofddoek en staken ze een parasol op. Ook in haar kleding verschilde ze van de andere vrouwen. Die droegen cocktailjurkjes, maar zij droeg een bloes die weliswaar schoon maar ongestreken was en een spijkerrokje dat op haar heupen hing. Ze was vrij klein en gedrongen, maar hij vermoedde dat er onder die bloes en die spijkerrok geen vet zat maar spieren. De andere vrouwen droegen gouden kettingen, oorhangers en armbanden die ze in de soek hadden gekocht, maar zij droeg geen enkel sieraad.

'Mag ik iets zeggen, dokter Bartholomew?'

'Bart, alstublieft – ga uw gang.' Hij kon het gesprek over de gebreken in het radarsysteem toch niet meer volgen. Hij glimlachte vriendelijk. 'Alstublieft, vertel me wat u wilde zeggen, mevrouw Jenkins.'

'Goed, Bart.' Ze keek hem recht aan; ze was zo'n afschuwelijk type dat niets te verbergen had. Hij verafschuwde eerlijkheid. Ze stak haar hand uit, tilde zijn glas op, haalde een zakdoekje uit haar borstzakje en wreef stevig over de kring op de boekenplank.

Zijn grijns was al net zo slapjes als zijn handdruk. Hij hield er niet van als vrouwen hem zo direct in de ogen keken; dan voelde hij zich in de verdrukking gebracht. Hij verplaatste zijn gewicht van de ene op de andere voet. De twee Tornado-mannen waren uit elkaar gegaan en verder gelopen. Hij was bang voor vrouwen, vooral voor vrouwen die hem ontmantelden, die hem naakt achterlieten. Het was lang, erg lang geleden dat hij voor het laatst intiem met een vrouw was geweest – en toen waren er tranen gevloeid, zijn tranen, en waren er woorden gevallen, haar woorden, en hij had het allesoverheersende gevoel gehad dat hij faalde. Hij had geen idee waar Ann was of waar zij en de kinderen woonden, en het schild waarmee hij zich tegen de impact van dat falen beschermde, was het schild van de onverschilligheid.

'U ziet er niet uit alsof u ervan geniet een gast van het koninkrijk te zijn.'

Dat was een zeer ongebruikelijke opmerking. Ze wist niets van hem, niet van zijn verleden en niet van zijn heden. Hij fronste zijn wenkbrauwen, sloeg het restant in zijn glas achterover en zette het met een klap terug op de boekenplank. 'Ik zou, mevrouw Jenkins, bijna...'

'Ik heet Beth.'

'Ik zou, mevrouw Jenkins, bijna zeggen dat het een voorrecht is een kleine bijdrage te kunnen leveren aan het mondaine karakter en de technologische ontwikkeling van Saudi-Arabië. Maar de werkelijkheid is dat ik dit rotland grondig haat, en daarbij iedereen die zich hier gevestigd heeft – uzelf, dat spreekt voor zich, uitgezonderd.'

Haar wenkbrauwen gingen omhoog. Ze lachte hartelijk, alsof hij toch nog haar belangstelling had weten te winnen. Ze liet een golf van vragen op hem los. Wanneer was hij hier gekomen? Waarom was hij hier gekomen? Wat waren zijn hobby's? Waar woonde hij? Hoe lang bleef hij nog? Hij weerde haar af met antwoorden die zo kort waren dat het onbeleefd werd, maar dat leek ze niet door te hebben. Bij zo veel vragen over zijn privé-leven voelde hij zich niet op zijn gemak. Hij vermeed het in de gemeenschap van buitenlanders eindeloze gesprekken over familie, werkomstandigheden en de lengte van zijn dienstverband te voeren – hij vermeed alles wat de leugen waarmee hij leefde kon onthullen.

'Je moet het me maar niet kwalijk nemen, Bart. Bij mij in het zuiden krijg ik niet vaak de kans een gesprek te voeren. Het is daar net alsof ik in zo'n kloosterorde met een zwijgplicht zit.' Ze raakte zijn hand even aan en glimlachte. Toen kwam er hulp, als je het tenminste zo kon noemen...

Hij had Wroughton niet zien binnenkomen en hem ook niet tussen de andere gasten gezien. Wroughton trok aan zijn mouw en gebaarde met zijn hoofd in de richting van de deur. Hij excuseerde zich niet voor het feit dat hij hun gesprek onderbrak, maar Edward – Eddie voor zijn vriendinnen – Wroughton excuseerde zich nooit. Bart maakte zich onhandig los van de jonge vrouw en liep, gevolgd door Wroughton, via de hal naar de keuken.

Wroughton leunde tegen de muur. Toen prikte hij met zijn vinger in de tatoeage op Barts borst. 'Je bent onze vorige afspraak niet nagekomen, Bart.'

'Ik had het druk.'

'Als je een afspraak met me hebt, dan kom je die na.'

'Ik kon gewoon niet weg.'

'Ik heb twee uur zitten wachten. Twee uur verspild.'

'En ik had toch niets voor je.'

'Dan moet je een beetje beter je best doen.'

'Dat spijt me, Eddie.'

'Meneer Wroughton, voor jou. Begrepen?'

'Het zal niet meer gebeuren, meneer Wroughton,' piepte Bart.

'Luister goed naar me: ik laat me niet in de maling nemen. Het is geen lolletje, neem dat maar van mij aan, maar ik heb je bij die kleine verschrompelde balletjes van je, en die verpulver ik als...'

'Ik heb net wel gehoord dat er problemen zijn met de radar aan boord van een Tornado-gevechtsvliegtuig.'

'Welke eenheid?'

'Dat weet ik niet.'

'Jezus, wat ben jij een waardeloos stuk onbenul. Heb je wel naar me geluisterd? Als je geen beter werk aflevert, verpulver ik ze.'

Wroughton vertrok.

Bart bleef in de keuken achter. Hij hapte naar adem. Er lagen kleine spettertjes spuug op zijn lippen. Hij veegde de transpiratie van zijn voorhoofd. Toen hij zichzelf weer enigszins onder controle had en zijn adem weer regelmatig was geworden, liep hij terug door de gang. Het lawaai uit de woonkamer spoelde hem tegemoet. De gastheer blafte in zijn oor: 'Heb je geen glas meer, Bart? Wil je nog wat champagne? Of blijf je nog even, en neem je dan iets lekkerders?' Een knikje, een knipoog... Bart glimlachte zwakjes. Hij was op zoek naar de gastvrouw. Een van de gasten, een vrouw in een schreeuwerige bloemetjesjurk, hield hem tegen. Hij luisterde even naar haar verhaal over haar zoektocht naar de beste pillen tegen diarree, drukte haar toen zijn visitekaartje in de hand en wees op de tijden dat hij spreekuur had. Hij liep verder. Hij zag Bethany, mevrouw Jenkins, in gesprek met een stel oliemensen, haar hand losjes op haar heup.

De gastvrouw zei: 'Je gaat toch nog niet, Bart? We zijn net aan de warming-up begonnen.' Hij zei dat hij was opgeroepen, sierde het smoesje op met de opmerking dat het waarschijnlijk om een bloedvergiftiging ging, en bedankte haar voor het fantastische feestje, echt heel gezellig.

Bart reed de anderhalve kilometer terug naar zijn woningcomplex, waar zijn huis met de drie slaapkamers stond. Dat kostte hem het equivalent van 22.000 pond per jaar in riyal, wat hij zich moeiteloos kon veroorloven. Overdag maakte hij gebruik van zijn chauffeur, maar 's avonds, als hij niet te ver weg hoefde en het niet te druk op de weg was, reed hij het liefst zelf. De bewakers bij het hek herkenden zijn Mitsubishi jeep. Ze groetten hem en lieten hem door. Uit twee huizen op het terrein van het woningcomplex klonk het lawaai van een feestje. Hij ging zijn donkere villa binnen. Er was niets in zijn huis dat naar een privé-leven verwees; geen schilderijen, geen foto's, geen enkele decoratie of herinnering aan een verleden. Zelfs de kat, het enige wezen waar Bart van hield en liefde van ontving, kon hem niet helpen de plaats die hij zo haatte te ontvluchten.

Wroughton vertrok. Hij wist dat het gerucht ging dat hij een ouwe rokkenjager was, maar de verpleegster met dat afschuwelijke accent, waarschijnlijk uit Falkirk of East Kilbride, zou hij niet zo snel avances maken. Zijn veroveringen betroffen vooral vrouwen die volwassen genoeg waren om discreet te zijn. Hij mocht dan een reputatie hebben, maar die was nooit bewezen. Eddie Wroughton was op weg naar zijn vrijgezellenappartement in de diplomatenwijk. Hij reed in een gepantserde Land Rover Discovery met kogelvrij glas, maar je moest een expert zijn om dat te zien.

Eddie verachtte mensen als Samuel Bartholomew. Hij beschouwde het als een van de vervelende bijkomstigheden in zijn leven als officier van de geheime dienst dat hij met dergelijk tuig moest omgaan. Maar tegenover de ontberingen van zijn werk stonden de alles overtreffende momenten waarin hij glorieerde. Saudi-Arabië was een geliefde post, in intellectueel opzicht interessant en uitdagend, en bovendien en vooral een mooi opstapje naar het echte werk.

Hij verliet zo'n feestje altijd voor er alcohol vloeide. Voordat de 'champagne' op was en er een 'drankje van eigen makelij' werd aangeboden, of er 'thee' werd geschonken, meestal ostentatief uit een porseleinen theepot. Meestal ging het om Jack Daniels en soms om Johnnie Walker, maar altijd zonder ijs of water. Als hij op zo'n feestje bleef tot er alcohol werd geschonken, en de *mutawwa* deed een inval, dan zou dat zijn carrière op z'n minst schaden en misschien zelfs beëindigen. De *mutawwa* waren de fanatici van het Comité ter Bevordering van het Goede en ter Voorkoming van het Slechte. Nee, hij ging altijd vroeg naar huis. Mocht hij een borrel willen, de flessen stonden in het buffet in zijn woonkamer – en dat was dankzij zijn diplomatieke immuniteit beschermd gebied – en in de kluis van zijn kamer in de ambassade.

Er waren niet veel mensen die hem kenden. Alleen de vrouwen met wie hij sliep, een paar agenten in wie hij veel vertrouwen had en zijn enige vriend in de hoofdstad van het koninkrijk konden een onderbouwde mening over Eddie Wroughton geven. Voor de meeste mensen was hij de karikatuur van een Engelsman in het buitenland, en hij speelde die oppervlakkige rol met verve. Of het nu overdag of 's avonds was, op zijn werk, als gast aan tafel van de ambassadeur, op bezoek bij een prinses van de regerende familie of op werkbezoek buiten de stad, hij kleedde zich altijd in een onberispelijk gestreken, crèmekleurig linnen pak, een kraakhelder wit overhemd, een zijden stropdas en glanzende bruine gaatjesschoenen. Hij droeg binnen en buiten een zonnebril, zowel in de hitte van de dag als in de koelte van de avond. Slechts een enkeling kende de kracht van zijn blik, maar wie zijn ogen had gezien, herkende er zijn karakter in: ze fonkelden helder en waren meedogenloos en spottend. Ze waren wreed... Hij was slim, en dat wist hij.

Hij verwarmde een curry in de magnetron en waste zijn handen.

Met betrekking tot Samuel Bartholomew wist hij twee dingen heel zeker: hij had hem in zijn macht, en die macht zou hem ergens in de toekomst heel veel opleveren. De magnetron piepte. Hij kende het levensverhaal van de arts; dat stond in het geheime bestand dat hem was toegestuurd toen de smiecht in Riyad was aangekomen. Hij schoof zijn maaltijd op een bord en nam het op een dienblad mee naar zijn favoriete stoel. De man was ronduit verachtelijk. Hij wist wat hij in Palestina had uitgevreten, en daarvoor koesterde hij diepe minachting – maar hij zou hem, op een dag, heel goed kunnen gebruiken.

Al Maz'an, een dorp op de bezette Westelijke Jordaanoever, in de buurt van Jenin

Hij was er pas een week en deed nu al wat er van hem werd verwacht.

Bart kwam stampvoetend naar buiten en sprong van de drempel van de houten hut op het grindpad dat door de modderzee liep. Hij draaide zich om, stak zijn dokterstas in de lucht en zwaaide er woedend mee naar de man die nu tegen de deurpost leunde. Hij had net zijn eerste gesprek met de Shin Beth-officier gehad.

'Zal ik jou eens wat vertellen? Ik zal jou eens wat vertellen! Jij maakt de menselijke soort te schande. Jouw gedrag gaat alle perken te buiten!' schreeuwde Bart.

De officier van de voorlichtingsdienst stak een sigaret op, gooide de lucifer in de modder en bekeek hem onaangedaan.

'En ik zal jou nog iets vertellen: je maakt je eigen land te schande. En haal die glimlach van je arrogante rotkop!'

Hij mocht de officier wel. Hij had een manipulatieve botte hond verwacht, maar hij bleek een gevoelige, tengere jongeman te zijn, misschien vijftien jaar jonger dan hijzelf. Wilde hij koffie? Had hij zijn draai al gevonden in het dorp? Waren de voortekenen gunstig? Vertrouwden ze hem? Konden ze iets doen om hem te helpen? De officier, Joseph, werkte, sliep, kookte en at in de hut bij de controlepost. Vanzelfsprekend droeg Joseph het militaire uniform met dezelfde tekens als de rest van de eenheid die de controlepost beheerde.

'Ik breng hier rapport van uit, je maakt het me op grove wijze onmogelijk mijn werk te doen! Als Engels staatsburger met een humanitaire missie die wordt gesteund door mijn regering, kan ik een storm van protest veroorzaken. En ik hoop dat die storm recht in dat walgelijke gezicht van jou waait. Het is een schande voor je uniform dat je een arts in functie tegenhoudt. Wacht maar af. Dit gaat je gedonder opleveren.'

In de hut, bij de koffie, had de officier Bart foto's van plaatselijke leiders van de Islamitische Jihad en Hamas laten zien. Bart had de kaart van het dorp en de omliggende gemeenten aandachtig bestudeerd. Hij had een goed geheugen. Josephs verslag van de plaatselijke veiligheid was uitstekend geweest: rustig, gedetailleerd en zonder politieke retoriek. Joseph was professioneel... Hij had hem foto's uit een album met een versleten omslag laten zien. Het waren foto's van de gevolgen van zelfmoordaanslagen op bussen in Haifa, op een markt in Jeruzalem en op cafés in Tel Aviv. Bart had soortgelijke fotoalbums gezien in Tel Aviv en Jeruzalem, waar deze etappe van zijn reis was begonnen. En vanaf het begin van zijn reis was het onmogelijk geweest te weigeren, uit de tredmolen te stappen. Hij liep het grindpad af. De regen daalde op hem neer en de modder tussen de kiezels bleef aan zijn schoenzolen vastzitten.

'Vergeet niet hoe ik heet! Mijn naam is Samuel Bartholomew, rotzak!' schreeuwde Bart over zijn schouder. 'Tegen de tijd dat ik met jou heb afgerekend, zou je willen dat je me nooit had gekend.'

De soldaten waren klaar met het inspecteren van zijn auto – hij hoorde het portier dichtslaan. Tegen de tijd dat hij bij zijn auto aankwam, plakte het weinige haar dat hij nog had drijfnat tegen zijn hoofd. De regen liep langs zijn gezicht naar beneden en had zijn kleren doorweekt. Een norse korporaal hield het portier voor hem open, maar Bart duwde hem opzij, alsof hij geen enkele beleefdheid van een vertegenwoordiger van het Israëlische leger zou aanvaarden.

Er stonden een stuk of veertig Palestijnen in de regen voor de controlepost te wachten. Het had Bart schijnbaar vijfentwintig minuten gekost om langs de wegversperring te komen, maar de Palestijnen zouden er een halve dag staan, en dan moesten ze nog maar afwachten of ze geluk hadden en doorgelaten zouden worden. Op het moment dat hij naar buiten was gekomen, hadden zij, mannen, vrouwen en kinderen, grimmig voor zich uit gekeken. Maar toen hadden ze hem horen vloeken en tieren, en degenen die Engels verstonden, vertaalden het voor de anderen. Hij stapte in zijn auto met de rode halvemanen (het Palestijnse equivalent van het Rode Kruis) op de portieren en het dak. Er werd geapplaudisseerd en de gezichten leefden een beetje op. Dat was precies de bedoeling geweest. Hij reed weg.

Zijn hoofd zakte op zijn borst. Zijn ogen kwamen nog maar net boven de rand van het dashboard uit. Hij maakte zichzelf wijs dat hij in de val zat, dat hij geen andere keuze had. Als zijn vader zou weten hoe diep zijn zoon was gezonken, zou hij hem eigenhandig hebben gewurgd – maar zijn vader was dood. Hij reed naar een kliniek in Jenin. Daar zou hij vrienden maken en de medicijnen die voorradig waren ophalen. Hij zette zijn vader en de medicijnen uit zijn hoofd, zodat hij zich de kaart en de foto's van gezochte personen beter zou kunnen herinneren... Joseph had hem gewaarschuwd dat hij niet aan zichzelf moest gaan twijfelen en zichzelf niet moest gaan haten, en dat hij zich vooral niet de luxe van een geweten moest gaan permitteren. Joseph kon natuurlijk ook niet weten dat Samuel Bartholomew zijn geweten al lang geleden het zwijgen had opgelegd.

Ze bereikten de kade van Sadich. Ze hadden Caleb op een kaart laten zien dat ze zich op de zuidelijkste punt van Iran bevonden. De donkere zee die zich voor hen uitstrekte, was de Golf van Oman. Hij voelde een rauwe opwinding, omdat hij op het punt stond een nieuwe stap op zijn reis te maken.

De officier sprak Arabisch. 'Mijn vriend, je bent een raadsel voor me. Ik kan me niet herinneren wanneer iemand me voor het laatst heeft verbaasd. Jij hebt bereikt wat ik onmogelijk achtte: je hebt me in de war gebracht. Ik noem je mijn vriend omdat ik niet weet welke naam je hebt gekregen en niet weet wat de naam van je vader was. Mijn regering vertrouwt mij zaken toe die zeer gevoelig liggen. Zij stellen dat vertrouwen in mij omdat ik de reputatie heb ieder geheim in een man aan de oppervlakte te kunnen brengen. Maar ik heb elf dagen in je gezelschap doorgebracht, en ik heb gefaald. Je bent geen taxichauffeur, en Abu Khaleb is de vlag waaronder je vaart zolang hij je van pas komt. Voordat ik je overdraag: wie ben je?'

Het was zeker geen stad; het was zelfs nauwelijks een dorp te noemen. Ze hadden de Mercedes en de chauffeur op de parkeerplaats achtergelaten, naast het gebouw van de coöperatie, waar de vis in dozen met ijs werd verpakt en door vrachtwagens werd opgehaald.

Aan de kade, in het zwakke licht van de sterrenhemel, lagen traditionele *dhows*, vissersbootjes en een stuk of zes motorsloepen met twee grote buitenboordmotoren naast elkaar. Er stond een harde wind, die floot in het tuig van de *dhows* en de motorsloepen aan hun meerkettingen op en neer deed deinen. Caleb staarde naar de zee. Hij gaf geen antwoord op de vraag van de officier – dat had hij elf dagen en elf nachten niet gedaan. Sommige van die dagen waren snel voorbijgegaan, andere traag. Sommige nachten had hij geslapen, andere hadden eindeloos geleken. De kolonel had hem in de afgesloten villa met de gesloten luiken verhoord, maar het grootste deel van de uren tussen de maaltijden in had hij naar de Iraanse televisie gekeken of de gewichten en de roeimachine die hem ter beschikking waren gesteld gebruikt: hij had wisselend gerust en aan zijn krachten gewerkt. Hij stelde zich voor dat er boodschappen voor hem uit waren gereisd en dat er antwoorden waren teruggekomen, maar hij wist niet waar de boodschappen naartoe waren gestuurd en waar de antwoorden vandaan kwamen. Wat hij wel had begrepen, in de lange dagen en de nog langere nachten, was dat zijn belang voor zijn familie steeds opnieuw werd bevestigd, net als in de week dat hij in het dorp, ver weg, in Afghanistan had gewacht. De zeewind geselde zijn lange kaftan en hij was, zonder erover te pochen, trots dat hij belangrijk was.

'Is het nodig dat ik je ware identiteit ken? Nee. Maar ik hou ervan als alles op zijn plaats valt. Om te beginnen heb je een accent. Mijn Arabisch is Irakees. Ik heb het Irakese Arabisch geleerd van de Irakezen die we tijdens de gevechten om het schiereiland Faw gevangen hebben genomen. Maar het Arabisch uit Egypte, Jemen, Syrië of Saudi-Arabië ken ik niet... Herinner je je dat ik je op een ochtend wakker maakte met een schreeuw, een bevel, in het Engels? Je reageerde niet. Twee dagen geleden tijdens de lunch begon ik zonder overgang Duits te praten. Vijf dagen geleden, toen we in de tuin liepen, was het Russisch... Je bent een man met groot talent, mijn vriend, want je hebt jezelf niet verraden. Je hebt geen naam, geen afkomst... Ik denk dat daarin je waarde ligt.'

Hij keek voorbij de golfbreker van rotsblokken, voorbij de lampjes in de berkoenen van de schepen, en hij zag de witte koppen op de golven, die landwaarts rolden. De wind was koel. Toen hij in de villa achter de muren en het zware ijzeren hek zat, hadden ze zijn kaftan afgenomen en gewassen. Nu blies de wind de stof tegen zijn torso en zijn benen.

'En je hebt geen verleden... Misschien omdat je je ervoor schaamt, misschien omdat je het irrelevant vindt, misschien omdat je het ontkent. Je bent een jaar of vier geleden in Landi Khotal opgedoken, aan de Pakistaanse kant van de grens met Afghanistan. Daarvoor is er niets, alleen duisternis. Je frustreert me. Je bent gerekruteerd, getraind en in de 55ste Brigade geplaatst. Daarna ben je gevangengenomen en dankzij een list – en geloof mij, ik bewonder de list – vrijgelaten. Het gerucht gaat dat je aan de Amerikanen bent ontsnapt, en de hoogste leiders hebben opdracht gegeven je door te sluizen: je bent je gewicht in goud waard. Het zijn mijn zaken niet, dat weet ik wel. Ik doe alleen maar wat mij in het grootste geheim is opgedragen. Maar je bent een zeer belangrijk man. Ik weet niet wie je bent en ik weet niet wat je afkomst is, of wat men hoopt dat je zult bereiken. In alle eerlijkheid, mijn vriend: als je straks bent vertrokken, zal ik 's nachts wakker liggen en mijn onwetendheid zal als een steentje in mijn schoen zijn.'

Op het ruwe beton van de kade zaten mannen in het schaarse licht aan hun netten te werken. Anderen klommen langs ladders van de kade naar de sloepen. Hij hoorde het lage gegrom van de buitenboordmotoren die werden gestart.

'Ze steken de golf over, naar de Omaanse kust. Ze vertrekken zonder lading en komen terug met dozen vol Amerikaanse sigaretten. We gedogen de handel. Het is handig om een route het land in en uit te hebben die niet wordt gecontroleerd. Nu moet je gaan, mijn vriend. De tijd roept. Mag ik nog één ding tegen je zeggen? Ik vertrouw je. Als ik had getwijfeld, zou ik je hebben opgehangen. Ik begrijp niet wat je motivatie is, ik begrijp niet waarom je je met ons verbonden voelt, maar ik geloof in jouw kracht. Je zult onze gemeenschappelijke vijand een zware slag toebrengen. Ik weet niet waar of wanneer, maar ik ben tevreden dat ik er mijn nederige en onbelangrijke bijdrage aan heb kunnen leveren. Ik zal naar de radio luisteren en naar de televisie kijken, en als het zover is, ben ik blij dat ik een rol heb kunnen spelen. God zij met je...'

De officier legde zijn hand op de arm van Caleb en ze liepen samen naar de sloepen.

'Het gaat slecht met de oorlog. We hebben tegenspoed gekend. De vijand en zijn machines zijn machtig. Alleen de hardste man kan slagen. Jij ziet de mannen die je naar de overkant van de golf brengen en zij zullen jouw gezicht zien. Maak je daar geen zorgen over. Ze komen terug met sigaretten. De grenspolitie arresteert hen en ze worden naar gevangenissen in het noorden gebracht. Ze zullen je niet kunnen verraden.'

Hij stond boven aan de ladder. Vijf sloepen waren de haven uit gevaren en de golfbrekers inmiddels gepasseerd; de laatste sloep lag nog onder aan de ladder.

'Je hebt mijn gezicht gezien, en ik het jouwe. Mijn vriend, ik ben je al vergeten, zelfs als ik midden in de nacht wakker word. Ik ben evenmin bang dat jij mij zult verraden. Jij zult nooit meer gevangengenomen worden. Je zult de zoete vrijheid of de nog zoetere dood proeven. God hoede en bescherme je.'

Caleb ging de ladder af. De nacht was om hem heen, net als de kou.

'Wat is er verdomme aan de hand, man? Ik lig te slapen. Hoe laat is het?'

Marty knipperde met zijn ogen tegen het licht van de lamp aan het plafond. De officier van dienst, die nacht verantwoordelijk voor de satellietverbinding, stond over hem heen gebogen.

'Hoe laat het is? Het is tien minuten nadat de raspaardjes op Langley hun eersteklas lunch in de officiersmess op hebben. Een uitstekend moment, vinden zij, om het leven van een paar eenvoudige infanteristen te verzieken. Hier is het, als je dat wilt weten, tien over twaalf. Lees dit maar, Marty, lees en vrees... Volgens mij is het glashelder, zelfs voor iemand die denkt dat hij een piloot is.'

Marty wreef de slaap uit zijn ogen, nam het vel papier aan en las. Daarna las hij het nog een keer. De officier ijsbeerde door de kleine kamer met het lage plafond en de muren van hardboard. Marty las het voor de derde keer, alsof hij hoopte dat de inhoud erdoor zou veranderen.

'Shit... Wie hebben hiernaar gekeken?'

'George... Tja, hij is degene die ervoor opdraait. Ik vond dat hij het als eerste moest weten.'

George Khoo, de in China geboren onderhoudsofficier van de missie, was verantwoordelijk voor het onderhoud van *First Lady* en *Carnival Girl* en moest ervoor zorgen dat ze operationeel waren. Marty hoorde door de dunne deur en muren van de kamers heen dat er aan het einde van de gang een deur dichtsloeg. Vervolgens hoorde hij het geluid van laarzen die zich stampend verwijderden, en een uitroep van protest tegen het lawaai.

Daar zou George, nu hij orders uit Langley had ontvangen, zich wel niet om bekommeren.

'En, hoe reageerde George?'

'Dat is me een fraai portret. Niet echt rustig... Ik zal maar niet herhalen wat hij zei.'

Aan de muur hing een ingelijste foto van zijn ouders voor hun buitenhuisje in de heuvels ten noorden van Santa Barbara. Maar de officier van dienst staarde gefascineerd naar een reproductie van een schilderij, in een goudkleurige lijst. Het was Marty's grote trots. Hij had op internet gezien dat het door een bedrijf in Londen te koop werd aangeboden, en het was zes weken geleden in Bagram aangekomen. Het onderschrift was: 'De laatste stelling van het 44ste regiment bij Guadamuck, 1842'. Veertien Engelse soldaten stonden in een kleine kring bij elkaar. Ze hielden hun geweer met de bajonet erop voor zich uit; sommigen hadden hun sabel getrokken. Om hen heen lagen talloze doden en gewonden, en de Afghanen kwamen op hen afgestormd. Het zag ernaar uit dat de Engelsen door hun munitie heen waren. Achter de Afghanen lagen besneeuwde bergtoppen. Het was een schilderij van William Barnes Wollen, geboren in 1857, gestorven in 1936.

'Dat is echt een prachtig schilderij.'

Marty gromde en kwam moeizaam uit bed. Het was het eerste schilderij van zijn leven. De reproductie had 75 dollar gekost, de lijst 90 dollar en de verzending 110 dollar, maar hij had het vervoer overleefd. De mannen die de dood in de ogen keken, werden aangevoerd door een officier met een zwaard in de ene en een revolver in de andere hand. Hij stond kaarsrecht, zoals het een Engelsman betaamde, en hij droeg een suède jas met een voering van bont. Hij had de met gouddraad bewerkte vlag van zijn regiment onder zijn jas om zich heen gewikkeld, zodat hij die tot de laatste snik zou kunnen verdedigen. De officier, luitenant Souter, zou worden gespaard. De Afghanen dachten namelijk dat hij te belangrijk was – hij had de vlag – om te castreren en te doden, en daarom werd er losgeld voor hem gevraagd. Dat had Marty allemaal op internet achterhaald, maar hij vertelde het niet aan de officier van dienst.

'Is Lizzy-Jo al gewekt?'

'Dat genoegen gun ik jou.'

De officier vertrok. Marty nam een paar grote slokken water, spoelde zijn mond boven de wastafel en haalde zijn badjas van de haak aan de deur.

Hij klopte op de deur van Lizzy-Jo, hoorde haar en liep naar binnen. Ze zat rechtop in bed. Het leek haar niet te kunnen schelen dat haar pyjamajasje openhing.

Marty zei: 'We worden overgeplaatst. We vertrekken morgenochtend naar Saudi-Arabië. Ik weet niet hoe lang we daar blijven. George is de vogels al aan het inpakken. Je kunt maar beter even uit zijn buurt blijven. Het vliegtuig dat ons ernaartoe brengt, wordt klaargemaakt.'

Ze liet hem vertellen wat hij wist. Toen zei ze dat hij de lamp uit moest doen en draaide ze zich om. Om verder te kunnen slapen als je wist dat er zo'n inbreuk op de dagelijks gang van zaken gemaakt ging worden, moest je Lizzy-Jo heten. Er was een aardbeving nodig om haar uit haar doen te halen.

Aan het eind van de dag verbrak de kleine vloot de formatie. Vijf motorsloepen zwenkten naar het zuiden, die van hem voer rechtdoor. Ze gingen op volle snelheid uit elkaar, en de groet die de bemanningsleden van de andere boten naar die van zijn boot schreeuwden, ging verloren in het lawaai van de motoren en de klappen van de romp van de boot op de golven. Hij wachtte tot het kielzog van de vijf uit het zicht was verdwenen en kroop toen weer in de hoek van de lage kajuit, waarin hij de hele nacht weggedoken was geweest. Hij had twee keer overgegeven en hij had blauwe plekken op zijn schouders doordat hij voortdurend tussen het afscheidingsschot en de zijkant van de kajuit heen en weer werd geworpen. De bemanning bestond uit twee jongens. Ze hadden lang haar en droegen een spijkerbroek en een windjack. Hij had, als ze een gesprek waren begonnen, niet met hen willen praten, maar ze zeiden niets tegen hem. Hij was lading, net als de dozen met sigaretten die ze mee terug zouden nemen. De officier van de veiligheidsdienst had hun waarschijnlijk royaal voor de overtocht betaald, en ze konden natuurlijk niet weten dat ze bij hun terugkeer in de haven aan de zuidkust van Iran zouden worden gearresteerd en vervolgens in een gevangeniscel zouden wegrotten. Hij hoorde een kreet boven de motor uit komen. De jongen die aan het roer stond, hield zijn handen voor zijn mond en wees daarna. Hij zag de opwinding op het jongensgezicht, dat droop van het opgespatte water. Caleb keek door de patrijspoort.

Hij zag het enorme schip.

Het vliegdekschip maakte kleine boeggolfjes omdat het langzaam naar de sloep toe draaide. Het schip was grijs, de zee was grijs en de lucht was grijs. Hij zag de massieve kracht van het schip. De andere jongen gaf hem een verrekijker aan en hij steunde met zijn armen op de rand van de patrijspoort. Hij stelde de verrekijker scherp en keek.

Het beeld danste voor zijn ogen. De zeelieden liepen over het dek alsof ze zich in een park in Jalalabad waanden, of in de dierentuin van Kabul. Hij zag de vliegtuigen aan de zijkanten van het dek staan, sommige met de vleugels gevouwen. De jongen aan het roer week van zijn koers af en ze lieten het schip achter zich. De mannen die daar op het dek van het vliegdekschip hadden rondgelopen, dachten waarschijnlijk dat ze onoverwinnelijk waren. Hij hield zijn hoofd in zijn handen.

Ze staken de Golf van Oman over en Caleb, in de witte linnen kaftan die hem cadeau was gedaan, besefte de consequenties van het plan om hem bij zijn familie terug te brengen. Hij was krachteloos bij het dorp aangekomen en nu – op volle snelheid onderweg naar de kust – begreep hij dat er enorme inspanningen werden geleverd om hem naar zijn familie te laten terugkeren.

Het was een zware last, die hij alleen kon dragen.

3

De sloep schoot door de branding voor de kust en jakkerde met zo'n snelheid naar het strand dat het leek alsof ze zich te pletter zouden varen. Het laatste stukje van de zon balanceerde nog net op de top van een heuvel in de verte. Caleb volgde de landing door de patrijspoort van de kajuit. De jongens hadden gedurende de hele tocht over de golf geen woord met hem gesproken en hem niets te eten aangeboden. Op een gegeven moment hadden ze wel een emmer zeewater bij de ingang van de kajuit gezet. Hij had het gebaar begrepen en het braaksel uit zijn kaftan gespoeld; daarna had hij met zijn handen de bodem van de kajuit schoongemaakt. Ze hadden een groot deel van de tijd naar hem gekeken, maar zodra hij vanaf zijn plek tegen de afscheidingswand had opgekeken, hadden ze hun blik afgewend. Het was net alsof ze begrepen dat hij hen, al was hij ongewapend en alleen, in gevaar bracht... De zon zakte achter de heuvels. Caleb zag geen enkel teken van leven op het strand. Een kilometer of vijf, zes naar rechts had hij, toen ze nog op zee waren geweest, een vissersdorp gezien, maar dat was uit het oog verdwenen toen ze de kust waren genaderd.

De jongen draaide het roer plotseling om en Caleb rolde over de vloer. Hij knalde met zijn schouder tegen de wand en het opspattende water dat door de open deur van de kajuit naar binnen kwam, maakte hem doornat. Hij kroop op handen en voeten naar de harde houten stoel die met bouten was vastgezet, ging erop zitten en hield zich stevig vast. Toen minderde de jongen aan het roer vaart en werd de heen en weer schommelende sloep op de golven naar het strand gedragen. De jongen draaide zich om naar Caleb, en gebaarde hem dat hij uit de kajuit moest komen. Hij was nauwelijks in staat om op zijn benen te blijven staan, en hij gebruikte de stoel, de hoek van de tafel en de deurpost om zichzelf te ondersteunen. Hij zag de branding overgaan in het strand en hoorde het geruis van de golven die op het zand en de kiezelstenen sloegen. Hij dreigde achterover te vallen, maar de twee jongens grepen hem bij zijn schouders en armen en duwden hem naar de rand van de sloep. Hij was niet alleen geen zeeman, hij had bovendien nog nooit gezwommen. Hij verzette zich niet.

Ze hadden genoeg tijd gehad om iedere plooi in zijn gezicht te onthouden. Ze zouden de vorm van zijn neus kunnen beschrijven, zijn kaaklijn, de kleur van zijn ogen.

Hij had hun kunnen vertellen hoe het was afgelopen met de vier opiumsmokkelaars die zijn gezicht hadden gezien.

Ze tilden hem op. Zijn buik schuurde over de rand van de boot.

Hij vertelde hun niets.

Als ze zijn hoofd op het laatste moment bij zijn haren achterover hadden getrokken, hadden ze in het stervende licht kunnen zien hoe hard zijn gelaatstrekken waren – maar dat deden ze niet.

Caleb werd overboord gezet. Hij zag de twee grijnzen en verdween toen onder water. Zijn lichaam schrok zo van het water dat de lucht uit zijn longen werd geperst. Hij ging onder in de duisternis. Hij spartelde met zijn voeten, trapte in het wilde weg en kreeg het zoute water in zijn mond en neus. De druk op zijn borst was enorm. Zijn armen maaiden door het water.

Hij kwam weer boven. Hij hapte naar lucht, hij hoestte. De sloep voer op volle snelheid in een boog weg van de kust. Zijn herinneringen begonnen bij de dagen in Landi Khotal en de bruiloft – daarvoor was er niets, daarvoor was het net zo zwart als onder water. Daarna kwamen de herinneringen van Afghanistan en van de kampen op Guantánamo Bay. Geen van die herinneringen vertelde Caleb hoe hij moest zwemmen. Hij kon uitstekend en met grote vastberadenheid vechten. Hij had het uitgehouden in een cel die was ontworpen om een gevangene mentaal kapot te maken. Maar hij wist niet hoe hij moest zwemmen. Hij sloeg naar het water. Zijn arm- en beenbewegingen en de golfslag duwden hem naar het strand. Hij had er geen spijt van dat hij hun niet had verteld wat hen te wachten stond. Zijn ziel was net zo koud als het water. Zijn voeten raakten de bodem. Zijn sandalen zaten nog aan zijn voeten. Hij stond rechtop, de golven beukten tegen zijn rug. Hij waadde naar de kust. Toen hij op het droge was, zonk Caleb neer. Hij rolde op zijn rug. Er drukten kiezelstenen in zijn rug.

Het licht van de maan scheen op het water en op hem.

Zijn leven, het leven zoals hij het kende, was begonnen op een bruiloft aan de rand van de stad Landi Khotal. Daarvoor was het net zo donker als in het water toen hij overboord was gezet. Hij voelde geen enkele behoefte licht in die duisternis te brengen, want de oude herinneringen vormden een bedreiging voor hem. Terwijl hij daar op zijn rug naar de sterren lag te kijken, zag hij de man met de ooglap en de stalen klauw die voortdurend naar hem had gekeken. Hij had gevoeld dat dat ene oog voortdurend op hem rustte. Er werd feestgevierd en er werd gegeten en gedronken, en toen de avond viel, was de man met de ooglap en de stalen klauw naast hem komen zitten. Bij het licht van de stormlampen waar motten omheen dansten, had hij de littekens gezien. Ze liepen vanonder de ooglap over zijn gezicht en over de pols waaraan de klauw vastzat. Het was het begin van de reis van Calebs leven geweest.

Tussen de bomen flitste een licht, alsof het naar hem knipoogde.

Hij glibberde op zijn natte sandalen over het zand en liep naar het licht toe. Eerst gaf het licht aan waar hij heen moest, maar toen hij bij de rommel kwam die door de hoogste vloed op het strand was achtergelaten, werd het licht gedoofd. Hij liep op de tast door de duisternis en zigzagde tussen de bomen door. Zijn kaftan bleef achter doornstruiken haken. Hij was drijfnat, en de kou van de nacht wikkelde zich om hem heen. Caleb schaamde zich niet voor zijn angst. Sinds de bruiloft was hij dikwijls bang geweest. De Tsjetsjeen had gezegd dat angst niets voorstelde, dat het er alleen maar om ging of je je angst onder controle kon houden; daar lag het talent van de strijder. Om zijn familie te bereiken, moest hij iedere stap die hij nam vertrouwen.

Hij strompelde tussen de bomen door. Als zijn kaftan vast kwam te zitten, trok hij hem los.

Caleb had zijn angst onder controle omdat hij in de kampen van Guantánamo gehard was. Hij was iemand die wist te overleven... Hij liep langs de stam van een palmboom. Zijn arm werd gegrepen en het licht viel op de plastic armband om zijn rechterpols. Zijn arm werd losgelaten. De angst was verdwenen.

In het lage strijklicht naderden de boeren behoedzaam het lijk. Ze hadden het pad verlaten en waren tussen de rotsen door geklauterd omdat ze de stank van het lijk hadden geroken. Het pad liep vanuit de Jemenitische stad Marib naar de grens en vervolgens in noordoostelijke richting naar de Saudi-Arabische stad Sharurah. Ze hadden hun ezels en schapen op het pad achtergelaten, bij de plek waar de met kogels doorzeefde, uitgebrande auto stond. Ze bereikten het lijk. Het hoofd was van het lichaam gescheiden, en de handen van de polsen. Het krioelde er van de vliegen, en vossen hadden al stukken vlees van het lijk afgescheurd. Een van de boeren liep met zijn T-shirt tegen zijn neus gedrukt naar het lijk en doorzocht de zakken, maar die waren leeg. Hij tilde de mouw van de linkerarm op en zag dat de man geen horloge droeg. De boeren gingen rondom het lijk staan en gooiden er stenen op tot het lichaam geheel was bedekt. Daarna haastten ze zich weg en lieten de stank en de stenen achter zich.

'Klopt het? Hebben we er een aantal vrijgelaten?'

'Vijf man, dat is alles... We stonden onder druk om ons imago te verbeteren. Waarom wind je je zo op? Vijf kerels, wat maakt dat uit?'

Zijn meerdere aan de andere kant van het bureau staarde hem aan. Jed vond dat hij er in de tl-verlichting afgetobd en gespannen uitzag.

Het licht accentueerde de lijnen rond zijn mond en de wallen onder zijn ogen. Als Jed geen griep had gekregen, zou hij een week eerder in Guantánamo zijn teruggekomen. Maar toen hij met Brigitte en Arnie Junior in hun appartement in de buurt van het Pentagon was aangekomen, had hij lopen snotteren. Bovendien had hij pijn in zijn keel en een hoestje gehad. Hij had zijn terugkeer naar Gitmo uitgesteld. Nu hield hij de lijst met namen in zijn hand. Jed Dietrich werkte al jaren bij de Defense Intelligence Agency, maar de dagen dat hij zich ziek had gemeld waren op de vingers van één hand te tellen. Het had hem, plichtsgetrouw als hij was, pijn gedaan dat hij te laat van vakantie was teruggekomen. Zijn aanzwellende schuldgevoel voedde zijn woede.

'Een heleboel, Edgar. Twee van hen staan op mijn lijst.'

'Nou en? Dat maakt geen ruk uit. Bovendien werd er, zoals ik al zei, druk uitgeoefend om ons imago te verbeteren. Die factoren spelen op jouw niveau misschien geen rol, Jed, maar op het mijne wel. Er wordt een hoop druk op me uitgeoefend om het imago van dit van god verlaten oord een beetje op te krikken. En als je het niet erg vindt, zou ik nu weer aan het werk willen. De dag mag dan ten einde lopen, ik heb nog een hoop werk te doen.' Zijn baas grijnsde. 'En als ik jou was, Jed, zou ik maar een beetje op die verkoudheid van je letten. Hoe sneller je hier weg bent, hoe eerder je in je bed kunt liggen.'

Hij werd geacht te gaan. Zijn baas was vijftien jaar ouder en stond drie rangen hoger dan hij. Maar of het nou kwam doordat hij moe was van de griep, doordat de verbinding met San Juan vertraging had gehad of doordat overwinningen op Camp Delta schaars waren, Jed gaf niet op.

'Het had nooit mogen gebeuren. Niet de mannen van wie de naam op mijn lijst staat. Ze hadden niet vrijgelaten mogen worden zonder dat ik werd geraadpleegd. Hebben jullie er soms lootjes om getrokken?'

'In godsnaam, kijk nou eens.' Zijn baas maakte een gebaar naar het bakje voor binnenkomende post. 'Ik heb nog veel te doen.'

'Heb jij de vrijlatingen goedgekeurd? Was het jouw beslissing?'

Een paar collega's vonden dat Jed Dietrich toegewijd was, maar de meeste collega's zagen hem als een ploeteraar. Hij wilde zijn werk goed doen... Hij had de twee namen zelf bijna vrijgegeven, maar bijna was voor hem niet goed genoeg. Hij fronste zijn voorhoofd. Hij besefte maar al te goed hoe het tijdens zijn afwezigheid gegaan moest zijn. De FBI en de CIA hadden autoriteit. De DIA stond onder aan de ladder, op de onderste sport.

Jed zei: 'Met die blinde heb ik geen moeite. Maar die andere kerel, die Fawzi al-Ateh, daar was ik nog niet klaar mee.'

'Wat wil je nou eigenlijk zeggen?' vroeg zijn superieur dreigend.

'Dat het niet professioneel is. Het is belachelijk, Edgar, om iemand vrij te laten als de verhoren nog niet zijn afgerond.'

'Jij beweegt je op glad ijs.' Zijn baas grijnsde boosaardig. 'Het is helemaal niet belachelijk; het was een bevel.'

'Ik heb aan hem gedacht.'

'Is dat zo? Nou, ik kan je vertellen dat ik, als ik op vakantie zou zijn, echt niet aan hem zou denken, of aan iets anders wat met deze plek heeft te maken. Hij was maar een taxichauffeur... Til er niet zo zwaar aan. Zet hem uit je hoofd. Je hoeft alleen maar te onthouden dat hij weg is. Hier heb je je nieuwe dienstrooster.'

De superieur gaf Jed een vel papier waarop stond wie hij de komende week moest verhoren, en hoe laat. Jed pakte hem met zijn linkerhand aan. In zijn rechterhand hield hij het papier met de namen van de vijf mannen die waren vrijgelaten toen hij niet op Gitmo was. In de eerste week van zijn vakantie waren de namen van de gevangenen en de patronen volgens welke de verhoren werden afgenomen door zijn hoofd blijven spelen. Tegen de tijd dat hij in het buitenhuisje met uitzicht op het meer in Wisconsin was aangekomen, had hij er niet meer aan gedacht. Maar toen hij de namen op de lijst had zien staan, was het weer gaan knagen en was het ongemakkelijke gevoel teruggekeerd. Het moest van zijn gezicht af te lezen zijn.

'Jezus, Jed, heb je soms niets gevangen?'

Hij stond op en liep naar buiten, de avondlucht in. Het Magribgebed galmde uit de luidsprekers. Vanachter het prikkeldraad, dat in het licht van de schijnwerpers baadde, klonk het gemurmelde antwoord van zeshonderd mannen, een gonzende uitroep, als het gezoem van bijen. Hij liep via de barak waar de verhoren werden afgenomen – zijn werkplaats, de lampen aan het plafond brandden er op volle sterkte – naar het prefab houten gebouwtje dat, als hij op zijn werk was, voor zijn huis doorging. Hij verafschuwde Guantánamo Bay, want zelfs kleine overwinningen waren er moeilijk te behalen. Tegenover zijn 'huis' stond het betonnen gebouw waarin de FBI en de CIA zaten. Zij trokken de interessantere gevangenen naar zich toe, zij namen de beste gevallen, die een grotere overwinning konden opleveren. Zij waren de koningen van Gitmo.

Op zijn slaapkamer, die nauwelijks een gewone hengel breed en een telescoophengel lang was, bestudeerde Jed het dienstrooster met de verhoren die hij de komende week moest gaan afnemen. Er stonden namen op die hij niet kende, waarschijnlijk van mannen die naar hem waren gestuurd omdat het verblijf van hun ondervragers op Gitmo erop zat. Het leven in Camp Delta verliep volgens een ritme en een routine die alleen maar aan de mislukking bijdroegen. Hij vloekte. Nog even en hij zou zich afmelden, het hek van het complex uit lopen, de bus naar de pont nemen en de baai naar de hoofdbasis van het Korps Mariniers oversteken. Daarvóór zou hij vanuit zijn schaars ingerichte woonkamer naar Brigitte bellen om te zeggen dat alles in orde was. Maar eerst moest hij een bericht versturen.

Zijn vingers roffelden over het toetsenbord. Hij stuurde een bericht naar de Defense Intelligence Agency op het vliegveld van Bagram in Afghanistan, met het verzoek Fawzi al-Ateh, registratienummer US8AF-000593DP te checken. Was Fawzi al-Ateh naar zijn dorp teruggekeerd? Als iemand Jed zou vragen waarom hij dat wilde weten, dan zou hij het moeilijk vinden een samenhangend antwoord te geven. Misschien was hij alleen maar gepikeerd omdat het buiten zijn medeweten om gedaan was. Misschien had hij er gewoon een slecht gevoel over.

Als hij mazzel had, zou Bagram binnen een maand antwoorden. Hij verzond het bericht.

De marinier nam hem op alsof hij een onwelkome indringer was.

Eddie Wroughton glimlachte en liet duidelijk merken dat de vijandige houding van de korporaal hem koud liet. Een boodschapper van de ambassade kwam niet verder dan het hek. De kantoren van de CIA bevonden zich op de hoogste verdieping van het gebouw. De buitenmuren waren verzwaard, in de ramen zat kogelvrij glas en de binnendeuren waren met plaatijzer versterkt. De marinier keek over het stalen hek naar het gebouw. Wroughton gaf zijn naam en liet zijn paspoort zien. Nog voordat de marinier voor instructies had kunnen bellen, kwam Juan Gonsalves al naar buiten lopen. Het hek ging open en Wroughton mocht naar binnen. Zijn naam werd in het register genoteerd. Ze omhelsden elkaar. Gonsalves ging Wroughton voor door een kantoortuin waar de juniormedewerkers en het administratieve personeel zaten te werken. Iedereen keek naar Wroughton, met dezelfde vijandige blik als die van de korporaal der mariniers. Er waren maar weinig mensen die toegang kregen tot dit heilige der heiligen waarin zelfs de hitte en het stof van Riyad niet konden doordringen. De ambassadeur mocht er zelden komen, laat staan gewoon ambassadepersoneel of buitenstaanders. Wroughton wist dat Juan Gonsalves zich daar geen reet van aantrok. Eddie Wroughton was de enige buitenlander die het centrum van de CIA binnenkwam. Ze passeerden een bureau en een junior boog zich snel voorover om zijn papieren af te dekken. Een secretaresse schakelde haar screensaver in. Ze liepen verder. Wroughton droeg zijn linnen pak, het gestreken witte overhemd en de onberispelijk geknoopte stropdas. Gonsalves had een verbleekte spijkerbroek aan, die van zijn forse achterwerk afzakte. Zijn T-shirt hing uit zijn broek. Ook al was de een het tegenbeeld van de ander, ze vertrouwden elkaar omdat ze elkaar informatie voorschotelden en omdat ze dezelfde vijand hadden. Maar de porties werden niet helemaal gelijk verdeeld.

Het grootste probleem waarmee Eddie Wroughton op zijn post in Riyad had te kampen, was dat het niet meeviel om voldoende brood op tafel te krijgen. Het gebeurde te vaak – en dat vrat aan hem – dat hij het met niet veel meer dan een handvol kruimels moest doen. Gonsalves leidde hem naar een zijkamertje.

Het was een puinhoop in de kamer. Wroughton wist dat er drie maanden eerder een inspectieteam uit Langley langs was geweest. Het kon niet anders of zijn vriend had voor die gelegenheid enige orde aangebracht in de chaotische stapels documenten op de vloer, de stoelen en de tafel. Waarschijnlijk had hij de koffiekoppen en de wijnglazen afgewassen en bij de overige spullen in de kastjes gezet, de verpakkingen van snacks in de vuilnisbak gegooid, de nieuwste foto's van Meest Gezochte Personen afgedekt en de kluis op slot gedraaid – maar dat was inmiddels twaalf weken geleden, en de normen waren weer vervaagd. Eddies kamer in de Engelse ambassade werd gerund door zijn secretaresse: een nette, al wat oudere vrouw, die het haar in een strakke knot op haar achterhoofd droeg. Zij zorgde ervoor dat het in de kamer altijd zó keurig netjes was dat het leek alsof ze het uit angst voor zijn commentaar deed.

Wroughton stapte behoedzaam tussen de documenten door, haalde een doos met papieren van een stoel en zocht de minst smerige koffiekop uit. Hij gaf Gonsalves de koffiekop aan, en zijn blik viel op de volgepropte kluis, die openstond. Daarna ging hij zitten, onder het bord met de foto's van Meest Gezochte Personen, die boosaardig op hem neerkeken. Op het gezicht van sommigen was een dik, rood kruis gezet en daaronder stond de datum waarop ze gevangen waren genomen of dood waren geschoten. Maar het leeuwendeel werd nog gezocht. Naast de stomende waterkoker lag een bord met een halvemaanvormig stuk pizza. Gonsalves zette koffie en reikte hem een oud koekblik aan. Het bord met de Meest Gezochte Personen werd gedomineerd door de foto van de Grote Voortvluchtige. Hij had een lang gezicht en droeg een witte doek, waarachter zijn haargrens verscholen ging. Zijn heldere ogen fonkelden en hij had een prominente neus en een rij ongelijke maar witte tanden. Boven zijn lachende mond zat een snor die overging in een grijze, woest uitgegroeide baard, waarvan de zijkanten en uiteinden donker waren. Hij droeg een dichtgeknoopt bruin overhemd. Boven het hoofd van de Grote Voortvluchtige was in een kinderlijk handschrift geschreven: 'Wie als martelaar sterft om alle mensen te verenigen voor God en Zijn Woord, sterft de mooiste, beste, gemakkelijkste en deugdzaamste dood': middeleeuwse wijsheid. Wroughton dacht aan de mannen die drie jaar geleden aan boord van de passagiersvliegtuigen hadden gezeten en vroeg zich af of zij die woorden hadden gekend. Gonsalves zakte in zijn stoel, verschoof hem, legde zijn voeten op tafel, waarbij hij een stapel papier omtrapte, en nam een slok van zijn koffie.

'Oké, Eddie. Mag ik?'

'Ga je gang.'

Gonsalves maakte een lui gebaar naar het bord met de Meest Gezochte Personen en de Grote Voortvluchtige, nam nog een slok en zei: 'Ze zitten in de val. Ze hebben problemen. Ze voelen zich opgejaagd. Ze kunnen geen kant op. Ze zijn in paniek. Ze moeten voortdurend over hun schouder kijken. Ze zijn nu niet in staat om een zware klap uit te delen. Ze zijn aangeslagen. Maar...'

'Maar ze zijn nog intact, Juan.'

'Maar ze zijn nog intact. Je slaat de spijker op zijn kop, Eddie. Een aanvoerder gaat, als hij naar een nieuwe verdedigingslijn zoekt en zich moet terugtrekken, naar een plaats waar hij zich kan ingraven en...'

'... en zich kan hergroeperen, Juan.'

'Afghanistan heeft hij uit zijn hoofd gezet. Pakistan is heet en lastig. Iran is...'

'Iran is behulpzaam en komt goed van pas als vluchtroute en tijdelijke schuilplaats.'

'Iran is op de lange termijn niet geschikt voor een basiskamp. Tsjetsjenië kun je helemaal uit je hoofd zetten, en Somalië en Sudan zijn verleden tijd; het strijdtoneel heeft zich verplaatst. We vangen andere geruchten op... Wat weet jij, Eddie, van het Lege Kwartier?'

Eddie Wroughton kon natuurlijk zeggen dat hij over het Lege Kwartier wist dat het er leeg was en dat hij Juan niet aanraadde zijn vrouw en kinderen naar dat deel van Saudi-Arabië mee te nemen om er een weekendje te kamperen. Hij zou er allerlei grappen over hebben kunnen maken, maar dat deed hij niet. Als hij was aangeschoven aan de dis van zijn vriend, hield hij zijn bijdehante opmerkingen voor zich.

'Ik ben er natuurlijk wel eens overheen gevlogen. Ik had daar een majoor bij de grenswacht, je herinnert je hem vast nog wel. Maar die is nu naar het noorden overgeplaatst. Ik weet eigenlijk maar heel weinig over het Lege Kwartier.'

'Het zijn geen verbindingsinlichtingen, het zijn geen elektro-inlichtingen en het zijn zeker geen inlichtingen van ooggetuigen. Het is niet meer dan een gerucht. Maar ik ben er toch maar eens iets over gaan lezen. Afgezien van een paar bergtoppen in de Himalaya is er geen plek zo verlaten als het Lege Kwartier. Het is, zoals de naam al zegt, een enorm gebied, maar er is me verzekerd dat er vanuit die woestijn geen satelliettelefoon of radio is gebruikt, en...'

'Dat is logisch, als ze tenminste niet suïcidaal zijn.'

'... en mijn enige bron van informatie bestaat uit geruchten van reizigers die door het noorden van Jemen trekken en naar de grens gaan, en mensen die ervan terugkomen. Drie dagen geleden hoorde ik iets wat me interesseerde.'

Als Gonsalves een verhaal vertelde, gebeurde hetzelfde als met water op linoleum: het liep alle kanten uit, maar het viel niet stil. Het zakte niet weg, zoals water in zand zou doen. Zonder de brokken informatie die Wroughton van de CIA kreeg toegeworpen, was Eddies werk een stuk lastiger geweest en had zijn toekomst er heel wat minder rooskleurig uitgezien.

'We hebben geen mensen in het noorden van Jemen, maar we hebben wel trainingen aan het Jemenitische leger gegeven. Drie dagen geleden ontving onze contactpersoon in Sanaa een kartonnen doos, zo'n kartonnen doos waar je boodschappen in stopt, alsof het een cadeau was. Er stonden een paar kerels omheen, een beetje lol te trappen. Ze zeiden dat hij de doos moest openmaken. Er zaten een hoofd en twee handen in. Ze waren met een mes van het lichaam afgesneden, en er lag iets kleverigs bij – serieus. Wat blijkt nou, een man was een wegversperring genaderd en had de militairen gezien. Hij was gestopt, uit de auto gesprongen en naar de rotsblokken naast de weg gerend, op zoek naar dekking. Ze pakten het goed aan, de militairen, maar niet goed genoeg. Ze zagen dat hij, voordat ze hem neerschoten, iets doorslikte. Maar goed, hij was dus dood. En toen, Eddie, hebben ze zijn buik opengesneden. Ze hebben eerst zijn maag gecontroleerd, en daarna zijn slokdarm, tot aan zijn keel. En daar hebben ze een stukje fijngekauwd papier gevonden, vloeipapier om precies te zijn, waar je een shagje mee kunt draaien. Vervolgens hebben ze zijn hoofd en zijn handen afgesneden, om hem te kunnen identificeren. Onze contactpersoon loopt nu bij een psychiater. Misschien wordt hij overgeplaatst. Serieus, ze hebben zijn buik opengesneden en zijn ingewanden eruit gehaald, en daar hebben ze in zitten snijden. Christus nog aan toe, we hebben wel een stel fraaie bondgenoten... Wat er van het vloeipapiertje over was, is naar het laboratorium in Langley gestuurd, maar ze hebben niet kunnen ontcijferen wat erop stond. Aan het eind van het liedje zitten we dus met een koerier met een bericht op een papiertje dat zo klein was dat het haast niet gevonden kon worden. En dat papiertje is zo belangrijk dat hij het doorslikt en sterft om het te beschermen, maar we hebben hem niet kunnen identificeren en er is geen databank in Jemen waar zijn vingerafdrukken bekend zijn. En nog iets: eerder hadden de militairen bij de wegversperring gezien dat er in de buurt van de onverharde weg dicht bij de grens een klein konvooi kamelen stond te wachten. We hebben die jongens goed getraind, ze zijn slim en letten op. Zodra ze de kartonnen doos hadden gevuld, liepen ze de weg op, naar de plek waar de kamelen en twee bedoeïenen hadden gestaan. Het geluid van schoten draagt ver over die heuvels en dat zand. De kamelen en de bedoeïenen waren weg. Nou, wat zeg je ervan?'

'Interessant. Heel interessant.'

'Weet je wat we nu gaan doen, Eddie? En dit blijft tussen jou en mij, dit is iets tussen vrienden, want anders ligt mijn hoofd in de volgende kartonnen doos. We gaan wat speelgoed op het Lege Kwartier loslaten. We gaan...'

'Speelgoed voor volwassenen?'
'Dat kun je rustig zeggen. Mocht je iets horen...'
'Het krijgt de hoogste prioriteit. En dat speelgoed van jullie, hoe verkopen jullie dat aan de plaatselijke bevolking?'
'Vijftien van de vliegtuigkapers kwamen uit dit gebied. Ze worden vanhier gefinancierd. Families van slachtoffers uit de Twin Towers sturen hier dagvaardingen voor hoge schadevergoedingen naartoe. Bovendien is er oorlog. De mensen zijn bang. Ik vertrouw die klootzakken voor geen cent, niet één. Hoe dan ook, er zijn aanwijzingen dat het Lege Kwartier voor hen de ideale plek zou kunnen zijn om zich te hergroeperen.'
Eddie Wroughton werd naar buiten geëscorteerd en de korporaal der mariniers sloeg het hek met een klap achter hem dicht. Hij herinnerde zich de enige keer dat hij over de verlaten, door de hitte geblakerde woestenij was gevlogen. Zijn tred was kwiek – godallemachtig, aan de dis van de CIA was het goed eten.

De hand met de dikke vingers, waarvan de huid over de gouden ringen heen stulpte, pakte zijn hand.
'Kijk me niet aan,' zei Caleb. 'Vergeet wie ik ben.'
De man liet zijn hoofd zakken, alsof hij in het stof van het kruispunt een plek zocht waarop hij zijn blik kon richten. Maar zijn luie dikke vingers gleden over Calebs hand naar zijn pols. Onhandig schoof hij zijn mouw omhoog. Hij trok Calebs pols naar zich toe en bekeek de armband. De man las de naam Fawzi al-Ateh en het registratienummer van Camp Delta zacht op en liet zijn pols los. Daarna liep hij met een waggelgangetje terug naar zijn auto en boog zich voorover om iets uit de kluis onder de passagiersstoel te pakken.
Hij was een pakketje dat werd doorgegeven. Ze hadden hem aan de Omaanse kust afgehaald en in een busje met geblindeerde ramen naar het binnenland gebracht. Hij had achterin gezeten, aan het raam, zodat de man achter het stuur hem niet in het achteruitkijkspiegeltje kon zien. Ze hadden hem afgezet langs een weg in de buurt van het stadje Ad Dari, aan de voet van een bergketen. Het verkeer was voorbijgeraasd tot een Japanse jeep afremde en de berm in reed, zodat hij in een wolk van stof verdween. Het raampje was geopend en zijn armband was bekeken. Hij was weer achterin gaan zitten en ze hadden hem naar een plek voorbij de droge bedding van de rivier de Rafash gebracht. Vervolgens hadden ze hem achtergelaten op een kruispunt waar bomen met bladeren stonden – die hadden een aangename schaduw gegeven. Hij had daar een uur, misschien meer, gewacht, tot de Audi was gekomen. De dikke man was eruit geklommen en naar hem toe gelopen.
Het plastic armbandje van Camp Delta was zijn identiteitsbewijs; het was net zo belangrijk als de cijfercombinaties die de bewakers ge-

bruikten om de traliehekken te openen als ze hem van zijn cel naar de verhoorruimte brachten.

De kaftan van de man wapperde in de wind. Hij kwam terug met een kleine maar zware zijden buidel, die met een koord was dichtgesnoerd. Hij vergat het verbod even en staarde een moment naar Caleb. Toen herinnerde hij het zich weer en boog snel zijn hoofd. Hij gaf de buidel aan Caleb.

Caleb hurkte neer. De zon had zijn kaftan gedroogd, maar de stof stond stijf van het zeezout. Het gewaad spande om zijn dijen en vormde een kom tussen zijn benen, waarboven hij de buidel omkeerde. Er viel een waterval van gouden munten in zijn schoot. Ze schitterden in het zonlicht. Caleb telde een fortuin. Daarna stopte hij de munten een voor een terug in de buidel en verborg hem in een zak in de plooien van zijn kaftan. De man keek nadrukkelijk de andere kant op, naar de verlaten wegen.

Hij had een zachte stem, als gesproken muziek. 'Ik ken je naam niet, vreemdeling. Ik weet niet wat je gaat doen of waar je naartoe gaat. Je vrienden vinden dat je buitengewoon waardevol bent... God zij met je, waar hij je ook brengt. Als *hawaldar* heb ik geen ogen en geen geheugen. Ik geloof niet dat je een Omani bent, daarvoor ben je te lang en te zwaargebouwd, en ik denk niet dat je uit het Golfgebied komt. Ik handel in contante transacties – of het nou om tien of tien miljoen dollar gaat. Ik hoef je naam niet te weten, want ik heb je handtekening niet nodig. De handel die ik drijf, is gebaseerd op *hawal*. Dat betekent, in het Omaans, vertrouwen. Er staat niets op papier. Ik zeg dat je het geld hebt ontvangen en zij die jouw vrienden zijn, zullen mij vertrouwen. Het vertrouwen is volledig. Ik zou eerder naar mijn graf gaan dan dat ik je zou verraden. Ik zou eerder mijn tong afsnijden dan dat ik de mannen die je dit geld sturen, zou verraden.'

Hij keek Caleb in het gezicht. Er lag oprechtheid en loyaliteit in. Het leek alsof hij de karakteristieken van Calebs gezicht indronk, alsof hij zich ermee verzadigde. Hij hurkte naast Caleb neer. 'Ik kan je vertellen, jonge vreemdeling, dat de inlichtingendiensten van de Amerikanen en de Engelsen het systeem van de *hawal* verafschuwen. Ze haten het. Er worden geldtransacties gepleegd en gecodeerde signalen gegeven. Zij kunnen die berichten niet met hun computers achterhalen, en daardoor kunnen ze mij, jou en jouw vrienden niet identificeren. Ze raken zo gefrustreerd dat ze God lasteren. Onze banden zijn geheim, je hoeft niet bang te zijn.'

Caleb boog naar voren en kuste de man op zijn wangen. Hij zag de bewondering in de ogen van de man, wat hem verwarde.

'God zij met je, ik wens je toe dat het Paradijs je deel zal zijn. De dichter Hassan Abdullah al-Quarishi heeft geschreven: "Hij die sterft voor een overtuiging, voor een ideaal, voor een korrel zand, leeft in volle glorie." Ik heb grote bewondering voor je moed en je opofferingsgezindheid. Ik weet dat je heel belangrijk moet zijn, want als dat niet zo was, zou er niet zo veel moeite gedaan worden om je deze reis te laten maken. Het is mij een voorrecht om je geholpen te hebben. Je bent als een heldere ster in de nacht, de helderste.'

De man kwam overeind en liep naar zijn auto. Hij reed weg en het stof stoof achter hem op.

Op de kruising waar de twee wegen elkaar ontmoetten en waar de schaduwen langer werden, zat Caleb, zijn hoofd gebogen. De wagen was verdwenen, en de stilte werd alleen verstoord door het gekwetter van vogels. Sinds hij het op weg van de militaire basis naar de gevangenis op een lopen had gezet, had hij met iedere stap geprobeerd naar zijn familie terug te keren. En iedere man die hij had ontmoet, die hem verder had geholpen, had hem bewonderd, had ontzag voor hem gehad. Waarom?

Over de weg naar het noorden raasde vanuit de verte een stofwolk naderbij.

Droeg hij reeds het stigma van de dood? Had de familie bepaald dat hij zou sterven? De woorden echoden als hamerslagen in zijn hoofd: 'Hij die sterft voor een overtuiging, voor een ideaal, voor een korrel zand, leeft in volle glorie.' Maar de schoonheid van de dichtregels was verdwenen.

Een oude, stoffige pick-up stopte, keerde en verwijderde zich met grote snelheid over de hobbelige weg. Hij zat naast een blatend lam en twee geiten waarvan de poten waren samengebonden, en ze reden naar het noorden.

Bart werkte over. De spreekkamer zat in een bocht in een zijstraat van de Al-Imam Abdul Aziz ibn Muhammadstraat. Het gebouw met de glazen voorgevel was gemakkelijk te vinden: het lag tussen het ziekenhuis en het Riyad-museum in.

Hij verzekerde de Duitse bankier dat zijn buikpijn door een ontsteking in zijn onderbuik en niet door kanker werd veroorzaakt. Daarna schreef hij hem medicijnen voor en liet hij de dankbare man uit. De bankier zou afrekenen bij zijn assistent, en het honorarium zou fors zijn. Geen enkele buitenlander betaalde zelf. Zijn behandeling werd vergoed door de verzekering of door het bedrijf waarvoor hij werkte. De bankier wreef zich uit dankbaarheid voor de diagnose in zijn handen, liep naar de doktersassistent en zocht in zijn zak naar zijn chequeboekje of portemonnee. Bart keek hem mismoedig glimlachend na en sloot de deur. Hij waste zijn handen en staarde door de jaloezieën naar buiten, naar het avondverkeer. De beloning voor zijn diagnose dat het geen levensgevaarlijk kankergezwel maar een onschuldige ontsteking was, zou de volgende dag elektronisch naar een genummerde, naamloze rekening in Genève worden overgemaakt, en het spoor zou worden uitgewist via Liechtenstein, Gibraltar en de Kaaiman Eilanden... Het was zijn appeltje voor de dorst – maar waar zou hij het uitgeven? Hij nam aan dat hij op een dag, als Wroughton hem niet meer nodig had, zou worden afgedankt en toestemming zou krijgen af te reizen, maar hij had geen idee waar hij de laatste jaren van zijn leven zou gaan slijten. Als het zover was, zou hij alleen zijn, overgeleverd aan de genade van zijn geweten. O, zeker, Samuel Algernon Laker Bartholomew had een geweten: hij werd er niet alleen overdag, maar ook 's nachts, als hij zwetend wakker werd, door gekweld. Hij droogde zijn handen af. De zoemer ging.

De Maleisische verpleegster liet haar binnen.

Bart straalde. 'Goedenavond, mevrouw Jenkins. Ik hoop dat u niet te lang hebt hoeven wachten.'

'Beth, weet u nog? Nee, het duurde niet zo lang.'

'Hebt u prettig gewinkeld in Bahrein?'

'Ik heb een spijkerbroek en wat lingerie gekocht, en pasta en nieuwe sandalen. Verder heb ik veel gelezen en wat gezwommen. Ik ben helemaal bijgekomen. Het was heerlijk om weer eens lekker aan zee te zijn.'

Je hoort aan haar stem dat ze geld heeft, dacht Bart. Oud, beschaafd geld. Typisch zo'n jonge vrouw die met zekerheden is opgegroeid, die meemaakt wat ze mee wíl maken. Ze straalde het zelfvertrouwen uit dat hij ook op het feestje bij haar had opgemerkt. Ze was, dat moest hij toegeven, een frisse wind in de dagelijkse routine en het isolement van zijn spreekkamer.

'Mooi, ik ben blij dat het u is bevallen,' zei hij afwezig. 'Wat kan ik voor u doen?'

'Ik hoop eigenlijk dat u helemaal niets voor me hoeft te doen.'

Ze bewoog van haar ene op haar andere voet heen en weer en keek hem recht in de ogen. Misschien plaagde ze hem een beetje. Ze droeg dezelfde rok en dezelfde bloes als op het feestje. Hij vroeg zich af of ze was gebleven tot de 'bruine thee' was geschonken, maar hij schatte in dat ze dat niet had gedaan. Ze leek hem niet het type buitenlander dat sloten Jack Daniels of Johnnie Walker nodig had om in het koninkrijk te kunnen overleven.

Bart zei: 'Er zijn niet veel mensen die me alleen maar voor een goed gesprek bezoeken.'

Ze lachte. 'Sorry, sorry. Ik zit hier nu al bijna twee jaar en in die tijd ben ik niet één keer bij een arts geweest. Ik woon in het zuiden en ben daar de enige vrouw. Die kwakzalvers daar behandelen normaal gesproken alleen mannen die van een boortoren zijn gevallen. Ik wil, voordat ik terugga, alleen maar even laten nakijken of alles in orde is. Hopelijk verdoe ik uw tijd niet.'

'Heel verstandig om alles even te laten controleren. Natuurlijk verdoet u mijn tijd niet. Hebt u klachten?'

Hij was blij dat hij haar niet hoefde te vragen of ze zich uit wilde kleden: haar directheid boezemde hem angst in. Hij nam haar bloeddruk op en luisterde door de stof van haar bloes heen naar haar hart. Vrouwen die hem recht in de ogen keken en hun blik niet afwendden, maakten hem onzeker. Dat was zo geweest bij Ann, bij de vrouw met wie hij een praktijk had gedeeld in Torquay, en bij zijn moeder. Haar bloeddruk en hartslag waren goed. Hij klopte op haar borst, drukte met zijn vinger in haar buik en voelde de stevige muur van buikspieren. Ook met haar reflexen was niets mis. Haar buikspieren leerden hem dat ze zo sterk als een os was, en hij zag dat de mouwen van haar bloesje om haar biceps spanden. Hij nam de checklist door. Menstruatieproblemen? Nee, die had ze niet. Last van haar nieren? Nee. Tien minuten later deed hij een stap achteruit. 'Niets aan de hand.'

'Bedankt. Ik ben ook alleen maar gekomen omdat ik niet weet wanneer ik weer een keer in de beschaafde wereld ben.'

Iets in haar ontwapende hem en maakte hem minder behoedzaam, net als op het feestje. Het onderzoek was beëindigd, de verpleegster liet hen alleen.

'Het is niet mijn bedoeling u tegen te spreken, mevrouw Jenkins, maar ik denk dat we van mening verschillen over wat beschaving is. Als je het mij vraagt moet je, om dit oord beschaafd te noemen, regelrecht uit een grot gekropen zijn. Naar mijn mening dragen glazen wolkenkrabbers, brede lanen en een bestedingsdrift die zo extreem is dat het banaal wordt, niets bij aan beschaving. Het leven hier is corrupt – het is een maatschappij van stromannen, tussenpersonen en bemiddelaars, verder is er één grote familie die uit de olievoorraden graait en met geld smijt. En ik ben hier, net als iedere andere buitenlander, om een graantje mee te pikken.'

Ze vroeg hem, met die aangeboren directheid: 'Waarom blijft u hier dan?'

Bart verbleekte. 'Niet iedereen heeft het voor het uitkiezen, mevrouw Jenkins,' stamelde hij. 'Goed, aarzel niet om me te bellen als u klachten hebt. O, en als u het niet erg vindt dat ik het vraag, hoe bent u bij mij terechtgekomen?'

'Ik was op de ambassade om met een aantal mensen kennis te maken. Toen ik met een van de secretarissen stond te praten, vroeg ik hem om een arts, voor een controleonderzoek. Op dat moment kwam er een andere man bij staan, en die had gehoord waar we het over hadden. Hij gaf me uw naam.'

'O, dan moet ik hem bedanken. Het is altijd fijn om te horen dat de tamtam werkt. Hoe heette hij?'

Ze zweeg even terwijl ze daarover nadacht, en glimlachte. 'Ik weet het al. Wroughton, Eddie Wroughton. Hij is de man die u zou moeten bedanken.'

Bart verstijfde. Ze maakte hem roekeloos. Hij kende haar nauwelijks, maar ze had de verdedigingswal die hij rondom zichzelf had opgebouwd, afgebroken. 'Hij is een parasiet. Hij teert op anderen. Nee, ik vergis me. Hij is erger dan een parasiet. Wroughton is zo giftig als een adder.' Hij hernam zichzelf. 'Ik wens u een goede terugreis naar het zuiden.'

Later, toen de wachtkamer leeg was en de verpleegster en de assistent waren vertrokken, bekeek hij de vragenlijst die ze had ingevuld. Ze was zevenentwintig. Haar handschrift was, net als haar karakter, krachtig. Hij hoopte dat hij haar niet terug zou zien. Haar postadres was een postbus, p/a Saudi ARAMCO, in Shaybah. Hij wist waar Shaybah lag, en die kennis stelde hem enigszins gerust; hij zou haar niet meer zien en niet meer van haar horen. Hij belde een taxi. Hij had het gevoel dat hij, toen hij haar borst, haar spieren en haar buik had aangeraakt, gevaar had aangeraakt, en dat hij, toen hij in haar fonkelende ogen had gekeken, de afgrond van gevaar had gezien.

Nog voordat de zon achter het Asirgebergte onderging, had de piloot Marty en Lizzy-Jo geroepen. Hij had hen in de cockpit plaats laten nemen, op het klapstoeltje en de stoel van de copiloot, zodat ze goed van het panoramische vergezicht zouden kunnen genieten. Daarna waren ze opgestegen en over de woestijn gevlogen. De kaart had op de knieën van Lizzy-Jo gelegen. Op de kaart waren geen landschapskenmerken, het groen van begroeiing of sporen van bewoning te zien. Het zand, dat in het licht van de ondergaande zon rood kleurde, werd alleen getekend door duinformaties die, zoals de piloot zei, 'voortdurend bekken trekken': 'halvemaanduinen', 'sterduinen', 'vishaakduinen' en 'lineaire duinen'. Hij benoemde, op een hoogte van 28.000 voet, alle vreemde en door de natuur gemaakte vormen. Hij wees op de *sabkhas*, de zoutvlaktes tussen de zandduinen. Zijn droge, Texaanse stem klonk helder in hun koptelefoon. Hij vertelde dat de Rub' al-Khali meer dan een half miljoen vierkante kilometer groot was en dat het tijdverspilling zou zijn om te proberen de duinen in kaart te brengen, omdat de wind hen voortdurend verplaatste en van vorm veranderde. Hij zei dat het daarbeneden zelfs zo laat op de dag nog bijna veertig graden was. Drie jaar geleden was een F-A18 Hornet boven de Rub' al-Khali neergestort en omdat er op dat moment een zandstorm woedde, konden er geen helikopters naartoe. Het reddingsteam van de Prins Sultanbasis, die ten noorden van de woestijn lag, had het wrak uiteindelijk met Hummer-jeeps weten te bereiken, maar ze waren te laat gekomen. 'Het leek wel alsof de zon de piloot had geroosterd. Hij was tot op de laatste druppel vocht uitgedroogd, en hij was een getrainde vent. De laatste dag van zijn leven was het zestig graden, mevrouw.' Daarna was het donker geworden en was het vliegtuig, op weg naar de landing, gestaag lager gaan vliegen.

'Vliegen jullie de Predator?' De piloot vloog niet op de automatische piloot, maar vond nog wel tijd om te praten. Hij had behoefte aan een gesprek. De ingepakte onbemande vliegtuigjes stonden, samen met de trailers met het vluchtleidingscentrum en de satellietschotel, in de romp van het vliegtuig. Hij was een militair en vond waarschijnlijk dat de jonge man in niets leek op de piloten die hij kende: hij had dikke brillenglazen en ongekamd haar, en hij droeg een korte broek. En de jonge vrouw met het korte rokje had weinig weg van een sensor operator.

'Wat wij doen, is, zoals alles wat de CIA doet, geheim,' zei Marty.

'Ik was gewoon nieuwsgierig. Het is niet mijn bedoeling me met zaken te bemoeien die me niet aangaan.'

Lizzy-Jo zei: 'Hij is de piloot van de vliegtuigen waarmee we vliegen. Het zijn MQ-1's. Ik zit naast hem en doe de kekke dingen. Om je de waarheid te vertellen, er zou eigenlijk nog iemand moeten zijn om mij te helpen, maar de man die dat normaal gesproken...'

'Lizzy-Jo, dat is vertrouwelijke informatie,' snauwde Marty.

Ze negeerde hem. '... die normaal gesproken naast me zit, is met amoebendysenterie in Bagram achtergebleven. We zullen het zonder hem moeten doen.'

De piloot was bijna oud genoeg om Marty's vader te kunnen zijn. 'Waar heb je gevlogen, knul?'

Marty keek de piloot uitdagend aan en vertelde dat hij zijn opleiding op Nellis, in Nevada, had gehad en dat hij daarna in Bagram gelegerd was geweest. De instructeurs op Nellis waren stuk voor stuk ervaren vliegers, en de piloten in Bagram vlogen voor de Amerikaanse luchtmacht; geen van hen had zijn minachting voor zijn leeftijd en zijn uiterlijk onder stoelen of banken gestoken. Voor hen was vliegen een dodelijk spel als er Hellfire-raketten aan de gondels onder de vleugels van de Predator waren gekoppeld. Voor Marty daarentegen was vliegen net zo'n intellectuele bezigheid als het spelen met een computer in een speelhal. Hij fronste zijn voorhoofd en wachtte op de sarcastische opmerking van de piloot, maar die bleef uit.

'Jullie moeten het maar zeggen als ik iets vertel wat jullie allang weten. Voelen jullie de turbulentie? Die heb je hier altijd. Er waait een harde wind over de duinen, vaak veertig, vijftig knopen. Ik heb begrepen dat de Predator niet van wind houdt.'

'Ze kan er wel tegen,' zei Marty.

'Bij een zijwind van meer dan vijftien knopen kan ze al niet opstijgen,' zei Lizzy-Jo. 'En als het in de lucht tekeergaat, wordt het erg lastig om nog enigszins behoorlijke beelden op het scherm te krijgen.'

'Je hebt hier veel last van de wind, maar je moet de hitte boven het zand ook niet vergeten. Op een bepaalde hoogte verandert de soortelijke massa van de lucht. Dat komt door de hitte. Zelfs als er, op het moment dat we de piloot van die verongelukte Hornet probeerden te bereiken, geen zandstorm was geweest, zouden de helikopterpiloten niet graag zijn uitgevlogen. Ik bedoel maar te zeggen dat het in dit gebied echt moeilijk is om te vliegen. Je hebt er een bepaald begrip voor nodig. Er beweegt niets, er groeit niets, het is levensgevaarlijk daarbeneden, het is...'

De piloot zweeg. Hij verstevigde zijn greep op de knuppel. De copiloot kwam achter Lizzy-Jo staan en vroeg haar uit zijn stoel te komen. Hij nam haar plaats in en maakte de veiligheidsgordels vast. Toen hij zat, boog hij zich over naar de piloot en legde zijn handen op die van de piloot, om hem te helpen de knuppel te bedienen en het grote transportvliegtuig in de zware wind op koers te houden. Zonder zijn greep op de knuppel te verliezen gebaarde de piloot met zijn hoofd naar links.

Lizzy-Jo trok aan Marty's mouw en wees naar bakboord.

De duisternis onder hen werd daar verbroken door licht. Het was het eerste licht dat ze sinds het invallen van de duisternis hadden gezien; tot dan toe was de Rub' al-Khali aardedonker geweest. Het licht leek wel een binnenzee, met daaromheen een muur van duisternis waar niets achter lag. Toen ze dichter bij het licht kwamen, onderscheidde Marty startbaanlichten, straatverlichting, de lichten van een militaire basis en de gebouwen en omheining eromheen.

'Godallemachtig,' zei hij. 'Zijn we er?'

'We zijn er,' zei Lizzy-Jo. 'Dat is ons nieuwe thuis. Hoe lang blijven jullie?'

De piloot grijnsde. 'Als we jullie aan de grond hebben gezet en de lading hebben gelost, stijgen we weer op.'

Ze landden. De wind schudde het vliegtuig heen en weer. De piloot verstond zijn vak en zette het vliegtuig beheerst aan de grond. Ze taxieden de landingsbaan af, maar toen de piloot het vliegtuig tot stilstand had gebracht, zette hij de motor niet af. Ze hoorden aan het schrapende geluid van metaal bij de staart dat het laadruim werd geopend.

De piloot nam een slok uit zijn waterfles en glimlachte naar hen. 'Neem van mij aan: dit is de hel op aarde. Ik hoop dat jullie missie de moeite waard is.'

Marty zei: 'Als we een missie hebben gekregen is het altijd de moeite...'

Lizzy-Jo onderbrak hem. 'We weten niet wat onze missie hier is. Ik neem aan dat ze dat pas vertellen als het hun uitkomt.'

Ze liepen het bagageruim in en verzamelden hun spullen. Zij had twee tassen bij zich, hij één tas en de ingelijste reproductie. Hij zei niets. De woorden van de piloot over de wind en de turbulentie speelden door zijn hoofd. Hij was gespannen.

Ze liepen naar de staart. George Khoo had het onderhoudsteam al aan het werk gezet. Ze zetten hun tassen aan de kant, maar de reproductie hield Marty onder zijn arm. De kisten werden op hun trailers uit de staart van het vliegtuig gerold.

De piloot was een man van zijn woord. De laatste onderdelen waren nog niet het vliegtuig uit, of hij liet de motoren alweer op volle toeren draaien.

Ze liepen naar het einde van de landingsbaan, waar George er binnen een halfuur voor zorgde dat er een tentenkamp werd opgebouwd.

Ze hadden de onverharde weg al verlaten toen de pick-up plotseling naar links zwenkte. Het lam blaatte, en de geit viel op Calebs buik en trapte wild met zijn samengebonden poten om van hem weg te komen. Voor hen lag één laag gebouw. Geen dorp, zelfs geen gehucht. Caleb kroop naar de achterkant van de pick-up en sprong eruit. De pick-up vertrok. Alleen de lampen aan de zijkant van de auto brandden.

Het schijnsel van de maan viel op het gebouw. Er viel een reep licht door een van de ramen en door een kier onder de deur.

Caleb balde zijn vuist en sloeg op de houten planken. Hij riep zijn oude naam, de naam die de Tsjetsjeen hem had gegeven.

De deur werd ontgrendeld. Het slot knarste en de deur zwaaide piepend open.

Caleb liep naar binnen. Een stormlamp wierp een mat licht op de aarden vloer in het midden van de kamer en er hing een geur van kerosine. In de schemering van het licht stonden drie borden met vlees en rijst; op één ervan lag ook nog een halfopgegeten appel. Buiten het licht van de lamp, in de schaduw, stond een stapel olijfgroene kistjes, maar hij kon de tekst erop niet lezen. Er lagen verfomfaaide dekens, lege sigarettenpakjes, laarzen waar modder aan zat vastgekoekt en... Nog verder in de schaduw viel een reepje licht op de loop van een geweer, die op zijn borst was gericht. Hij stak heel langzaam en rustig zijn handen in de lucht en voelde dat het uiteinde van de loop van een ander wapen ruw in zijn nek werd gedrukt. Daarna hoorde hij vlak bij hem iemands ademhaling en hij kon de adem nu ook ruiken. Ergens anders bewoog iemand, de lamp werd opgetild. Een man hield in de ene hand een handgranaat, zonder pin, en in de andere de lamp.

Caleb zei, in het Arabisch: 'Als je de granaat laat vallen of je gooit hem naar mij, gaat iedereen dood, niet alleen ik, maar jullie ook. Je kunt de pin er maar beter weer in doen.'

Hij hoorde wat zenuwachtig gegiechel uit de hoek van het geweer. De man zette de lamp neer, tastte in zijn broekzak en stak de pin terug in de handgranaat. Caleb zag het gezicht van de man. Het was oud, vermoeid en mager... Het wapen bleef tegen zijn nek drukken, maar Calebs rechterarm werd naar beneden getrokken. Hij voelde dat zijn mouw omhoog werd geschoven, zodat ze zijn plastic armband konden zien. De lamp werd opgetild. Zijn arm werd losgelaten en het wapen werd uit zijn nek gehaald.

De drie mannen staarden hem aan, ieder op zijn eigen manier. Eén schoof zijn pistool onder de band van zijn broek. Een ander zette zijn geweer tegen de muur. De oude man grijnsde en stak de granaat in een jaszak. Daarna aten ze verder, maar hun blik bleef op hem rusten – niet eerbiedig of gefascineerd, en niet vol verwondering. Uit hun blik sprak alleen oprechte belangstelling; het was alsof ze hem tot op het bot wilden doorgronden. Het leek wel alsof ze alle drie probeerden zijn verschijning af te wegen tegen de waarde die hem werd toegeschreven. Dit was, begreep hij, het eerste contact met de buitenste lagen van zijn familie. Ze noemden hun naam, maar ze spraken onduidelijk, want ze aten alsof hun leven ervan afhing. Hij meende te hebben gehoord dat de oudste man, die de handgranaat had vastgehouden, Hosni heette. De man met het geweer heette Fahd en de man die het pistool tegen zijn nek had gehouden en zijn plastic armband had gecontroleerd, heette Tommy. Ze aten als hongerige wolven tot hun bord leeg was, likten daarna hun bord af en zogen aan hun vingers voor de laatste restjes rijst en saus. Caleb zat in een hoekje in de schaduw. Hij leunde tegen de kistjes, en zijn maag knorde. Hij had kunnen zeggen wat zijn naam was, of hij had een andere naam kunnen noemen, maar dat deed hij niet.

Caleb vroeg: 'Waar gaan we naartoe?'

Tommy schraapte zijn keel en spuugde boosaardig op de grond. Fahd lachte schril, alsof hij bang was. De oudste, Hosni, zei uitdrukkingsloos: 'We leggen ons lot in de handen van God. We gaan het Zand in.'

4

Hij werd heen en weer geschud.

Caleb had slecht geslapen. Daar hadden het gehoest, het gesnurk en de fluitende ademhaling voor gezorgd.

Fahd stond over hem heen gebogen en trok aan zijn schouder.

Het was nog donker in de kamer, maar de triplex platen waarmee het raam was afgedekt sloten niet helemaal goed aan en er sijpelde wat licht naar binnen.

Caleb werd gewekt uit een onrustige droom die hem naar de periferie van zijn geheugen had gevoerd; hij stond aan de rand van de breuklijn, maar was er niet overheen gestapt, hij was de leegte niet in gegaan.

Hosni rekte zich uit. Caleb hoorde zijn gewrichten kraken. Tommy zat op zijn deken en streek doelloos met zijn vingers door zijn kortgeknipte haar, alsof het een ritueel was dat hij iedere ochtend uitvoerde.

Ze gingen naar buiten om te bidden. Fahd trok een lijn in het zand en zonk op zijn knieën. De anderen volgden zijn voorbeeld. Het eerste lage zonlicht bescheen de toppen van de lage heuvels achter de rivierbedding, en in de verte voor hen lag de heilige stad Mekka. Hij had het in zijn eerste trainingskamp, in de buurt van Jalalabad, gezegd: '*La ilaha illa Allah, Muhammadun rasoola Allah.*' Hij wist wat de woorden in zijn oude taal, de taal uit de uithoeken van zijn geheugen, betekenden: 'Er is geen god dan God, en Mohammed is Zijn profeet.' Hij had, met uitzicht op het schietterrein en de hindernisbaan, gezegd dat hij geloofde dat de koran het letterlijke woord van God was, door hem geopenbaard. Hij had gezegd dat hij geloofde in de dag des oordeels en dat die dag ooit zou aanbreken, zoals God had beloofd. Hij had gezegd dat hij de islam als zijn religie aanvaardde, en dat hij zijn God en zijn God alleen zou vereren. Hij reciteerde de gebeden die hem waren geleerd en keek naar de anderen. Aan de overkant van de breuklijn in zijn droom, waar zijn geheugen niet kwam, was geen God. Hosni bad in alle rust, alsof dit het moment was waarop hij zijn waardigheid hervond. Fahd bewoog driftig heen en weer en zijn gezicht was vertrokken, alsof hij werd gekweld door zijn onmacht om aan de geboden van zijn God te voldoen. Om Caleb heen klonk vroom gefluister, gemompel en geroep. Hij vermoedde dat Fahd de fanatiekste was en nam zich voor dat niet te vergeten. Er waren fanatiekelingen in de loopgraven geweest; die waren gestorven. Er waren fanatiekelingen in de kooien geweest; die hadden hun verstand verloren. Geloofde Caleb in de woorden die hij geluidloos uitsprak? Die vraag zou hij niet hebben kunnen beantwoorden. Toen de zon in hun gezicht scheen, werd het gebed beëindigd.

Hij zat in het stof tegen een lemen muur en keek naar een leger mieren dat naar hem toe liep, over zijn enkel kroop en zijn weg voortzette.

Ze hadden gezegd dat ze over een uur verder zouden trekken, ze hadden gezegd dat er vervoer zou komen.

De droom keerde terug. Hij had zijn ogen gesloten en hield zijn gezicht naar het zonlicht gekeerd.

De droom was duidelijk. De bruiloft... Aan de voorkant van het huis was een houten veranda, met wit stucwerk op de muren. Er was een tuin met bloemen en een droog gazon, waarop stoelen tussen de heesters stonden en kleden lagen om op te liggen. Het beeld stond hem haarscherp voor ogen. De bruid was een nicht van Farooq. De bruidegom was een neef van Amin. Caleb was de Buitenstaander. Er was een banket. Er was een feest. Hij was welkom omdat hij een vriend van Farooq en van Amin was. Ze onthaalden hem met een gastvrijheid die oprecht en warm was. Hij voelde zich bevrijd, want hij had een lange reis achter de rug – maar zijn geheugen had de plaats waar hij vandaan kwam en waarvan hij was bevrijd, verworpen. Een man die op enige afstand van de veranda op een bankje tussen de struiken zat, hield hem in de gaten. De man droeg een zwarte tulband, een lang zwart shirt en een wijde zwarte broek. Veel bruiloftsgasten benaderden de man en spraken zacht in zijn oor, en iedereen die naar hem toe kwam, boog eerbiedig het hoofd. Maar het oog van de man bleef op Caleb gericht.

Hij was zich wel bewust van de aandacht die hij daar op de bruiloft kreeg, maar de aandacht was al veel eerder op hem gevestigd. Hij stond in de belangstelling vanaf het moment dat bekend was geworden dat Farooq en Amin een buitenlander naar deze afgelegen uithoek in het noordwesten van Pakistan zouden meenemen. Hij kon niet weten dat hij, vanaf het uur waarop hij was gearriveerd, werd geobserveerd, gevolgd, bekeken. Hij kon evenmin weten dat hij in de dagen die aan de bruiloft voorafgingen al zo veel commotie had veroorzaakt dat er een bericht naar Afghanistan was gestuurd. Wat over hem bekend was geworden, en wat ook in dat bericht stond, was voor de man met het ooglapje en de metalen klauw voldoende om de reis te maken en hem in eigen persoon op de bruiloft te aanschouwen. Er rustte een arendsoog op hem, maar daar was hij zich niet van bewust.

Op een gegeven moment was de bruidegom met een blad met glazen perziksap naar de man gelopen. De man had met zijn klauw de elleboog van de bruidegom vastgehaakt en hem naar zich toe getrokken. Hij had een vraag gesteld, de klauw had naar Caleb gewezen en de bruidegom had de vraag beantwoord. Er waren twee lammetjes en een jong bokje geslacht voor het feestmaal. Er hadden alleen nog wat laatste restjes aan het spit boven het houtvuur gehangen, maar de geur van het vlees was met de rook naar Calebs neus gedreven – en de man had naar hem gekeken. Toen het was begonnen te schemeren, was een aantal jonge mannen verdwenen. Caleb, die zijn best deed om een gesprek te voeren met familieleden van Amin en Farooq, had plotseling schoten achter in de tuin gehoord. De man was naar hem toe komen lopen. Farooq had Caleb nog snel in zijn oor gefluisterd dat de man uit Tsjetsjenië kwam en een held uit de oorlog tegen de Russen was. Caleb had niets van die oorlog geweten. De man was naast hem komen staan en de klauw had Calebs arm gegrepen en hem overeind getrokken. Hij had niet geglimlacht of gegroet, er was geen enkele warmte geweest. Farooq had geprobeerd hen te volgen, alsof hij er niet gerust op was wat er met zijn vriend zou gebeuren, maar hij werd weggestuurd. De man uit Tsjetsjenië had hem meegenomen naar het hek aan het einde van de tuin. Daar waren vier mannen geweest, met geweren. Ze hadden geschoten. Ze hadden op een linzenblikje gemikt dat aan de voet van een meidoorn stond. Daarna schoten ze op een leeg olijfolieblik dat op een steen was gezet, en op een olievat dat nog verder weg stond. Sommige kogels hadden doel getroffen, andere hadden alleen wat stof in de buurt van het doel doen opspatten en het jankende geluid van het ricochet veroorzaakt. De man en Caleb hadden niet met elkaar kunnen praten, ze spraken niet dezelfde taal, maar er was iemand naast Caleb komen staan. Hij had de woorden van de oorlogsheld met een gutturaal accent vertaald.

'Schiet je?'

'Ik heb het nooit geprobeerd, en het is me ook nooit voorgedaan.'

'Het is een gave van God, niet iets wat je moet leren. Een man die schiet, is een man met zelfrespect. Respecteer je jezelf?'

'Ik heb nooit iets gedaan wat respect verdient.'

'Een man die goed schiet, is een man die kan vechten. Een strijder heeft veel eigenwaarde. Hij wordt gewaardeerd door zijn vrienden, vertrouwd door zijn kameraden, hij is geliefd.'

'Ik weet niet of...'

'Dat weet je niet omdat je nooit de kans hebt gekregen om gerespecteerd, vertrouwd en geliefd te zijn... Ik heb die kans wel gehad.'

'De kans om te schieten?'

'Om te vechten. Ik heb het hier niet ver vandaan geleerd, tegen de

Russen. Wij renden, ze zaten achter ons aan. Wij bleven rennen, en zij bleven ons volgen. We verstopten ons tussen de rotsen, toen raakten ze ons kwijt. We waren zo stil als een muis, en zij passeerden ons. Ze bleven staan. We konden hen in de rug schieten. We hebben ze allemaal gedood – we hebben ze allemaal gedood omdat we geboren strijders waren. Het zat ons in het bloed... Daarna werden we gerespecteerd en vertrouwd en waren we geliefd. Boezemt mijn verhaal je angst in?'

Hij had diep ademgehaald. 'Nee, dat denk ik niet.'

'Het is belangrijk om zelfrespect te hebben. Wil je ernaar op zoek?'

De lucht was uit zijn longen ontsnapt. 'Ja.'

Caleb had een geweer aangereikt gekregen. Het was de eerste keer van zijn leven geweest dat hij een wapen vasthield. De tolk was weggeglipt. De man had hem in de gebarentaal van de klauw uitgelegd hoe hij het geweer moest vasthouden. De vier mannen hadden een paar passen achteruit gedaan. Alleen Caleb en de Tsjetsjeen hadden nog bij het hek gestaan. De gezonde hand had aangewezen waar hij op moest mikken. Hij had geschoten. De kolf van het geweer was tegen zijn schouder geslagen. Het blikje was omgevallen – zijn ademhaling was kalm geweest. Er was hem een ander doel gewezen en Caleb had in de schemering gezien dat het olieblikje was opgesprongen – zijn vinger aan de trekker had niet getrild. Opnieuw werd hem een ander doel gewezen en het olievat had heen en weer geschud. Hij had het geweer laten zakken en hij had zich omgedraaid, om lof te oogsten. Het gezicht van de Tsjetsjeen had een grimmige goedkeuring uitgedrukt. Achter het hek van de tuin, ver boven de doelwitten, had een heuvel gelegen. De helling was bezaaid met zwerfkeien en door kloven doorsneden, en de top bestond uit een vervaarlijk overhellende rots. En de Tsjetsjeen had het geweer gepakt en met de loop naar de heuvel gewezen.

Caleb had het begrepen. Hij had het jasje van zijn pak uitgetrokken en zijn das losgemaakt. Hij was over het hek om de tuin geklommen en had daarbij het zitvlak van zijn broek gescheurd. Hij had gerend. Hij droeg glanzende schoenen, speciaal voor de bruiloft gepoetst, en de gladde zolen hadden geen grip op de rotsachtige ondergrond gevonden. In het begin werd er over hem heen geschoten. Hij had zich aan de rotsen vastgeklampt en was door kloven gekropen. Naarmate hij verder was gekomen hadden er minder schoten geklonken. De broek van zijn pak was bij zijn knieën gescheurd. Zijn overhemd was doordrenkt geweest met zweet en zat vol vlekken. Hij had de top bereikt in het heldere licht van de laatste zonnestralen. Hij werd overstelpt door vreugde. Hij had met zijn armen gespreid in triomf op de overhangende rots gestaan... En hij was naar beneden gekomen, uitglijdend, struikelend, kleine steenlawines veroorzakend.

En juist toen de droom zou overgaan in het moment van ontwaken, verstoorde Fahd hem ruw. Sinds de gebeurtenissen waarover hij net had gedroomd waren voorgevallen, had hij geen pak, geen overhemd, geen stropdas en geen gepoetste schoenen meer gedragen. Hij was uitverkoren. Toen hij weer bij het hek was aangekomen, had de Tsjetsjeen hem met de klauw bij zijn schouder gepakt en tegen zich aan gedrukt, en hij had geweten dat hij, een Buitenstaander, werd gerespecteerd, en dat ze hem wilden. Die avond had hij aan de voeten van de Tsjetsjeen gezeten; Farooq en Amin waren niet bij hem in de buurt gekomen. De volgende ochtend was hij bij het krieken van de dag met hem vertrokken. Hij was de man van de Tsjetsjeen. Dat was het begin geweest.

Hij was geroepen. De droom was voorbij. Hij hoorde bij de familie. Daarvoor had hij nooit familie gehad.

Hij hielp Fahd de kisten, die achter in de enige ruimte van het gebouw stonden, naar buiten te brengen.

Ze kreunden onder het gewicht, en als ze een kist door de deuropening probeerden te krijgen, waren hun lichamen dicht bij elkaar.

'Hoe noemen we je?'

Caleb antwoordde dat hij vele namen had – wat deed een naam ertoe?

'Hoe werd je in het begin genoemd?'

Caleb antwoordde dat ze hem 'de Buitenstaander' hadden genoemd en dat ze hem hadden verteld dat die naam niet betekende dat ze hem niet vertrouwden.

'Dan noemen wij je de Buitenstaander, niet hij die buiten de groep, religie of stam staat, maar hij die heel belangrijk is. Als je niet zo belangrijk was, zouden we hier niet zijn geweest. Wij gebruiken de namen van onze vijanden, zodat we ons goed zullen herinneren wie zij zijn.'

Ze zetten de kist neer. 'Wie is jouw vijand?'

'Ik ben een Saudi. Fahd was koning toen God mij zegende en opnam in al-Qaeda. De koning was absurd rijk – hij had twintig miljard dollar. Als hij met vakantie naar Europa ging, nam hij drieduizend bedienden met zich mee. Hij liet ongelovige soldaten, de kruisvaarders uit Amerika, in het koninkrijk toe. Hij is hypocriet, hij is een afgodendienaar, een afvallige die toestaat dat de Amerikanen in het Heilige Land en in de twee Heilige Steden zijn.'

'En Hosni?'

'Hij is een Egyptenaar. Zijn vijand is Hosni Mubarak, de man die de Amerikanen dient, die hun betaalde slaaf is, die ware gelovigen martelt en ophangt.'

Binnen vouwde Hosni de dekens op. Hij waste de borden af waarvan de vorige avond was gegeten en maakte een ontbijt van brood en fruit klaar.

'En wie is de vijand van Tommy?'
'Weet je niet wat er in Irak is gebeurd?'
'Sinds ik naar Guantánamo werd gebracht, heb ik niets meer over Irak gehoord.'
'Weet je echt niet wat er in Irak is gebeurd?' De stem van Fahd sloeg over van verbazing.
'In Guantánamo kregen we geen nieuws,' zei Caleb eenvoudig.
'Dus je weet niet wie Tommy Franks is?'
'Die naam heb ik nooit eerder gehoord.'
'Laat hem het je vertellen.'
Tommy hielp hen niet. Hij zat op zijn hurken in de zon, maakte zijn wapen schoon en keek hen niet aan. Zijn blik was nors en geconcentreerd. Ze zetten de laatste kisten buiten.
'Zijn jullie, jullie alle drie, hier voor mij?' vroeg Caleb.
'Voor jou hebben we hier twaalf dagen gewacht.'

Ze had de vroegste vlucht naar het zuiden genomen. Het vliegtuig was vanaf Internationaal Vliegveld Koning Khalid vertrokken – volgens het koninkrijk het beste vliegveld van de wereld – en ze was in de oase van staal en beton gearriveerd voordat de hitte op de zandvlakte eromheen was neergedaald. Ze had haar inkopen in een van de twee kamers van haar bungalowtje neergezet, zich omgekleed en was snel doorgegaan. Uiteindelijk kwam Beth tien minuten te laat voor haar eerste les van die dag.

Ze gaf Engels. Achter haar hing een schoolbord, voor haar zaten Saudi's, Jemenieten, Pakistani en Filippijnen. De meeste leerlingen waren ouder dan zij. Het waren ingenieurs, chemici, aannemers en architecten. Ze leerde hun geen Engels waarmee je een beschaafde conversatie kon voeren, maar Engels waarmee je beter met de handboeken en het technische werk uit de voeten kon. De werknemers waren de crème de la crème van het personeel dat de olieproductie van het koninkrijk tot stand bracht. De olie in dit veld met 125 bronnen zou kwalitatief rijk zijn, en met de allermodernste installaties omhoog worden gepompt en worden verwerkt. Het oliewinningsgebied werd geprezen omdat het een zeer ambitieus project was.

Het waren goede studenten, die zeer leergierig waren.

Afgezien van de drie verpleegsters in de medische post was Beth de enige vrouw in Shaybah. Als ze voor de klas stond, droeg ze een lange, effen zwarte jurk die haar enkels, de welvingen van haar lichaam, haar polsen en haar hals verborg; haar haren zaten onder een hoofddoekje. Zonder de bescherming van de adjunct-gouverneur van de provincie zou ze daar niet zijn... Maar hij beschermde haar. In Riyad, Jedda, Ad Dammam of Tabuk zou het niet worden geaccepteerd dat een alleenstaande vrouw mannen onderwees, of dat ze achter het stuur van een auto zat, op de club van het complex at en gebruikmaakte van de bibliotheek. Maar het vooruitstrevende Shaybah, diep in de Rub' al-Khali, lag buiten het bereik van de *mutawwa*. De religieuze politie van het Comité ter Bevordering van het Goede en ter Voorkoming van het Slechte had geen post in Shaybah, en iedereen in het complex wist dat Beth onder bescherming van de adjunct-gouverneur stond. Haar werk, het onderwijzen van olie-engels, zorgde ervoor dat ze de grote liefde van haar leven kon uitoefenen. Die liefde was de studie naar meteorieten, en te midden van de zandduinen, op flinke afstand van Shaybah maar nog net bereikbaar, lag een plek waar meteorieten waren ingeslagen. Die plek heette Wabar en de wetenschappers waren het erover eens dat, als het om vindplaatsen van meteorieten ging, geen plek ter wereld zo bijzonder was als Wabar. Het baantje als onderwijzeres en de bescherming van de adjunct-gouverneur stelden Beth in staat haar passie te bevredigen.

Op die drie verpleegsters na was Beth Jenkins dus de enige vrouw tussen ongeveer 750 mannen. Het complex lag op 240 kilometer afstand van het dichtstbijzijnde bewoonde gebied. De woonruimten, de kantoren, de club, de torenhoge constructies waarin het gas van de olie werd gescheiden, de pijpleidingen en het vliegveldje besloegen 45 hectare woestijn. De productie bedroeg 500.000 vaten per dag. Shaybah was het juweel in de kroon van Saudi ARAMCO. De statistieken waren ontzagwekkend: er was 30 miljoen kubieke meter zand verplaatst; de ruwe olie werd door 638 kilometer pijpleiding naar de raffinaderijen in het noorden getransporteerd; er was 200.000 kubieke meter beton gestort en er was 12.500 ton staal aangevoerd om 735 kilometer verbindingspijplijnen aan te leggen. Beth vond het een voorrecht op die plek te zijn. De mannen aan wie ze les gaf, kwamen en gingen. Ze werkten gedurende korte perioden ver van hun familie, namen zo vaak als ze konden een shuttlevlucht en mopperden over het meedogenloze klimaat en de slechte omstandigheden. Beth klaagde nooit.

Ze zou kunnen zeggen dat ze verder niets van het leven verlangde. Ze zou kunnen beweren dat ze de hitte en de eenzaamheid goed aankon. Als iemand zou suggereren dat ze eenzaam was, zou ze hem tegenspreken. Ze zou stomverbaasd zijn als ze zou horen dat ze, achter haar rug, werd omschreven als koel en afstandelijk. Als ze niet voor de klas stond, zat ze thuis. Daar slingerden overal kleren rond, en haar bureau was bezaaid met boeken over en studies naar Wabar, de vindplaats van de meteorieten, die haar lust en haar leven was. Op een dag zou Beth Jenkins haar ultieme studie naar de vindplaats afronden. Op die plek, in wetenschappelijke termen een 'ejectaveld', was zwart glas en wit gesteente ingeslagen met de kracht van een primitieve atoomboom.

Ze liet de leerlingen woorden reciteren alsof ze kinderen op school in het Engelse Ascot waren: 'bewezen olievoorraden', 'API-gravitatie', 'gascompressie-installatie', 'hoofdbron', 'stabilisatie en separatie' en... Ze keek uit het raam. Er was een nevel ontstaan, waardoor het zicht slecht was en de landingsbaan die Shaybah met de rest van de wereld verbond moeilijk was te onderscheiden. Aan het eind van de baan stonden, diep in de mist, tenten en voertuigen en twee satellietschotels op trailers onder brede canvas dekzeilen. Ze had ze niet gezien toen haar vliegtuig was geland, want ze had liggen slapen totdat ze door de landing wakker was geschud. Ze vroeg zich even af wat die spullen daar deden aan het eind van de landingsbaan, bij de omheining van het complex. Toen gaf ze haar leerlingen op wat ze voor de volgende les moesten voorbereiden.

Er zat geen beweging in de rij. Bart zuchtte, verplaatste zijn lichaamsgewicht van de ene naar de andere voet, floot gefrustreerd tussen zijn tanden en kuchte, maar de rij schoof niet op. Hij had een nieuwe *iqama* nodig – het was tijd om zijn verblijfsvergunning te verlengen. Hij had van alles bij zich: de verblijfsvergunning die bijna was verlopen, zijn rijbewijs, een certificaat van een collega met de positieve uitslag van een oog- en een bloedtest, een document waarin stond dat hij voor het ziekenhuis werkte, en nog een handvol bureaucratische onzin. Hij werd omringd door andere buitenlanders, bijeengedreven in de nauwe gang, wachtend langs een sierlijk koord. De hele horde accepteerde het geld van het koninkrijk, maar als dank voor hun inspanningen werden ze behandeld als schurftige honden... God, wat haatte hij dit oord!

Maar er viel niet aan de rijen te ontkomen, ze waren onvermijdelijk. Het sleutelwoord was geduld. Bart kende de verhalen van buitenlanders die alle formulieren hadden ingevuld en vervolgens een bediende naar het ministerie stuurden om niet zelf in de rij te hoeven staan. De klootzakken achter de loketten slaagden er dan altijd in je op een fout te betrappen, en dan stuurden ze de afgevaardigde weg. Zowel de mensen met hoge posities als de mensen met een lage functie hadden geleerd dat je verblijfsvergunning alleen werd verlengd als je hoogstpersoonlijk in die godvergeten rij ging staan.

Om hem heen werd in een tiental talen om geduld gepreveld: in het Arabisch en in het Duits, in het Urdu en in het Nederlands, in het Bengalees en in het Engels. De mensen met hoge functies hadden lijfwachten, die in stoelen achter de rij zaten te wachten. De lijfwachten waren de graadmeter van de veiligheidssituatie na de oorlog. Bart bewees overdag weliswaar lippendienst aan het veiligheidswerk, 's nachts zou hij nooit in zijn eentje over straat gaan. Hij waagde zich niet in de gebieden waar de economische crisis die het koninkrijk teisterde ertoe had geleid dat bedelaars de straten bevolkten en vrouwen op zoek naar iets eetbaars vuilnisbakken plunderden.

De livreien van het koninkrijk, gekocht met oliedollars, schuifelden zuchtend en steunend in de richting van de loketten, zich volledig bewust van hun pijnlijk trage voortgang. Aan het einde van de rij waren vier loketten. Achter twee ervan zaten mannen in een golvende traditionele *thobe*. Op hun hoofd droegen ze een *ghutrah* die op zijn plaats werd gehouden met een *igaal*. Dat was het koord waarmee vroeger – toen ze nog in de woestijn en niet in extravagante gebouwen van glas woonden – de poten van een kameel aan elkaar werden gebonden. Tegenwoordig reden ze niet meer op een kameel, maar in een Chevrolet. Achter de twee andere loketten zat niemand. Waarom waren die verdomme onbemand terwijl de rij tot aan de deur reikte? Bart kookte van woede. Sommige buitenlanders trokken af en toe een *thobe* aan en dachten met dat gebaar indruk op hun gastheren te maken. Om de donder niet! De dagen dat buitenlanders de uitverkoren elite van het koninkrijk vormden, waren verleden tijd. Er was zelfs sprake van dat er inkomstenbelasting voor buitenlanders zou worden ingevoerd. Ze waren niet langer geliefd. Ze werden op z'n best getolereerd, en het koninkrijk liet hen gewoon in de rij staan.

Maar die dag was God Samuel Bartholomew, de arts, gunstig gezind. Toen hij vijf uur in de rij had gestaan, werd zijn geduld beloond. Hij was net voordat het lunchuur aanbrak aan de beurt.

Hij toverde een olievette glimlach op zijn gezicht, legde zijn papieren voor zich neer en maakte in redelijk Arabisch een opmerking over het heerlijke weer buiten. Liegen ging hem gemakkelijk af: zijn hele leven was een leugen. Sinds zijn jeugd excelleerde hij al in het verdraaien van de waarheid. Hoe vaak had de zoon van Algernon Bartholomew, accountant, en Hermione Bartholomew (geboren Waltham), huisvrouw, niet verteld dat hij een gelukkige jeugd in een liefdevol gezin op het platteland van Surrey, en een fijne tijd op een kostschool had gehad? In werkelijkheid hadden zijn ouders hem zo ver mogelijk van huis gestuurd, en daarmee was hij niet alleen uit hun oog, maar ook uit hun hart verdwenen. Op de kostschool had hij geleerd wat overleven is: leg niets uit, bied nooit excuses aan en vertrouw niemand. Omdat hij slecht in sport was en geen vrienden had, was hij moederziel alleen geweest en had hij zijn troost gezocht in leugens. En het liegen wierp zijn vruchten af. Toen hij met een stempel op zijn vernieuwde *iqama* langs de rij naar buiten liep, speelde er een glimlach om zijn lippen.

Caleb zag het wel, maar kon het niet verstaan.

De discussie ging over de kisten. Hij zat op een ervan. Op de afbladderende, olijfgroene verf stond het opschrift DEPARTMENT OF DEFENSE – FIM-92A (1). Er stond een datum op van zeventien jaar geleden. Toen was hij nog een kind geweest, maar die tijd had hij uit zijn geheugen verbannen. Hij kende de wapens die in de kisten zaten. In de trainingskampen had hij er een in zijn handen gehad en het gewicht op zijn schouder gevoeld. In de oorlog had hij gezien dat er een werd afgevuurd, maar hij wist niet hoe hij ze moest bedienen of hoe het geleidesysteem werkte. Er waren zes kisten, en zij waren onderwerp van het meningsverschil. Caleb zat bij Hosni en Tommy, en keek toe terwijl Fahd en de boer onderhandelden. Rechts van hen lag, ternauwernood zichtbaar, een dorp met eromheen geïrrigeerde akkers, bosjes dadelpalmen en waslijnen waaraan fris wasgoed wapperde. Vlakbij stroomde een riviertje. Aan de oever zaten een man en een jongen op hun hurken bij de poten van zes kamelen. De man en de jongen namen geen deel aan de discussie. Bij Fahd en de boer stonden nog drie kamelen; de onderhandeling ging over de prijs voor die dieren.

Zes kamelen waren voldoende om de gids, zijn zoontje, Fahd, Tommy, Hosni en Caleb, met water en voedsel, naar hun bestemming te brengen. Maar de zes kamelen konden niet ook nog de zes kisten vervoeren. Daarom hadden ze drie kamelen meer nodig. De boer had die kamelen en vroeg er zijn prijs voor. Fahd wilde die extra kamelen hebben en reageerde verontwaardigd op de vraagprijs: de boer was een 'dief' en een 'afperser'. Bij iedere belediging deed de boer een paar passen achteruit en moest Fahd hem achternagaan. Ze zaten al langer dan een uur op de kisten, in de verzengende hitte. Caleb staarde naar de kamelen die ze nodig hadden. Hij vroeg: 'Waarom is hij degene die onderhandelt?'

Hosni haalde zijn schouders op. 'Omdat we dicht bij Saudi-Arabië zitten, omdat hij een Saudi is, omdat hij hun taal spreekt, omdat het zijn taak is.'

'Maar het lukt hem niet.'

Hosni raapte een paar kiezelstenen op en gooide ze weer op de grond. 'Iedereen heeft zijn verantwoordelijkheid in deze zaak. Dit is de verantwoordelijkheid van Fahd.'

'Waarom niet die van jou?'

Hosni gniffelde, alsof het een idiote vraag was. 'Ik kom uit Caïro, uit de stad. Ik weet niets van kamelen. Als kind speelde ik op de Gezira Club. Kamelen waren voor boeren. Ik kan een goede kameel niet van een slechte kameel onderscheiden, een manke kameel niet van een gezonde kameel. Ik neem hier geen verantwoordelijkheid voor.'

'En waarom doet hij het niet?' Caleb knikte naar Tommy.

Hosni gnuifde. 'Waar hij vandaan komt, in het leven dat hij leidde, zag hij alleen kamelen door de ramen van een dikke Mercedes.'

'Waar brengen de gidsen en de kamelen ons naartoe?'

'Naar het Zand, en verder.'

'Wat is het Zand?'

De Egyptenaar haalde zijn schouders op. Hij was de oudste van hen. Hij had smalle, knokige schouders, dunne armen en een platte buik. Zijn jasje van geruite stof, bij de ellebogen gescheurd en bij de manchetten gerafeld, fladderde om hem heen, en zijn baard was dun en onverzorgd. Caleb begreep dat de Gezira Club in Caïro voor welgestelde mensen moest zijn. De Egyptenaar moest veel voor al-Qaeda hebben opgeofferd en luxe hebben opgegeven. Het kon niet anders of die offers hadden hem verzwakt.

'Daar kom je vanzelf achter.'

'En wat ligt er voorbij het Zand?'

Hosni zuchtte diep en zei: 'Voorbij het Zand ontmoeten we, als we het halen, de mensen die op ons wachten, de mensen die om ons hebben gevraagd. Ze wachten vooral op jou.'

'Dank je... Waarom schieten we de boer niet dood? Dan kunnen we zijn kamelen meenemen.'

'Dan weten de dorpelingen dat we hier zijn geweest. Ze zullen een bloedvete tegen ons beginnen en de politie en het leger op ons afsturen. Dan zijn we dood en bereik jij de mensen die op je wachten niet.'

Caleb was tevreden met het antwoord. Hij stond op en rekte zich uit. De hitte viel zwaar over hem. De buidel in de binnenzak van zijn kaftan woog zwaar. Hij verwijderde zich van Hosni en Tommy en liep naar de gids. Die zat erbij alsof hij er niets mee te maken had. Zijn hand streek door het haar van de jongen, en hij zei dat het kind een prima knul was, een jongen om trots op te zijn. Caleb vroeg of de kamelen geschikt waren voor de reis. De gids knikte zonder iets te zeggen. Caleb liep langs het riviertje naar de boer, Fahd en de kamelen met de samengebonden poten. Hij nam Fahd apart, zodat hun stemmen niet door de boer gehoord konden worden. Hij zei tegen Fahd dat hij bij de kisten moest gaan zitten. Hij keek Fahd in de ogen, in zijn felle, woedende blik. Hij verzamelde zijn krachten, greep Fahds hand en duwde hem weg, in de richting van de kisten. Ze waren nog niet aan hun reis begonnen – een reis die Hosni vrees aanjoeg – maar Caleb wist nu al dat hij met een rancuneuze vijand zou reizen. Fahd sjokte onwillig van hem vandaan.

Caleb hurkte neer bij de bijeengebonden poten van de kamelen en rook hun geur. Hij wreef over de poot van een van de dieren. Toen haalde hij de buidel uit de zak in zijn kaftan en gooide de gouden munten die de *hawaldar* hem op basis van vertrouwen had gegeven op een platte steen. Hij zei tegen de boer dat hij de drie kamelen wilde kopen en vroeg hem het aantal munten te pakken dat de kamelen waard waren. Er lag een fortuin onder de knoestige, eeltige handen van de boer. Het zonlicht danste op de munten. Vertrouwen was belangrijk, met vertrouwen toonde je vriendschap. De hand zweefde boven de munten, deed er een uitval naar, pakte munten op, legde munten terug. Vertrouwen. De boer nam drie munten en keek toen in het uitdrukkingsloze gezicht tegenover hem. Toen pakte hij nog drie munten, liet het goud in zijn broekzak glijden en stak zijn hand uit. Caleb schudde de hand.

Zo lang als Caleb zich kon herinneren had hij het geen enkel probleem gevonden de leiding te nemen.

Hij pakte de overgebleven munten van de platte steen, stopte ze in de buidel en stak die in de verborgen zak van zijn kaftan. De boer kuste hem op de wangen en haalde de touwen van de poten van de kamelen. Caleb gebaarde naar de gids dat hij moest komen.

Een uur later waren alle kamelen geladen en gingen ze op weg.

Camp X-Ray, Guantánamo Bay

Hij zat in een hoek van de kooi.

Er werden elke dag andere gevangenen meegenomen. Ze kwamen pas uren later terug, soms zelfs pas na een hele dag. Sommigen beefden. Sommigen strompelden hun kooi in en kropen met het hoofd tussen de knieën weg tegen de muur. Sommigen huilden of riepen om hun moeder. Eén gevangene had de bewakers die hem terugbrachten in het gezicht gespuwd. Hij was weggesleept en opnieuw in de kettingen geslagen. Caleb had hem niet meer teruggezien.

Hij wachtte tot het zijn beurt zou zijn. De angst groeide.

Drie mannen en een vrouw drongen de kooi binnen. Ze waren groot en torenden in hun uniformen boven hem uit. De kettingen gingen om zijn enkels, middel en polsen. Ze hadden vijandige, roodverbrande gezichten. Hij had het gevoel dat ze allemaal, maar de vrouw het meest, wilden dat hij zich zou verzetten. Hij bedacht dat hij op dat moment drie weken in de kooi zat, dat hij iedere avond, op het moment dat de duisternis inviel en de schijnwerpers aangingen, met zijn nagel een streepje in het beton van de achtermuur had getrokken om het einde van de dag te markeren. Misschien was hij het een paar keer vergeten.

De angst was erg: erger dan de schok van de gevangenschap, erger dan de afranselingen, erger dan de desoriëntatie. De angst had hem in zijn greep op het moment dat de grote handen en de handen van de vrouw naar hem werden uitgestoken, hem beetpakten en hem overeind trokken. Tot op dat moment hadden ze hem één keer uit de kooi gehaald om hem te registreren en te fotograferen. Verder kwam hij er alleen uit voor het wekelijkse kwartiertje op de luchtplaats en de douche – maar dat laatste was de dag ervoor al gebeurd. De angst balde samen in zijn buik en hij wist dat de weinige regelmaat die hij zich had aangeleerd was verbroken. De kettingen om zijn enkels en polsen werden aangetrokken en met andere kettingen aan de ketting om zijn middel vastgemaakt. Daarna werd hij geblinddoekt.

Ze namen hem mee naar buiten.

Hij was taxichauffeur. De angst zat in zijn hoofd en in zijn lichaam. Hij was Fawzi al-Ateh. Hij was zo bang dat zijn blaas leegliep. De vrouw van Fawzi al-Ateh en de kinderen en zijn ouders en haar ouders waren allemaal gedood door de bommenwerpers die strepen in de lucht hadden getrokken. De warme natte stroom liep langs de binnenkant van zijn benen naar beneden en hij hoorde het spottende gelach. Hij kwam uit een dorp in de heuvels ten noorden van de stad, waar hij met zijn taxi had gereden.

Hij werd een gebouw binnengevoerd. De blinddoek bleef om. Zijn voeten werden uit elkaar getrapt. Hij werd naar voren geduwd. Hij kreeg een klap in zijn rug en zijn vingers vingen zijn gewicht op tegen het beton van een muur. Hij schoof zijn voeten naar de muur om het gewicht te verminderen, maar de laarzen haakten achter zijn enkels en dwongen hem terug naar achteren. Zijn lichaamsgewicht rustte op zijn tenen en zijn vingers. Een snerpend geluid vulde zijn oren. Hij was taxichauffeur. Het geluid denderde naar binnen, drong zijn schedel en zijn hersens in. Hij was Fawzi al-Ateh. Hij kon niet aan het lawaai ontsnappen en zijn vingers en tenen begonnen pijn te doen. Het lawaai was gekmakend, maar steeds opnieuw herhaalde hij de stil uitgesproken woorden die zijn enige redding zouden kunnen zijn. Hij vocht tegen het jankende lawaai. Hij wist niet hoeveel uren hij zo tegen die muur aan stond.

Toen werd het stil.

Een lijzige stem zei: 'Oké, geef hem maar.'

Hij wilde zich laten vallen, maar hij werd vastgegrepen bij zijn overall en weer overeind getrokken. Zijn gewicht rustte weer op zijn tenen en zijn vingers, en zijn blaas liep opnieuw leeg.

'Vertel me hoe je heet.' De vraag was in het Engels gesteld. Hij voelde iedere korrel van het beton in zijn vingertoppen drukken. Hij beet op zijn tong.

'Ik zei: vertel me hoe je heet.' Arabisch. Hij deed zijn ogen achter de blinddoek dicht en beet harder op zijn tong.

'Hoe heet je?' De vraag werd gesteld in het Pashto, met een accent. De tolk sprak het uit als iemand die de taal leert, en niet met de zachte tongval van de mensen die hij had gekend.

'Ik ben Fawzi al-Ateh.'

'Wat is je beroep?'

'Taxichauffeur.'

'Waar kom je vandaan?'

Hij noemde het dorp, het stadje en de provincie. Het Pashto waarin de vragen werden gesteld, was slecht uitgesproken, alsof de tolk de grondbeginselen van de taal op een spoedcursus had geleerd. Hij werd iets minder bang. Hij vertelde alles wat hij in het busje had geleerd. Hij stamelde zijn antwoorden. Er viel een pauze. Hij hoorde dat er water in een glas werd geschonken, en daarna dat er werd gedronken.

De lijzige stem zei in het Engels: 'Je weet nooit of die smeerlappen liegen of de waarheid spreken. Laat hem nog maar even zweten, dan roep ik hem later terug – geef hem nog maar een portie. Hoe moet ik weten of hij een slachtoffer van de omstandigheden of een moordenaar is? Haal in godsnaam een biertje voor me.'

Een deur ging dicht. Het lawaai begon weer. Hij viel ten minste twee keer, en telkens werd hij overeind gehesen. Hij rook de adem en het zweet van de mannen die hem overeind trokken en weer tegen de muur aan zetten. De herrie jankte om hem heen, hij kon zich er niet van afsluiten.

Er werden hem nog een keer vragen gesteld. Ze stelden de vragen in het Pashto, en hij koesterde die kleine overwinning.

Hij werd teruggebracht naar zijn kooi. Hij kon niet meer op zijn benen staan en kreeg zijn ene geketende been niet meer voor het andere. Hij had het hele verhaal verteld. Zijn naam was Fawzi al-Ateh, taxichauffeur. Toen hij 's nachts in zijn eentje had rondgereden, hadden gewapende mannen zijn busje geconfisqueerd. Hij had de mannen nooit eerder gezien. Ze hadden hun geweer op hem gericht en hij had hen vervoerd. Als ze niet zo moe waren geweest en ze hadden dat deel van de provincie gekend, dan zouden ze hem hebben doodgeschoten en zelf hebben gereden. De deur van de kooi stond open en hij was naar binnen gestruikeld. Sommigen hadden gebeefd, sommigen waren tegen de achterwand van de kooi weggekropen, sommigen hadden gehuild en sommigen hadden om een geliefd persoon geroepen... Caleb ging op zijn matras liggen en viel in slaap.

Want voor het eerst was hij iets minder bang en lukte het hem te slapen.

De witte, tweemotorige Cessna vloog een rondje en ging toen horizontaal vliegen om rustig te kunnen landen.

Marty keek toe hoe hij tegen de wind in op en neer ging. Diezelfde wind waaide in zijn gezicht en joeg het zand aan de rand van de landingsbaan omhoog. Alles wat de piloot in het transportvliegtuig had verteld, stond in zijn geheugen gegrift. Waarschijnlijk had de vliegenier van de luchtmacht niet beseft hoe gretig hij de informatie tot zich had genomen. De hele nacht hadden zijwinden, het op bepaalde hoogten onder invloed van de hitte veranderen van de soortelijke massa van de lucht, en de turbulenties door zijn hoofd gespeeld – hij had nauwelijks geslapen. Lizzy-Jo wel. Het was niet haar taak ervoor te zorgen dat *First Lady* en *Carnival Girl* in de lucht en operationeel bleven. Lizzy-Jo zat in het vluchtleidingscentrum en moest na de reis controleren of de camera en het satellietsysteem nog in orde waren. Achter hem hoorde hij hoe George Khoo het grondpersoneel onder het zeildoek instrueerde – ze klapten de vleugels terug tegen de romp van zijn meisjes. Hij keek toe hoe de Cessna heen en weer schommelde en vervolgens de grond raakte. Er waren op die oliedump geen knappe koppen die hem bij het vliegen van zijn meisjes zouden kunnen bijstaan. Op Nellis of het vliegveld van Bagram was er altijd wel een ervaren piloot die hij even apart kon nemen om iets over de omstandigheden te vragen. Dat hij de hele nacht wakker had gelegen, gaf wel aan dat hij er niet gerust op was. De Cessna taxiede de landingsbaan af.

Hij liep naar het vluchtleidingscentrum en roffelde op de deur.

'Lizzy-Jo, het opperhoofd is geland.'

Een man klom onhandig uit de cockpit van de Cessna. Hij was groot en dik. De achterkant van zijn shirt hing uit zijn broek en wapperde in de wind. Hij was ongeschoren en hoewel hij maar een paar meter over het asfalt hoefde af te leggen, veegde hij het zweet al van zijn voorhoofd. Hij hield een diplomatenkoffertje tegen zijn borst gedrukt, alsof zijn hele hebben en houden erin zat. Hij liep naar het kleine kampement van tenten en dekzeilen dat George Khoo die nacht aan het uiteinde van de landingsbaan had opgezet. George joeg zijn personeel over de kling en Marty had zich aan het lawaai geërgerd.

'Ben jij Marty?'

'Inderdaad, meneer, dat ben ik.'

De man nam hem verbaasd op. Het werd niet uitgesproken, maar hij gaf Marty het gevoel dat hij een piloot had verwacht die tien, vijftien jaar ouder zou zijn en er niet uit zou zien als iemand die net van de middelbare school kwam. Toen hij in Bagram was aangekomen, hadden de mannen van de CIA en de luchtmacht hem met precies dezelfde blik bekeken. Hij begon eraan te wennen, maar het irriteerde hem nog wel.

'Ik ben Juan Gonsalves. God nog aan toe, vliegen is geen lolletje. We werden alle kanten op geslingerd. Ik wou dat ik jouw werk deed.'

'En wat mag dat voor werk zijn, meneer?'

'Jij zit lekker in een gebouwtje, de airconditioning aan, geen luchtzakken en geen turbulentie... Ik wil niet zeggen dat het geen echt werk is, hoor. Is er een plek waar we rustig kunnen praten, waar niemand meeluistert? En dan bedoel ik ook echt niemand.'

'In het vluchtleidingscentrum zijn ze aan het werk. En in de tenten verderop liggen mensen te slapen. Als er één plek is waar niemand meeluistert, dan is dat waar we nu staan.'

Marty gebaarde naar de ruimte om hen heen. Ze stonden op honderd meter van de tenten en het dekzeil waaronder de vleugels van *First Lady* en *Carnival Girl* aan de romp werden bevestigd. De zon stond hoog aan de hemel, op zijn hoogste punt. Marty's schaduw lag om zijn voeten. Lizzy-Jo kwam naar buiten, ze sprong de traptreden af. Marty stelde haar voor en Gonsalves onderbrak het afvegen van zijn voorhoofd om haar een hand te geven. Daarna haalde hij een kaart uit zijn koffertje, spreidde hem uit in het stof en legde steentjes op de uiteinden.

'Heb je wel eens eerder in dit soort hitte gewerkt, Marty?'

'Nee, meneer.'

'Het wordt hier algauw een graad of vijftig. Maar weet je wat me meer irriteert dan de hitte, Marty?'

'Nee, meneer.'

'Dat je me de hele tijd meneer noemt. Noem me Juan. Misschien ben ik dan niet zo slim als jij, knul, maar ik ben wel je baas. En de grap is dat ik iets moet doen wat jij niet kunt, en jij iets wat ik niet kan... Dat betekent dat we nu even elkaars gelijke zijn. Leuk je te ontmoeten, Marty. Hoe is het met jou, Lizzy-Jo? Wat jullie verder van me moeten weten is dat Teresa en onze kinderen mijn grote liefde zijn en dat ik al-Qaeda haat tot op het bot. Ik wilde dat ik kon zeggen dat ik aan niets anders dan aan Teresa denk, maar dat is niet het geval. Ik denk aan niets anders dan al-Qaeda. Iedere keer dat we een van die klootzakken oppakken, krijg ik een stijve lul... Het is niets persoonlijks, hoor, het is niet zo dat ze iemand die ik ken iets hebben aangedaan, maar ik ben erdoor geobsedeerd. En tegen de mensen die hun wenkbrauwen fronsen en denken dat ik gestoord ben, zeg ik: "Als wij die organisatie niet nu meteen de nek omdraaien, dan eindigen wij met onze rug op de grond en hun laars op onze strot." Zo denk ik er dus over.'

Marty stond versteld van de felheid van de man. Het zweet stroomde van zijn gezicht en hij knipperde met zijn ogen tegen de zon die door het stof en de kaart werd gereflecteerd. Zijn dunne haar plakte op zijn hoofdhuid. Gonsalves hield niet op. 'Ik heb een hekel aan techniek en ik werk voor de inlichtingendienst. Ik bezit nog niet zo veel als een boormachine, maar ik weet precies hoe al-Qaeda is georganiseerd. Als er bij mij thuis een peertje stukgaat moet Teresa eraan te pas komen, maar ik weet precies hoe al-Qaeda denkt. Haal het niet in je hoofd me ooit met technische praatjes over jullie apparatuur te misleiden. Daar ben ik ongevoelig voor... Laten we de kaart maar eens bekijken.'

Marty zag dat zijn kortgeknipte nagels vuil waren en dat er gele nicotinevlekken op zijn wijs- en middelvinger zaten. Hij spreidde zijn hand en liet hem boven het zuiden van Saudi-Arabië zweven.

'Ik voorspel, en daar durf ik mijn nek voor uit te steken, dat de oorlog zich in de toekomst in dit gebied gaat afspelen. Vergeet Afghanistan, vergeet wat er nu in Irak gebeurt, dit wordt de nieuwe speeltuin. Het is de Rub' al-Khali, het Lege Kwartier. De bedoeïenen noemen het simpelweg "het Zand". Het gebied is groter dan jullie of ik kunnen bevatten, amigos, en het is de onvriendelijkste plek op moedertje aarde. Kijk, daar zou ik me terugtrekken als ik een paar rake klappen had opgelopen. Want ik zou niet van plan zijn me te laten uittellen. Ik zou alleen maar even willen volhouden tot de bel gaat. Ik zou even bij moeten komen in mijn hoek, even op adem moeten komen. En in de volgende ronde zou ik er weer stevig tegenaan gaan. En dan zou ik dus naar de Rub' al-Khali gaan. Daar zou ik me terugtrekken, en ik ben ervan overtuigd dat ik weet hoe al-Qaeda denkt. Geloof mij maar, daar zitten ze, ik durf er mijn hoofd onder te verwedden.'

Hij grijnsde.

'Ik geloof niet dat iedereen op Langley het met me eens is. Zij sturen liever mariniers en commando's naar de Pakistaanse binnenlanden en de Afghaanse bergen. Maar ik zeg dat dat verleden tijd is. Ik zeg dat ze nu hier zitten. Ze zijn gewond, aangeslagen. Ze zijn zo gevaarlijk als een aangeschoten beer. Ze worden bevoorraad door koeriers, ze hebben geen telefoons en geen elektronica... En dachten jullie dat ze bij de Saudi's voor hulp kunnen aankloppen? Vergeet het maar. Ten eerste wantrouwen die iedereen die hun vertelt wat ze moeten doen, ten tweede kunnen ze helemaal niets en ten derde, man, ze zijn zo onzeker als de pest. Ik vertel hun niets en zij vertellen mij niets... Ik val die gasten in Langley zo vaak lastig dat ze gestoord van me worden. Ze zouden graag willen dat ik mijn kop hou. Ze willen dat ik me gedeisd hou, en daarom hebben ze jullie gestuurd.'

'Wat zoeken we?' vroeg Lizzy-Jo kalm. Haar blik was op het enorme gebied op de kaart gericht. Er was al een dun laagje zand op gewaaid.

'Wist ik het maar.'

Marty zei: 'We moeten weten wat we zoeken. Het is een belachelijk groot gebied, zo veel kaartvlakken hebben we nog nooit bestreken. We moeten het weten.'

De jaren en de vermoeidheid leken bezit te nemen van Gonsalves' gezicht. Marty strekte zijn hals uit om hem beter te verstaan. Hij sprak alsof hij wist dat wat hij zei eigenlijk onvoldoende was. 'Tja... Geen wagens... Geen grote karavanen... Geen vervoer over de weg, want die is er niet – er is één onverharde weg, en die loopt dood... Kleine groepjes, misschien drie of vier man en drie of vier kamelen... In de grote leegte... Een naald in een hooiberg... Misschien hebben ze een vracht bij zich, misschien ook niet... Mensen waar geen mensen zouden moeten zijn. Dit is geen schuilplaats voor het voetvolk, maar voor de leiding... Ze ontvangen en versturen boodschappen en proberen de boel weer onder controle te krijgen... Waarschijnlijk worden alleen de belangrijkste mensen naar een onderaards hol gedirigeerd, de mensen die ze per se moeten zien... Meer kan ik er ook niet over zeggen.'

Lizzy-Jo zei: 'We zullen doen wat we kunnen.'

Hij kwam overeind, schudde het zand van de kaart, vouwde hem op, maakte er een rommeltje van en gaf hem aan Marty. Hij vertelde wat hun dekmantel was en zei dat hij zo snel mogelijk weer langs zou komen en dat hij tot die tijd dagelijks contact zou opnemen. Gonsalves liep met gebogen hoofd in de richting van de Cessna, alsof hij wist dat hij er niet in was geslaagd hen te overtuigen. Toen draaide hij zich om. 'Is dat materiaal van jullie goed?' Hij gebaarde naar de twee vogels onder het dekzeil.

Marty zei: 'Het beste wat er is. Als ze daar zijn, dan vinden we ze, meneer.'

Lizzy-Jo zei: 'De *First Lady* en *Carnival Girl* zijn de oudste onbemande vliegtuigen die de CIA in de lucht heeft. Ze zijn bijna rijp voor het museum. Dit vraagt om een Global Hawk of om een RQ-4. Wij hebben een MQ-1 – zo staan de zaken ervoor.'

Marty wierp haar een woedende blik toe.

Gonsalves vroeg met zijn hese stem: 'Maar hebben jullie Hellfires meegenomen?'

Marty knikte. 'Ja, we hebben Hellfires meegenomen.'

'Laten we hopen dat jullie de kans krijgen om die te gebruiken... Verder nog vragen?'

Marty vroeg zacht: 'Welke gek komt er volgens u naar deze woestenij?'

'De man die ze nodig hebben. De man die ons het hardst kan treffen, met explosieven.'

Gonsalves liep naar de Cessna, zich vastklampend aan zijn koffertje. Ze keken toe hoe het vliegtuigje opsteeg en laag wegvloog over de eindeloze zandvlakte. Marty en Lizzy-Jo zwegen allebei. Er viel ook niet veel te zeggen. Toen gaf ze hem een stomp tegen zijn arm en zei dat ze koffie ging zetten.

De nieuwe directeur-generaal had voor een nieuwe aanpak gekozen. Hij wilde de officieren van MI5 in het Londense hoofdkwartier aan meer kritiek van buitenaf blootstellen en hen stimuleren problemen op een creatievere manier te benaderen. Michael Lovejoy zat op de achterste rij stoelen van de hoorzaal. Als hij er niet uit eigen beweging was, nam hij altijd op de achterste rij plaats. Hij gaapte achter zijn opgevouwen krant, wat het oplossen van de kruiswoordpuzzel korte tijd onderbrak. Maar zijn blik mocht dan over de omschrijvingen glijden, hij luisterde wel.

De psycholoog van de universiteit uit het noordwesten van Engeland greep de katheder stevig vast. 'De terroristenleiders hebben heel goed begrepen aan welk profiel hun strijders moeten voldoen. En wat ik u nu ga zeggen is misschien onaangenaam en onwelkom, maar het is de waarheid: zij hebben dat veel beter begrepen dan de mensen die met de taak zijn belast de burger tegen politiek geweld te beschermen. U, dames en heren, kijkt naar een stereotype dat voor de hand ligt – maar dat doen uw tegenstanders niet. Zij, en in het bijzonder Osama bin Laden en zijn adjudanten, hebben zich weten te identificeren met jonge mannen uit verschillende sociale en economische achtergronden die extreme offers willen brengen. Ze zoeken mannen die bereid zijn voor een succesvolle aanslag te sterven, die zelfs wíllen sterven. Deze mannen hebben er, of ze nou suïcidaal zijn of niet, alles voor over om die aanslag te plegen. Wij zeggen graag over onze vijand dat hij is gehersenspoeld. Maar dat is een ongepaste en foutieve voorstelling van zaken. Onze vijand is geduldig en neemt alle tijd om iemand zover te krijgen dat hij een lijnvlucht in een openbaar gebouw laat vliegen, een bom in een grote menigte laat ontploffen of met een koffer vol explosieven en dodelijke chemicaliën of bacteriën naar het centrum van een stad loopt. Onze vijand leidt hem naar die bestemming. Hij haast zich niet. Hij laat hem zelfs grotere hindernissen nemen – en ondertussen wordt hij in de familie opgenomen. Hij zit in het isolement van trainingskampen of in een desolate wildernis, hij verliest ieder contact, behalve met de mensen om hem heen. De familie wordt de enige gemeenschap die hij nog kent, en hij zal er enorm trots op worden dat hij daarbij hoort. Onze vijand weet veel beter dan u wie hij daarvoor moet hebben.'

Voor Lovejoy ademde iemand met een slurpend geluid in. Lovejoy was een veteraan van de geheime dienst. Een belediging kwetste hem niet meer. De psycholoog had zijn aandacht, en vijftien verticaal, 'de patriciër van Corionalus', bleef oningevuld. Het was maar een kruiswoordpuzzeltje uit de krant.

'U ziet de terroristische groeperingen als een stel parasieten die jonge mannen verleiden om in hun geledingen plaats te nemen. U brengt die jonge mannen graag onder in de verzamelnaam "outcast". Ik stel me zo voor dat u in uw bestanden naar zulke "outcasts" zoekt. U ziet uw doelgroep bij voorkeur als eenzame jongens die nergens in uitblinken, die beïnvloedbaar zijn, die op drift zijn geraakt en daardoor gemakkelijk kunnen worden verleid tot terroristische gewelddaden. Hebt u gelijk? Dat denk ik niet... Al-Qaeda is u een gigantische stap voor. "Outcasts" voldoen misschien als kanonnenvlees, of voor de simpele klusjes in Afghanistan, maar niet voor de oorlog die, dat voorspel ik u, nog jaren zal duren. Als u naar stereotypen blijft zoeken, neem dát in godsnaam van mij aan, dan zult u falen.'

De psycholoog zweeg, keek zijn toehoorders onheilspellend aan en nam een slok uit het glas water dat op de tafel naast de katheder stond. Lovejoy stelde zich zo voor dat de jongere generatie op de stoelen in de voorste rijen de wenkbrauwen geïrriteerd fronste: het profiel van de outcast werd bij de dienst beleden als een geloofsbelijdenis. De scherpe aanpak van de academicus beviel hem wel.

'Ik heb het grootste deel van jullie lunchuur al opgeslokt en weet dat jullie het druk hebben, maar mag ik nog een paar laatste overwegingen meegeven? Onlangs kreeg ik een brief van een gepensioneerde militair. Boven de brief stond, behalve zijn naam en adres, de zin "De gemakkelijke weg is voor gemakzuchtige mensen." De weg naar de outcast is de gemakkelijke weg, en als u die weg blijft volgen, bent u gemakzuchtig en trekt u aan het kortste eind. Ik druk u op het hart uw blik te verleggen. Waarheen? Naar kwaliteit, naar beschikbaarheid. Naar de besten. Want naar die jonge mannen zijn Osama bin Laden en zijn adjudanten op zoek. Stelt u zich voor hoe opwindend het is om bij die exclusieve, voortvluchtige familie te horen. Denkt u zich in hoe trots ze daarop zijn. Roep een beeld op van avontuur en vastberadenheid. Nee, nee, ik bezweer u dat de jonge man die ons bedreigt, die ons in ons hart kan raken, zwelgt in die opwinding, in zijn geloof en in het avontuur dat het leven hem biedt. Ik dank u.'

Er daalde een rustig, beleefd applaus vanaf de rijen voor Lovejoy neer. Hij vulde vijftien naar beneden in. Menenius.

De rivierbedding lag ver achter hen. Ze waren een steilere helling op geklommen en geklauterd. Nu ze op de top waren aangekomen, werden ze gegeseld door de wind. Hun schaduw strekte zich lang uit. De zon ging onder.

Fahd bad. Hij schreeuwde het uit alsof hij om hulp vroeg, en zijn ogen waren gesloten alsof het uitzicht hem overweldigde. De Saudi was lang en slungelachtig en het leek alsof hij zijn God smeekte en alleen zijn God hem kon redden. Naast hem was de gids neergeknield, met zijn zoon aan zijn zijde. Tommy hield zich verre van deze godsverering. Hij had zijn laarzen en zijn sokken uitgetrokken en wreef over zijn voeten. Hij kreunde. Hosni bad evenmin. Hij zat op een kei bij de kamelen, die de blaadjes van de schrale doornstruiken aftrokken. Caleb zat vlak bij de Egyptenaar. De laatste keer dat hij zoveel hartstocht in het gebed had gehoord, was in de begindagen van Camp X-Ray en Camp Delta geweest, toen de wanhoop het grootst was.

Hij staarde voor zich uit.

'Hoe ver gaan we?'

'Dat weet alleen de gids – misschien duizend kilometer.'

Caleb vroeg: 'Het is misschien een beetje laat om te vragen, maar waarom gebruiken we geen auto's?'

'Op de begaanbare wegen zijn wegversperringen en controleposten van het leger. Zij die op ons wachten, die op jou wachten en ons hebben gevraagd te komen, bevinden zich in een doods oord. Daar zijn geen wegen en geen ogen die ons in de gaten houden. Het is een oord van de dood, maar ook een oord van dromers en dwazen.'

'Ben jij een dromer?'

Hosni mompelde: 'Ik denk dat ik een dwaas ben.'

De gids verzamelde de kamelen en Tommy haastte zich zijn sokken en laarzen aan te trekken. Ze daalden de andere kant van de heuvel af en passeerden een steenhoop, die de grens aangaf. Vóór hen strekte de eindeloze woestijn zich uit zo ver het oog reikte, goudkleurig rood in het laatste zonlicht. Caleb keek naar het Lege Kwartier, waar zijn familie op hem wachtte.

5

Rashid, de gids, liep vooraan, naast de kameel die de karavaan leidde. De Egyptenaar, de Saudi en de Irakees zaten op hun kameel. Daarachter kwamen de kamelen met de tenten en het water, en daarachter de drie kamelen die elk twee kisten vervoerden. Caleb en de jongen, Ghaffur, sloten de rij te voet.

Het was de derde dag sinds ze de woestijn in waren getrokken.

De zon vlamde op hen neer. De hitte drong door de *ghutrah* die hij om zijn hoofd en voor zijn mond had gewikkeld. De zon brandde op zijn wangen en zijn neus, het licht scheen fel in zijn ogen... En de jongen praatte. In zijn oren zong het geluid van de zwakke wind, het gedempte geklepper van de kamelenhoeven in het zand en het grommende gemompel van de Saudi. Ze lieten een spoor van gebroken zand achter, zand dat was gebutst door de afdruk van hoeven en voeten. Maar de zwakke wind was voldoende om de kuiltjes die ze veroorzaakten snel met stuifzand op te vullen. Als hij zich omdraaide en zo ver keek als zijn oog reikte, zag hij dat het spoor in de verte al was bedekt, verdwenen. De jongen ondervroeg hem niet minder grondig dan de ondervragers in Camp X-Ray of Camp Delta hadden gedaan. Als hij door zijn samengeknepen ogen voor zich uit keek, zag hij een eindeloos zandlandschap dat zich uitstrekte tot aan de horizon. Caleb stelde zich iedere keer de horizon ten doel: meestal was dat de rug van een zandduin die tegen de wolkeloze hemel afstak en, als die zandduin bereikt was, de volgende die voor hen lag. De hoge stem van de jongen, die vragen op hem af bleef vuren, was als het zoemen van een vlieg: het leidde af, maar irriteerde niet. Hij negeerde het zoals hij een vlieg bij zijn gezicht zou hebben genegeerd.

Wie was hij? Waar kwam hij vandaan? Wat was zijn bestemming? Het hadden de vragen van zijn ondervragers kunnen zijn. Toen had hij zijn hoofd laten hangen en met zachte stem het levensverhaal van de taxichauffeur herhaald. Nu sloeg hij de vragen af met een glimlach of grijns die achter zijn *ghutrah* verborgen bleef. Ze liepen zo veel mogelijk om de hogere duinen heen, maar sommige waren zo lang dat dat geen doen was. Dan hielpen Caleb en de jongen de struikelende, wegglijdende dieren op de steilste plekken om tegen de helling op te komen, en tijdens de afdaling lieten ze de kamelen los, zodat ze met hun hoekige poten vreemde danspassen naar beneden konden maken. De wind had op de top van iedere duin een messcherpe richel gevormd, die bij hun doorgang een kleine zandlawine veroorzaakte. Het grootste deel van de tijd keek Caleb naar zijn voeten, want dan zag hij de horizon niet en was hij zich minder bewust van hun geringe progressie en de afstand tot de volgende duintop... En dit was nog maar het begin. De vorige avond hadden ze hun tenten opgeslagen bij een bron, waar de kamelen hun reserves hadden kunnen aanvullen. Daar had hij de gids, Rashid, tegen de Egyptenaar horen zeggen dat dit de laatste bron op hun route was. 's Ochtends hadden ze de bron verlaten na het gebed, nog voor de zon aan kracht won. De bron was niet meer dan een kleine put van modderige stenen. Er hing een houten balk boven waaraan een touw met een emmer bungelde. Het water was brak, vuil en bedorven; dat wist hij omdat hij het had geproefd en onmiddellijk had uitgespuugd. Zijn eigen vragen speelden door zijn hoofd en waren dezelfde als die van de jongen: Wie was hij? Waar kwam hij vandaan? Wat was zijn bestemming? Waarom reisde hij? Hij had er geen antwoord op kunnen geven.

Ze stopten midden op de dag – niet om te eten of te drinken, maar om te bidden. Ze hadden gegeten en gedronken voordat ze de bron hadden verlaten en zouden dat pas opnieuw doen als ze hun tenten zouden opslaan. Door samen met de jongen in de staart van de karavaan te lopen, creëerde Caleb afstand tot zijn metgezellen die niet uitverkoren waren. De vorige avond had Fahd hem voor ze gingen slapen in weinig woorden en op minachtende toon verteld door welke ramp Irak was getroffen. Hij had verteld dat het regime was gevallen en dat de Amerikaanse tanks doodgemoedereerd door de brede straten van Bagdad waren gereden. Toen had Tommy Fahd strak aangekeken en had Fahd zijn verhaal niet afgemaakt... De anderen, die naast de kamelen liepen of op de bulten zaten, leden allemaal. De Saudi schreeuwde zijn pijn uit en de Egyptenaar was al twee keer van zijn kameel gegleden en in het zand gevallen. Rashid had hem beide keren zonder mededogen overeind geholpen en op zijn kameel geduwd, waarna ze weer verder hadden gekund. Hij voelde voortdurend dat ze kwaad op hem waren omdat ze twaalf dagen op zijn aankomst hadden moeten wachten.

Ze klommen, klauterden en daalden, en ieder bad in stilte om een vlak stuk met een harde zoutkorst voordat ze de volgende zandduin zouden moeten bestijgen. De hitte was genadeloos... En dit was nog maar het begin. De vragen kwamen weer, en de hoge stem eiste antwoorden.

'Nee,' zei Caleb. 'Jij geeft de antwoorden.'

'Wat?'

Hij zag de triomf op het gezicht van de jongen: hij had een reactie afgedwongen.

'Hoe lang duurt de reis?'

De jongen keek hem ondeugend aan. Hij grijnsde. 'Hoe snel kun je reizen? En de anderen? Ik vind dat we langzaam gaan.'

'Hoeveel dagen?'

'De kamelen hebben vanmorgen gedronken.'

'Hoe lang kunnen de kamelen lopen als ze net hebben gedronken?'

'Achttien dagen.'

'Zijn achttien dagen genoeg?'

'Hoe snel reis je?'

'Wat gebeurt er na achttien dagen?'

'Dan sterven de kamelen,' zei de jongen, Ghaffur. Zijn ogen schitterden. 'Maar ook wij hebben water nodig.'

'Hoeveel dagen kunnen wij zonder water?'

'Twee dagen, daarna gaan we dood.' Een glimlach tooide zijn gezicht.

'Heeft je vader deze route wel eens eerder afgelegd?'

'Ik geloof het niet. Niet met mij. Hij heeft er niets over gezegd.'

Er speelden nog meer vragen door Calebs hoofd. Ze hadden allemaal hetzelfde refrein: Hoe wist de gids, Rashid, waar ze waren? Welke herkenningspunten gebruikte hij? Hij sprak de vragen niet uit. Ze waren nog maar net op weg, dit was nog maar het begin... Aan iedere kameel bungelden geitenmagen gevuld met drinkwater. Twee dagen nadat dat water op was, zouden ze sterven van dorst, en na achttien dagen zouden de kamelen doodgaan. Caleb had geen enkel spoor gezien dat erop wees dat hier eerder mensen of dieren langs waren gekomen. Het Zand was maagdelijk. Er was geen spoor van zand dat door hoeven of voeten was aangestampt. Hij geloofde niet dat er ook maar een schijn van kans was dat een wagen door het rulle zand van de zich verplaatsende zandduinen zou kunnen rijden. De gids was die ochtend twee keer blijven staan om om zich heen te kijken. Het had geleken alsof hij de lucht opsnoof en hij zich optimaal op zijn zintuigen concentreerde. De eerste keer had hij een scherpe hoek naar rechts gemaakt, de tweede keer was hij naar links afgebogen. Maar de jongen had gezegd dat zijn vader daar nog nooit eerder was geweest. Caleb besefte maar al te goed dat hun leven afhankelijk was van de instincten van de gids die voor hen uit liep en hen verder de woestenij van zand in leidde.

Caleb vroeg: 'Komt hier wel eens iemand?'

'God is hier.'

Hij versnelde zijn pas. De banden van zijn sandalen hadden blaren op zijn hielen veroorzaakt. Hij zag geen teken van leven, alleen zandduinen – geen struik of dood hout, geen spoor. Als hij niet zo belangrijk was geweest, hadden ze hem niet de zware taak gegeven deze woestijn door te trekken. Maar waarom hij zo belangrijk was, wist hij niet... Hij liep sneller, maar zijn benen waren loodzwaar en zijn mond schreeuwde om water. De jongen huppelde spottend naast hem voort.

Hij wankelde. De jongen greep zijn arm, maar Caleb duwde hem woedend van zich af. Het zweet stond in zijn ogen, waardoor de horizon vervaagde. Voor zijn geestesoog zag hij uitgedroogde botten, kaalgeschuurd door de wind en het zand, verbleekt door de zon. Hij knipperde met zijn ogen en veegde met een ruw gebaar het zweet uit zijn gezicht. Hij moest ervoor waken dat hij zich niet, zoals de mannen in Camp X-Ray en Camp Delta, aan zelfmedelijden zou overgeven.

Hij schreeuwde het uit, en de kreet stierf weg in het zand op de duinhellingen en de wolkeloze hemel.

Hij bekeek zijn rooster voor die dag – er stonden drie verhoren op.

Ze zouden alle drie zinloos zijn. De FBI en de CIA hadden het in Joint Task Force 170 voor het zeggen. De DIA kwam op de derde plaats, ze stonden onder aan de ladder. Jed had in zijn slaapkamer naar de e-mailtjes van de afgelopen nacht gekeken – er zat niets tussen wat niet kon wachten – en was toen aan de dossiers van de drie mannen begonnen. De FBI en de CIA pakten de gevangenen aan die de hele dag naar het plafond staarden en koranverzen lagen te reciteren. Ze bleven eindeloos op details hameren of staarden de ondervraagde zwijgend en vol minachting aan. De FBI en de CIA deden het serieuze werk. Zij probeerden de stilte te doorbreken of de leugens onderuit te halen. Dat was mooi, motiverend. De DIA kreeg de hopeloze gevallen, de ongelukkige schepsels die aan de rand van een zenuwinzinking verkeerden. 's Ochtends zou hij een Koeweiti zien die beweerde dat hij voor ontwikkelingswerk in Jalalabad was geweest. 's Middags zou er een Pakistaan worden voorgeleid die beweerde dat zijn vader een stamhoofd in de provincie Paktia had beledigd en dat het stamhoofd hem daarom had aangegeven. In de namiddag zou er een Tunesiër met een Duits paspoort tegenover hem zitten die beweerde dat de Pakistani hem hadden uitgeleverd terwijl hij alleen maar student Arabische taal- en letterkunde was geweest. Het was om te huilen.

Inmiddels was ieder voordeel van Jed Dietrichs vakantie vervlogen. Hij zou het niet zo snel tegen zijn vader Arnie Senior zeggen, maar hij vond zijn werk in Guantánamo oersaai. Hij had tijdens een verhoor een paar keer woede jegens zijn doelwitten voelen opkomen, maar de richtlijnen van het leger met betrekking tot verhoren van krijgsgevangenen waren glashelder over de grenzen die niet overschreden mochten worden: de ondervrager mag alleen psychologische, verbale en andere niet-fysieke dwangmiddelen gebruiken; de ondervrager dient over een uitzonderlijke zelfbeheersing te beschikken om te voorkomen dat hij echte woede toont; het is de ondervrager beslist niet toegestaan de gevangene psychologisch te martelen, te bedreigen, te beledigen of aan een onprettige of inhumane behandeling bloot te stellen. Misschien was zijn leven in Guantánamo een stuk minder somber geweest als hij aan zijn woede had toegegeven en de gevangene een stevig pak slaag had gegeven. Maar dat was uitgesloten... Hij draaide niet door omdat hij, net als iemand die iedere maand een lot koopt en iemand die op een regenachtige dag met zijn metaaldetector over het strand loopt, bleef hopen dat het ooit, op een dag, iets zou opleveren. Hij opende het dossier van de Koeweiti die beweerde dat hij voor liefdadigheid in Jalalabad was geweest.

Een klerk kwam hem een boodschap brengen.

Hij tekende voor ontvangst, wachtte tot de klerk de deur achter zich had dichtgedaan en las het bericht. Hij had eigenlijk geen tijd om er uitgebreid over na te denken, tenminste, niet als hij die Koeweiti 's ochtends nog wilde doen. Hij las het nog een keer. Hij beet op zijn onderlip en drukte zijn nagels in de palm van zijn hand, maar daarmee verdween zijn frustratie niet.

Van: Lebed, Karen, DIA, Bagram
Aan: Dietrich, Jed, DIA, Camp Delta, Guantánamo Bay
Onderwerp: Fawzi al-Ateh. Reg. nr. US8AF-000593DP

Ik hoop dat de zon schijnt en dat het zeewater lekker is om in te zwemmen. Wat het bovengenoemde individu betreft; daar helpt geen lievemoederen meer aan. De Afghaan Fawzi al-Ateh is gevlucht (uitroepteken). Hij is ontsnapt toen hij onder bewaking van de USMC van Bagram naar Kabul werd overgebracht (twee uitroeptekens). De gevangene had al aan de Afghaanse veiligheidsdienst overgedragen moeten zijn, maar het vliegtuig had vertraging en de heren waren al naar huis gegaan – serieus. De gevangene veinsde dat hij moest pissen en kreeg toestemming om uit te stappen. Alleen liet hij zijn broek niet zakken, maar zette hij het op een lopen. Hoe dan ook, vanwaar de belangstelling? Was de gevangene niet onschuldig verklaard en mocht hij niet vertrekken? Wij hebben alleen toegang tot het dorp van de gevangene als we er met een heel bataljon binnentrekken; het ligt midden in bandietenland. Hij heeft lage prioriteit, en dat betekent dat er verder geen aandacht meer aan wordt besteed. Goed, dan is hij maar wat eerder naar huis gegaan. Ik wens je een fijne dag.
Het beste,
Lebed, Karen

Hij huiverde. Sinds zijn baas hem had verteld dat de taxichauffeur was vrijgelaten, werd hij af en toe door een vlaag van irritatie overvallen. De zaak was niet netjes afgehandeld. Hij kon in gedachten naar de eerste dag van de vakantie teruggaan. Toen had hij in het huisje aan het meer gezeten en de gezichten aan de andere kant van zijn bureau duidelijk en helder voor zich gezien. Die ene gevangene was hem een raadsel: een lange, jonge man die zacht sprak en altijd hetzelfde verhaal vertelde. Alle anderen die, net als de taxichauffeur, zeiden dat ze onschuldig waren, hadden geprobeerd te bewijzen dat ze niet aan al-Qaeda waren gelieerd door namen te noemen van mannen die in de 55ste Brigade zouden zitten. Het waren altijd namen van mannen die ze kenden, van mannen over wie ze hadden horen praten of van mannen die ze hadden gezien. Maar deze man, deze taxichauffeur, had nog nooit een lid van al-Qaeda ontmoet, had van niemand gehoord dat hij lid zou zijn en er nog nooit een gezien. Het was maar een klein, onbeduidend detail, en de volgende dag aan het meer in Wisconsin was hij het alweer vergeten. Hij zou er waarschijnlijk ook nooit meer aan gedacht hebben als de FBI en de CIA niet met zevenmijlslaarzen over zijn baas heen waren gelopen... Hij vertrouwde het niet, en dat vrat aan hem. Hij borg het bericht in zijn archief op.

Het was tijd om aan de slag te gaan. Hij liep tussen de barak waar zijn werkkamer was en de verhoorbarak door en kon het strand zien. De wind kwam van zee. Het had een paradijselijk mooie plek kunnen zijn, maar dat was het niet. Het was een plek van kooien en hekken, van mannen die hun ellende uitjammerden, van mislukking. Hij had zich er, ruim vijf maanden geleden, bij Arnie Senior over beklaagd dat de verhoorsessies zo eentonig waren dat het je verlamde – maar Arnie Senior had zijn dienstplicht in de Centrale Hooglanden van Vietnam vervuld, en daar werd 'robuust' verhoord: 'Je zette drie van die kerels in een helikopter, steeg naar duizend voet, gooide er twee uit en stelde de derde een paar vragen. Werkte altijd.' Er was een vreemde, bijna maniakale gloed in Arnie Seniors ogen verschenen. Sindsdien had Jed nooit meer met zijn vader over zijn werk gesproken.

De tolk kwam uit Pittsburgh, hij was een tweede generatie Amerikaan van Syrische afkomst. Jed mocht hem niet, hij wantrouwde hem. De tolk hing lui in een stoel en knipte zijn nagels. De stoel aan de andere kant van zijn bureau was leeg: ze wachtten tot de Koeweiti binnen zou worden gebracht. Jed had drie keer met de taxichauffeur gesproken, en hij had steeds in diezelfde stoel gezeten. Hij had zich coöperatief opgesteld en was niet van zijn verhaal afgeweken. Iedere keer dat hij de oudste truc opvoerde – de truc die ze op de opleiding voor ondervragingen onderwezen: onverwacht terugkomen op een feit dat een uur eerder is besproken – was het verhaal van de taxichauffeur overeengekomen met zijn eerdere verklaring en had hij hem niet weten te betrappen. Eerlijk gezegd mocht hij de jonge man wel (al zou hij dat aan niemand hebben toegegeven, zelfs niet aan Brigitte) en het verhaal dat de bommenwerpers zijn hele familie hadden gedood, ontroerde hem een beetje... Hij keek op.

De geketende gevangene schuifelde tussen twee bewakers in naar binnen. Zijn gedachten over de taxichauffeur, waar hij was en wat de reden voor zijn vrijlating was geweest, werden terzijde geschoven.
Hij richtte zijn blik op de Koeweiti, die hem smekend aankeek.

De vogels vlogen hoog in de lucht.
Zij vloog de slechtvalk, de *shahin*, hij vloog de sakervalk, de *hurr*. Ze vlogen op grote hoogte, het waren niet meer dan stippen aan de hemel.
Beth en haar gastheer, de adjunct-gouverneur van de provincie, waren er een dagje op uit getrokken. Ze hadden vier jeeps bij zich en werden vergezeld door een gevolg van chauffeurs, valkeniers, bedienden die het zeildoek voor de picknick zouden opzetten, lijfwachten met geweren en een spoorvolger van de Murrastam die hen weer terug naar Shaybah zou weten te brengen als het GPS-systeem het liet afweten. Ze had veel liever gehad dat ze daar met z'n tweeën waren geweest, met alleen een jeep en de twee vogels. Maar dat ging niet: de adjunct-gouverneur was een Saudische prins, en die positie bracht met zich mee dat hij niet zonder een dergelijk gevolg kon reizen.
De vogels vlogen zo hoog boven hen dat ze haar hoofd in haar nek moest leggen en zich tot het uiterste moest concentreren om hen in hun jacht op een prooi te kunnen volgen.
Als ze met z'n tweeën waren geweest, twee personen in de woestenij van zand, dan zou ze hebben kunnen genieten van de eenzaamheid, de stilte en de sereniteit waar ze zo van hield. De woestijn fascineerde haar mateloos. Lawrence had vijfenzeventig jaar geleden geschreven: 'Dit wrede land kan iemand betoveren' en ze begreep heel goed wat hij had bedoeld. Ze werd gefascineerd door de leegte en de eindeloze vergezichten. Ze was ervan overtuigd dat ze er de rest van haar leven door getekend zou zijn.
Ze keek naar de slechtvalk en wachtte op het moment waarop hij een prooi in het oog zou krijgen en als een steen naar beneden zou duiken. De prooi zou ten dode opgeschreven zijn.
Ze waren een kilometer of twintig verwijderd van de weg, die evenwijdig aan de pijpleidingen naar het noorden liep. Wabar, de plaats waar de meteorieten waren ingeslagen, lag tweehonderd kilometer naar het westen. De adjunct-gouverneur zou een rolberoerte krijgen als hij wist dat ze in haar eentje met haar Land Rover naar het ejectaveld ging. Hij dacht dat ze daar alleen kwam als hij had geregeld dat er chauffeurs, een reservejeep, personeel voor het kamp, een kok, iemand van de Murrastam en mannen van de grenspolitie meegingen. Maar zij voelde zich, als al die mensen meegingen, belemmerd en in de gaten gehouden, onvrij. Ze kende geen enkele angst voor de woestijn die Lawrence 'wreed' had genoemd. Beth kneep er eens per maand tussenuit om in haar eentje tussen het zwarte glas en witte ge-

steente te kunnen lopen en de meteorietinslagen in kaart te brengen en te onderzoeken. Eens in de twee maanden trok ze er met het escorte van de adjunct-gouverneur op uit. Een bedoeïen die voor handel naar Shaybah was gekomen, had haar verteld dat er ten zuiden van Wabar nog een plek was waar het glas en stenen had geregend. De bedoeïen had haar de oriëntatiepunten gegeven; het was een plek waar misschien nog nooit iemand was geweest. Ze zou er in haar eentje naartoe gaan, naar de stilte – als ze er tenminste met haar Land Rover kon komen.

De vogels speurden de diepte onder hen af, maar zagen nog geen prooi.

Beth was daar dankzij het feit dat ze een brief aan de Saudi-Arabische ambassade in Londen had gestuurd en een visum had aangevraagd voor wetenschappelijk onderzoek van de plaats waar de meteorieten waren ingeslagen. Vanzelfsprekend had ze haar academische kwalificaties overdreven en haar veldervaring aangedikt. Haar vader en moeder hadden haar de les gelezen en gezegd dat het koninkrijk niet erg gastvrij was voor buitenlanders, voor indringers. Maar drie maanden later was ze een gat in de lucht gesprongen, want het antwoord dat ze met de post ontving was positief. De brief was door de adjunct-gouverneur van de provincie in eigen persoon getekend en vermeldde dat ze haar visum bij de ambassade kon afhalen. Iedereen die ze in Londen kende, zei dat het een wonder was dat ze toestemming had gekregen haar studie daar te vervolgen.

De vogels kwamen naar beneden, maar niet in duikvlucht.

Ze vlogen gehaast en angstig naar de jeeps. Boven hen zweefde, duidelijk zichtbaar en onheilspellend, een adelaar. De wedstrijd was afgelopen; er zou geen prooi gevangen worden. De slechtvalk en de sakervalk zouden niet uitvliegen zolang de adelaar het luchtruim beheerste. De picknick werd geserveerd en de vogels in hun kooien rilden van angst. Ze keek naar de adelaar, ze voelde zijn aanwezigheid: er vloog een moordenaar boven het Zand, er dreigde gevaar waar het net nog veilig was geweest.

Hij volgde het voorbeeld van de gids en de jongen.

Hij had het respect van Rashid nodig. Caleb liep achter in de karavaan. Als Rashid zich omdraaide, zag hij aan zijn blik dat de gids geen greintje respect voor de mannen op de kamelen had.

Hij bleef staan, boog zich voorover en maakte de banden van zijn zware sandalen los. Zijn voeten zonken weg in het zand. Hij hing de sandalen aan het koord om zijn middel en zette de eerste stap. Hij had respect nodig en hij was vastbesloten dat te verdienen. De hitte van het zand schroeide het vlees van zijn voetzolen, de zandkorrels bleven tussen zijn tenen zitten. Hij zette de tweede stap. Ze bevonden zich op de helling van een zandduin en bij iedere stap brandde het zand in de huid onder zijn voeten, de roze huid vol wondjes en blaren. Maar hij had meer grip dan met de sandalen, zijn tenen groeven zich in het rulle zand en hij viel niet meer. Het brandende gevoel liep van zijn voeten naar zijn enkels en omhoog naar zijn bovenbenen. Caleb hapte naar adem. Hij beet op zijn tanden, maar hij schreeuwde het niet uit. Ze struikelden de andere kant van de helling naar beneden. Hij viel, maar hij klemde zijn lippen op elkaar toen de pijn door hem heen schoot.

De jongen, Ghaffur, was verdwenen. Tijdens de wilde afdaling was de karavaan uit elkaar gevallen, en Caleb was alleen. Hij krabbelde overeind. Hij zag de jongen naar de kamelen sprinten. Hij rende langs de kamelen met de kisten en de kamelen waaraan Fahd, Hosni en Tommy zich vastklemden alsof hun leven ervan afhing. Caleb ploeterde erachteraan, maar het gat tussen hem en de anderen werd groter en de pijn brandde in zijn voeten. De jongen bereikte zijn vader voor aan de karavaan en trok aan diens mouw. Rashid leek naar zijn zoon te luisteren en draaide zich toen om. Er stonden tranen in Calebs ogen. Zijn blote voeten zakten weg in het zand. Door een waas van tranen zag hij een moment van onverschillige verachting in Rashids blik. Daarna hoorde hij het verre geluid van zijn gerochel; hij spuugde op de grond en zette zijn mars aan het hoofd van de karavaan voort.

De volgende rij duinen lag ongeveer twee kilometer voor hen. Het leek alsof het zand hier met bulldozers van de bodem was geschraapt, tot er niets dan een rotsachtige bodem met puinsteen was overgebleven. Rashid leidde de kamelen over de nieuwe ondergrond. De jongen bleef op hem wachten.

Iedere stap over de gloeiende rotsen en de scherpe stenen was een ondraaglijke marteling.

De jongen wachtte op hem en keek toe.

Calebs verlangen naar respect had hem ertoe aangezet zijn sandalen aan het koord om zijn middel te hangen. Hij kon ze nu natuurlijk wel losmaken, op de grond laten vallen en aantrekken, maar daarmee zou hij geen respect afdwingen. De vlakte strekte zich voor hem uit en hij begon zijn passen te tellen om zijn gedachten af te leiden van de pijnscheuten.

De blik van de jongen bewoog heen en weer tussen Calebs natte ogen en zijn blote voeten. Caleb had het gevoel dat de jongen het begreep. De voetzolen van de jongen waren hard als oud leer, en de jongen was blijven staan en wachtte op hem. Caleb telde elke stap. Hij naderde de jongen, en de afstand tot de karavaan en de laatste kameel met twee kisten was groter geworden. Toen hij de jongen bereikte, telde hij nog steeds. Hij passeerde de jongen en liep door. Bij iedere stap werd de pijn heviger.

'Wat zeg je?' vroeg de hoge stem.

'Ik tel.'

'Wat tel je?'

Caleb gromde: 'Ik tel elke stap die ik zet.'

'Daar heb ik nog nooit van gehoord,' zei de jongen, en hij schudde zijn hoofd.

Hij sprak het volgende getal uit en besefte het... De pijn en de hitte, het puinsteen en de rotsachtige bodem onder zijn voeten hadden hem over de kloof die zijn geheugen begrensde heen geduwd. Hij vloekte zacht. Er was een oude taal in zijn geheugen binnengedrongen, de taal van zijn verleden. Hij onderdrukte de herinnering en liep door.

Caleb hield vol.

Rashid stopte aan de voet van de volgende zandduin, daar waar het zand zacht moest zijn. Fahd bad, maar de Egyptenaar en de Irakees zaten op hun hurken in de schaduw van de kamelen. Caleb bereikte hen.

Tommy snauwde: 'Wat wil je nou eigenlijk zijn, een boer of een strijder?'

Toen de Saudi zijn gebed had beëindigd, trokken ze verder. De jongen bleef vlak bij Caleb en zijn blik bleef op hem rusten, want de jongen had het bewijs gehoord dat het leven van de Buitenstaander die in hun midden was op een leugen berustte. Wie was hij? De jongen had, bijna, antwoord op zijn vraag gekregen. Caleb slaagde erin het tempo van Rashid bij te houden.

Er was behoorlijk veel verkeer.

De sedan van Bart, met achter het stuur een chauffeur, werd omgeven door idioten in auto's, busjes en vrachtwagens. Zijn chauffeur was de favoriet van de meeste buitenlanders op het woningcomplex. Hij werd niet gauw kwaad en behandelde de auto niet als een stockcar. Hij laveerde behoedzaam langs alle gevaren en was het toonbeeld van kalmte – allemaal redenen om veelgevraagd te zijn. Ze kwamen uit de supermarkt ten noorden van het centrum van Riyad, waar Bart een winkelwagentje met eenpersoonsmaaltijden had gevuld. Een buitenlander nam, als hij zelf reed, altijd een risico: als er een ongeluk gebeurde, als een buitenlander bij een ongeluk betrokken raakte, werd hij onmiddellijk als schuldige aangewezen. Als een Saudi gewond raakte, of zijn auto werd beschadigd, dan kon hij een Europeaan flink uitmelken, want een Europeaan had geen toegang tot de advocatuur en kreeg geen hulp van de ambassade. Bart zat achter in de Chevrolet. Hij had alle vertrouwen in de verkooppraatjes over de veiligheid van de auto. Hij was ontspannen.

De supermarkt was niet meer dan zijn eerste halte geweest; zijn laatste halte zou de Engelse boekwinkel zijn, maar hij moest eerst nog naar het herenkledingimperium, waar het voltallige personeel uit Pakistani bestond. Daar werd hij tenminste beleefd behandeld en gaven ze hem het gevoel dat hij belangrijk was – gezien de prijzen mocht dat ook wel. Dit soort kleine geneugten had pas laat in het leven van Samuel Bartholomew zijn intrede gedaan. Als kind thuis had hij geen enkele luxe gekend; zijn vader had het zakgeld voor uitgaven op school met tegenzin betaald, en als student in Londen was hij altijd blut geweest. En nu was hij op zoek naar zijden stropdassen en een paar overhemden van het beste Egyptische katoen.

Barts studentenjaren en de tijd waarin hij zijn co-schappen had gelopen, waren een ellendige periode geweest, waaraan, naar het toen leek, geen eind had willen komen. Hij had alles bij elkaar negen jaar over zijn studie gedaan, en al die tijd was zijn portemonnee leeg geweest. Hij had voortdurend geldgebrek geleden, zowel tijdens zijn co-schappen als tijdens zijn specialisatie tot huisarts en chirurg, en ook nog toen hij daarna in ziekenhuizen in Oost- en Zuid-Londen had gewerkt. De erfenis van die jaren was dat hij het nu belangrijk vond overhemden en stropdassen te kunnen kopen. Het feit dat hij, als hij daar zin in had, kon gaan winkelen, gaf hem het gevoel dat hij toch iets had bereikt.

Het verkeer gleed zigzaggend om hen heen. Het getoeter en het lawaai van motoren drongen gedempt door in de auto, die met airconditioning was uitgerust.

Bart zag, over de schouder van de chauffeur, een Land Rover Discovery langs de stoep parkeren. Er stapten een tamelijk jonge, blonde Europese vrouw en een stel kinderen uit.

Hij zag een jonge man met zijn hoofd tegen de hoofdsteun van de bestuurdersstoel leunen. Bij het portier aan de passagierskant bleef een Arabier op het trottoir staan. Hij hield een plastic zak in zijn hand en leek te aarzelen.

Zijn eigen chauffeur minderde vaart: het stoplicht voor hen was op rood gesprongen. Om hem heen hoorde hij het piepen van remmende banden en getoeter. God nog aan toe, deze mensen zouden liever gecastreerd worden dan dat ze de claxon van hun auto kwijtraakten. De Arabier boog zich voorover en verdween even achter de Discovery. Toen hij weer rechtop stond, had hij geen plastic zak meer in zijn hand.

Het stoplicht sprong op groen. De Arabier rende weg.

De chauffeur had niets gemerkt; hij concentreerde zich op het verkeer dat naar de kruising stroomde. De plastic zak stond schuin onder het achterportier van de Discovery. Het raampje aan de kant van de bestuurder stond open. Er stak een gebruinde elleboog uit en er kringelde wat sigarettenrook naar buiten.

Bart wist het. De buitenlanders werden iedere drie maanden in groepjes op de ambassade ontboden voor een sessie bij een veiligheidsbeambte. Meestal glipte ook Eddie Wroughton naar binnen en ging hij, zonder dat hij werd aangekondigd of voorgesteld, achter in de ruimte staan. De veiligheidsbeambte lichtte het publiek van bankiers, accountants, onderzoekers en defensiespecialisten in over de voorzorgsmaatregelen die ze moesten nemen, over de gebieden die ze beter konden mijden en over de gevaren die hen bedreigden. Tijdens de oorlog, toen Al Jazeera en Abu Dhabi TV zeven dagen per week, vierentwintig uur per dag beelden van dood en verderf in Irak uitzonden, hadden de buitenlanders het advies gekregen thuis te blijven, niet op straat te komen en niet naar hun werk te gaan. Inmiddels waren de meeste gezinnen teruggekeerd, maar op de laatste briefing waar Bart was geweest had de veiligheidsbeambte gezegd dat 'voorzichtigheid te allen tijde geboden' bleef. Hij had hun aangeraden nu en dan van vaste routes te veranderen en de auto niet langs de weg te laten staan. Bovendien was het verstandig om 's ochtends altijd even onder de auto te kijken. Bart begreep precies wat hij had gezien. Hij zat gespannen als een veer op de achterbank van de auto.

Ze passeerden de Discovery.

Hij zei niets. Hij zag dat de jonge man relaxed achter het stuur zat te wachten terwijl zijn vrouw en kinderen in de juwelierswinkel rondkeken. Hij keek door de etalage naar binnen en zag een flits van de moeder en de kinderen die naast haar stonden. Zijn chauffeur trok op. Ze passeerden de rennende Arabier, zijn *thobe* wapperde in de wind. Zijn gezicht was vlak bij dat van Bart. Hij leek te reciteren: zijn lippen bewogen, alsof hij een gebed prevelde. Hij droeg een zonnebril, zijn wangen waren gladgeschoren en hij had een netjes bijgehouden snor – hij zag er net zo uit als talloze andere jonge mannen op de trottoirs, in de gangen van de ziekenhuizen en achter de bureaus op de ministeries. Zijn chauffeur meerderde vaart en Bart verloor de Arabier uit het oog. Hij had zich omgedraaid naar de Discovery en zag het gezicht van de jonge man: eerste buitenlandse post, een salaris waar hij in zijn vaderland niet eens van zou hebben durven dromen, een villa met personeel en een zwembad voor de kinderen... De Discovery stond honderd meter achter hen. Ze staken de kruising over.

Hij had zijn blik kunnen afwenden en op het verkeer voor hem kunnen richten, maar dat deed hij niet.

Hij zag de flits, het verblindende licht.

Hij zag een portier van de auto over het trottoir door de ruit van de juwelierswinkel vliegen. Daarna de motorkap. De Discovery leek te worden opgetild, en toen hij weer neerkwam, stoof er een stofwolk op. Er volgde een klap. Zijn chauffeur trapte op de rem. Alle auto's om hem heen remden. Ze blokkeerden de weg.

Bart kon zich wel voorstellen hoe... Zijn chauffeur draaide zich om, tilde de zwarte leren dokterstas – voorzien van zijn initialen, S.A.L.B. – van de stoel naast zich en reikte hem aan. Bart dacht aan het bloed dat uit de getroffen aders zou spuiten, aan de afgerukte benen (dat gebeurde altijd als er een auto ontplofte), aan het hoofd dat tegen de verbrijzelde voorruit aan zat geplakt. Bart wendde zijn blik af en duwde de dokterstas weg. Hij stelde zich voor dat de vrouw, onder de sneden van het rondvliegende glas, als aan de grond genageld in de juwelierswinkel zou staan en dat de kinderen aan haar benen hingen. Hij stelde zich het zachte kreunen van de jonge man in de Discovery voor, en de bleke kleur die over zijn gezicht trok – want als er een auto werd opgeblazen, stierf het slachtoffer meestal pas later, op de eerste hulp. Hij kende het allemaal uit de tijd dat zijn leven een nog grotere leugen was dan nu.

Zijn chauffeur hield de dokterstas nog steeds vast. Er zaten morfine en injectiespuiten in, waarmee de pijn verdoofd kon worden als de patiënt ten dode was opgeschreven. Hij zou een debridement moeten maken. Daar had hij zich, voordat hij naar het koninkrijk was gekomen, nota bene in gespecialiseerd. Het slachtoffer lag te kreunen van de pijn en verkeerde in shocktoestand. Als er ook maar de geringste kans was dat hij zijn leven kon redden, zou hij de wonden ter plekke hebben moeten opensnijden en het ergste vuil er met de pincetten uit zijn dokterstas uit moeten halen; het plastic van het dashboard, de stoffering van de stoelen, kleding. Het was een oude techniek uit de tijd van de slagvelden van Napoleon, en hij werd nog steeds toegepast.

'Doorrijden,' zei Bart.

Verbazing en verwarring vochten om voorrang op het gezicht van de chauffeur. Bart was een bevoegde arts, had alle examens met goed gevolg afgelegd en was lid van het Britse Genootschap van Huisartsen. Hij had de eed van de grondlegger van de medische wetenschap, Hippocrates, afgelegd, en daarmee gezworen zijn ethiek en verplichtingen als arts na te leven. Hij wist maar al te goed dat hij uitschot was... Maar wat maakte het uit? Zijn leven bestond voor een groot deel uit verraad. Het kon hem niet meer schelen. De mantra van buitenlanders in het koninkrijk was: 'Bemoei je je er niet mee, raak er niet bij betrokken.' 'Als je je neus in andermans zaken stopt, word je niet bedankt, maar bijten ze hem eraf.' Naar de hel met de overhemden en de ethiek. De stropdassen en de verplichtingen konden de pot op... Het was veel te lang geleden dat hij die eed had afgelegd. Hij haatte zichzelf, hij voelde niets dan weerzin voor zichzelf.

'Waarheen, dokter?' vroeg de chauffeur.

'Terug naar huis maar, lijkt me. Dank je.'

Toen het verkeer weer in beweging kwam en er sirenes klonken, reden ze weg.

Bart had alle reden zichzelf te haten.

Al Maz'an, een dorp op de bezette Westelijke Jordaanoever, in de buurt van Jenin

De patiënt had acute diarree.

De vader van de patiënt had hem gebeld. Hij woonde nu vier maanden in de Palestijnse gemeenschap en ze begonnen hem steeds meer te vertrouwen.

Bart werd naar de slaapkamer gebracht. Gezinsleden zaten in het schemerduister tegen de muur; alleen de moeder zat aan het bed waarin het meisje lag. Vier maanden geleden zou de lucht in de kamer hem hebben doen kokhalzen; inmiddels was hij eraan gewend. De moeder hield de hand van haar dochter vast en troostte haar met zachte stem.

Het verbaasde Bart dat een uitbraak van acute diarree niet meteen het hele dorp platlegde. In dit deel van het dorp stonden alleen maar sloppen, krotten van golfplaten, zeil en planken. Er was geen sanitair en geen stromend water. Toen hij uit zijn auto was gestapt, had hij gezien dat er in deze uithoek van het dorp een open riool werd gebruikt.

Het meisje was bleek en verzwakt doordat ze was uitgedroogd. Hij wist inmiddels dat het er voor een bewoner van een sloppenwijk niet in zat naar een ziekenhuis te gaan. Thuis – of wat hij nog altijd als zijn thuis zag – zouden ze haar onmiddellijk per ambulance naar het Royal Devon and Exeter hebben vervoerd. Maar hij was niet thuis, en zou het waarschijnlijk ook nooit meer zijn. Het meisje kon hooguit op schoon drinkwater, verzorging en liefde rekenen. Hij had het water bij zich, de ouders zouden de verzorging en de liefde geven. Dankzij de beschrijving die de vader van de symptomen van de ziekte van zijn dochter had gegeven, had Bart geweten wat hij kon verwachten. Hij had dan ook vier tweeliterflessen Evian meegenomen. Hij instrueerde de moeder hoeveel water ze haar dochter met een lepel moest voeren en hoe vaak ze dat moest doen, en drukte haar op het hart de lepel steeds in gekookt water af te wassen. Er hing een foto van Arafat aan de muur, en daarnaast een foto van een jonge man met melancholieke amandelbruine ogen en een rode doek die strak om zijn voorhoofd was gebonden. Bart sprak in het dorp nooit over politiek, over de strijd die Arafats mensen voerden of over het martelaarschap van de mensen die zelfmoordaanslagen pleegden. Dat was ook niet nodig. Overal in het dorp, zowel in de sloppenwijken als in de huizen rondom het centrale plein, wisten ze van zijn bittere en openlijke veroordeling van de militairen bij de wegversperring aan de rand van het dorp. Hij was de worm in het hart van de appel. De deur achter in de kamer stond open. Erachter bevond zich een afdakje waaronder werd gekookt, met een tafel en afwasbakken. Van het fornuis kwam de geur van brandend vochtig hout. Het was niet warm genoeg voor regen en niet koud genoeg voor sneeuw; er vielen voortdurend nattesneeuw- en hagelbuien. De dekens die in het huis aanwezig waren, lagen allemaal over het meisje heen. Het schoot door Barts hoofd dat de andere kinderen en de ouders die nacht in de kou zouden slapen, als ze tenminste konden slapen. Het meisje was zo door de diarree verzwakt dat er niet meer dan een hoopje ellende van haar over was, maar hij glimlachte haar warm toe en voorspelde dat ze zich snel beter zou gaan voelen. Achter in het kookgedeelte was nog een deur; daar kwam de tocht vandaan.

De voordeur achter Bart, die toegang gaf tot een smal steegje waar een open riool doorheen liep, sloeg open en er kwam een windvlaag binnen. Hij zag dat de moeder opkeek en achteruitdeinsde. Bart reageerde niet. Dat hadden ze hem geleerd: reageer nergens op, niet op iets groots en niet op iets onbeduidends. Reageren stond gelijk aan jezelf verraden, en jezelf verraden stond gelijk aan de dood. Hij vertelde hoe laat hij de volgende avond terug zou komen en hoorde het gestamp van de laarzen. De moeder was teruggedeinsd toen de eerste man was binnengekomen, maar haar door zorgen getekende gezicht vertoonde even een spoor van opluchting bij het zien van de tweede of derde man. Bart zag een zweem van een glimlachje op het gezicht van het zieke kind verschijnen. De drie jonge kerels liepen door de kamer en de laatste omhelsde de vader even en grijnsde naar het meisje; de derde moest de zoon en broer zijn. Bart kon vanuit zijn ooghoeken zijn gezicht zien: het was een goed gezicht, een krachtig gezicht, het gezicht van een strijder. Bart sprak over zijn volgende visite en over de rust die het meisje nodig had, alsof rust in de bouwval waarin het hele gezin was samengepakt tot de mogelijkheden behoorde. Het gezin was zeven maanden eerder uit Jenin weggevlucht nadat tanks de binnenstad hadden bezet. Bart hield de hand van de moeder bemoedigend in de zijne. De drie jonge mannen liepen door het kookgedeelte naar een binnenplaatsje, waaraan een schuurtje van aan elkaar gespijkerde planken en triplex stond. Ze liepen naar binnen. Hij had het gezicht van de zoon, de broer, herkend. De laatste keer had hij het op twee foto's in een fotoalbum gezien; de ene foto van opzij, de andere recht van voren, met een serienummer eronder.

De moeder bleef zijn hand vasthouden. Geloofde ze hem? Kon de aftakeling van haar dochter nog worden gestopt?

Hij glimlachte zijn meest innemende glimlach. 'Vertrouw me maar.'

Hij vertrok.

Ze hadden tegen hem gezegd dat hij niets moest doen wat verdacht zou kunnen overkomen. 'Als je de verdenking op je laadt, Bart, houden ze je in de gaten. En als je in de gaten wordt gehouden, is een minuscule fout genoeg om veroordeeld te worden. En een veroordeelde man is een dode man.' Hij was nog even met de vader blijven praten en had zijn hand op zijn arm gelegd, maar ondertussen zorgde hij ervoor dat hij zich het gezicht van zijn zoon herinnerde. Daarna was hij naar twee andere patiënten gegaan, een oude vrouw met de symptomen van hepatitis en een klein kind met een posttraumatisch stresssyndroom. Toen was hij pas naar de wegversperring gereden.

Hij schreeuwde tegen de soldaten, Israëliërs van dezelfde leeftijd als de drie Palestijnen, en schold hen uit toen ze hem opdroegen uit zijn auto te komen. 'O ja? En wat zoeken jullie deze keer dan? Jullie gedragen je als criminelen.'

Hij werd snel naar het huisje afgevoerd. Die ruimte was een stuk ruimer en warmer dan dat schuurtje aan het binnenplaatsje achter het krot in de sloppenwijk. Joseph zette koffie voor hem.

Toen de koffie Bart had opgewarmd, werd het fotoalbum uit een kluis gehaald. Bart had een goed, zo niet uitstekend geheugen. Binnen vijf minuten, na acht pagina's, had hij de man geïdentificeerd. Josephs gezicht was uitdrukkingsloos. Hij feliciteerde hem niet en vertelde niet hoe belangrijk de jonge man was. Bewonderde Joseph zijn spion, of vond hij hem tuig? Maar eigenlijk deed het er niet toe. Of de officier van Shin Beth hem nou bewonderde of verachtte, het zou hem niet uit zijn tredmolen hebben kunnen bevrijden. Joseph liep met hem mee naar de deur.

Toen hij weer op straat stond, schreeuwde Bart: 'Wacht maar, onze tijd komt nog wel. Het recht zal zegevieren. Als je een arts moedwillig in zijn werk belemmert, ben je net zo crimineel als de Serviërs die in Den Haag vastzitten. Ik snap niet dat jullie 's nachts nog kunnen slapen – iemand met fatsoen in zijn donder zou geen oog dichtdoen.'

Hij zigzagde tussen de betonnen blokken door. De norse blik van de soldaten volgde hem.

Voor het eerst liet Marty *First Lady* vanaf Shaybah opstijgen.

Hij kon niet zien hoe ze over de startbaan snelde: de ramen van het vluchtleidingscentrum keken uit op hun tentenkamp. De Predator MQ-1 had zestienhonderd meter startbaan nodig om van de grond te kunnen komen. Lizzy-Jo gaf de variabelen van de zijwind door, maar die bleven, in tegenstelling tot de dag daarvoor, binnen de norm.

Het was de eerste vlucht sinds ze uit haar bekisting was gehaald en weer in elkaar was gezet, en ze zou niet langer dan een uur in de lucht blijven, niet veel langer. Ze zouden haar wel op maximale hoogte, maximale snelheid en kruissnelheid laten vliegen. Bovendien zouden ze de camera's en de infraroodtechniek testen. Ze zouden de satellietverbinding met Langley controleren en zich ervan verzekeren dat er een live-verbinding met de CIA in Riyad was. Het opstijgen verliep vlekkeloos. Via de camera die aan de voorkant van het vliegtuigje was bevestigd, zagen ze het hek rondom de basis uit beeld verdwijnen; daarna was er zand, niets dan zand. Hij hoorde in het vluchtleidingscentrum te zitten, met de joystick in zijn hand en de schermen voor zich, maar hij had er de voorkeur aan gegeven buiten, met zijn hand voor zijn ogen, toe te kijken hoe ze in het luchtruim verdween. Ze was het mooiste dat hij kende. Toen ze nog in Bagram zaten, had Marty altijd willen weten wanneer de andere vogels van de CIA of de MQ-1's van de Amerikaanse luchtmacht opstegen. Ze was zo gracieus als een vogel... Tijdens een vlucht met een Black Hawk helikopter was hem het ergste overkomen wat hij ooit had meegemaakt: hij had een Predator van de luchtmacht in de diepte onder hen zien liggen. Er had zich ijs op de vleugels afgezet en het vliegtuig was neergestort: een gebroken vogel die tussen de rotsen aan gruzelementen was gevallen. Zijn vogel, *First Lady*, kon vierentwintig uur in de lucht blijven en in die tijd een gebied met een diameter van 925 kilometer bestrijken, maar in haar eerste vlucht zou ze maar een uur vliegen en niet veel meer dan 135 kilometer afleggen.

Lizzy-Jo communiceerde eerst met Langley. Ja, de verbinding was goed. Ja, de beelden waren goed. Ze schakelde over naar Riyad.

Ze waren ver van de verkeerstoren, kantoorgebouwen en slaapbarakken opgestegen. De verkeerstoren moest nog van hun aanwezigheid en hun vluchtbewegingen op de hoogte gesteld worden: ze hadden één vel papier naar de Prince Sultanbasis bij Al Kharj gestuurd. Op dat vel papier stond in vage bewoordingen dat ze testvluchten gingen uitvoeren om te zien hoe de vliegtuigjes op extreme hitte reageerden. Dat was wel erg summier.

De zoomlens op de camera onder de buik van de Predator toonde een uitgestrekt gebied, werd even onscherp en focuste toen op individuele zandduinen. Marty vond het landschap best mooi, maar hij moest aan het verhaal van de piloot van het vrachtvliegtuig denken. De vliegenier die de schietstoel van zijn Hornet had gelanceerd, had alles goed gedaan en was bij het wrak van zijn vliegtuig gebleven. Toch was hij van dorst en hitte omgekomen... Schoonheid was niet altijd even vriendelijk, zij kon ook wreed zijn. Lizzy-Jo had een struik gevonden, een struik van een meter of drie hoog en misschien twee meter breed. Hij liet *First Lady* met 135 kilometer per uur op een hoogte van 12.000 voet vliegen. Lizzy-Jo liet de struik aan Riyad zien. Hij was goed in beeld, de takken stonden haarscherp op het scherm, en de blaadjes, voorzover aanwezig, ook.

'Die is goed,' zei ze in het microfoontje voor haar mond. 'Kijk eens aan, meneer Gonsalves, fantastisch! Er is zowaar leven in het Lege Kwartier. Wauw!'

Marty hoorde het antwoord via zijn koptelefoon. 'Het is ongelooflijk, zoiets heb ik nog nooit gezien. Buitengewoon. Je zou een man, één man, kunnen herkennen. Ik sta versteld...'

Maar *First Lady* werd door de op die hoogte onvoorspelbare wind gegrepen en slingerde alsof het een modelvliegtuigje was: de struik verdween van het scherm en het beeld schudde, ondanks de gyroscopische technologie, heen en weer.

'Herstel: ik stónd versteld. Is dat de wind?'

Marty zei: 'Dat was inderdaad de wind, meneer. Begrijp me goed, en dit is echt geen smoesje: het zal niet meevallen hier te vliegen.'

'Het is zoals het is. We kunnen Frans Djibouti niet als basis gebruiken, dat ligt te ver weg. Als we vanaf Prince Sultan vlogen, zouden we de hele wereld, en vooral het vijandige deel ervan, laten weten waar we zijn en wat we komen doen... Het zijn veiligheidsoverwegingen. Je zult met die wind moeten leren leven. Je zult moeten leren vliegen met die wind. Veiligheid gaat boven alles. Ze hebben hier een spreekwoord: "Als je een bericht wilt versturen, vertel het dan aan je schoondochter en laat haar zweren dat ze het niet verder zal vertellen..." Zolang je niet met mensen buiten je eigen kring omgaat, is de kans groot dat je ze erbuiten houdt. Je moet ervoor zorgen dat je zo min mogelijk aandacht op jezelf vestigt. Het lijkt soms wel alsof deze mensen, die ons haten, overal oren hebben... Ik zeg het je, en geloof mij maar, veiligheidsmaatregelen zijn van groot belang. Maar je kunt daar toch wel vliegen? Geen probleem, toch?'

Marty zei: 'We kunnen hier vliegen.'

Lizzy-Jo mompelde: 'Maar ik kan niet beloven dat we efficiënt zullen zijn.'

Marty zei: 'Maakt u zich geen zorgen. We krijgen het wel voor elkaar.'

'Ik heb een vergadering. Bedankt, jongens.'

Marty zei snel: 'U hebt ons toen u hier was niet verteld wat we hier doen, wat ons doelwit is.'

'Als jullie operationeel zijn, vliegen jullie met Hellfire onder de vleugel. Ik kom te laat op mijn vergadering... Als ik gelijk heb, en er loopt een bevoorradingsroute door het Lege Kwartier, dan zoeken jullie tot jullie door de brandstof heen zijn. Maar als jullie door de brandstof heen zijn en jullie vinden een doelwit, schieten jullie op het doelwit. Dat was het. Adios, amigos.'

Dat was het. Marty schakelde zijn koptelefoon uit, verbrak de verbinding en keek opgewonden naar Lizzy-Jo. Ze gaf hem een vette knipoog. Schieten op het doelwit.

Ze baden allemaal, zelfs Tommy.

Caleb vond het veelzeggend voor het wrede landschap om hen heen dat ze, zodra de zon achter de duinen was verdwenen en ze de plek hadden bereikt waar ze de nacht zouden doorbrengen, allemaal op een rij neerknielden en in gebed verzonken. Toen ze klaar waren, was hij met de jongen op zoek gegaan naar sprokkelhout en hadden ze het opzetten van de tenten en het inrichten van het kampement aan Rashid overgelaten.

Het verbaasde hem. Gedurende de lange mars van die dag had hij nergens hout gezien – geen levend hout, maar ook geen hout dat allang dood was. Zijn voeten waren, ook toen het zand afkoelde, pijn blijven doen, en hij was volledig opgegaan in zijn ontberingen en zijn poging respect af te dwingen. Terwijl Caleb niets anders dan okergeel zand had gezien, had de jongen zich drie keer gebukt om als een konijn met zijn handen in het zand te graven, en drie keer had hij, triomfantelijk, uitgedroogde wortels naar boven gehaald.

Ze brachten de wortels naar het kamp, waar ze in stukken werden gebroken en aangestoken. Rashid deed dat op de ouderwetse manier:

hij verzamelde de kleinste en dunste stukken hout, wreef net zo lang met een vuursteentje over het lemmet van zijn mes tot er vonken afspatten en er eerst rook en daarna een vlam ontstond. Het vuur maakte de tenten en de woestijn buiten de kleine kring van licht nog donkerder dan ze al waren.

Caleb keek. Hij moest nog veel leren.

Toen er een mooi vuurtje brandde, groef Rashid een holte onder de gloeiende as, schijnbaar zonder de hitte te voelen. Hij deed bloem in een metalen kom, strooide er wat zout op, sprenkelde er water overheen, kneedde het mengsel en verdeelde het in kleine vormen. Toen hij tevreden was met het resultaat, legde hij de vormpjes in de holte en schoof hij er zand overheen. Zijn blik kruiste die van Caleb.

Rashid, de gids, staarde naar Calebs voeten. Caleb probeerde zijn gedachten te lezen. Had hij indruk op hem gemaakt? Maar Rashid had het gezicht van een wolf. Het voorhoofd onder de hoofddoek, losjes op zijn plaats gehouden met een touw, zat vol lijnen en plooien. De ogen joegen hem angst aan. Zijn neus was groot, zijn lippen waren dun en zijn tanden geel en onregelmatig. Hij had een baard en een snor. Geen van beiden zei iets. Rashid wendde zijn blik af. Hij verborg zijn gevoelens. Er was geen teken van respect geweest.

De zon was al onder en de maan nog niet op, en de duisternis lag als een donker kleed om de kleine kring licht van het vuur. Ghaffur haalde het brood uit het holletje, veegde er het zand af en gaf iedereen twee stukken. Rashid schonk het rantsoen water in, één beker de man. Ze aten het brood, dronken uit de beker en gaven hem door. Daarna kreeg ieder drie dadels. Caleb stak ze in zijn mond en zoog erop totdat de pitten kaal waren.

Hij zei rustig tegen de Egyptenaar: 'Wat doe je hier? Waarom vergezel je me? Waarom ben ik zo belangrijk?'

Hosni glimlachte, en de schaduwen van het vuur speelden over zijn gezicht. Hij knipperde met zijn ogen en Caleb zag de matte glans op zijn netvlies.

'Misschien morgen...'

In de koele tent ebde de pijn in Calebs voeten eindelijk langzaam weg. Hij wist zo weinig. Als zijn herinneringen de kloof overstaken, zou hij meer weten. Hij sliep zonder te dromen. In zijn hoofd was het net zo donker als buiten.

6

De schreeuw verscheurde de ochtendlucht.

Caleb keek geschrokken om zich heen. Hij zag dat de gids en zijn zoon de kisten op de kamelen aan het laden waren. Fahd was onhandig bezig met het opvouwen van de tenten. Hosni schoof met zijn voet zand over de restanten van het vuur van de vorige avond, zodat ze geen sporen zouden achterlaten.

Het was een schreeuw van doodsangst geweest, en hij was uit het diepst van iemands hart gekomen.

Hij zag de Irakees, Tommy. Tommy had, sinds de dag waarop ze de woestijn in waren getrokken, geen enkele keer geholpen met het laden van de kisten of het opvouwen van de tenten, alsof dat beneden de waardigheid was die hij ooit had gehad. Tommy was weggelopen nadat ze het laatste brood van de vorige avond hadden opgegeten. Zodra de anderen begonnen aan de voorbereidingen voor het vertrek, was hij een meter of vijftig, zestig van het kamp vandaan gelopen. Daar was hij neergehurkt om zijn behoefte te doen. Toen hij daarmee klaar was, ging hij op enige afstand van hen zitten en keek hij toe alsof hij niets met hen te maken had.

De schreeuw was een smeekbede om hulp.

Caleb zag hem. De Irakees zat op de grond. Hij had zijn benen voor zich uit gestrekt en zijn lichaamsgewicht steunde op zijn handen achter hem. Hij zat stokstijf, alsof hij zich niet durfde te bewegen. Hij staarde naar het stukje huid tussen zijn laars en zijn broekspijp.

De gids reageerde als eerste. Hij rende met een dribbelpasje naar Tommy. Ghaffur volgde hem. Hosni keek in de verte, in de richting waar de kreet vandaan was gekomen, maar leek niet te begrijpen wie er had geschreeuwd. Fahd haastte zich om de gids in te halen, maar toen hij bij hem kwam, werd hij weggeduwd. Caleb liep er ook naartoe, maar bleef op afstand.

Hij keek langs Rashid, naar de Irakees. Hij zag zijn uitpuilende ogen. Zijn jack hing open en hij had zijn broek nog niet dichtgeknoopt. Het onderste stuk van zijn benen was onbedekt. Zijn enkels trilden. Caleb zag de schorpioen.

De zon, die nog laag stond, scheen op de rug van de schorpioen, zodat de tekening ervan goed zichtbaar was. Het was een kleine schorpioen; hij zou in de palm van zijn hand passen. Zijn kop zat onder de rand van Tommy's broekspijp, maar de staart stak eruit, over zijn rug gebogen. Daaronder, op Tommy's huid, zat een felrode zwelling met een punt in het midden.

Er rolden tranen over Tommy's wangen, en zijn lippen trilden. De schorpioen bewoog niet, maar de staart stond omhoog, klaar om opnieuw toe te slaan. Caleb zag de angel aan het uiteinde. Rashid liet alleen zijn zoon Ghaffur in de buurt komen.

De man en de jongen stonden aan weerszijden van Tommy's benen. Ze knielden neer, en hun handen bewogen behoedzaam naar de enkels en de schorpioen. Caleb hoorde dat Rashid iets tegen de Irakees mompelde, maar hij verstond hem niet. Daarna sprak hij zacht tegen zijn zoon. Caleb zag Ghaffur zachtjes heen en weer schommelen, alsof hij zich voorbereidde toe te slaan met de snelheid van de schorpioen. Vader en zoon hielden hun hoofd laag, bijna op het zand, zodat hun schaduw niet over Tommy's benen en de schorpioen viel.

De vader zei niet tegen zijn zoon hoe of wanneer hij het moest doen; hij vertrouwde hem volledig, alsof hij wist dat zijn zoon sneller dan hijzelf zou zijn. Het trillen verspreidde zich van Tommy's hoofd over zijn borst en heupen. Als hij het trillen niet onder controle zou weten te krijgen, zou de schorpioen geïrriteerd raken en zou hij nog meer gif in Tommy's lichaam spuiten.

Ghaffurs hand schoot naar voren.

Caleb hield zijn adem in.

De jongen greep de staart op een centimeter van de giftige angel tussen zijn tengere, onbeschermde duim en wijsvinger... En de jongen grijnsde en hield het kronkelende beestje omhoog. De Irakees leek het bewustzijn te hebben verloren. Ghaffur liep eerst met de schorpioen naar Fahd, die terugdeinsde. Daarna hield hij hem voor de doffe ogen van Hosni en bracht hem toen naar Caleb. De schorpioen kronkelde heen en weer, en zijn scharen, pootjes, lichaam en kop krioelden tegen Ghaffurs hand; er spoten straaltjes gif uit de angel aan zijn staart. Caleb zag heel even een zweem van trots op het gezicht van de vader, maar meteen daarna gleed het masker er weer voor. De jongen trok zijn mes uit zijn riem en hakte de staart, met dezelfde snelheid als waarmee hij de schorpioen had gegrepen, van het lichaam. De schorpioen viel kronkelend aan zijn voeten, en de jongen gooide de staart achteloos over zijn schouder.

Rashid streek met zijn nagel over de beet.

Het gelige lichaam, de gelige pootjes en de donkerder scharen van de schorpioen waren bewegingloos; hij lag dood in het zand.

Rashids nagel streek naar het middelpunt van de zwelling, naar de speldenprik, om het gif terug te duwen naar het gaatje.

Rashid blafte een instructie naar zijn zoon.
Caleb volgde Ghaffur. De jongen liep naar de kamelen, bukte zich en bond de touwen om hun poten.
'Wat zei je vader?'
'Mijn vader zegt dat de man niet kan reizen, dat het ons een halve dag zal kosten voordat we verder kunnen gaan. Mijn vader zegt dat we moeten wachten tot hij is aangesterkt... Hij is er slecht aan toe.'
'Je hebt het goed gedaan.'
'Zijn er geen schorpioenen in het land waar jij vandaan komt?'
Caleb grijnsde, hij was meteen op zijn hoede. In Camp X-Ray en Camp Delta waren schorpioenen geweest. Eén keer was er een bewaker gebeten, maar in de gangen en de kooien was het vergeven geweest van de schorpioenen. De bewakers stampten ze fijn met hun zware laarzen of de gevangenen vertrapten ze onder hun sandalen. Hij loog: 'Ik had nog nooit eerder een schorpioen gezien.'
De jongen haalde zijn schouders op. 'Het is niet moeilijk om ze dood te maken... Maar we zijn een halve dag kwijt, daarom is mijn vader kwaad.'
Verderop in de woestijn, aan de voet van de zandduin, had Rashid van een reep stof een verband gemaakt, dat hij net onder de knie van de Irakees bond. Daarna begon hij weer met zijn nagel over de zwelling te strijken.
Caleb liep naar de Egyptenaar. 'De beet kost ons een halve dag. We kunnen pas verder als hij is hersteld. Het was een walgelijk beest.'
'Alle slangen zijn walgelijk,' antwoordde Hosni bitter.
'Ja, alle slangen.' Caleb keek naar de doffe ogen, en hij wist het.
'Ik kon het niet goed zien, ik stond achteraan. Ik heb gezien dat de jongen zijn kop eraf sneed. Was het een adder?'
'Ik heb geen verstand van slangen,' zei Caleb. 'Ik vroeg het je gisteravond al: waarom reis je met me mee? Waarom ben ik belangrijk?'
'Waarom je belangrijk bent? Om waar je vandaan komt. Ga maar na, waar je vandaan komt. Ze hebben me verteld dat je geen gelovige bent – voor ons ben je de Buitenstaander. Daar moet je aan denken als je wilt weten waarom je belangrijk bent. Kun je me vertellen waar je vandaan komt?'
'Van de 55ste Brigade – van Guantánamo.'
'En voordat je werd gerekruteerd?'
Caleb nam een handvol zand en liet de zandkorrels tussen zijn vingers door glijden. Hij had de periode van voor de bruiloft, van voordat hij was gerekruteerd, verdrongen. Hij herinnerde zich dat hij met Farooq en Amin was gearriveerd en dat hij toen een pak had gedragen. Hij herinnerde zich dat de Tsjetsjeen hem in de gaten had gehouden en hem op de proef had gesteld. Alles daarvoor was in duisternis gehuld. Hij was de volgende ochtend – dat herinnerde hij zich nog als de dag van gisteren – vóór zonsopgang uit Landi Khotal ver-

trokken; de Tsjetsjeen had tegen hem gezegd dat hij zijn vrienden, Farooq en Amin, uit zijn hoofd moest zetten. Hij was met een pick-up de grens over gegaan en via een aantal kleine passen naar Jalalabad gereden. Vandaar was hij linea recta naar het opleidingskamp gebracht. Twee dagen later waren hem, in het kamp, twee ansichtkaarten gegeven. De foto's aan de andere kant van de postkaarten kreeg hij niet te zien, maar hij had de woorden 'Opera House' en 'Ayers Rock' gelezen, en hij had twee nietszeggende berichten opgeschreven, dat het goed ging. Hij had er ook een naam en een adres op gezet, maar die waren nu uit zijn geheugen gewist. Er speelde een kleine, vermoeide glimlach om de lippen van de Egyptenaar.

'Je bent de Buitenstaander, je bent niet een van ons – ik ben niet beledigd. Voor óns staat de Buitenstaander het hoogst in aanzien. Hij kan op plaatsen komen waartoe wij geen toegang hebben. Hij kan ongezien gaan waar wij worden opgemerkt. Wie zijn wij? Wij zijn mindere wezens. Wat is ons nut? Ons nut is klein, wij zijn van generlei strategisch belang. Wij kijken naar je, en als je bent opgegaan in de duisternis zullen we voor je bidden. We zullen naar de radio luisteren en we zullen hopen te horen dat het vertrouwen dat we je hebben geschonken, niet misplaatst was.'

Eén keer schreeuwde de Irakees het uit; het was het enige geluid naast het gefluister van de Egyptenaar en het onrustige grommen van de kamelen met de touwen om hun poten. Hosni's gerimpelde, stompe vingers kwamen naar Calebs gezicht en raakten het aan; ze volgden zijn gelaatstrekken alsof ze een ontdekkingsreis maakten. Ze gleden over zijn neus en zijn kin en over de haren rondom zijn mond, en het duurde nog een hele tijd voordat hij zijn hand liet zakken.

'Wees niet zo bedeesd – wat had mevrouw Jenkins over zichzelf te vertellen?'

Eddie Wroughton koos altijd een andere plek uit voor zijn ontmoetingen met Samuel Bartholomew: een boekwinkel, een museum, de lobby van een hotel... Dit hotel was weelderig, de tapijten op de marmeren vloeren, de verlichting en de meubels voldeden allemaal aan de hoogste normen. Hij had sinaasappelsap besteld die met schijfjes citroen werd geserveerd, maar Bartholomew had zijn glas niet aangeraakt.

'Ze heeft toch voor het consult betaald? Ze is zo gezond als een vis, waar of niet? Nou, wat zei ze?'

Bartholomew zat met opgetrokken schouders tegenover hem, zijn pafferige gezicht in zijn mollige handen. Het was aangenaam koel in de lobby, maar Bartholomew transpireerde.

'Kom, kom... Oké, ik zal je geheugen even opfrissen. Ze kan goed met de adjunct-gouverneur van de provincie opschieten; goed genoeg om daar te mogen wonen. Wat voeren zij voor gesprekken als ze samen in bed liggen? Heeft ze dan zelfs niet een klein beetje geroddeld? Mooie spreekkamergesprekken voer jij…' Wroughton lachte sarcastisch. 'Er zijn toch wel een paar vertrouwelijkheden uitgewisseld terwijl jij aan haar zat? Ze heeft heus wel een roddeltje verteld terwijl jij met die gore handjes van je over haar lichaam kroop. Wees een beetje braaf, voor de draad ermee.'

Hij wist dat hij de man angst aanjoeg, dat hij op zijn rug lag. Wroughton was met zijn eenenveertig jaar jong voor de positie van chef de bureau op zo'n prestigieuze post als die van Riyad. De laatste twee keer was hij naar Sarajevo en naar Riga uitgezonden, maar nu zat hij aan de top. Er was slechts één grote catastrofe in zijn leven, één donkere wolk die een schaduw over zijn succes wierp: hij had geen geld. Hij leefde van zijn salaris, hij gaf al zijn geld uit aan wat zichtbaar was; in de privacy achter zijn voordeur leefde hij als een pauper. Hij had geen gestaag groeiende spaarrekening in Londen, alleen een konijnenhol van een appartement in het verkeerde deel van Pimlico. Hij verborg zijn armoede net zo zorgvuldig als zijn scherpzinnigheid en intelligentie: hij hing de vermogende dandy en de clown uit, en dat ging hem uitstekend af… Maar hij kon zijn ergernis over het gebrek aan geld alleen achter zijn arbeidstaak verstoppen. Hij leefde voor zijn werk.

'Je denkt toch zeker niet dat ik je werk toeschuif omdat ik zo'n goed hart heb? Ik verwacht resultaten. Mevrouw Jenkins zit daar midden in de woestijn, op een plek waar zelfs een heilige het niet zou uithouden. Had je niet een beetje beter je best kunnen doen, een heel klein beetje? Het is uniek dat ze daar zit, het is misschien wel de interessantste uithoek van deze hele rotwereld – ze maakt uitstapjes naar de woestijn. Ze heeft toch zeker ogen in haar hoofd, of niet soms? Waar hebben jullie het in godsnaam over gehad? Over haar menstruatiecyclus?'

Wroughtons vader en grootvader hadden zich nooit voor hun verdiensten, hun promotiekansen of hun status bij de geheime dienst geïnteresseerd. Hij stamde uit een dynastie – geen dynastie met geld, maar een dynastie die was gebaseerd op de veronderstelling dat een dankbaar volk veilig moest kunnen slapen. Zijn vader had tijdens de koude oorlog in Moskou en in Praag gediend; zijn moeder had, tot zijn geboorte, in de bibliotheek zitten onderzoeken, documenteren en annoteren. Zijn opa was na de evacuatie van Duinkerken voor MI5 in die stad gedetacheerd geweest, en had goed oorlogswerk gedaan door overgelopen parachutisten van de Abwehr verkeerde informatie naar het thuisfront te laten uitzenden; zijn oudoom had na de bevrijding op oorlogscriminelen gejaagd, en dankzij hem waren er zo veel aan de galg gebracht dat je er een busje mee had kunnen vullen. Hij had zijn hele jeugd tijdens de lunch op zondag over de zegeningen van het spionage- en contraspionagewerk horen prediken. Het was uitgesloten dat hij ergens anders carrière zou gaan maken. Hij was als jonge man op een loopbaan bij de inlichtingendienst voorbereid. In de ogen van Wroughton was Bartholomew meelijwekkender dan de agenten die zijn vader achter het IJzeren Gordijn onder zijn hoede had gehad, meelijwekkender dan de overgelopen Duitsers die het vege lijf probeerden te redden en zelfs walgelijker dan de slagers die aan de galg waren geëindigd.

'Soms denk ik dat jij bent vergeten in welke situatie je verkeert – is dat zo? Als we jou afdanken en het gerucht verspreiden wie jij werkelijk bent, ben je reddeloos verloren. Je appeltje voor de dorst – die leuke rekeningetjes waar je misschien niet zo veel rente van trekt, maar die wel veilig zijn – kunnen met één druk op de knop worden leeggehaald. We hebben voldoende specialisten in huis die daarvoor kunnen zorgen. Wist je dat niet? Ik hoef maar met mijn vingers te knippen en iemand met jouw geschiedenis wacht een toekomst in een kartonnen doos in een metrostation. Het is maar dat je het weet... Mocht ze ooit nog een keer uit die wildernis terugkeren en bij jou langskomen, zorg er dan voor dat je haar tot de laatste druppel leegzuigt – dan ben je een brave knul.'

Om zijn woorden kracht bij te zetten verschoof Wroughton zijn rechtervoet en trapte hij met zijn gaatjesschoen stevig tegen Bartholomews linkerenkel. Wroughton had nooit geloofd dat zijn moeder hem had gemogen, laat staan dat ze van hem had gehouden, of dat zijn vader respect voor hem had gehad. Op de dag dat hij zijn eerste sollicitatiegesprek bij de inlichtingendienst zou hebben, had zijn vader er zelfs bij hem op aangedrongen dat hij een baantje in het financiële centrum van Londen zou gaan zoeken. Dat weerhield Eddie Wroughton er niet van deze afstotende man te straffen. Het grootste deel van zijn tijd besteedde hij aan het bestuderen van allerlei publicaties; een kleiner deel ging op aan contacten met de Saudi-Arabische 'elite' en een nog kleiner deel sprak hij met tuig van de richel. En Bartholomew was tuig. Het beste onderdeel van zijn werk was de omgang met Juan Gonsalves, zijn vriend. Die leverde hem lof uit Londen op, plus de zekerheid van een carrière en de waarschijnlijkheid van salarisverhoging.

'Als ze nog een keer bij je komt, al is het maar omdat ze een puistje op haar mooie wangen heeft, fileer je haar. En het is je geraden dat je er dan achter komt wat daar gebeurt. Er gebeurt daar namelijk een heleboel, en zij is ervan op de hoogte. En ik geloof niet dat jij last van je geweten hebt, dus zo moeilijk kan dat niet zijn.'

Hij gaf Bartholomew nog een schop en kwam toen uit zijn stoel. Hij keek op hem neer en haalde een papiertje uit zijn zak. Er stond een naam op geschreven, en een adres. 'Ga bij haar langs, en neem de tijd. Wees maar een beetje lief en zorgzaam voor haar, daar ben je goed in. En kom ergens achter – wat ze heeft gezien, wat er wordt gezegd, een waarschuwing of een beschuldiging. En daarna breng je verslag uit – maar dat hoef ik jou niet te vertellen.'

'Waar gaat u naartoe?' piepte Bartholomew vanachter zijn handen.

'Ik ben een paar dagen weg, daarna wil ik van je horen... Je moet niet zo zweten, je gaat er oud en weerzinwekkend van uitzien. Doe er wat aan... Je hebt je sap niet opgedronken. Dat kost dertig riyal per glas, laat het niet staan.'

Wroughton glimlachte charmant naar de portier die de buitendeur voor hem openhield. Hij zat er niet mee Samuel Bartholomew zo te koeioneren. Tijdens de zondaglunches uit zijn jeugd had hij geleerd dat de verhouding tussen de agent en de spion er een moest zijn als tussen de baas en zijn knecht: geen emotie, geen affectie, geen relatie. Ze moesten, net als een hond, bang zijn en gehoorzamen.

First Lady werd door een gebrek aan voortstuwende krachten aan de grond gehouden: de viercilinder Rotax 912 propellermotor liet zich van zijn gevoelige kant zien. George wilde ermee aan de slag; hij dacht een halve dag nodig te hebben.

Ze hadden *Carnival Girl* al een keer eerder in de lucht gehad, maar zij was het reservetoestel. George kreeg zijn halve dag en Lizzy-Jo kon er even tussenuit knijpen.

Ze had een probleem.

Het was geen probleem dat ze met Marty kon bespreken, en al helemaal niet met een van de anderen van het team. Marty zat in de tent naast het vluchtleidingscentrum, bij de ventilator die de gemeen hete lucht in beweging bracht. Hij zat met zijn voeten omhoog en las de laatste nummers van de *Flight International.*

'Ik ga op zoek naar een winkel,' zei ze tegen hem, maar hij ging zo op in zijn lectuur dat hij alleen een brom als antwoord gaf.

'Ik ben even op zoek naar een winkel,' riep ze naar George. Hij keek op van de motoronderdelen en knikte.

'Ik moet even een boodschap doen, het duurt niet lang,' zei ze tegen de wapenmeester. Hij zat tegenover het terreintje dat vrij was gelaten tussen de prikkeldraadversperring en het hek dat de grens van hun gebied aangaf. Zijn kakikleurige vest met veel zakken liet de schouderholster met de Colt erin onbedekt en hij had zijn honkbalpetje diep over zijn voorhoofd getrokken. Hij haalde zijn schouders op.

Er moest ergens een winkel zijn.

Het kampement lag aan het uiteinde van de startbaan. Achter hun eigen afrastering lag nog een hek, en daarachter begon de woestijn. In het eerste stuk zand stonden de lampen waarop piloten zich bij de landing konden oriënteren. Halverwege de landingsbaan stonden barakken; ze ging ervan uit dat het de verblijfplaatsen voor het personeel van de basis waren, en dat ze er een bar, een sportzaal, een kliniek en ook een winkel zou aantreffen.

Ze liep in een stevig tempo. Ze was een New Yorker, en een New Yorker loopt altijd in een stevig tempo. De thermometer die in de schaduw aan haar tentstok hing, had zevenendertig graden aangegeven. Omwille van het decorum – plaatselijke gevoeligheden en dat soort flauwekul – droeg ze een bloes over haar T-shirt, had ze een wijde lange broek aangetrokken en een hoofddoekje omgedaan. Ze liep om het einde van de landingsbaan heen en keek ondertussen omhoog, want als er een vliegtuig met een uitgeklapt landingsgestel overvloog, zou haar hoofd eraf geslagen worden.

Lizzy-Jo was uit egoïsme naar Shaybah gekomen. De elektronica-expert was een zelfzuchtige vrouw; haar hele carrière was, sinds de luchtmacht haar naar een cursus voor het bedienen van sensoren had gestuurd, uit egoïsme opgebouwd. Ze werkte al sinds het begin met de Predator.

Toen ze om het uiteinde van de landingsbaan heen was gelopen, maakte ze een hoek van negentig graden en beende ze naar de barakken. Ze had natuurlijk wel met een jeep kunnen gaan, maar hun bewegingsvrijheid buiten het kamp was beperkt en bovendien had ze dan de wapenmeester, George en Marty moeten uitleggen wat haar probleem was... En haar probleem was niet hun probleem.

Ze had eerst bij de luchtmacht gediend en toen in een advertentie gelezen dat de CIA personeel voor onbemande vliegtuigen zocht. Ze had de luchtmacht verlaten en was door de CIA ingelijfd; vanaf dat moment was egoïsme de regie gaan voeren. Toen ze nog op luchtmachtbases werkte, hadden Rick en Clara altijd bij haar kunnen wonen, maar de CIA stond niet toe dat je je echtgenoot meenam. Rick verkocht nu verzekeringen in North Carolina en was het afgelopen jaar de beste verkoper van de hele staat geweest. Zijn ouders zorgden voor Clara. Ze waren gescheiden toen zij in Taszar in Hongarije zat. Ze was daar sensor operator geweest voor vluchten boven Kosovo. Die langeafstandsscheiding had haar een hoop afspraken in advocatenkantoren gescheeld. Ze was – daarmee rechtvaardigde ze haar egoïsme voor zichzelf – nou eenmaal geen geboren moeder. Rick wilde levensverzekeringen verkopen; zij wilde opnames maken met de camera's van *First Lady's*.

De hitte trilde boven de vaalgrijs geschilderde gebouwen voor haar en het zonlicht kaatste fel terug van de ramen in de barakken. Achter de barakken lag een woud van pijpleidingen, containers, hijskranen en schoorstenen.

Ze had gezien dat Marty de reproductie van het oude schilderij over de Afghaanse oorlog tegen de stalen kast naast zijn veldbed had gezet. Lizzy-Jo had een kleine tent voor zichzelf (het privilege van de vrouw) en op het opklapbare tafeltje naast háár bed stonden foto's van Rick en Clara. Waarschijnlijk stond er naast het bed van Rick een foto van haar. Niet dat het haar iets uitmaakte. Ze schreef hun eens in de drie, vier maanden een brief van één kantje, en met verjaardagen en Kerstmis een kaartje. Haar ouders in New York schreef ze eens per jaar. Haar ouders waren fervente christenen. Ze moesten, dat wist Lizzy-Jo maar al te goed, niets van een scheiding hebben. Ze keurden het af dat ze Clara bij haar grootouders had achtergelaten. Het was hard, voor iedereen. Zij wilde bij het Predator-team zijn, en de anderhalf jaar die *Operation Enduring Freedom* had geduurd, was de beste tijd van haar leven geweest. Ze vond zichzelf niet egoïstisch, maar professioneel. Haar werk was heel belangrijk voor haar.

Lizzy-Jo was dichterbij gekomen. Ze kon nu een gebouw zien waarvan ze dacht dat het de recreatieruimte zou zijn, met een veranda. Ze versnelde haar pas.

Er was een bordje dat aangaf waar de winkel zich bevond, en ze volgde de pijl.

Binnen sloeg de koele airconditioninglucht haar tegemoet.

Ze liep langs de schappen en tussen de mannen met winkelmandjes of winkelkarretjes door. Sommigen droegen traditionele gewaden, anderen een korte broek en een T-shirtje. Ze kwam langs diepvriesmaaltijden, groente en fruit. Zoetwaren – vooral chocolade en snoep. Kleding, voor mannen. Toiletartikelen, voor mannen. Sappen, in alle smaken en hoeveelheden. Computers en software. Dvd's en cd's... Toen kwam ze bij de apotheekafdeling. Aspirines, aftersun, insecticiden. Mannen keken naar haar. Als ze terugkeek, sloegen ze hun ogen neer of wendden ze hun blik af. Maar ze voelde dat de ogen, zodra zij een andere kant op keek, weer op haar rustten en zich aan haar vastzogen.

Maar het probleem bleef onopgelost.

Het was voor een deel haar eigen schuld, en voor een deel de schuld van de CIA. Het moment waarop ze het bericht kreeg dat ze op reis moest en het moment van vertrek vanuit Bagram hadden te dicht bij elkaar gelegen. Ze had maar een paar uur gehad, en het grootste deel daarvan was opgegaan aan het downloaden van gegevens en het controleren van het inladen; de computers en het andere materiaal waren van haar. Ze had zich behoorlijk lopen opwinden en de technici niet laten begaan. Daardoor had ze geen tijd gehad om nog naar de kampwinkel te kunnen gaan.

Ze ging in de rij voor de kassa staan. De man voor haar, gekleed in een traditionele kaftan, schuifelde van haar weg en duwde tegen de man voor hem aan, zodat er enige afstand tussen haar en hem ontstond. God nog aan toe: de al wat oudere man achter de kassa, met een dubbele onderkin, vlezige wangen, een snor en een theedoek op zijn hoofd, herhaalde met een snerpende stem alles wat zijn klanten aan hem vroegen.

Ze was bijna aan de beurt. De klant voor haar rekende een zak met fruit en een tube scheerzeep af. Ze zei het opnieuw, in zichzelf. Ze voelde het zweet over haar rug lopen. De man achter de kassa keek haar aan en wendde toen zijn blik af.

Lizzy-Jo zei het luid, zoals ze het in New York zou hebben gedaan: 'Hebt u tampons?'

'Tampons?'

'Dat vroeg ik, ja. Tampons. Als u ze hebt, kan ik ze niet vinden.'

'Tampons?'

'Dat is toch niet zo'n moeilijke vraag – wat uw vrouw...'

De man schudde zijn hoofd, één klotsende beweging.

De stem achter Lizzy-Jo sprak kordaat, helder Engels. 'Nee, die hebben ze hier niet.'

Lizzy-Jo draaide zich om. Mannen sloegen hun ogen neer, wendden hun blik af, keken snel ergens anders heen. Zes plaatsen achter haar in de rij stond een vrouw. Ze was jonger dan zijzelf en ze beantwoordde haar grijns alsof hij besmettelijk was. 'Hebben ze geen tampons?'

'Nee – daar is hier ook niet echt veel vraag naar. Maar als je buiten even op me wacht, of bij de deur, dan help ik je wel.'

Lizzy liep langs de jongere vrouw en zag dat er een insecticide, een ontstekingsremmer en een sunblock in haar mandje lagen.

En zo ontmoetten Lizzy-Jo en Beth elkaar. Beth nam haar mee naar de club en ze gingen buiten op de veranda in de schaduw van een tafelparasol zitten. Ze dronken limoensap met ijs en Beth Jenkins vertelde dat ze de enige vrouwelijke bewoonster van het oliewinningsgebied Shaybah was.

'En jij bent hier zeker voor die kleine vliegtuigjes? Ik heb er een zien opstijgen. Mooi hoor. Maar wat doen jullie hier?'

Lizzy-Jo zei snel, te snel: 'We voeren testvluchten uit, om te onderzoeken hoe ze in de hitte van de woestijn presteren als ze die in kaart moeten brengen.'

Er verscheen een kleine frons op het voorhoofd van de jonge vrouw: een dergelijk onderzoek kon je natuurlijk op honderd-en-één plekken gemakkelijker uitvoeren en er waren ongetwijfeld duizend-en-één plekken die dringender in kaart moesten worden gebracht. Maar ze vroeg niet om een verklaring.

'Hoe dan ook, ik moet zo weg. Mijn cursus Engelse literatuur, voor de hoogste groep, begint straks. We behandelen Dickens, *Oliver Twist*. Daar houden ze van; die beestachtige Engelse maatschappij geeft hun een goed gevoel. Ik moet ervandoor. Hoe lang heb ik? Is de nood erg hoog?'

'Nog niet. Niet voor het eind van de week.'

'Ik breng ze wel bij je langs... Maak je geen zorgen, ik hou mijn mond en zal niet gaan spioneren.'

Toen ze langs de landingsbaan terugliep, bedacht Lizzy-Jo dat ze de veiligheid van de missie bepaald geen dienst had bewezen, maar misschien kwam de veiligheid nu eens een keer op de tweede plaats: tampons waren belangrijk. Ze bedacht, toen ze langs de korte kant aan het eind van de baan liep, ook dat een jonge vrouw, die iets met een vreemde ging drinken terwijl ze eigenlijk haast had, eenzaam moest zijn – niet alleen, maar eenzaam. Lizzy-Jo deed niet aan eenzaamheid, maar de gedachte eraan boezemde haar angst in.

George en zijn technici hadden de kap weer op de motor gezet en stonden op enige afstand van *Carnival Girl*. Het licht viel op de voorkant van de maagdelijk schone vliegtuigromp. Ze herinnerde zich de woorden in haar koptelefoon nog goed: schieten op het doelwit.

Ze hadden een halve dag verloren. Maar erger dan de verloren uren was het verbruikte water. Caleb keek naar de pot water die aan de kook werd gebracht. Er werden ook nog eens droge, verschrompelde wortelen van Ghaffur op gestookt. Rashid haalde de doorweekte kruiden uit de pot en hield ze in zijn hand; het kokendhete water dat tussen zijn vingers door liep, leek hij niet te voelen. De kruiden werden op Tommy's ontstoken enkel gelegd, waarbij de Irakees het uitschreeuwde, en er werd een lap omheen gebonden. Tommy kronkelde van de pijn. Er was geen enkel medelijden van de gids. Caleb zag dat Rashid zich afvroeg wat hij met het water moest doen. Afwachten tot het was afgekoeld? Daar zouden ze nog meer tijd mee verliezen. Het in het zand gooien?

'Wat is dat?' vroeg Caleb.

Het antwoord was kort. 'Een kruid.'

'Is het een oud geneesmiddel?'

'Mijn vader zou het gebruikt hebben, en mijn grootvader ook.'

'Vertel.'

'We leren van Het Zand. Er zijn hagedissen. Ze worden niet door slangen of schorpioenen gebeten. We hebben toegekeken en ervan geleerd, en we geven onze kennis door. Als hagedissen dit kruid zien, eten ze ervan en rollen ze erdoorheen. Het beschermt hen tegen het gif.'

Het werd zakelijk verteld, zonder gevoel. Rashid had met zijn nagel het grootste deel van het gif weggestreken. Het restant zou er door het kompres uit worden getrokken. Oude gewoonten uit oude tijden. Toen de bewaker in Camp Delta door een schorpioen was gebeten, waren er alarmbellen gaan rinkelen. Er waren artsen ten tonele verschenen en er was een ambulance met loeiende sirenes aan komen rijden. Er was paniek uitgebroken, maar de bewaker was binnen twee dagen weer in de barak aan het werk geweest. Dat was de moderne manier van doen, maar de oude manier van Rashid was rustig, kalm en effectief.

Rashid bewoog zijn voet naar achteren en trapte de pot om. Het water vormde een vlek in het zand. Daarna riep hij tegen Ghaffur dat hij de pot moest pakken en opbergen. De gids tilde Tommy op, droeg hem naar de neergeknielde kameel en zette hem op het zadel op de bult. Tommy schreeuwde het opnieuw uit, maar Rashid trok zich er niets van aan. De karavaan kwam in beweging. Achter hen kringelde de rook van het vuur omhoog.

Caleb liep naast Hosni, die op zijn zadel heen en weer rolde. Twee keer strekte Caleb zijn arm om te voorkomen dat de Egyptenaar zijn evenwicht verloor; het was geen reis voor een man van zijn leeftijd. De vraag kwam in hem op: 'Wat is het allerbelangrijkst om te weten?'

De stem floot: 'Je moet weten dat je alleen trouw bent aan je familie – aan ons en aan de mannen die op je wachten.'

'En daarna?'

'Je bent schatplichtig aan je broeders – aan ons en aan de mannen die op je wachten.'

En hij stelde de vraag opnieuw: wat moest hij weten?

'Je hebt geen nationaliteit, die tijd ligt achter je. Geen van ons heeft een vaderland. Wij zijn de verworpenen. Als Tommy door de Amerikanen of hun marionetten wordt gearresteerd, dan komt hij voor een Amerikaanse militaire rechtbank of krijgt hij een schijnproces bij een van hun knechten. Hij zal geëxecuteerd worden. Als Fahd wordt gearresteerd, zal de politie hem martelen en vervolgens zal hij naar het plein tegenover de Centrale Moskee van Riyad worden gebracht. Daar zal hij onthoofd worden. Als ik word gearresteerd, brengen ze me naar Caïro. Als ik de verhoren overleef, zullen ze me in de gevangenis ophangen. En jij, jij zou...' Hosni zweeg.

'Wat zou er met mij gebeuren?'

Geen antwoord. De vraag werd genegeerd. De Egyptenaar sprak vol vuur: 'Jij bent goud waard. Mannen geven hun leven dat jij moet leven... Is dat niet voldoende? Op een bepaald moment keer je terug naar waar je vandaan komt, of naar Amerika. Je zult je familie en je broeders dienen, en je zult de herinnering aan jou tot leven brengen. Je zult de klap uitdelen die alleen jij uit kunt delen... Genoeg hierover.'

Hosni's ogen waren gesloten, alsof hij hem had gekwetst of beledigd.

Caleb liet zich terugzakken.

'Was hij nou maar met me meegekomen,' snikte ze. 'Als die stomme zak met me was meegegaan, zou er niets gebeurd zijn. Maar dat deed hij niet. Hij was niet geïnteresseerd.'

Haar gedrag en de woede die eruit sprak, kwamen Bart vertrouwd voor. Hij kende het patroon bij auto-ongelukken nog van Torquay, en uit de tijd dat hij in ziekenhuizen in Londen werkte. Hij had de uitbarsting van Melanie Garnett verwacht. Als zijn hulp eerder was ingeroepen, meteen nadat het was gebeurd, dan zou ze hem volkomen van streek verslag hebben gedaan van de ontploffing van de bom onder de Land Rover Discovery.

'Nee, hij was niet geïnteresseerd in die ketting. Hij zei dat we spaarden, althans dat was de bedoeling. We zijn hier alleen maar voor de hypotheek – godallemachtig, waarvoor zou je hier anders zijn? Hij was te laf om te zeggen dat hij hem niet kon betalen, en daarom bleef hij in de Discovery zitten.'

Bart had een scherp beeld van de man achter het stuur die met zijn elleboog uit het raam een sigaret zat te roken. Het beeld van haar was minder duidelijk, vervaagd door het glas van de juwelierswinkel. Hij vroeg zich af waar de kinderen nu waren... O, die zaten vast en zeker bij de buren, met legosteentjes op de tegelvloer uitgespreid. Gister was ze ontzet geweest, vandaag voelde ze woede, en morgen zou ze zich schuldig voelen. Het was gemakkelijker om met de woede om te gaan... Zelfs als hij was gestopt, en hij had zijn plicht als arts vervuld, zou hij de man niet hebben kunnen redden.

'Hij wilde sparen, zodat we, als de termijn van drie jaar in deze hel was verstreken, in een of andere kakdorp konden gaan wonen – in Beaconsfield of de Chalfonts. En dat heeft hem zijn leven gekost. De klootzak! Ik bedoel, wat is een semi-bungalow met drie slaapkamers in Beaconsfield nou waard? Je leven?'

Naast de weduwe Melanie Garnett zat een oudere vrouw. Ze was een vrouw met gezag in de gemeenschap van buitenlanders. Zij kende haar pappenheimers. Ze deed het heel goed. Ze legde haar hand troostend op Melanies schouder en onderbrak haar niet... Ann zou haar wel in de rede zijn gevallen... Ann hield nooit haar mond. Bart stelde haar vragen. Hij mompelde de vragen, niet om haar te kalmeren, maar om informatie uit haar te zuigen. Wat had ze gezien? Wat had ze gehoord? Waren ze bedreigd? Niets, niets en nee: ze had niets gezien, niets gehoord, en nee, ze waren niet bedreigd. Hij zou Wroughton niet veel kunnen vertellen, maar hij had het in ieder geval wel geprobeerd. Hij nam haar pols en keek om zich heen. De kamer was schaars gemeubileerd en nauwelijks ingericht; je kreeg niet het gevoel dat het een thuis was, behalve dan dat er in een hoek een berg speelgoed en op de tafel kinderboeken lagen. Hij zocht naar sporen van het enige misdrijf dat bijna alle buitenlanders begingen, het in bezit hebben en nuttigen van alcoholhoudende dranken, maar hij zag er geen... Ann zou die stomme ketting gewoon zijn gaan kopen. Ze zou hem met zíjn creditcard hebben betaald, en hij zou pas achter haar aankoop zijn gekomen op het moment dat hij hem om haar nek zou hebben gezien. Hij kon Ann overal de schuld van geven. De hoogte van de hypotheek, van zijn schulden, van de kosten van de privé-scholen waar zijn kinderen naartoe moesten, van de twee vakanties per jaar. En de oplossingen waartoe hij zich had verlaagd, kwamen ook op haar conto... Zijn moeder was tenminste nog op de bruiloft geweest. Ze had zich tamelijk onbeleefd gedragen, maar zijn vader was niet eens gekomen. Zijn moeder had hem tijdens de receptie terzijde genomen en hem toegefluisterd dat ze Ann veel te gewoontjes vond, dat ze niet bij hem paste en dat haar familie ronduit ordinair was. Godzijdank had Hermione Bartholomew niet lang genoeg geleefd om hem kraaiend van leedvermaak te kunnen zeggen dat ze gelijk had gekregen. Alle buitenlanders die in het koninkrijk door een bom of een kogel om het leven kwamen, verdwenen als slachtoffer van alcoholisme in de statistieken. Dat zou ook in dit geval kunnen gebeuren, maar Bart wist wel beter.

Hij schreef diazepam voor, maximaal twee tabletten van tien milligram per dag. Hij pakte een flesje uit zijn dokterstas en haalde er een rantsoen voor de komende drie dagen uit. Hij zou, onder zijn beroepsmatige uiterlijk, medelijden met Melanie Garnett moeten voelen. Waar had ze deze confrontatie met een terrorist aan te danken? Nergens aan. Zijn koele reactie shockeerde hem bijna, en hij zou zich, voorzover hij daartoe nog in staat was, bijna schamen. Hij stopte de tabletten in een envelop en krabbelde de dosis op het etiket.

'Ik wilde die ketting echt heel graag hebben – dat is toch niet verboden? Als hij nou maar met me was meegegaan... Al was het alleen maar geweest om de kinderen in de gaten te houden. Maar hij kwam niet mee. En de kinderen maakten ruzie en nu is hij dood. En het laatste beeld dat ik van hem heb, is dat hij met een chagrijnig gezicht sigarettenrook zit uit te blazen. Geen kus, geen “ik hou van je”, geen knuffel, maar een zure blik. Dat is het laatste wat ik van die rotzak heb gezien.'

Hij had het gevoel dat er in het koninkrijk een geest van rebellie heerste, en dat het niet lang zou duren voordat het hele stinkende bouwwerk in zou storten. Bart was er altijd goed in geweest teksten uit zijn hoofd te leren, maar zijn ware talent lag natuurlijk in het spelen van zijn rol – de rol van leugenaar. Terwijl de weduwe haar woede en verdriet de vrije loop liet, reciteerde hij, in gedachten, foutloos: 'Mijn naam in Ozymandias. Ik ben groots en koning. Ziet mijn werk, o mens, en beeft!' De torens van beton en glas, de luchthavens en de vijfsterrenhotels, de brede snelwegen en al die slaapverwekkend arrogante mensen dreven op olie, en het bouwwerk brokkelde af. Een bom hier, een schietpartij daar, werk voor de beul op het plein; er ging een siddering van angst door de paleizen. Iedere keer dat Bart over een gruweldaad las of hoorde, ging er een golf van opwinding door hem heen. 'Maar niets is meer te zien. Vanaf de voet van deze gevallen koning streeft breed, eenzaam zand de einder tegemoet.' Hij hoopte verdomme dat hij er nog zou zijn als de koning viel, dat hij de geur van de revolutie zou kunnen opsnuiven.

'Zijn moeder landt hier vanavond. Wat moet ik tegen haar zeggen? Als haar lieve zoontje niet zo lullig tegen me had gedaan, zou hij nog leven. Moet ik haar dat vertellen?'

De volgende dag zou de weduwe het nog zwaarder krijgen. Dan zou die moeder er zijn. Zij zou het heft in handen nemen en de weduwe zou zich schuldig gaan voelen. Het schuldgevoel zou haar aan het kruis nagelen. Als ze niet om die vervloekte ketting had gezeurd, zou haar man nog leven, zouden haar kinderen nog een vader hebben gehad. Het schuldgevoel zou als een wervelstorm in haar hoofd tekeergaan – het arme mens. Ann had zich nooit schuldig gevoeld, zelfs niet toen ze hem op de knieën had gedwongen. Hij liep naar de keuken. Een dienstmeisje dook in elkaar toen ze hem zag binnenkomen. Hij schonk een glas water in en nam het mee terug naar de woonkamer. De oudere vrouw stopte Melanie Garnett een tablet in de mond en gaf haar het glas.

Bart wachtte tot ze enigszins was gekalmeerd en vertrok. Buiten, waar bewoners van het woningcomplex vanachter hun jaloezieën naar hem keken, verliet het sprankje onafhankelijkheidsgevoel hem weer. Terwijl hij naar zijn auto liep, vroeg hij zich af wat hij tegen Eddie Wroughton moest zeggen. Hij was bang voor Wroughton, en dat besefte hij maar al te goed. Hij plofte op de achterbank en de chauffeur reed weg. Hij was als was in Wroughtons handen en hij wist niet waar hij naartoe moest om aan hem te ontsnappen, hij wist niet welke weg naar de vrijheid voerde.

Eddie Wroughton kookte van woede, maar in de afgelopen jaren had hij geleerd zijn woede te verbergen. Als hij de Omaanse politieagent had uitgescholden, zou hij nog verder van huis zijn.

Hij was vanuit de hoofdstad honderd kilometer naar het westen gereden, naar Ad Dari, een handelsstadje op de route naar de binnenlanden. Hij had zich op dat moment in het politiebureau moeten bevinden, in de verhoorkamer. Maar hij stond, trillend van de woede en de kou, in de vrieskamer van het mortuarium van het ziekenhuis. De Engelse stafmedewerker in het stadje Muscat was nog maar een groentje. Hij had nauwelijks ervaring met de geheime dienst, en daarom was Wroughton, toen hij van de arrestatie op de hoogte was gesteld, met de eerste de beste vlucht vanuit Riyad naar Muscat gevlogen.

Maar de man die hij had willen ondervragen was nu een diepgevroren lijk. Zijn dood was pijnlijk geweest. Op zijn gezicht lag een gekwelde grimas, die dankzij de vriesmachine volledig intact was gebleven. De bewakers hadden niet de moeite genomen de starende, opengesperde ogen van de man dicht te drukken.

'Hartstilstand. We stonden machteloos,' zei de Omani monotoon.

Zou de man het zelf geloven? Hij had meteen na zijn arrestatie behoorlijk gefouilleerd moeten worden, ze hadden een verklikker bij hem in zijn cel kunnen stoppen en ze hadden zijn handen achter zijn rug moeten binden.

'Morgen wordt er autopsie gepleegd,' zei de stafmedewerker vlak, alsof hij dacht dat het zijn fout was. 'Ik heb geen idee wat ze vinden.'

Wroughton had zo een lijst gifstoffen kunnen opnoemen die je jezelf kunt toedienen, die snel werken en met veel pijn gepaard gaan.

Hij wendde zich af. Hij had er geen behoefte aan nog langer naar de trolley met het lijk te kijken. De man was eind vijftig, begin zestig. De exacte leeftijd zou Wroughton wel bij een kopje koffie op het politiebureau te horen krijgen. Zijn naam en beroep waren heel voornaam; vooral het beroep. Om die reden had Wroughton zo snel mogelijk een vliegtuig gepakt. Het laatste wat hij van de man zag, waren de dikke vingers en twee dikke gouden ringen, één aan iedere hand, waar de huid overheen stulpte.

Ze liepen door de gang naar een kamer.

'Er ging een gerucht, meneer, we ontvingen informatie. We zijn meteen in actie gekomen,' zei de politieagent kruiperig en beschaamd. 'We hoorden dat deze prominente *hawaldar* een paar dagen geleden naar het noorden is gereisd. Hij was rijk en genoot veel aanzien in zijn branche, en hij reisde naar een streek die niets dan armoede te bieden heeft. We besloten hem, na overleg met uw jongere collega, onmiddellijk te arresteren.'

De stafmedewerker kromp ineen, omdat hij medeverantwoordelijk werd gemaakt... Wroughton begreep het. De westerse leden van de Financial Action Task Force richtten hun aandacht regelmatig en nogal voorspelbaar op de golfstaten, om te controleren of er geen geldstromen naar al-Qaeda liepen. Er was een halfbakken actie ondernomen en die actie had een catastrofe veroorzaakt. Het systeem van *hawal* was een nachtmerrie, omdat er handel werd gedreven zonder dat het papieren of elektronische sporen achterliet. En grote bedragen hadden ze niet nodig – tegenover de investering van 350.000 dollar voor vlieglessen, goedkope motels en vluchtsimulatoren, stond de tweehonderd miljard dollar die de Amerikanen uitgaven aan het herbouwen van de Twin Towers en de economische schade die de gekaapte vliegtuigen hadden veroorzaakt. Het was van het grootste belang om in het netwerk van de *hawal* in te breken. Maar de man was dood, de rotzak was stijf bevroren. Zijn schuld was bewezen. Een man die een pil slikte nadat hem een paar oppervlakkige vragen waren gesteld, was een man die een groot geheim verborg en liever stierf dan dat hij zich aan een zwaar verhoor blootstelde.

'Ik ben ervan overtuigd dat jullie het goed hebben gedaan,' zei Wroughton zonder warmte.

Ze zouden natuurlijk gegevens controleren van gesprekken die met mobiele en vaste telefoons waren gevoerd, maar hij betwijfelde of daar meer dan onbegrijpelijke transacties uit naar voren zouden komen.

Ze gingen zitten. Er werd een eerste minuscuul kopje koffie ingeschonken. Hij merkte dat de stafmedewerker steeds nerveuzer werd. Ze praatten over de connecties van de *hawaldar*, de contacten die hij had gehad. Ze bekeken het dossier dat de geheime dienst over hem had bijgehouden... Het duurde bijna een uur voordat de nervositeit van de stafmedewerker tot een uitbarsting kwam.

'Er is nog iets wat u moet weten, meneer Wroughton. Er was hier laatst een helikopter van de Amerikaanse marine, met een gewonde. Een bemanningslid van een vliegdekschip had voorzieningen nodig die ze aan boord niet hadden. Ik heb de navigator gesproken toen hij niet in de helikopter zat. Hij vertelde me een gek verhaal – we hadden het over smokkel, u weet wel, van sigaretten naar de Iraanse vissersdorpen aan de kust. Ze gebruiken snelle motorboten. Nou ja, misschien was het ook wel niet zo belangrijk.'

'Als het zo'n gek verhaal is, hou het dan kort.'

'Ja, natuurlijk. De navigator vertelde dat ze de speedboten vanwege de zelfmoordaanslagen opsporen en in de gaten houden. De boten voeren in een formatie, die plotseling uit elkaar viel: één speedboot maakte zich los van de andere boten en zette een koers in die hem dicht bij het vliegdekschip zou brengen. De helikopter van de navigator werd onmiddellijk in paraatheid gebracht. De helikopter was tot de tanden bewapend, de raketten waren klaar voor lancering. Maar zover kwam het niet. De speedboot boog af. Ze hebben hem nog een tijdje gevolgd. Hij ging regelrecht naar de Omaanse kust, voer een stuk langs het strand en voegde zich daarna weer bij de andere boten. Op de terugtocht waren ze met evenveel boten als in de oorspronkelijke formatie. Had ik dat uitgelegd? Het was de dag voordat het gerucht werd verspreid dat de geldverstrekker naar het noorden reisde terwijl hij daar volgens ons niets te zoeken had. Ik dacht dat ik het u moest laten weten.'

Wroughton bedankte hem niet en gaf hem geen compliment. Hij liet niet merken dat zijn hart sneller was gaan kloppen.

Hij vroeg om een kaart. Die werd op de tafel uitgevouwen. Hij vroeg waar de speedboot uit Iran de Omaanse kust had bereikt en zette er een kruisje met zijn pen. Daarna vroeg hij waar in het noorden de *hawaldar* volgens de geruchten was geweest, en zette ook daar een kruisje. Zouden ze hem een liniaal willen geven? Toen hij de liniaal had gekregen trok Wroughton een lijn die de kust met een splitsing in een weg verbond; daarna trok hij de lijn door naar de Saudische grens.

Hij was goedgehumeurd. Het lijk en de frustraties waren vergeten. Hij vertelde de politieagent en de stafmedewerker dat hij hen de volgende ochtend nodig zou hebben en hoe laat ze zouden vertrekken. Als hij in zijn eentje in zijn hotel zat, zou Wroughton een stevige borrel drinken, reken daar maar op. En hij zou de kaart bestuderen en dromen over wat de lijn hem vertelde.

De gids had er stevig de pas in gezet, en toen ze de voet van de zandduin bereikten en de steile helling voor hen lag, dacht Caleb dat ze daar de nacht zouden doorbrengen. De zon stond al laag; er scheen een vals licht. Hoewel Rashid zijn bevelen zacht uitsprak, klonken ze grimmig. Zijn zoon mokte, maar gehoorzaamde. Slechts Tommy vormde een uitzondering, maar alleen deze avond. De kisten werden van de kamelen geladen. De waterzakken en de voedseltassen werden losgemaakt. Rashid, de gids, leidde de kamelen met twee tegelijk naar boven over de steile helling. Hun hoeven zochten, vaak tevergeefs, houvast. Tommy kroop er op handen en voeten achteraan.

Fahd droeg de waterzakken. Hosni worstelde zich met de voedseltassen naar boven.

Caleb en de jongen namen de kisten, een voor een. Ze sleepten ze aan touwen naar de top, naar adem snakkend. Rashid wierp hun boosaardige blikken toe. Ze gingen terug voor meer. Rashid moedigde hen niet aan. Zijn dunne, bloedeloze lippen drukten alleen minachting uit. Drie keer sleepte Caleb een kist naar boven en liet hij zich weer naar beneden glijden. De laatste keer dat hij beneden kwam, stond er geen enkele kist meer aan de voet van de heuvel, maar Hosni was er nog met de laatste twee voedselzakken. Caleb had het idee dat Hosni hem pas zag toen hij naast hem stond. Caleb zette de laatste twee voedselzakken op zijn schouder, greep Hosni's hand en legde die op de riem om zijn middel. Hij voelde dat Hosni zijn riem greep en ze klommen samen naar boven – ze waren familie, ze waren broeders. Hij zou het niet voor Fahd gedaan hebben, of voor Tommy, alleen voor de Egyptenaar. Twee keer op die laatste klim naar boven gleed het zand onder zijn voeten weg. Dan viel hij naar achter, tegen Hosni aan, waardoor ook Hosni viel. Beide keren krabbelde hij weer overeind en beide keren voelde hij dat de vingers zijn riem nog stevig vasthielden. Ze vervolgden hun weg naar boven; Caleb hielp Hosni naar de rug van de duin. Daar plofte hij in het zand. Hosni liet zich naast hem neervallen. Alleen het laatste kwart van de zon was nog zichtbaar, de woestijn werd donker en strekte zich beneden hen uit. Onderaan, aan de voet van de minder steile duinhelling, hield Tommy de teugels van de kamelen vast. Rashid laadde de kisten op hun bulten.

Ze daalden de zandduin af.

Rashid gaf het tempo weer aan.

De jongen, Ghaffur, liep naast Caleb. Caleb was kapot, hij kon nauwelijks nog uit zijn ogen kijken. Hij snapte niet waar de jongen zijn vrolijke lach vandaan haalde.

'Kijk, kijk.'

De jongen had zijn mouw gepakt, trok eraan en wees.

Op vijfentwintig meter links van waar ze liepen, zag Caleb vreemde witte vormen. In de schemering zag hij niet wat het waren, maar de jongen trok hem aan zijn arm van het pad dat door de hoeven van de kamelen was gevormd.

'Zie je ze? Ja, je ziet ze.'

Hij herkende de ruggenwervels, de schedel en de ribbenkast, half onder het zand begraven. De beenbotten waren onder het opgestoven zand verdwenen, maar de vier bottenverzamelingen waren duidelijk herkenbaar. Op de ribbenkasten lag een effen huid, van dezelfde omvang als de waterzakken die Fahd de zandduin op had gesleept. Het zwarte leer van de huiden stak af tegen de witte botten.

'Zullen we naar de botten van de mensen zoeken?'

'Nee.' Caleb maakte zich los uit de greep van de jongen.

'Als de kamelen sterven, sterven de mannen ook. Wil je hen niet vinden?'

'Nee,' gromde Caleb over zijn schouder.

'Als de kamelen sterven, drinken de mannen eerst hun water op. In het begin zullen ze nog hebben gehoopt dat andere reizigers hen zouden vinden. Maar toen het water opraakte en er geen andere reizigers kwamen, heeft de dorst hen kapot gemaakt en hebben ze geprobeerd weg te komen. Hun botten moeten vlakbij liggen.'

Tegen zijn wil in draaide Caleb zich om. De duisternis viel over de woestijn, maar de botten lichtten helder op.

Hij hoorde zijn eigen stem, gejaagd, angstig. 'Hebben wij wel genoeg water?'

'Dat weet alleen God.'

Ze haastten zich om bij de anderen te komen; toen ze het spoor van de kamelenhoeven niet meer konden zien, lieten ze zich door het licht van het kleine kampvuur leiden. Caleb voelde de pijn in al zijn gewrichten. Hij liet zich op de grond zakken. Er werd hem water aangereikt, het rantsoen dat hem toekwam. Hij dronk de mok tot de laatste druppel leeg en likte daarna met zijn tong langs de randen. Hij dacht aan de reizigers die hun laatste water hadden opgedronken en op wie de zon genadeloos neer had gebrand. Ieder gewricht in zijn lichaam deed pijn. In de pijn was het leven.

Hij verlangde naar eten. Hij hurkte neer bij het vuur waar het brood in werd gebakken, en voelde de kou op hem neerdalen.

7

De hitte zoog het leven, de energie, uit Caleb. Hoewel de zon nog niet op het hoogste punt aan de hemel stond, was haar kracht verzengend. Rashid accepteerde geen zwakte. Hij moedigde niemand aan en stelde niemand gerust. Maar hij had het tempo verlaagd. Zelfs Ghaffur had zijn goede humeur verloren. Hij bleef dicht bij zijn vader. De kamelen ploeterden voort, er zat geen veerkracht meer in hun stappen. Tommy liep liever in de schaduw van zijn kameel dan dat hij erop reed en niet tegen de zon was beschermd.

Een uur eerder waren ze langs een plek gekomen waar het zand zwartgeblakerd was – van vuur dat was gemaakt door reizigers die hen waren voorgegaan. Maar er was geen spoor van hoef- of voetafdrukken, en uit niets bleek of ze er een week of een jaar geleden waren geweest.

Caleb kokhalsde. Hij was duizelig en zocht houvast bij de riemen waarmee de kisten op de pakkamelen waren vastgebonden. Hij was bang dat hij om zou vallen.

Hij was de hekkensluiter. Zouden de anderen het merken als hij viel? Zouden ze doorlopen zonder door te hebben dat hij was gevallen? Ze zouden nog zeker twee uur lopen voordat het tijd werd voor het *dhuhr*-gebed. Elke stap werd zwaarder, iedere pas een fractie korter. De rijzende zon hing hoog boven hem.

Plotseling kreeg hij nieuwe krachten.

Het zand dat rondom zijn ogen koekte, was door zijn tranen hard als beton geworden, maar hij zag het.

Aan zijn linkerhand, op gelijke hoogte met hem, lag een lap verrukkelijk fris, vochtig, groen land. Het leek Caleb te roepen. Als hij de riem zou loslaten en het spoor met de voortploeterende karavaan rechts van zich zou laten, dan zou hij het groen en de koelte bereiken. Hij hoorde het ruisen, rook de geur van stromend water en zag de wuivende takken die zwaar doorbogen onder het gewicht van hun bladeren. Maar hij was niet in Afghanistan... In gedachten zag hij springerige, dansende beelden. Hij verstevigde zijn greep om de riem, zijn hoofd tolde. Het groen van een park, de kreten van voetballende kinderen, een oude stenen fontein waaruit het water omhoog sproeide en terugviel in een poel vol lege chipszakjes en… Caleb greep de plastic armband en kneep zo hard dat hij de randen in zijn vingers voelde drukken. Hij kneep in de armband, hij deed zijn ogen dicht en het zand prikte erin. Hij sloot het buiten. Er was een park geweest, met groen gras, waar kinderen in de regen hadden gevoetbald. Er was ook een fontein geweest. Het was een beeld van een oude koningin, met duivenpoep op haar hoofd en op haar kroon, en het water uit de fontein was in een smerig bassin neergekomen. Hij elimineerde de herinnering. Pas toen de herinnering aan het park en de fontein waren verdwenen, liet Caleb de armband los en opende hij zijn ogen.

Hij liep verder.

De fata morgana was verslagen, het delirium overwonnen. De herinnering was dood.

Hij dwong zichzelf sneller en met grotere passen te lopen. Als hij was gevallen, zouden ze voor hem zijn teruggekomen. Ze waren daar vanwege hem, vanwege zijn grote waarde.

De karavaan strekte zich voor hem uit en hij volgde. Hij had een glimp van zijn zwakheid opgevangen, en de aanblik deed hem pijn.

'Het spijt me, mevrouw, maar ik mag u hier niet toelaten.'

De slagboom voor de ingang was gesloten en de man stond ervoor. Hij zag eruit alsof zijn besluit vaststond. Beth leunde uit het open raam van haar auto en glimlachte naar hem. Normaal gesproken wist die glimlach deuren en poorten te openen en slagbomen omhoog te krijgen.

'Ik hoef alleen maar even een pakketje bij Lizzy-Jo af te geven. Dat heb ik haar beloofd.'

De man stond met zijn armen voor zijn borst gevouwen voor de slagboom. Ze zag de bult onder zijn vest. Een uur eerder was het kleine, witte vliegtuigje over de startbaan gegleden en opgestegen. Het was langzaam omhooggeklommen en over de Rub' al-Khali weggevlogen. Ze was het boven de duinen, in de nevel, uit het oog verloren. Het begon heet te worden.

De man zei, bestudeerd en onoprecht beleefd: 'Ik zorg ervoor dat het bij haar terechtkomt, mevrouw.'

Ze drong aan. 'Het kost niet veel tijd. Ik zou u heel dankbaar zijn als u haar zou willen vertellen dat ik hier ben.'

'Dat zal niet gaan, mevrouw. Maar u kunt ervan op aan dat ze het pakketje ontvangt.'

Hij liep naar het portier en stak zijn hand uit. Ze had graag willen rondkijken en meer over die plek willen weten, maar de slagboom ging niet omhoog. En de vrouw, Lizzy-Jo, zou niet van haar werk –

wat dat ook mocht inhouden – worden weggeroepen. De man kon niet op andere gedachten worden gebracht. De combinatie van prikkeldraad, de nederzetting aan het eind van de startbaan, het onbemande vliegtuigje en de bobbel onder de arm van de man prikkelde haar fantasie. Oké, het moest maar. Ze greep de plastic zak en stak hem uit het raam. Hij nam de zak aan, knikte beleefd en draaide haar zijn rug toe, alsof ze zo onbelangrijk was dat hij haar onmiddellijk was vergeten.

Hij nam weer plaats op zijn stoel. Zoals hij daar zat, wippend op twee poten, was de bobbel onder zijn vest onmiskenbaar. Bij zijn voeten stond een sporttas die groot genoeg was om een geweer met een losgekoppelde geweerlade te bevatten. Ze startte de motor en maakte een korte, snelle bocht van honderdtachtig graden. Haar banden joegen een stofwolk op. In haar zijspiegeltje zag ze hoe hij in de wolk verdween. Ze wachtte nog even. De wolk daalde neer: hij zat op zijn stoel zonder het stof van zijn gezicht te vegen of haar te vervloeken – hij negeerde haar volkomen. Toen vertrok ze.

Terug in haar bungalow pakte ze in wat ze nodig had. Als ze in haar slaapkamer op haar tenen bij het raam ging staan, kon ze de nederzetting aan het eind van de startbaan net zien. Haar irritatie was toegenomen. Ze had zich volledig moeten concentreren op de tocht die ze ging ondernemen. Ze zou al het andere uit haar hoofd hebben moeten zetten. Als de bedoeïen de waarheid had gesproken, de stenen en het glas had gevonden en haar de juiste richting en herkenningspunten had doorgegeven, dan zou ze de volgende dag over een ejectaveld lopen waar nog nooit eerder iemand was geweest. Ze had een checklist van kleding en uitrusting die ervoor moesten zorgen dat ze het zou overleven. Als de omvang van het ejectaveld overeenkwam met de omschrijving van de bedoeïen, en als het stuk zwart glas dat hij had meegenomen maar een fractie was van wat daar lag rondgestrooid, dan zou het artikel dat ze dankzij de adjunct-gouverneur kon schrijven haar in één klap tot een belangrijke wetenschapper bombarderen.

Beth had natuurlijk met een escorte de woestijn in kunnen gaan: met chauffeurs, een kok, bedienden voor haar tent, bewakers. Maar met een escorte zou ze de blijdschap over de eenzaamheid niet voelen.

Beth liet zich voortdurend van haar checklist afleiden; dan liet ze het vel papier op haar bed vallen, liep ze naar het raam, ging ze op haar tenen staan en staarde ze naar het door de hitte vervormde beeld van de tenten in de verte. De zon brandde op de kleine patio achter het raam en op het dak van haar Land Rover, en de palmbladeren hingen roerloos in de windstille lucht.

Camp Delta, Guantánamo Bay

De gevangene was halverwege de gang toen Caleb hem herkende.

Ze waren zes dagen eerder uit hun kooi in X-Ray gehaald en geboeid en geblinddoekt in bussen geduwd en naar het nieuwe kamp getransporteerd. Ze waren door nieuwe gangen gevoerd, hadden nieuw beton en nieuw prikkeldraad geroken en waren dichter bij de zee. Toen de boeien en de blinddoek waren verwijderd, had Caleb zijn nieuwe kooi bekeken. Onder het hoge tralieraam waardoor de zeewind binnenkwam, hing een wasbak met stromend water. Daarnaast stond een wc met een knop om door te spoelen. Hier was niets tijdelijks aan. Dit waren geen omgebouwde containers meer. Deze barakken waren voor de lange termijn gebouwd.

Hij kende de man.

Hij had de emir één keer gezien, in het tweede trainingskamp. De emir was, omgeven door lijfwachten, komen kijken hoe de rekruten over de stormbaan kropen terwijl ze met scherp werden beschoten. Deze man, met het magere, uitgehongerde lichaam en de rusteloze ogen, had links van de emir gestaan. Hij had hem nóg een keer gezien, nadat de bombardementen waren begonnen. Caleb en een aantal anderen van de 55ste Brigade hadden een controlepost bemand en er was een konvooi van pick-ups aangekomen. De zijramen van de derde pick-up waren geblindeerd geweest. Het konvooi was gestopt en de Tsjetsjeen was in de derde pick-up gestapt. De lijfwacht die voorin zat, was naar buiten gekomen. Op het dak van de cabine was een machinegeweer gemonteerd. Ze hadden een praatje gemaakt, Caleb en de lijfwacht. Toen was de Tsjetsjeen weer naar buiten gekomen en was het konvooi verder gereden.

De kooi naast die van Caleb werd opengemaakt. De lijfwacht werd door twee extra bewakers begeleid. Hij werd naar binnen gesmeten. In Camp X-Ray werden ze om de twee weken verhuisd en in een kooi met aan weerszijden onbekenden gestopt. Caleb begreep dat ze wilden voorkomen dat er relaties werden opgebouwd. De bewakers kwamen binnen en terwijl ze de boeien losmaakten, stonden twee bewakers dreigend met hun stokken in de lucht. Ze schenen er rekening mee te houden dat hij zou gaan vechten; het leek zelfs wel alsof ze dat wilden. Maar de man gaf geen aanleiding en ze liepen weg. Caleb had het gevoel dat ze met tegenzin vertrokken, alsof ze het gevoel hadden dat de lijfwacht hen in de maling had genomen.

Hij moest een belangrijke gevangene zijn.

De bewakers liepen nu om de twee minuten door de gang. Voordat ze de lijfwacht hadden gebracht, was dat om de tien, twaalf minuten geweest. Maar alles wat ze deden was voorspelbaar. Caleb zat tegen de muur en de lijfwacht lag op zijn bed. Ze zwegen en negeerden elkaar, totdat het tijd was voor het gebed. Als het tijd was voor het gebed kwamen de bewakers de gang niet in; ze werden dan niet in de gaten gehouden. De nieuwe luidsprekers van Camp Delta riepen op tot het gebed en de lijfwacht knielde in de richting waarvan de Amerikanen hadden gezegd dat daar de Heilige Stad lag. De mouw van zijn shirt drukte tegen het gaas. Caleb kwam dichterbij. Ze zaten allebei op hun knieën. De woorden kwamen zacht uit hun mond, maar het waren geen woorden uit de Heilige Schrift.

'Waar kom je vandaan?'

De lijfwacht draaide zijn hoofd niet. 'Uit de isoleercel. Als ik met een broeder praat, hem moed inspreek, ga ik terug naar de isoleercel. Na een paar dagen halen ze me eruit en stoppen ze me in een gewone cel. Ik spreek weer iemand moed in en word opnieuw in de isoleercel gegooid. Maar als ik in één kooi zou blijven, breng ik misschien de kansen van een broeder in gevaar.'

'De kansen waarop?'

'Op vrijheid. Ze weten wie ik ben. Ik ben oorlogsbuit. Wie ben jij?'

'Ik zat in het trainingskamp, ik heb je gezien. Ik heb je gezien bij een wegversperring van ons, vlak bij Kabul. We hebben een praatje gemaakt.'

'Met de raketwerper, bij de controlepost. En op de stormbaan, in het kamp. Iedere keer ging het over jou... Wat weten ze van je?'

'Ik ben taxichauffeur.'

'Zijn er mensen die je kunnen verraden?'

Caleb mompelde: 'De mannen met wie ik was en de Tsjetsjeen zijn gedood toen de Amerikanen me gevangennamen. Als ik word verhoord, zeg ik dat ik de enige ben die het heeft overleefd en dat ik taxichauffeur ben. Ik geloof niet dat ze verder iets van me weten.'

'Ben je sterk?'

'Ik doe mijn best.'

Caleb moest zich tot het uiterste inspannen om de lijfwacht te kunnen verstaan. 'Doe me een belofte.'

'Wat moet ik beloven?'

'Dat je, als je ooit vrijkomt, niets vergeet. Herinner je je broeders. Herinner je de martelaren. Herinner je de slechtheid van de kruisvaarders.'

'Ik beloof dat ik niets zal vergeten, dat ik me altijd alles zal blijven herinneren.'

De man straalde een enorme rust uit. Hij was mager, en hij had een gewoon postuur en een onopvallend gezicht. Maar zijn ogen schitterden.

'En je zult vechten. Welke hindernissen er ook op je weg komen, je zult ze nemen. Je zult door vuur gaan. Je zult vechten.'

Het gebed was voorbij. De bewakers stampten door de gang. De lijfwacht sprak niet meer, en Caleb ook niet. Ze gingen zo ver van elkaar af zitten als binnen de stalen kooien mogelijk was. Er werd voedsel gebracht. De muggen zoemden tegen de lampen aan het plafond. De kooi van de lijfwacht werd opengemaakt en de lijfwacht gaf de bewaker die het dienblad met eten van de trolley had gehaald een schop tegen zijn knie. Het eten viel op de grond en er kwamen meer bewakers. Hij werd twee keer met stokken afgeranseld en toen geblinddoekt en afgevoerd.

Caleb voelde nieuwe kracht. Hij was niet bang meer. Hij was harder geworden, de ontmoeting had hem gesterkt. Hij was taxichauffeur, maar hij had een belofte gedaan.

Het gebeurde onverwacht, zonder waarschuwing.

Eerst was er stilte, toen hapten ze naar lucht en klonken er vermoeide stemmen.

Caleb wreef het samengekoekte zand uit zijn ogen. Fahd, de Saudi, zat hoog in het zadel en trapte Tommy tegen zijn schouder, waardoor deze in het zand viel. Toen Tommy weer op zijn benen stond, liet Fahd zijn kameel draaien, zodat hij opnieuw kon uithalen. Hij mikte op Tommy's hoofd, maar miste; hij gleed bijna uit het zadel. Tommy had zijn been gepakt en probeerde hem van de kameel af te trekken, maar hij verloor zijn greep en struikelde naar achteren.

Het lemmet van een mes schitterde in de zon.

Tommy had het mes in zijn hand. Fahd keek ernaar. Tommy kwam dichterbij en stak de hand met het mes in de lucht, klaar om uit te halen.

De gids Rashid naderde Tommy van achteren. Zijn hand schoot met de snelheid van een slang naar Tommy's hand met het mes, hij greep zijn pols en draaide hem achter zijn rug tot de man een grimas van pijn op zijn gezicht had. Hij liet het mes los. Terwijl het mes viel, haalde Tommy met zijn vrije hand uit naar achteren. Hij raakte Rashid op de wang. De arm werd verder omgedraaid en Tommy viel in het zand. Rashid bukte zich en pakte het mes. Daarna nam hij de kameel van Fahd bij de teugels en voerde hem naar de kop van de karavaan. De mars werd voortgezet.

De jongen liep naast Caleb. 'Begrijp je het?'

'Wat zou ik moeten begrijpen?'

De jongen trok een gekwelde grimas. 'Hij heeft mijn vader geslagen. Hij heeft naar mijn vader uitgehaald. En omdat hij mijn vader heeft geslagen, is hij dood. Er zit niets anders op.'

'Maar je vader liep weg, hij doodde hem niet.'

'Dat doet hij nog wel, als het hem uitkomt. Hij had mijn vader niet zwaarder kunnen beledigen dan door hem te slaan.'

Caleb stelde de vraag met een bezwaard gemoed: 'Waarom hadden ze ruzie?'

De jongen antwoordde: 'De een noemde de ander moordenaar van gelovigen. De ander noemde hem toen een lafaard en een dwaas. Dat hebben ze gezegd, en nu is de ander gedoemd.'

Caleb duwde de jongen vriendelijk maar met vermoeide vastberadenheid van zich af. Hij dacht: de dood sjokt nu met ons mee. Er laaide woede in hem op. Waar zij kwamen was geen teken van hoop. Er kon geen leven zijn, en het was er ook niet. De zon brandde en vernietigde hen. De waanzin had tweestrijd gezaaid. De last op hun schouders was te zwaar, en nu kwam daar het gewicht van de ruzie bij. Een van hen was gedoemd.

Hij had wel kunnen janken van woede.

Meestal bestond de lunch van Jed Dietrich uit een voorverpakt stokbroodje tonijnsalade en een blikje cola in zijn werkkamer. Hij gebruikte de middagpauze om een rapport over het verhoor van die ochtend te schrijven en om zich op het verhoor van die middag voor te bereiden. Hij had het gevoel dat steeds minder observaties relevant waren. De minister van Defensie had de mannen die hij ondervroeg 'goed getrainde terroristen uit de harde kern' genoemd en volgens de minister van Justitie waren ze 'extreem gevaarlijk'. Maar de ministers van Defensie en van Justitie waren er niet bij als Jed een verhoor afnam. Er waren zeshonderd gevangenen in Camp Delta, en misschien waren er een stuk of honderd 'uit de harde kern' en 'extreem gevaarlijk'. Zij werden door de FBI en de CIA onder handen genomen. Jed kreeg hen niet te zien.

Hij gooide de verpakking in de prullenbak, dronk het blikje leeg en veegde de kruimels van zijn bureau. De minutenwijzer klom naar het hele uur. Precies op tijd werd er op de deur geklopt.

De gevangene werd binnengebracht.

Jed betwijfelde of de gevangene zelfs maar een voetsoldaat was geweest. Het was een raadsel wat hij de man moest vragen. In het dossier stond dat hij uit een stadje in de Engelse Midfields kwam. Hij was van Bengalese afkomst en behoorde tot de vijf procent van de gevangenen aan wie de arts van Camp Delta antidepressiva voorschreef. Hij had op een religieuze school aan de weg naar Peshawar Arabisch en theologie gestudeerd. De Pakistaanse veiligheidsdienst had hem opgepakt en aan de Amerikanen uitgeleverd. Blijkblaar wilden de Pakistani hun goede wil tonen en hun quotum halen. Als Jed de visserman deze vis uit een meer in Wisconsin had opgehaald, zou hij niet de moeite hebben genomen hem de maat te nemen en er een foto van te maken; hij zou hem meteen hebben teruggegooid. Jed was nooit in Engeland geweest, de Midlands kende hij niet.

Hij wist dat de kritiek buiten de Verenigde Staten aanzwol, dat ze eisten dat de gevangenen een misdaad ten laste gelegd zou worden of zouden worden vrijgelaten. Hij wist ook dat Amerikaanse rechters hadden gezegd dat ze zich niet over Camp Delta konden uitspreken. Maar dat waren zijn zaken niet, hij had er geen mening over. Als hij niet in zijn kamer had geluncht en hij had er met het gewone personeel over gesproken, dan zou hij hebben gemerkt dat het iedereen koud liet. De CIA en de FBI wilden het liefst dat alle gevangenen voor de rest van hun leven zouden worden opgesloten. De mensen van het Rode Kruis zouden, als ze eerlijk zouden zijn, Camp Delta veroordelen en de opzet van het kamp bekritiseren. Maar Jed lunchte op zijn kamer.

Hij had nog niet eerder een Engelsman verhoord.

Bij een Engelse gevangene had je in ieder geval geen tolk nodig. Een tolk hielp de kans dat de ondervrager zijn vaardigheden uit kon spelen eigenlijk al meteen om zeep.

De man schuifelde naar binnen. Nou ja, het was eigenlijk geen man – eerder een jongen. Volgens het dossier was de jongen drieëntwintig. Hij zou op z'n twintigste gevangen zijn genomen en in een kooi van Guantánamo Bay eenentwintig zijn geworden... Jed zag hem als een jongen. De boeien werden verwijderd en de bewakers deden een stap naar achteren. De man ging zitten. Hij legde zijn handen op het bureau – het was een regel dat de handen van een gevangene als hij niet geboeid was altijd zichtbaar moesten zijn. De handen beefden. Jed bedacht dat ze waarschijnlijk erger zouden trillen als hij geen antidepressiva had gekregen... God nog aan toe, moest deze jongen, die als illegale strijder werd aangemerkt, echt de vijand voorstellen?

Hij bekeek de vragen die de man in eerdere verhoren waren gesteld. Waarom was hij naar Pakistan gegaan? Wat hadden ze hem in Pakistan geleerd? Wie had zijn studie in Pakistan betaald? Was hij ooit in een militair trainingskamp geweest? Was hij ooit in Afghanistan geweest? De antwoorden waren iedere keer woord voor woord hetzelfde geweest. Hij had de uitgetypte verhoren voor zich liggen, de ondervragers hadden de pagina's ondertekend. Soms liet Jed een antwoord voor wat het was, soms onderbrak hij de Bengalees op heftige toon, soms glimlachte hij en stelde hij een vriendelijke vraag, soms kwam hij plotseling terug op een onderwerp dat al was afgehandeld. Toen de jongen ontkende ooit in Afghanistan te zijn geweest, vroeg Jed weer hoe hij aan het geld voor zijn studie was gekomen. Hij wist hem niet op een leugen te betrappen en er waren geen lacunes in zijn verhaal, maar in zijn achterhoofd begon zich een gedachte te ontwikkelen.

Hij had geen idee waar de gedachte vandaan kwam. Wie had hij in Pakistan ontmoet? Had hij een militaire opleiding gehad? Plotseling ging er een schok van herkenning door hem heen.

Jed wachtte en ordende zijn gedachten. Het was een warboel, en er was een hoop kaf onder het koren. Het grootste deel van zijn aandacht was bij de vragen geweest, een klein deel bij zijn gezin en de week vakantie. Hij scheidde het kaf van het koren.

Jed zweeg een volle minuut. Hij keek naar de trillende vingers, luisterde naar de onrustige ademhaling en besloot zijn instinct te volgen.

Jed sprak op vriendelijke toon, in het Engels. 'Vriend, spreek je Pashto?'

De gezichten van de twee bewakers waren uitdrukkingsloos. Hij had het woord 'vriend' gebruikt. Daar zouden de bewakers later over praten. De bewakers haatten de gevangenen. Ze wisten dat iedere vorm van verbroedering met de gevangenen ten strengste verboden was en ontslag op staande voet inhield. Ze wisten dat de bevelhebber van Camp Delta, een brigadecommandant, zonder vorm van proces was ontslagen omdat 'bronnen binnen defensie' hadden beweerd dat hij een te 'soft' regime voerde. In Camp Delta hingen bordjes van het Rode Kruis waarop stond wat de rechten van de gedetineerden waren. Die bordjes waren daar met toestemming van de brigadecommandant opgehangen. Als de brigadecommandant de kooi van een gevangene binnenging, groette hij de gevangene in het Arabisch met 'Vrede zij met je'. Hij had zijn congé gekregen... Maar ondervragers hadden de vrijheid een gevangene met 'vriend' aan te spreken.

De man aan de overkant van de tafel, de 'vriend', knikte.

Omdat Jed zelf geen Pashto sprak, vroeg hij in het Engels: 'Is dat goed Pashto, of alleen maar een beetje Pashto?'

'Ik spreek wel Urdu...'

'Nee, nee.' Jed boog zich naar voren. 'Spreek je Pashto?'

'Een beetje. Niet zo goed. Op de cursus die ik volgde zaten een paar Afghanen, ik...'

Jed stak zijn hand op om aan te geven dat hij niet meer hoefde te weten. Hij pakte de telefoon op zijn bureau, draaide een kort nummer en vroeg om een tolk die Pashto sprak. Het was niet zeker of er wel een beschikbaar was. Hij verhief zijn stem niet, maar de klerk verstond de dreiging wel. Jed liet de vraag voor wat hij was en maakte er een eis van: 'Ik heb onmiddellijk een tolk nodig die Pashto spreekt. Niet morgen en niet over een halfuur, maar nu.' De taperecorder draaide in een lade van zijn bureau en er waren microfoons in het bureau ingebouwd, zowel aan zijn kant als aan de kant van de gevangene. Hij opende de lade en zette de taperecorder uit. Hij wachtte. De stilte vulde de kamer. De man tegenover hem zat kaarsrecht en bewoog niet, op het trillen van zijn handen na. Jed noteerde de antwoorden die hij zich herinnerde. Hij had een slordig handschrift met lange uithalen. Hij gaf de antwoorden niet letterlijk weer, maar schreef op wat hij zich nog herinnerde. Tien minuten later kwam de tolk binnen. Hij gaf de tolk de papieren die hij had volgeschreven en vroeg hem de antwoorden schriftelijk in het Pashto te vertalen. Het was weer stil toen de tolk aan de tafel was gaan zitten en de vertaling maakte.

Hij wist niet waar het toe zou leiden. Toen de vertaling af was, legde Jed de vellen met het Pashto voor de gevangene op tafel en zette hij de taperecorder aan. Hij vroeg de gevangene de vertaling hardop voor te lezen.

De gastheer had Bart een plaats aan het einde van de rij gegeven.

Ze hadden eerst in de paddock naar de renpaarden voor de eerste race gekeken en waren daarna op de tribune gaan zitten. Ze waren met z'n achten en zaten op de start van de race van vijf over halfzes in Riyad te wachten. De bankier was bookmaker. Ze wedden niet via Tote, William Hill of de bookmakers van de renbaan: de bankier schreef hun kleine weddenschappen op. Het ging om bedragen van tien, twintig riyal. Op de tribune ging het geld niet van hand tot hand, het verlies of de winst werd niet publiekelijk uitbetaald. De rekeningen werden vereffend tijdens het diner dat ze die avond in de villa van de bankier zouden hebben.

De meeste stoelen in de rij voor Bart waren leeg, en de rij achter hem was mager bezet. Het was niet meer zoals het vroeger, voor de oorlog in Irak, was geweest; toen had de hele tribune vol buitenlanders gezeten. Iedereen had het over 'de dreiging van het terrorisme' en 'particuliere bewaking'. Alleen de onverschrokken types bleven.

Bart had geen verrekijker. Hij hield zijn blik op de startboxen aan het begin van de baan gericht en moest zijn best doen om het geblokte shirt en de cap waarop hij had gewed te zien. Hij luisterde naar de gesprekken die de andere mannen in zijn rij voerden. Hier was het tenminste eenvoudig om indiscreet te zijn.

'Als je het mij vraagt, stort de zaak in elkaar. Het loopt op z'n einde.'

'Neem het personeel; dat gedraagt zich steeds impertinenter. Ik noem het ronduit onbeschoft.'

'Wat belangrijker is, is de Saudi-Arabisering – bestaat dat woord? Jullie begrijpen wel wat ik bedoel. Ze geven luie, incompetente Arabieren baantjes die ze helemaal niet aankunnen.'

'Ik kom 's avonds niet meer buiten, tegenwoordig. Zelfs niet met chauffeur. Dit was vroeger de veiligste stad van de wereld, maar dat is verleden tijd.'

'Het is afschuwelijk wat er met Garnett is gebeurd – die Melanie is zo'n lieve meid, en ze hebben zulke schatten van kinderen.'

'Het is allemaal zo oneerlijk geworden, zo corrupt. Het is bijna crimineel. Ik...'

Ze waren ervandoor, de kleine gestaltes van de paarden en de nog kleinere van de jockeys die erop zaten. Bart kon niet zien waar zijn paard liep, maar dat kon hem geen bal schelen. Hij was niet uitgenodigd omdat zijn gastheer speciaal op hem gesteld was: hij zou op een dag van pas kunnen komen, als er, laat op de avond, een spoedgeval was.

Het was allemaal tot Ann terug te voeren. Hij vroeg zich af waar ze was, of ze het nog steeds met die Saabdealer deed, hoe het met de kinderen ging... Ann had erop gestaan dat ze naar privé-scholen gingen en eiste twee vakanties per jaar. En dat waren nooit speciale aanbiedingen. De schulden hadden zich opgestapeld. Overal in het huis in Torquay slingerden ongeopende enveloppen met laatste waarschuwingen rond, en ze liepen achter met de afbetaling op de hypotheek. In 1995 – zeker, hij herinnerde het zich als de dag van gisteren – was ze met de schimpscheuten begonnen. Ze beweerde dat hij te laf was om tegen zijn partners in de praktijk in het geweer te komen en te eisen dat ze patiënten die particulier waren verzekerd naar hem zouden doorsluizen. Terwijl hij zijn ondergang tegemoet ging, stookte zij hem op... Ten slotte was Bart in actie gekomen. In april van dat jaar had hij een oplossing voor zijn beproevingen gevonden. Ene Josh, een kleine rat, was op het spreekuur gekomen. Hij had het kwaad gezaaid. Josh was een ziekenfondspatiënt. Hij was gekomen omdat hij in elkaar was geslagen en zijn gezicht moest worden opgelapt. Josh was drugsdealer. Hij gaf een adres op in het slechtste deel van de stad. Hij had een stapel bankbiljetten in zijn achterzak, een hele dikke stapel. Josh betaalde cash, meteen bij levering... En Bart leverde. Hij leverde morfine, heroïne en cocaïne, en Josh betaalde hem handje contantje. Bart kon iedere terminale patiënt en iedere patiënt met ernstige chronische pijn morfinetabletten voorschrijven – vanaf het voorjaar van 1995 deed hij dat ook, en niet zo'n beetje. De medicijnkastjes van zijn patiënten puilden uit van de flesjes met morfinetabletten... En als er iemand stierf, of de pijn nam af, dan verzamelde Bart wat er over was, nam het mee en gaf het aan Josh. De bankbiljetten uit Josh' achterzak zetten hun tanden in de stapels onbetaalde rekeningen, die in de loop van de zomer begonnen te slinken. Het was zo eenvoudig... Heroïne en cocaïne werden gebruikt om het leed van patiënten die aan het eind van hun leven waren te verzachten. Familieleden waren dankbaar dat hun geliefde uit zijn of haar lijden werd verlost. Bart noemde het zijn Brompton's Mixture: een cocktail van gin of sherry waar vloeibare heroïne of cocaïnepoeder aan was toegevoegd. Nadat hij de overlijdensakte had getekend en voordat de begrafenisondernemer werd geroepen, stak Bart het overschot in zijn zak. Dat handeltje met die kleine rat, met die smeerlap, met Josh dus, had tot in lengte der dagen kunnen duren – en niet slechts anderhalf jaar, tot de catastrofe.

Bij het wedden op de paardenrennen van Riyad kreeg je geen ontvangstbewijs, dus Bart had na de race niets om te verscheuren. Zijn voorspelling was uitgekomen; zijn paard ging als laatste over de streep. De mensen die naast hem op de stoeltjes zaten, zetten hun gesprekken voort alsof de wedstrijd een te verwaarlozen afleiding van de hoofdzaak – roddelen en klagen – was.

'Ik vraag me wel eens af of we niet beter allemaal de benen kunnen nemen. Inpakken en wegwezen. Maar ja, thuis zit niemand op een bankier van mijn leeftijd te wachten.'

'Al-Qaeda is een kankergezwel. En sinds Irak zijn wij allemaal potentiële doelwitten – dat gevoel heb ik.'

'Als het koninkrijk instort, zitten wij tot onze oren in de problemen. We leven met gepakte koffers, we zijn klaar om te vertrekken. Maar als het plotseling gebeurt, zonder waarschuwing, hoe moeten we dan op het vliegveld zien te komen? Wie beschermt ons dan nog? Stel je voor dat je met maar één koffer per persoon op Heathrow aankomt. En dat is dan alleen áls je het vliegveld weet te bereiken.'

'Het is allemaal zo onrechtvaardig. Wat vind jij ervan, Bart...? Bart, ik heb het tegen jou.' De vrouw van de bankier trok aan zijn mouw en staarde hem aan.

Hij rukte zijn gedachten los van Josh, de tabletten, de cocktail en Ann. 'Het is gevaarlijker om een straat in Riyad over te steken.'

'Is dat alles wat je over onze veiligheid kunt zeggen?'

Hij kreeg zin om verder te gaan. 'Als je het mij vraagt, wordt de macht van al-Qaeda schromelijk overdreven.'

'Heb jij dan geen plannen gemaakt om er snel vandoor te kunnen gaan, Bart?'

Om zijn woorden te beklemtonen sloeg Bart zijn ene vuist in de palm van de andere hand. 'Nee, dat heb ik niet gedaan.'

Dat was gelogen – natuurlijk had hij permanent een gepakte koffer klaarstaan. Maar het was de vraag of hij hem nodig zou hebben. Zou Wroughton hem ooit toestaan er gebruik van te maken? Hij kon geen kant op zonder dat die klootzak van een Eddie hem er toestemming voor gaf.

'Ik ben niet van plan de benen te nemen. De dreiging van al-Qaeda is waarschijnlijk minimaal. Van die paar fanaten in de woestijn en in de bergen die dadels eten en aan dysenterie lijden ben ik echt niet onder de indruk, nee.'

De andere gasten in de rij zwegen geschokt. Ze schuifelden met hun voeten heen en weer en keken plotseling geïnteresseerd in hun raceboekje. Bart dacht alleen maar aan zichzelf – aan zichzelf en aan Eddie Wroughton.

De vrouw van de gastheer verbrak de stilte. 'Goed, dat was dat. Wie gaat er mee een kijkje in de paddock nemen?'

De mest was volkomen uitgedroogd.

De lijn die Eddie Wroughton op de kaart had getrokken, was hem goed van pas gekomen. Ze waren bij ieder dorp in de buurt van de potloodstreep gestopt. Wroughton zelf bleef steeds in de auto zitten en stuurde de politieagent de straten met de lemen huizen in. Hun zoektocht had hen naar het laatste dorp gevoerd, naar een gebouwtje dat geïsoleerd van de overige huizen stond. Er waren sporen die op recent gebruik en het stoken van vuur wezen. Hij had foto's gemaakt van het interieur en van de nieuwe sloten op de ramen en de deur. Geen enkele schapen- of geitenherder zou zijn onderkomen zo afgrendelen, er vuur stoken en nieuwe sloten op de deuren zetten. Ze waren verder gereden, langs de potloodstreep die ze op de kaart hadden getrokken, over paden die steeds ruiger werden.

Hij veegde met de punt van zijn gaatjesschoen door de mest, die als stof uit elkaar viel. Maar hij stak de punt van zijn schoen verder in de mest, tot hij onder in de hoop was. Daar was de mest nog vochtig. Een week oud; misschien iets meer, maar zeker geen maand. Hij kwam, gezien de hoeveelheid mest, tot de conclusie dat er meer dan vijf, maar minder dan tien kamelen hadden gestaan. In de stoffige weg bij de rivierbedding stonden bandafdrukken, maar Wroughton had niet kunnen zeggen of ze een week, een maand of een halfjaar oud waren. Verder naar rechts lag een dorpje. De schoorstenen van de huisjes rookten; er werd eten gekookt. Eromheen lagen geïrrigeerde akkers; waarschijnlijk was er ergens een bron. De politieagent was naar het dorp gelopen en kwam met gebogen hoofd terug, alsof hij zich ervoor schaamde te moeten vertellen dat zijn vragen op een muur van zwijgzaamheid waren gestuit. Ook als Wroughton de politieagent genoeg tijd zou geven om twee van de oudere mannen van het dorp af te voeren en in een cel op het politiebureau op te sluiten, zouden de vragen onbeantwoord blijven. Dus gaf hij hem geen tijd. Uit de muur van zwijgzaamheid viel niet op te maken of er in de afgelopen dagen vreemdelingen waren langsgekomen, en deze stamleden en boeren, die in hun leven veel ontberingen hadden doorstaan, gaven geen krimp als je hen martelde.

Wroughton nam de tijd en keek om zich heen. Hij droeg een zonnebril en had geen last van het zonlicht dat door de grond gereflecteerd werd. Toen hij tevreden was met wat hij in zich had opgenomen en niets had gezien wat hem interesseerde, draaide hij zich om en begon hij opnieuw. Hij zocht naar fouten die mensen maken. Een weggegooid papiertje of een uitgetrapte sigaret: ook mannen die dachten dat ze alle voorzorgsmaatregelen hadden genomen, zagen meestal iets over het hoofd. Het grootste deel van Wroughtons leven werd door papier gedicteerd: op zijn bureau lagen stapels papier die zijn decodeermachine en zijn computer hadden uitgespuwd. Uit die papierberg probeerde hij aanwijzingen te halen die naar de identiteit en het belang van de prooi waarop hij jaagde moesten leiden, maar dat leverde zelden iets op. Hij draaide zich nog een keer om en tuurde naar een richel op de helling van de rechteroever van de rivierbedding. Hij zag iets bewegen.

Eerst zag hij alleen de hoorns, daarna de oren en de kop. Toen verdween de geit achter een rotsblok.

Wroughton tuurde naar de richel en zag aan het einde ervan een stukje geelgroen gras, waar meer geiten liepen. Zijn vader, grootvader en oudoom hadden hem geleerd dat een geheim agent goed moest bekijken wat de situatie ter plekke was. Waarschijnlijk hadden zij hem niet in staat geacht om in hun voetsporen te treden en niet gedacht dat hij erin zou slagen carrière te maken in de inlichtingendienst, maar dát had hij wel onthouden. Waar geiten waren, liep een jochie rond. Hij had de dorpsbewoners aan de politieagent overgelaten, maar hier ontfermde hij zich zelf over.

Hij klauterde over de losse stenen naar boven en trok zich op aan de takken van kleine struiken die uit spleten in de rotsen omhoog groeiden. Hij beschadigde zijn beste gaatjesschoenen, zijn linnen pak werd vuil en zijn helderwitte overhemd werd drijfnat van het zweet. Maar hij bereikte de richel. Hij liep zonder naar beneden te kijken langs de rotswand naar een klein plateautje. Op dat plateautje groeide, verbazingwekkend genoeg, gras. Misschien kwam er wat water uit een kleine bron tussen de hogergelegen rotsen.

Er liepen geiten rond en tussen de keutels in het gras zat een jongen, die zijn adem inhield. Waarschijnlijk waren de opwindende momenten in zijn leven op de vingers van één hand te tellen. De jongen keek toe hoe Wroughton stond bij te komen van de inspanning. Daarna begon hij in het Arabisch met de jongen te praten. Zijn stem was net zo vriendelijk als wanneer hij met de kinderen van zijn vriend Juan Gonsalves zou hebben gesproken.

Twintig minuten later verliet Eddie Wroughton het plateautje. Hij liep terug over de richel en daalde de helling naar de rivierbedding af. Hij viel, probeerde zich aan de kleine struiken vast te grijpen en gleed toen op zijn achterste in een lawine van stof en stenen naar beneden. De mannen die de kamelen van een boer hadden gekocht, hadden niet naar boven gekeken en hadden hoog boven hen geen geit gezien. Het jasje van zijn linnen pak was gescheurd bij de ellebogen, de broek bij de knieën en het zitvlak. Het maakte niet uit. De jongen had de mannen gezien, en hij had het zwakke geluid van hun stemmen kunnen horen. Het waren vreemdelingen geweest. De kamelen hadden in de rivierbedding staan wachten en hadden gemest. Er was een discussie ontstaan over de prijs die voor drie extra kamelen moest worden betaald. Die drie kamelen moesten de zes kisten vervoeren. Tien van de twintig minuten die hij bij de jongen had doorgebracht, had hij hem op zachte, vriendelijke toon vragen gesteld over de grootte, de vorm en de kleur van de kisten. En ze hadden vijf minuten gesproken over de gelaatstrekken en de lichaamsbouw van de jonge man die de onderhandelingen had afgerond.

Toen Eddie Wroughton met de laatste vlucht van die dag uit Muscat vertrok, was hij onherkenbaar: hij had zich niet opgefrist en ook geen schone kleren aangetrokken. Hij zat achter in het vliegtuig dat zo goed als leeg was en dacht aan de eeuwenoude route die vijfhonderd jaar eerder door de wierookhandelaren werd gebruikt. Hij had de potloodlijn getrokken, over het water, door de heuvels, het Lege Kwartier in. Negen kamelen, een gids en zijn zoon, vier mannen en zes kisten met wapens waren nu op die route onderweg. Hij had alle reden om vrolijk te zijn, maar hij was het trotst op de omschrijving die de jongen van de jonge man had gegeven, de jonge man die niet op een Arabier leek.

De Land Rover was korte tijd zichtbaar op het scherm en flitste toen weer uit beeld; de camera speurde verder over zand. Lizzy-Jo wees

Marty niet op de blauwe Land Rover met twee felgroene strepen die diagonaal over de zijkant en over het dak liepen. Ze wilde hem niet afleiden nu hij *First Lady* klaarmaakte voor de landing. Ze had zelf in de Land Rover gezeten, van de winkel naar de club, en ondertussen had ze een college over meteorieten gekregen. Lizzy-Jo grijnsde. Marty zat over de joystick gebogen. Hij was zo geconcentreerd dat hij zijn ogen, die door de dikke brillenglazen werden uitvergroot, samenkneep. De luchtmachtpiloten met wie ze had samengewerkt toen ze nog maar net bij de CIA zat, hadden met de nieuwere Predator MQ-1 gevlogen alsof ze in hun auto over een rustig landweggetje reden. Marty zag er altijd uit alsof het een zaak van leven en dood was.

Hij maakte een mooie landing.

Als hij *First Lady* of *Carnival Girl* aan de grond had gezet, klapte ze altijd. Dat was haar gewoonte; ze deed het al sinds ze samen vanaf Bagram vlogen. Het geluid van haar applaus weerkaatste in het vluchtleidingscentrum. Hij bloosde, zoals hij die eerste keer en alle keren daarna had gedaan. Ze boog zich naar hem toe en kneep in zijn schouder, alsof ze zijn gespannen spieren los zou kunnen maken.

Hij taxiede haar terug en zette de motor uit. Ze hadden acht uur met *First Lady* gevlogen en meer dan zeshonderd zeemijlen bestreken. De camera had zand gefilmd, zand, zand en nog eens zand: zandvlaktes, glooiende zandduinen en steile zandhellingen. Op het werkblad tussen hen in lag de grote kaart die in vierkante vlakken was onderverdeeld, en ze zette in nog twee vlakken een kruis. Er waren nu zes vlakken mét, en zesennegentig zónder kruis. De hoge pief van de ambassade had het over duizenden vlakken gehad, maar dat kwam doordat hij geen benul had van wat de Predator allemaal kon. Lizzy-Jo had de woestijn in honderd vlakken verdeeld. Haar ogen brandden van het staren naar het scherm. Ze stond op en rekte zich uit.

Ze deed de deur van de trailer open. De hitte sloeg de met airconditioning gekoelde ruimte binnen. Het was alsof er een warme deken om haar heen werd geslagen; de hitte zoog alle energie uit haar weg. Op het trapje voor de deur lag een plastic zak, geroosterd door de zon. Het was het grondpersoneel niet toegestaan de trailer in te komen. Ze keek in de plastic zak, slaakte een zucht van opluchting en dacht aan de Land Rover die de camera in beeld had gebracht. Ze mompelde een woord van dank – en haastte zich naar de wc.

Vijf minuten later liep ze terug naar de trailer. Ze passeerde het dekzeil, waaronder George en zijn team al bezig waren de motorkap van *First Lady* af te halen. Hij riep naar haar: 'Hoe is het gegaan?'

'Goed.'

'Geen probleem met de stuwing?'

Marty was in de deuropening van de trailer verschenen en antwoordde in haar plaats: 'Nee hoor, geen probleem, ze heeft het heel goed gedaan. We hebben vandaag acht uur gevlogen. Morgen doen we er twaalf of dertien, ik denk niet dat Lizzy-Jo en ik meer aankunnen.'

Lizzy-Jo zei: 'Ja, we kunnen morgen twaalf of dertien uur doen, en dan vliegen we overmorgen met *Carnival Girl* en...'

George schudde gedecideerd zijn hoofd. 'Nee, morgen vliegen jullie geen dertien uur, morgen vliegen jullie helemaal niet. De weersvoorspelling is rampzalig. Jullie gaan morgen nergens heen. Geloof me, helemaal nergens.'

Lizzy-Jo en Marty liepen naar het dekzeil. Ze kregen een uitdraai van de weersvoorspelling. De instructies waren glashelder: een Predator mocht alleen aan extreem slechte weersomstandigheden worden blootgesteld als het welslagen van een zeer belangrijke operatie op het spel stond. Er was geen discussie mogelijk. Lizzy-Jo stond perplex. Ze dacht aan het beeld van de Land Rover die de leegte van de woestijn in was gereden. Ze hield het doosje tampons onder haar arm en mompelde in zichzelf: 'Waarom is ze met zo'n beroerde weersvoorspelling in godsnaam de woestenij in gereden?'

De kameel loeide en draaide zijn nek. Caleb liep achter Tommy, die tegen de flank van de kameel leunde alsof hij zich aan zijn schaduw wilde vastklampen. De kameel maakte zich door de beweging los van Tommy. Er droop water uit zijn mond.

Er stroomde ook water langs de flank van de kameel. In een poging de druppels op te vangen zwaaide hij zijn enorme tong uit zijn mond. Ghaffur rende naar zijn vader. Rashid rende terug, de kameel zuchtte diep en Tommy dook ineen.

Toen drong het tot Caleb door. De Irakees had de kameel niet voor de schaduw opgezocht: hij liep met zijn hoofd vlak bij de geitenleren waterzak. Het was voor iedereen een uitputtingsslag: ze liepen allemaal met gebogen hoofd, en de mannen en de kamelen ploeterden door het zand. Niemand had doorgehad dat er water werd gestolen, maar de kameel had het geroken. Misschien was er, terwijl Tommy aan de hals van de waterzak zoog, een druppel langs zijn mond over de flank van de kameel gegleden. Het dier had in geen dagen gedronken, en de reserves die het bij de bron aan de rand van het Zand had aangelegd, begonnen te slinken. Er druppelde water, schoon, helder water in het zand. Voldoende voor één kop, voor twee, drie en uiteindelijk misschien zelfs wel meer koppen... De kameel had zijn lange nek gedraaid en zijn tong, in een wanhopige poging om bij de druppels te komen, zo ver mogelijk uitgestoken.

Rashid duwde de dop op de hals van de waterzak en maakte het losgemaakte riempje weer vast.

Hij zei niets, maar de blik die hij op de Irakees wierp, bevestigde dat hij gedoemd was.

Volgens Caleb moest er voor ten minste twee dagen water uit de waterzak zijn weggelopen. De aanblik had hem een nog droger gevoel in zijn keel gegeven.

Toen ze stopten om hun kampement voor de nacht op te slaan, ging de Irakees een eindje van hen af zitten. De jongen ging naar hem toe om hem zijn rantsoen brood – ongebakken, want er waren geen wortels om een vuur mee te stoken – en water te geven, maar Fahd en Hosni hadden hem hun rug toegekeerd.

Toen het donker was geworden, verwijderde Caleb zich van de anderen. Hij liep naar Tommy en ging naast hem zitten. Zijn stem kraakte: 'Je wordt de moordenaar van de gelovigen genoemd. Wie heb je gedood?'

Tommy keek hem trots, bijna uitdagend aan. 'Ik was beul. Ik was de baas van de galg in de Abu Ghraibgevangenis. Ik kon drie mannen tegelijk ophangen, of drie vrouwen. Ik begon als assistent, daarna werd ik beul en uiteindelijk was ik opzichter. Ik heb de mannen van de opstand van 1991 opgehangen. In 1996 heb ik in het noorden handlangers van de Amerikanen opgehangen. Ik heb mannen en vrouwen opgehangen die spion waren, die tegen het regime samenzwoeren en die moppen vertelden waarin de president belachelijk werd gemaakt. Ik kon hen zo ophangen dat de dood onmiddellijk intrad, maar ik kon hen ook langzaam laten sterven – dat hing van de opdracht af. Op ieder executiebevel stond aangetekend hoe het moest verlopen, langzaam of snel. Het schavot was van mij, dat was mijn werkplek. 's Ochtends trok ik een schoon uniform aan, schoon en gestreken, en vervolgens bracht mijn chauffeur me naar de gevangenis. Sommige dagen deed ik weinig, andere dagen had ik het druk. Aan het eind van iedere dag ging ik naar huis, naar mijn vrouw en kinderen.'

Hij sprak zacht, de harde g-klanken werden minder goed verstaanbaar.

'Nadat ik in 1996 de Koerden had opgehangen die opdrachten voor de CIA hadden uitgevoerd, ging ik weg uit de Abu Ghraib, de gevangenis in Mosul en de gevangenis in Basra. Ik had een nieuwe post gekregen: ik werd officier in de inlichtingendienst van de Nebuchadnezzar Divisie van de Republikeinse Garde. Ik gaf mijn touwen, knevels en kappen op – die waren vanaf dat moment voor de mannen die ik had opgeleid. In de divisie was ik de officier die niets zei maar alles hoorde. Als er aan iemands loyaliteit werd getwijfeld, stuurde ik hem naar de mannen die mijn assistenten waren geweest. Toen brak de oorlog uit. Tommy Franks kwam, en met hem de ramp. Ik sloeg op de vlucht. Ik reed met mijn vrouw en mijn kinderen over achterafweggetjes naar de Syrische grens. Ik was een van de eersten die vertrok. Later is die route afgesloten. Mijn vrouw woont nu met mijn kinderen in een tweekamerappartement in Aleppo. Ze hebben het Syrische staatsburgerschap en ik zal ze nooit meer spreken of terugzien. Als ik in Irak was gebleven en de sjiieten, de Koerden of de families van de officieren en soldaten in de Nebuchadnezzar Divisie hadden me te pakken gekregen, dan zouden ze me aan een lantaarnpaal of een boom hebben opgeknoopt.'

De stem trilde.

'Waag het niet over me te oordelen. Ik keek de mannen in de ogen, schoof de kap over hun hoofd, deed hen de strop om en trok de hendel naar beneden. Had jij dat gekund? Kun jij dat? Ik weet niet waar en wanneer jij een man, een vrouw, een kind in de ogen zult zien en de hendel naar beneden zult trekken. Maar je bent uitverkoren... Dat is de reden dat je met ons door dit van god verlaten gebied loopt, in het geheim, zodat jouw veiligheid is gegarandeerd. Als je over mij oordeelt, moet je ook over jezelf oordelen. Ik ga terug naar Irak en vermoord een paar Amerikanen... Jij, de uitverkorene, zult honderden, misschien wel duizenden in de ogen moeten zien.'

De man zweeg. Zijn uitdagende, trotse houding was verdwenen.

'Dank je dat je bij me bent komen zitten.'

8

Hij wierp zich gierend en met een verwoestende kracht op hen.

De storm bulderde over de zandduin waarachter de karavaan zijn kamp had opgeslagen. De wind stortte in het halfduister van de zonsopgang over de heuvelkam. De storm kwam uit het niets; binnen een paar seconden waren ze erdoor overvallen. Caleb, die slecht had geslapen, had buiten zijn tent gestaan. Hij had zich uitgerekt, zijn benen en schouders gemasseerd en naar de eerste stralen van de opkomende zon gekeken. Plotseling had hij een geluid gehoord alsof een ventiel uit een band werd getrokken. Hij had zich omgedraaid en gezien dat de zandwolk over de duin op hem af kwam stuiven, en onmiddellijk daarna werd hij door de wind gegeseld. Hij wankelde op zijn benen, kon niet blijven staan en zakte op zijn knieën. Heel even staarde hij naar de zandwolk die in het kielzog van de wind op hem afkwam; toen zaten de zandkorrels in zijn mond en in zijn neus en drongen ze door zijn oogleden naar binnen. Als hij niet al op zijn knieën had gezeten, was hij door de wind geveld. Het lawaai was oorverdovend. Het zand schuurde langs de huid van zijn wangen, de huid rondom zijn ogen en de huid van zijn handen en enkels. De wind rukte aan zijn kaftan. Er waren zulke sterke windstoten dat de adem uit zijn borstkas werd gedrukt. Caleb draaide zich van de wind af en greep zich vast in het rulle zand om te voorkomen dat de storm hem weg zou blazen.

Er vloog een tent voorbij, gevolgd door een deken en een matje.

Hij hoorde de Saudi schreeuwen.

De kamelen, waarvan de poten waren samengebonden, vochten tegen de wind.

Een tweede tent vloog achter de eerste aan. De luifel werd opgetild en bleef even zweven, om vervolgens naar beneden te duiken en over het zand te worden geblazen. Na het beddengoed volgden de kookpot, de mokken waaruit ze water dronken en kleren. Een rugzak scheerde rakelings langs hem heen.

Caleb keek met samengeknepen ogen toe hoe het kamp werd vernietigd en hun spullen werden weggeblazen. Tommy schold Rashid uit. 'Je bent niet goed bij je hoofd, idioot! Had je niet door dat er een storm aankwam? Word jij niet betaald om dat te weten?'

De kamelen probeerden aan de storm en de dikke wolk waar geen zonlicht meer doorkwam te ontsnappen. Caleb hoorde hun schrille geloei. Ze konden niet wegrennen; de touwen om hun poten hielden hen tegen. Ze hopten met twee poten tegelijk rond, vielen en trapten met hun lange poten in de lucht voordat ze weer overeind wisten te komen. Caleb keek naar de beesten en besefte de omvang van de ramp. Terwijl de anderen nog hadden liggen slapen, waren Rashid en Ghaffur alvast begonnen de kamelen te laden. Sommige hadden al kisten op hun rug, bij andere hingen de waterzakken en voedselzakken aan touwen langs hun flank.

Caleb werkte zichzelf overeind, werd naar voren gesmeten, struikelde en vocht zich, nauwelijks vooruitkomend, naar de twee schimmen voor hem die met onzekere passen achter de kamelen aan gingen.

Zonder het water waren ze verloren. Reddeloos. Zonder de kamelen waren ze ten dode opgeschreven. Rashid en Ghaffur gingen met gebogen hoofd en gekromde rug achter de kamelen aan. Caleb volgde hen op handen en voeten. Soms waren de voortrazende zandwolken zo dik dat hij hen niet meer zag. Soms zag hij hen goed, de vader en de zoon die moeizaam achter de kamelen met de waterzakken aan liepen. De kamelen met de kisten werden genegeerd. Water was in de woestijn van levensbelang. Iedere keer dat Caleb overeind kwam, zich omhoog had geworsteld, werd hij onmiddellijk weer omgekegeld; dan viel hij met zijn gezicht op de grond en kreeg hij zand in zijn mond. Hij schreeuwde dat hij eraan kwam, dat hij hen volgde, maar de afstand tussen hen werd groter.

De wind kwam met nieuwe kracht, woei harder, geselde hen nog zwaarder. De storm huilde in zijn oren en zijn lichaam werd gezandstraald. Hij wist niet hoe lang hij daar al rondkroop. Hij zag Rashid en Ghaffur niet meer, en de kamelen, die alle kanten op waren gerend, evenmin. Het werd pikdonker. Het enige licht dat hij zag, verscheen in zijn verbeelding; het kwam van de gebleekte botten van de ribbenkast van een kameel.

De storm verdween net zo onverwacht als hij was opgestoken. Calebs ogen zaten dicht. Het zand onder zijn handen en knieën was rul. Zijn kaftan gleed terug over zijn billen en bovenbenen. De zon was weer net zo verblindend als de dagen ervoor en schroeide zijn gezicht en oogleden.

Caleb veegde het zand uit zijn ogen. Hij stond op en werd niet door de wind geveld. De zon brandde op hem neer. Hij zag de wolk in de verte.

Rashid kwam naar hem toe met drie kamelen aan de teugel. Twee andere kamelen volgden. Zijn gezicht was uitdrukkingsloos, maar zijn ogen fonkelden van woede. Rechts van de gids liep zijn zoon. Vlak bij Caleb lagen twee leeggelopen waterzakken in het zand. Hij zag dat Ghaffur zich bukte en een derde zak opraapte; hij hoorde hem triomfantelijk roepen dat de dop er nog op zat.

Caleb riep naar Rashid: 'Hoeveel zijn we kwijtgeraakt?'

De gids snauwde terug: 'Te veel. We zijn veel te veel kwijtgeraakt.'

De storm verdween aan de horizon.

Caleb vond een kist die bijna helemaal onder het zand was verdwenen. Hij veegde het zand weg, pakte hem op en sleepte hem achter de gids, zijn zoon en de kamelen aan.

Ze keerden terug naar het tentenkamp en probeerden met een ellendig gevoel te redden wat er nog te redden viel. Ze waren een kwart van het water dat ze nog hadden en voedsel voor vier dagen kwijt. Eén kameel had zijn poot gebroken. Rashid had zijn mes getrokken en Ghaffur had het beest vastgegrepen; Caleb had zijn gezicht afgewend. Ze hadden een marsdag verloren. Caleb vond Hosni, de Egyptenaar, pas na lang zoeken terug. Hij lag met bleke, waterige ogen op zijn buik in het zand. Zijn onderlichaam lag onder het zand en zijn schouders schokten.

De rest van de ochtend hielp Caleb de gids en zijn zoon in de stijgende hitte naar restanten van het kampement zoeken, maar ze vonden geen volle waterzakken meer. Toen de zon aan het hoogste punt in de hemel stond, vroeg Caleb aan de jongen: 'Hoe erg is het?'

'Mijn vader heeft gezegd dat er te weinig water voor te veel mannen is,' antwoordde de jongen eenvoudig.

George Khoo nam de leiding. De slaaptenten wapperden aan het prikkeldraad van het binnenste hek; kleren en beddengoed waren verder door de lucht gevlogen en in het prikkeldraad van het hek aan het eind van de startbaan terechtgekomen.

Hij had zich de hele nacht zorgen liggen maken over de weersvoorspelling. Ieder heel uur ging zijn reiswekker op de vloer naast zijn veldbed af. Hij had zijn kleren niet uitgetrokken; hij had zelfs zijn kistjes aangehouden en zichzelf die nacht alleen toegestaan zijn veters los te maken. Hij was ieder uur naar het met touwen vastgezette dekzeil gelopen, waar *First Lady* en *Carnival Girl* onder stonden. Dan keek hij daar een paar minuten onrustig rond, om vervolgens weer naar zijn bed te gaan en op zijn rug naar het dak van zijn tent te staren en te wachten tot de wekker opnieuw zou afgaan. Maar hij had geluk gehad. De storm was opgestoken toen hij al rechtop op zijn bed zat en de moed en kracht verzamelde om opnieuw op onderzoek uit te gaan.

De storm was in een oorverdovende schokgolf en zo onverwacht gekomen dat ieder ander van schrik in besluiteloosheid zou zijn vervallen.

Maar George had zijn met krachttermen doorspekte bevelen tegen het gebulder van de wind in geblaft. De vleugels van *First Lady* en *Carnival Girl* waren van de romp gehaald en zonder omhaal in het zand gegooid. Daarna was het zeildoek naar beneden getrokken en over de romp van de vliegtuigen heen gegooid en hadden ze het dekzeil met touwen vastgezet. Alle mannen en Lizzy-Jo kregen een opdracht die met zo veel volume en vuur werd gebruld dat die nog meer angst inboezemde dan de storm zelf. Sommigen hingen aan de touwen die over de vliegtuigen waren gegooid. Anderen, onder wie Lizzy-Jo, hielden de touwen vast waarmee het vluchtleidingscentrum en de trailer met de satellietschotel waren verankerd. Terwijl hun bezittingen door de lucht vlogen en in de hekken bleven hangen, zetten zij zich schrap tegen de razende wind.

George Khoo hoorde hen jammeren, brullen en vloeken, maar hij ging niet op hun angsten in. Hij zag het als een gevecht; alleen was er geen vijand en klonken er geen schoten. Een van hen, een kerel die aan hetzelfde touw als Lizzy-Jo hing, was door een rondvliegende stoel boven zijn linkeroog geraakt en het bloed gulpte uit zijn voorhoofd. Hij moest zo ongeveer buiten westen zijn, maar zijn greep op het touw verzwakte geen moment – dat gold overigens ook voor Lizzy-Jo en alle anderen.

George had nog nooit zo'n heftige storm meegemaakt. Niet in Chicago, de winderige stad waar hij was opgegroeid, niet in Nellis, waar hij was opgeleid, en niet in Bagram. Hij rende zo goed en zo kwaad als dat ging van de een naar de ander, en iedere keer dat hij terugkwam, vloekte en tierde hij harder en schreeuwde hij dat ze beter hun best moesten doen.

Hij was twee keer zo oud als de piloot, Marty, en vijftien jaar ouder dan Lizzy-Jo. Hij hield van hen alsof ze zijn kinderen waren. Zijn echte kinderen waren in Chicago achtergebleven, bij hun moeder en hun oma van moederskant.

Zonder George Khoo's agressieve scheldkanonnades zouden ze er niet doorheen zijn gekomen, zouden ze de touwen niet hebben vastgehouden tot hun handpalmen open lagen en bloederig waren geworden.

Omdat hij van Marty en Lizzy-Jo hield alsof het zijn eigen kinderen waren, leed, schreeuwde en juichte hij met hen mee. Als *First Lady* was omgewaaid en doorrollend tegen het hek rondom het complex was geslagen, dan zouden de camera's en de infraroodsensoren het niet hebben overleefd en zouden ze de missie dubbel en dwars op hun buik hebben kunnen schrijven. George Khoo wist maar al te goed dat de verantwoordelijkheid voor een mislukte missie bij de CIA niet netjes werd verdeeld. Een mislukking was een mislukking – excuses werden niet aanvaard. En alleen de geur van mislukking was al voldoende om ziek van te worden. Mislukking stonk, en een mislukking was hardvochtig. Als het vliegtuig eraan ging, dan was er stront aan de knikker en konden Marty de piloot en Lizzy-Jo de sensor operator hun borst natmaken.

Maar ze overleefden het.

De wind nam af en de zandwolk ging liggen. Als hij nu verslapte zouden ze allemaal verslappen. Hij snauwde opdrachten. Hij had mannen nodig om de tenten en het zeildoek uit het hek te halen. Hij had mannen nodig om de vleugels weer aan de romp van *First Lady* en *Carnival Girl* te bevestigen. Hij had mannen, Marty en Lizzy-Jo nodig om de elektronica in het vluchtleidingscentrum en de satellietverbinding te controleren. Hij had mannen nodig om het ontbijt klaar te maken. Hij had mannen nodig voor medische verzorging. Hij had mannen nodig om... Hij was verdomd moe en voelde zich verdomd oud en hij had niet eens tijd om te denken: dat heb ik goed gedaan.

Hij gaf de wapenmeester opdracht om de Hellfire-raketten te checken. Daarna bekeek hij de plek waar de tenten hadden gestaan en zag hij Marty; die stond in de overgebleven puinhoop te zoeken. Toen zag George dat hij de plaat optilde waarmee hij zo blij was. Zelfs van die afstand zag George dat het glas heel was gebleven – wat een klein wonder mocht heten – en dat er een grote grijns op het gezicht van de jongen verscheen.

George Khoo's norsheid zakte. Lizzy-Jo stond op enige afstand van de manschappen die voor het vluchtleidingscentrum samenklonterden. Hij zag dat ze haar handen aan haar broek afveegde, aan de pyjamabroek waarin ze had geslapen. Ze staarde over de woestijn, haar blik volgde de storm die aan de horizon verdween. Op de plaats waar ze haar handen aan de pyjamabroek had afgeveegd, zat vers bloed. Het waren verdomme prachtkinderen, stuk voor stuk.

Hij bleef achter haar staan.

Lizzy-Jo zei afwezig: 'Weet je, er is daar ergens een vrouw, een hartstikke aardige meid. Ik had tampons nodig, en zij heeft een pakje voor me geregeld. Ik heb haar de woestijn in zien rijden en ik heb haar niet meer terug zien komen. Ze zit daar ergens, in de storm, het is ondenkbaar dat ze eraan is ontkomen. Sorry, George, ik weet dat jij er ook niets aan kunt doen, ik weet het, maar ze zit daar helemaal alleen.'

Het had wel iets weg gehad van de verblindende sneeuwstormen die ze uit Schotland en Noorwegen kende.

Ze zat in het zand en leunde met haar schouders tegen het linkerspatbord van de Land Rover.

Geen tranen. Natuurlijk niet. Beth Jenkins mocht dan kwaad op zichzelf zijn, en ze mocht zich afvragen wat de toekomst zou brengen, maar ze ging niet zitten grienen. Ze had toch al weinig om zich aan vast te klampen; als ze dan ook nog ging huilen, zou er van dat weinige niets overblijven. Het zand rondom het linkervoorwiel kwam tot aan de onderkant van het spatbord; aan de rechterkant kwam het nog hoger... Het was waanzinnig stom geweest om de woestijn in te trekken zonder een berichtje achter te laten waarop stond waar ze naartoe was en hoe ze ernaartoe reed. Ze had geen satelliettelefoon en ze hoefde de komende vier dagen geen les te geven. Ze was wel vaker weg, dus het zou zeker vier of vijf dagen duren voor ze vermist zou worden; een grote reddingsactie zou niet binnen een week op gang komen... In haar haast om van haar bungalow weg te komen had ze zelfs het belangrijkste en meest voor de hand liggende overgeslagen: de verkeerstoren vragen wat de weersvoorspelling was.

Ze was aan haar lot overgelaten. Ze had met de koplampen aan op haar GPS gereden en haar weg gezocht tussen zandduinen en over hardgebakken zoutvlaktes. De vierlitermotor had het terrein net aangekund. Waarschijnlijk zat ze op een kilometer of twaalf van het ejectaveld, toen de storm had toegeslagen. Ze had juist de koplampen willen doven om bij het licht van de opgaande zon verder te rijden. God nog aan toe, de storm had zeker toegeslagen. Het had geleken alsof de wind de zware Land Rover heen en weer schudde en de ruitenwissers hadden niets tegen de zandwolk weten in te brengen. Ze was nog wel zo slim geweest om de auto te keren en hem met de achterkant in de wind te zetten – dat was zo ongeveer het enige slimme wat ze had gedaan. Ze had misschien nog honderd meter gereden; toen verloren de banden hun grip, kwam het zand door de gesloten portieren en ramen heen de cabine in en verdwenen de pedalen onder het zand. Een minuut of twee nadat de wielen waren vastgelopen en de wagen onbestuurbaar was geworden, was de motor afgeslagen. Ze was in de jeep blijven zitten tot de storm was gepasseerd.

Toen hij weg was, had Beth het portier opengeduwd; ze moest haar schouder ertegenaan zetten. Ze was naar buiten gekropen en met knikkende knieën om de Land Rover heen gelopen. Aan de achterkant was het zand tot ver boven de achterklep opgehoopt. De achterwielen zag ze niet meer. Aan de voorkant was alleen de bovenkant van de banden zichtbaar. Ze had de motorkap opgetild en gezien dat alle motoronderdelen met een laag zand waren bedekt. De situatie was hopeloos, maar ze was in de achterbak van de Land Rover gekropen en had de schop uit het zand gevist.

Terwijl de zon hoger aan de hemel klom en de temperatuur steeg, probeerde Beth het zand rondom de voorwielen weg te graven. Het was sisyfusarbeid: ze was bij temperaturen boven de veertig graden twee uur bezig geweest het linkervoorwiel vrij te maken en voor iedere schop zand die ze weggooide, kwam er als vanzelf net zo veel zand terug. De band zat nog steeds onder het zand. In twee uur was ze geen steek opgeschoten. Ze had water gedronken. Ze schatte in dat ze voor drie dagen water bij zich had. De helft van wat ze had meegenomen, was nu opgedronken. Zelfs als ze erin zou slagen één wiel tot onder de as uit het zand te graven, dan bleven er nog altijd drie over. En zelfs als het haar zou lukken alle vier de banden vrij te krijgen, dan was er de motor nog; die zou uit elkaar gehaald moeten worden en moeten worden schoongemaakt. Ze zat tegen het spatbord en de zon stond zo hoog aan de hemel dat de auto geen enkele schaduw bood.

Beth Jenkins begreep heel goed wat haar te wachten stond.

Op een dag zou haar uitgedroogde, geklede lichaam worden gevonden. Het zou naar huis worden gestuurd en er zou een steen op haar graf komen waarop zou staan: BETHANY DIANA JENKINS, 1977-2004. MISLUKKELING, DOMKOP. HAAR HOOGMOED IS HAAR OP JONGE LEEFTIJD FATAAL GEWORDEN. ONGEHUWD GEBLEVEN. Ze dacht aan jongens en jonge mannen; liefde had ze niet leren kennen. Ze had zichzelf vaak genoeg wijsgemaakt dat haar werk belangrijker was dan de queeste naar liefde. Voor de liefde zou ze nog tijd genoeg hebben. Maar nu had ze geen tijd meer... Ze had nooit een man leren kennen van wie ze had kunnen houden, en dat zou er nooit meer van komen. De jonge mannen van de garderegimenten en de aandelenbeurs die haar moeder aan haar had voorgesteld, waren verdwenen zodra ze begon te vertellen over de stenen die ze bestudeerde. Gardeofficieren en beurshandelaren hielden niet van graniet, vulkaangesteente en meteorietenglas – ze keken al snel glazig uit hun ogen en slopen weg om de jacht elders voort te zetten. Ze waren, al te vaak, midden in een zin weggelopen... Liefde hadden ze haar nooit gegeven.

De hitte was verzengend.

Ze was van plan het water dat over was gewoon op te drinken: ze zou het niet opsparen. Ze zou net zomin voor haar leven vechten als de patiënten op de intensive care die niets wisten van de medicijnen in hun bloed, van de slangen in hun aders.

Beth had haar armen om haar borst geslagen. Ze had het gevoel dat de zon het vocht uit haar lichaam zoog. Het zweet droop van haar af en ze omhelsde zichzelf, alsof dat haar een idee kon geven van wat liefde was.

Het was weer lunchtijd, en er werd weer een lezing gehouden.

Het broodje van Michael Lovejoy, dat hij halverwege de morgen had gekocht, lag op de lessenaar vóór hem te wachten. De oplossing van het cryptogram uit de krant werd op nogal irritante wijze opgehouden door vijf verticaal: 'Groucho Ike', twee, vijf, zeven, negen en zeven letters. En hij gaf het niet graag toe, maar de man die de lezing hield, interesseerde hem en leidde hem af van zijn cryptogram.

Ze luisterden naar een agent van de Russische veiligheidsdienst – hij was uit Moskou ingevlogen. Hij was jong en slim, sprak foutloos Engels en had voldoende in huis om het uitstel van het broodje garnalen en koolsla te rechtvaardigen. 'De kern van wat ik wil zeggen, is dat we oogkleppen op hebben als we de slang zoeken met de bedoeling zijn kop eraf te hakken. We gaan op zoek naar wat het meest voor de hand ligt en zijn vervolgens verbaasd als we 's ochtends op het journaal nieuwe gruweldaden zien... En vergeet niet dat wij in onze steden onder dezelfde gruweldaden lijden als u. U, dames en heren, en wij, in Moskou, Sint Petersburg en Volgograd, richten ons te gemakkelijk op de moslimextremist – en ondertussen blijven de bommen onschuldige burgers doden en verminken. Volgt u mijn advies. Als u naar de moslim kijkt die u ervan verdenkt de Heilige Schrift in de ene hand en de explosieven in de andere hand te houden, denkt u dan nog eens goed na en maakt u een ommezwaai van honderdtachtig graden. Kijk de andere kant op en denk na: wie zult u daar zien?'

Op de stoel voor Lovejoy zat de legerhistoricus die vroeger in een denktank voor studies naar strategieën had gezeten. Hij was nu met pensioen, maar werd nog af en toe door de inlichtingendienst ingehuurd. Hij zag er met zijn geruite tweedjasje uit als een vriendelijke burger; in de openbare bibliotheek of in een volle trein zou hij niemand opvallen.

'En wie ziet u daar? In eerste instantie niemand. Geen moslim, geen vuist die de Heilige Schrift omklemt, geen vinger op de afstandsbediening van een ontstekingsmechanisme. Kijkt u wel in de goede richting? U snapt er niets van. Eigenlijk wilt u mijn advies helemaal niet volgen, maar toch twijfelt u. U ziet mannen, maar het zijn niet de mannen die u zocht. Het zijn mensen zoals u en ik. U ziet het gezicht van blanken. U ziet Kaukasiërs en Engelsen. Geen lange gewaden en baarden, maar pakken en gladgeschoren wangen. Laat me u een verhaal vertellen dat weliswaar een vereenvoudigd beeld van de werkelijkheid geeft, maar wel duidelijk maakt welke kant ik op wil. Als ik me niet vergis, heetten ze Omar Khan Sharif en Asif Muhammad Hanif. U had nog nooit van hen gehoord, tot ze de strengst bewaakte grensovergang tussen Jordanië en Israël passeerden, door Israël naar de Gazastrook trokken en vanuit de Gazastrook naar Tel Aviv reisden: daar deden ze de "martelarenriem" om en probeerden ze joden in een Ierse pub te vermoorden. Wat is het opvallendst aan dit verhaal? Dat ze met een Engels paspoort reisden. Ze maakten aanspraak op de bescherming van Hare Majesteit de Koningin. Ze hadden geen Egyptisch, Saudisch, Marokkaans of Algerijns paspoort; nee, ze hadden een Engels paspoort. Daar wil ik mee beginnen en daar kijkt u niet naar als u uw oogkleppen ophoudt. Ik zal het verder uitleggen.'

Lovejoy boog zich naar voren en tikte zonder zich te verontschuldigen op de arm van de historicus. Hij reikte hem de krant aan en wees met zijn pen op de omschrijving van vijf verticaal... Khan en Hanif mochten dan een Engels paspoort hebben, het bleven moslims.

'Geloof het ongelooflijke, dat is wat ik u op het hart druk. Stelt u zich eens voor dat de mannen die door Osama bin Laden en zijn adjudanten worden gerekruteerd, of door een van al die nevenorganisaties die in het kielzog van de haai meezwemmen, blank zijn en geen enkele band met de islam hebben. Waar staan we dan? Ze hebben een Engels, Amerikaans, Frans of Duits paspoort op zak, ze kleden zich net zoals u en ik, ze spreken onze taal en ze komen overal binnen. Een verzorgde jonge man, duidelijk een van ons, draagt een schoudertas met een laptop erin. Waarom zou hem de toegang tot een druk openbaar gebouw worden ontzegd? Waarom zou hij worden tegengehouden als hij met de roltrap van een metrostation naar beneden gaat? Waarom zou hij niet op de eerste rij staan als een mensenmenigte een belangrijk figuur wil begroeten? Waarom zouden we hem met argwaan bekijken? Ik hoor, dames en heren, dat u zwijgt. Ik hoor geen antwoorden.'

Iedereen zat zo stil als een standbeeld, maar vanuit zijn ooghoek zag Lovejoy de historicus driftig schrijven... Nou en? Wat wil je dan? Iedereen die te jong is voor het bejaardentehuis in de gevangenis gooien?

'Hij hoeft niet per se moslim te zijn. Hij hoeft niet in een moskee gerekruteerd te zijn. Hij hoeft geen Aziaat te zijn. Het enige wat de haai van hem wil, is dat hij haat... Vraag hem niet wát hij haat, want hij zal een onsamenhangend verhaal afsteken. Ergens in zijn ziel ligt de bron waaraan zijn haat ontspringt. Hij haat u, hij haat mij en hij haat de maatschappij die wij dienen. Hij minacht ons. Hij is het gevaar dat ons bedreigt. In die laptop kunnen een radioactieve vuile bom, microbiologische middelen of spuitbussen met chemicaliën zijn ingebouwd. Hij bestaat echt, hij beweegt zich in ons midden en zijn macht over ons is verpletterend. Hoe kunnen we hem tegenhouden? Heb ik het antwoord op die vraag? Helaas niet. Kunnen we hem tegenhouden? We zullen wel moeten, want anders staan ons grote rampen te wachten. Ik zal u niet veel langer ophouden, maar ik wil u nog één ding vertellen.'

De krant werd teruggegeven.

'En mijn laatste woorden bieden een klein beetje hoop. Ik vraag u of deze man, die een van ons is, die een mutatie uit onze eigen cultuur is, die door een reële of ingebeelde misstand is vervuld van bitterheid, gelooft in het paradijs waar hij door zeventig maagden wordt opgewacht. Is hij een martelaar? Is hij van plan om zelfmoord te plegen, of wil hij overleven? Dat weten we niet... Mijn intuïtie zegt dat hij na de aanslag het resultaat van zijn wraak wil kunnen zien. Een man die wil overleven, is beter te stoppen dan een man die dood wil. Dat is de schrale troost die ik voor u heb. Ik dank u voor uw aandacht.'

De Rus kwam achter de katheder vandaan en Lovejoy las het krabbeltje dat in de kantlijn was gezet. 'Hij komt oorspronkelijk niet van Groucho, want die had hem van een zekere senator Kerr van Oklahoma.' Er rolde een ingetogen, ingehouden applausje door de zaal toen Lovejoy het antwoord op vijf verticaal zag. 'De enige levende onbekende soldaat.' Hij huiverde. Dat was wel heel toepasselijk: 'de onbekende soldaat' die 'een van ons' is.

Hij zette zijn tanden in zijn broodje. 'Een van ons.' Dan kon je toch moeilijk met een gerust hart op je broodje met garnalen gaan zitten kauwen.

Caleb zat op zijn hurken op een van de kisten. Het was halverwege de middag, de hemel was strakblauw en de zon brandde op het zand. Als de gevolgen niet zo groot waren geweest, zou de storm al een herinnering geweest kunnen zijn, een nachtmerrie. De kamelen stonden, nog steeds onrustig, dicht op elkaar, lijf aan lijf, als in een veekraal. Rashid en Ghaffur waren er nog drie keer op uit getrokken om de voorraden en andere spullen die door de wind waren verspreid te zoeken. Toen ze na de derde zoektocht in het kampement waren teruggekomen, had Caleb verwacht dat Rashid de dieren zou laden en hun zou opdragen verder te gaan. Het zou nog zeker drie uur licht blijven, en misschien zouden ze nog wel een tijdje in de schemering en de duisternis kunnen doorlopen. De gids gaf geen enkele verklaring. Zijn norse gezicht, de dunne, vijandige lippen onder de grote haakneus, leken het stellen van vragen te verbieden.

Toen ze kleine figuurtjes waren geworden, had Caleb een vreugdekreet uit de verte horen komen en had hij gezien dat Ghaffur een metalen mok omhoog stak. Hosni sliep, hij lag languit in het zand. Caleb hoorde dat Fahd naar hem toe slofte: het moest tegen de veertig graden lopen en er was bijna geen wind. Toen Caleb zich naar hem toe draaide, zag hij dat de man beefde. Ze waren allemaal ouder, wijzer en banger geworden. De Saudi wilde zich naast hem in het zand laten vallen, maar Caleb stond op.

'Kom op, er is werk te doen.' Hij zei het op barse toon; het was een opdracht waar niet over gediscussieerd kon worden.

De Saudi was stomverbaasd.

'Ja, er is werk te doen,' herhaalde Caleb.

Het antwoord klonk fel: 'Ga je me nu ook nog vertellen wat ik moet doen?'

'Dat doe ik inderdaad.'

Caleb pakte Fahd bij de arm, hij greep hem stevig vast en trok hem mee naar de hoop voorraden, beddengoed, tentzeilen, waterzakken en tassen die door de gids en zijn zoon waren verzameld. In het begin stond de Saudi met zijn armen voor zijn borst toe te kijken hoe Caleb neerhurkte en de spullen begon te ordenen en in te pakken. Maar plotseling, toen Caleb zijn arm uitstrekte om de overgebleven borden te pakken en op te bergen, stak Fahd zijn hand uit en greep hij Calebs pols. Zijn vingers klemden als een bankschroef om de plastic armband waar zijn identiteit op stond. 'Heb jij in Guantánamo gezeten?'

'Ja.'

De vingers gleden over de foto en de geprinte naam, Fawzi al-Ateh, en betastten de cijfers van het identiteitsnummer.

'En hebben ze je toen vrijgelaten?'

'Ze hebben me na bijna twee jaar vrijgelaten, ja.'

'Waarom? Waarom hebben ze je laten gaan?'

'Omdat ze me geloofden.'

De Saudi liet zijn pols los. Hij stond voor hem en keek op hem neer. Zijn schouders en armen beefden nog steeds, en zijn lippen trilden. 'Mensen die voornamer en intelligenter zijn dan ik hebben jou uitverkoren om dood en verderf te zaaien onder de Amerikanen en hun bondgenoten. Ze hebben jou uitverkoren, maar het valt nog te bezien of je vertrouwd kunt worden. Volgens Hosni ben je te vertrouwen omdat je zo slim was dat je de Amerikanen in Guantánamo wist te misleiden. Tommy vertrouwt niemand – volgens hem doen de Amerikanen alles om spionnen in ons midden te brengen. Ikzelf weet nog niet of je te vertrouwen bent...'

Caleb zei kalm: 'Of je me nou vertrouwt of niet, je kunt me wel helpen in te pakken wat hier ligt.' Hij schoof de stapel met zand bedekte dekens naar Fahds voeten. 'Schud ze uit, vouw ze op en leg ze op een stapel... Moet ik jou vertrouwen?'

De Saudi kneep van woede zijn mond samen. 'Jij bent de Buitenstaander, niet ik. Ik heb geen andere familie dan de Organisatie... De Organisatie zorgt voor me, en God zorgt voor me. God is...'

'Kun je niet weg?'

'Ik word gezocht. Mijn foto hangt in alle politiebureaus van het koninkrijk. Als ze me levend te pakken krijgen, zullen ze me folteren en drugs toedienen. Ik bid tot God dat ik sterk zal zijn en mijn familie niet zal verraden. Als ze me te pakken krijgen wacht me, na de pijn, de beul met het zwaard. Ik ben afgestudeerd wiskundige, ik had leraar kunnen worden... Maar ik had een baan als tuinman. Ik was tuinman in het Amerikaanse woningcomplex Al-Hamra. Ik maaide het gras en gaf de bloemen water, en de toezichthouder riep me ter verantwoording als ik onkruid had laten staan. Ik deed werk dat voor Jemenieten en Pakistani is. Omdat ik in de Organisatie en in God geloof, deed ik werk voor gastarbeiders – en ik keek. Ik kwam achter de muren en de bewakers. Ik gebruikte de grasmaaimachine, de tuinslang, de schop en de hark, en ik keek. Toen de martelaren vorig jaar met twee auto's het Al-Hamrawoningcomplex binnenreden, gebruikten ze de kaart die ik voor hen had getekend. Sommigen stierven en zijn nu in het paradijs, maar anderen bleven leven en werden opgepakt. Ze werden gemarteld en waren niet sterk genoeg – ze hebben veel namen verraden. Ik heb gehoord dat ze mijn huis zijn binnengevallen en dat mijn ouders zijn mishandeld. Daarom kan ik niet zonder de Organisatie. Als ik word gepakt, eindig ik onder het zwaard.'

'Ik vertrouw je.'

Fahd schudde het zand uit een slaapzak en rolde hem zorgvuldig op. Daarna pakte hij een deken en klopte die uit. 'Ik ben gedoemd, net als Tommy en Hosni. We zijn ten dode opgeschreven... Ik betreur het dat ik nooit zo'n grote klap zal kunnen uitdelen als jij, de gezegende... Omdat je gezegend bent, ben jij ook gedoemd.'

Caleb kreeg zand in zijn gezicht. Hij knipperde met zijn ogen.

De gids en zijn zoon kwamen naar hen toe, en opnieuw hadden beiden hun armen vol spullen van het kampement. Rashid bedankte hen niet voor het opruimen van de stapel. Toen de kamelen waren geladen en de zon eindelijk zakte, vertrokken ze.

Caleb was de hekkensluiter. Zijn gezicht stond strak en somber. Hij had de jongen weggewimpeld en liep in zijn eentje in de hoefafdrukken van de laatste kameel.

De patiënt zwaaide haar benen van de onderzoekstafel en streek haar rok glad.

Bart waste zijn handen zorgvuldig en dreunde de details van het enige recept tegen depressies, nervositeit en stress op. Het goeie ouwe diazepam. Waar zou hij zonder diazepam zijn? In de penarie, vast en zeker. Hij zou natuurlijk ook tegen zijn patiënten kunnen zeggen dat ze moesten vertrekken, dat ze de grote vrijheidsvogel op het vliegveld moesten pakken en naar Romford, Ruslip en Richmond moesten terugkeren, maar dat deden ze toch niet. Van de gemeenschap van buitenlanders was sinds de bomaanslagen op het Al-Jadawel-, het Al-Hamra- en het Vinnelwoningcomplex alleen de harde kern over. De mensen die bleven, moesten er niet aan denken terug te gaan naar een buitenwijk van Londen, waar ze zouden moeten knokken voor een baan en waar ze verstoken zouden zijn van hun huispersoneel, hun zwembad en hun riante salaris. Maar hier zaten ze gevangen in hun woningcomplex en hun leven hing af van de waakzaamheid van de bewakers bij de hekken. Een aantal van hen, zoals degenen met wie hij naar de paardenraces was geweest, deden alsof het leven gewoon doorging, maar de meerderheid verschanste zich in de verzekerde bewaring van hun huis en verlieten zich op het diazepam dat hij verstrekte.

Het ging hen alleen maar om het geld... Het raam naast de wastafel keek uit op de straat. De wind rukte aan de witte gewaden van de mannen op de trottoirs en drukte de zwarte gewaden van de vrouwen tegen hun lichaam. Er was een storm op komst. Het gedonder met stormen was dat ze voor zo veel zandoverlast zorgden. Zijn hele auto zou eronder komen te zitten, dat was het vervelendst van die woestijnstormen... Het draaide allemaal om geld. Bart wist alles van geld, van het gebrek eraan.

Ze waren om vijf voor halfzeven 's ochtends gekomen: twee sullige dienstkloppers. De een was een agent in burger met de vermoeide blik van iemand die bijna met pensioen gaat, de ander een vrouw met een scherpe blik die zich voorstelde als brigadier en die een weinig flatteus zwart broekpak droeg. Om vijf voor halfzeven 's ochtends hadden er een patrouilleauto en een sedan op zijn oprit gestaan, en reken maar dat alle buren de gordijnen of de vitrage gapend opzij hadden geschoven. Ann wist van niets. Ann had, toen ze in een rij door de gang liepen, halfluid tegen hem gesist: 'Wat heb je gedaan?' Ze hield haar ochtendjas strak om zich heen, alsof ze op het punt stond verkracht te worden. Ann wist alleen maar van de nieuwe vloerkleden in de gang, van de vakantiebrochures op de eettafel en van de facturen van school op de werktafel, waar 'Hartelijk dank voor uw stipte betaling' op stond.

'Niks,' had hij gemurmeld. 'Ga naar de keuken en zet een pot thee.'

Hij was hen voorgegaan naar de zitkamer. Kende hij ene Josh Reakes? Ja, hij had een patiënt die zo heette. Wist hij dat Josh Reakes een drugsdealer was? Nee, dat wist hij niet. Verbaasde het hem dat Josh Reakes hem, dokter Samuel Bartholomew, als een van zijn belangrijke leveranciers had genoemd? Ja, dat verbaasde hem zeker, en het was een gore leugen. En hij was blijven ontkennen, hij bleef erbij. Ze vertelden hem dat Josh Reakes de vorige avond was gearresteerd en dat hij hem had genoemd als de belangrijkste bron van de morfinetabletten, de vloeibare heroïne en de cocaïne die hij bij zich had. Ontkennen, ontkennen, ontkennen – het was zijn woord tegen de ongefundeerde aantijging van die verachtelijke rat. Dus dat was zijn dank voor de inspanningen die hij voor de verslaafden van Torquay had geleverd. Ze hadden huiszoekingsbevelen voor het huis en voor de praktijk. Ze maakten de laden van zijn bureau van walnotenfineer open en bladerden door zijn bankafschriften en belastingpapieren. Zijn vrouw was in de keuken bezig de kinderen ontbijt te geven en hen klaar te maken om naar school te gaan. Tussendoor kwam ze steeds even in de woonkamer en keek hem dan argwanend aan, alsof ze niet zijn vrouw maar een bondgenoot van de politie was. Hij was zo slim geweest de contanten van Josh aan haar te geven, als huishoudgeld. De vloerkleden, de vakanties en het schoolgeld waren giraal betaald, en die uitgaven werden met zijn salaris vergeleken. Daarna waren ze naar de praktijk gegaan. Daar moest hij, vergezeld van zijn escorte, de volle wachtkamer door. In zijn behandelkamer bekeken ze de gegevens over hoeveelheden morfinetabletten, vloeibare heroïne en cocaïne die hij had voorgeschreven, en hij besefte dat ze maar wat deden. Ze hadden geen flauw idee hoe ze moesten bewijzen dat rugpijnlijders en terminale patiënten overtollige voorraden hadden achtergelaten, die hij vervolgens inzamelde.

Hij had zich er brutaal doorheen geslagen. Het was het woord van een arts tegen het woord van een junk. Hij wist dat het de goede kant op ging toen de brigadier hem tussen haar smalle, kleurloze lippen toesnauwde: 'Ik krijg jou nog wel te pakken, mannetje. Een arts die in drugs dealt, het is schandalig. Ik zorg ervoor dat je de bak in draait, let op mijn woorden.'

Ze hadden hem tussen hen in mee naar het bureau genomen, hun handen op zijn bovenarmen, alsof hij een crimineel was. Daar had hij een verklaring van zijn onschuld afgelegd – en hij had dondersgoed geweten dat ze er geen woord van geloofden.

Tegen de tijd dat hij werd vrijgelaten, zeven uur nadat ze hem hadden gewekt, hadden zijn partners hem laten weten dat hij de praktijk moest verlaten: niet de volgende week, niet de volgende dag, maar binnen een uur. Een maand later hadden Ann en de kinderen het huis verlaten en waren ze bij die Saabdealer ingetrokken – dat gebeurde één dag nadat hij opnieuw was verhoord op het politiebureau en één dag voordat hij in Londen zou worden doorgezaagd door juristen van het Britse Genootschap van Huisartsen. Hij kon een baan in Engeland wel op zijn buik schrijven, had geen vrienden en zou binnenkort gescheiden zijn. Het huis was verkocht en negentig procent van de opbrengst was naar de hypotheekverstrekker gegaan. Er moest brood op de plank komen, en toen had hij in een vakblad de advertentie gezien... Maar mocht hij hebben gedacht dat hij de grootste ellende op dat moment achter de rug had, dan had hij er goed naast gezeten...

Als de patiënt en haar man de waarheid over zijn leven kenden, zouden ze misschien medelijden met hem hebben. Hij telde dertig diazepamtabletten uit, deed ze in een flesje en schreef de dosis op het etiket. De val waar hij in zat, was duizend maal ernstiger dan die van hen. Hij liet hen uit. Hun problemen draaiden alleen maar om geld. Barts problemen waren heel wat minder eenvoudig. Hij deed de deur achter hen dicht.

Al Maz'an, een dorp op de bezette Westelijke Jordaanoever, in de buurt van Jenin

Bart trapte op de rem.

Als hij, toen hij uit de zijstraat kwam, het rempedaal niet tot op de bodem van de auto had ingetrapt en geen ruk aan zijn stuur had gegeven, zou hij boven op het pantservoertuig zijn geknald. Degene waar hij bijna tegenaan was gebotst, werd door drie andere pantserwagens gevolgd.

Ze ratelden de straat uit, maar de man achter het machinegeweer op de laatste pantserwagen had de loop gedraaid en hield het machinegeweer op hem gericht tot ze om de hoek waren verdwenen. Bart zat achter het stuur en droop van het zweet. Buiten was het zo koud dat de transpiratie op zijn voorhoofd er zou kunnen bevriezen. Hij kon de pantservoertuigen niet meer zien, maar hij hoorde het lawaai van de rupsbanden, die kuiltjes in de straat hadden achtergelaten. Hij wist waarnaar ze op weg waren. In een huis aan het einde van die straat lag een kind met acute diarree, en op de binnenplaats achter het keukentje van dat huis stond een schuurtje... Jezus nog aan toe. Hij hoorde geweerschoten. Hij zat met zijn hoofd in zijn handen en probeerde zijn oren te beschermen tegen de dreunende geluiden.

Na de geweerschoten kwamen de explosies van granaten.

Mannen en kinderen renden door de straat voor hem. Meer geweerschoten. Hij werd herkend. Meer explosies. Het portier werd opengerukt; handen trokken hem naar buiten en zijn tas werd van de stoel naast hem weggegrist. Hij werd naar voren geduwd. Aan de overkant van de straat maakte een pantserwagen een bocht. De loop draaide en werd weer op hem gericht. Die dag droeg hij het witte, mouwloze jasje met het rode halvemaanvormige symbool aan de voorkant en het rode kruis op de rug. Zijn tas werd in zijn handen geduwd. Vanaf de zijkant van het pantservoertuig werd twee keer in de lucht geschoten. De menigte deinsde terug, maar Bart kwam dichterbij. De loop van het machinegeweer bleef op hem gericht. Er werd geroepen, eerst in het Hebreeuws, daarna in het Engels. Als hij niet bleef staan, zou hij worden doodgeschoten. Hij was alleen in de straat. Plotseling was er beweging achter het pantservoertuig. Soldaten renden een steegje uit. Ze droegen iets wat een zak met meel had kunnen zijn, ware het niet dat de zak armen en een slap neerhangend, levenloos hoofd had. Bart zag het hoofd heel kort, het stuiterde over de modderige straat. De motoren loeiden, de soldaten sprongen door de open portieren aan de achterkant van de pantserwagens naar binnen en vertrokken.

Het geschreeuw vulde de straat. Hij zag een felblauwe plek op de kaak van de moeder en er droop bloed uit een snee op het voorhoofd van de vader. Hij vroeg zich af of ze hadden geprobeerd te voorkomen dat de soldaten het huis konden binnendringen, of dat ze zich aan het lichaam van de dode zoon hadden vastgeklampt en er met geweerkolven van af waren geslagen. Hopelijk kon God Bart vergeven, want niemand anders zou het doen. Hij kwam bij de deur. Achter hem was een menigte ontstaan. Hij deed wat nodig was, bette de blauwe plek en stelpte de snee, en om hem heen klonken gejammer en geweeklaag. Hij besefte dat ze hem vertrouwden als een vriend.

Drie uur later was hij bij de controlepost. Terwijl zijn auto werd doorzocht en ze deden alsof hij in het gebouwtje werd ondervraagd, dronk hij een bak sterke koffie.

Joseph zei kalm: 'Ik zie je niet als een soldaat, Bart. Als arts ben je eerder een man van genezing en van vrede. Maar ik verzeker je dat wij met ons werk de vrede bewaren. Terroristen zijn parasieten die van het volk leven. Die parasieten moeten vernietigd worden, want anders kan het volk nooit genezen. Je zag een lijk, een weerloos lijk. Je hebt het gezien, maar je hebt het niet begrepen. Hij maakte de riemen en de vesten die worden gebruikt bij zelfmoordaanslagen. Je hebt vernielde bussen gezien, je hebt de markten gezien waar ze zelfmoord hebben gepleegd, je hebt de cafés gezien waar ze hun bommen hebben laten ontploffen. Hij was goed in zijn werk. Je hebt levens gered, Bart. Soms sterven er bij een zelfmoordaanslag tien mensen, soms dertig. Op iedere dode zijn er vijf gewonden, onschuldige mensen die blind worden, een lichaamsdeel kwijtraken of in een rolstoel belanden. Dankzij jou krijgen veel onschuldige mensen de kans hun leven ten volle te leven. Je zou je goed moeten voelen. Je hebt een hoofdrolspeler van wat zij de gewapende strijd noemen, uitgeschakeld. Hulde!'

Hij wilde geen hulde en hij wilde geen felicitaties. Op een dag zou zijn leven opnieuw beginnen. Dat was hem beloofd. Maar hij was afhankelijk van de beslissing van anderen.

Bart slikte moeizaam. Hij barstte uit: 'Ik heb hem gezien. Ik was in het huis. Er wordt natuurlijk een onderzoek ingesteld. Hoe kon het bekend zijn dat hij thuis was, dat hij zijn ouderlijk huis gebruikte? Ik was er. Er zijn te veel mensen die weten dat ik daar ben geweest. Hoe moet het nu met mij?'

Joseph glimlachte. Hij legde zijn hand geruststellend op Barts schouder. 'We zorgen goed voor je. Voor ons ben je goud waard, je bent heel belangrijk. Je hoeft niet bang te zijn.'

Hij liet de helft van zijn koffie staan. Hij werd het gebouwtje uit gegooid en gleed bijna uit in de modder. Toen hij zijn evenwicht had hervonden, draaide hij zich om en schreeuwde hij tegen de soldaten bij de deur. De Palestijnen die stonden te wachten tot ze langs de controlepost mochten, keken toe. Hij hoorde hen klappen, het was een hartstochtelijk applaus. Sommigen scandeerden zijn naam.

Hij reed weg.

Ze hadden het over hun gecompliceerde wereld.

'Je zit toch niet uit je nek te lullen, hè Eddie?'

'Je kunt me op mijn woord geloven. Ik was er. Ik heb een ooggetuige gesproken. Als die al zou willen liegen, zou hij niet weten hoe het moest. Het was het lichaam van de betaalmeester. Ik heb hem zien liggen, in het mortuarium. Het is zo zeker als wat.'

Juan Gonsalves en Eddie Wroughton zaten aan de keukentafel, die ze moesten delen met Juans kinderen en hun krijtjes, tekenpapier en de pizza's die net uit de magnetron waren gekomen. De kinderen aten en tekenden, Teresa probeerde ervoor te zorgen dat de vellen papier niet onder het eten kwamen, Wroughton praatte en Gonsalves maakte aantekeningen. Als Gonsalves aan het werk was, lachte hij nooit. Wroughton begreep heel goed onder welke last CIA-agenten gebukt gingen: nadat de gebrekkige analyses van de inlichtingendienst tot de ramp van 11 september hadden geleid, moest ieder brokje informatie genoteerd, doorgespeeld en geanalyseerd worden. Het leven van een Langleyman die een aanwijzing over het hoofd had gezien, was mislukt. Het gewicht dat op mij rust, dacht Wroughton, stelt daarbij vergeleken weinig voor.

'De karavaan bestond uit een bedoeïen, zijn zoon en vier vreemdelingen. Ik weet niet precies hoeveel kamelen er waren, maar ze hadden voldoende water en voedsel bij zich voor een lange tocht door het

Lege Kwartier. Ze zijn zo belangrijk dat ze de grens tussen Oman en Saudi-Arabië oversteken op een volkomen afgelegen stuk, waar geen Omaanse of Saudi-Arabische grenspatrouilles zijn en waar je gemakkelijker met kamelen dan met vrachtwagens en pick-ups kunt komen.'

'Wie gaat er nou lopen of op een kameel zitten als je ook gewoon met de auto kunt gaan?'

'Mensen die extreem belangrijk zijn. Het is een enorme tegenslag voor de organisatie als dergelijke belangrijke mensen hier of aan de andere kant van de grens worden opgepakt.'

Ze hadden een mooie vriendschap, vond Wroughton. Veel politici in Londen maakten zichzelf wijs dat ze een speciale band met het Witte Huis hadden... Maar hier, aan de keukentafel van de familie Gonsalves, was de relatie echt bijzonder. Wroughtons verslag van zijn reis naar de binnenlanden van Oman werd nu in Londen onder de loep genomen; over een week, als het door de bureausoldaten was herschreven, zou het gereviseerde rapport naar Washington gaan; een week later zou het naar de zusterorganisatie in Langley vertrekken en na weer een week van reviseren en herschrijven zou het op het bureau van Gonsalves belanden. Maar de echte band, de relatie tussen twee toegewijde professionals, vond je hier aan de keukentafel vol krijtjes en tekenpapier, overstemd door opgewonden kinderstemmen.

'Hij gaf me de bijzonderheden van zes kisten die op de kamelen werden geladen – ze waren olijfgroen, van het leger. Hij wist niet precies hoe groot ze waren, maar om de lengte aan te geven strekte hij zijn beide armen uit. Machinegeweren zitten niet in zulke kisten. Bovendien vormt het gewicht van de kisten een handicap als je het Lege Kwartier in gaat, dus het moet iets zijn geweest wat niet aan de elementen kan worden blootgesteld, iets wat beschermd moet worden.'

'En waar hebben we het dan over?'

'Ik denk aan luchtafweer- of antitankraketten. En als je het mij vraagt, zeg ik luchtafweer. Bijvoorbeeld Stinger-raketten.'

Gonsalves grijnsde.

'Ik heb me er vandaag een beetje in verdiept. Jullie hebben, genereus als jullie zijn, een stuk of negenhonderd Stinger-raketten naar Afghanistan verscheept. Volgens schattingen hebben de moedjahedien er tweehonderdzeventig Russische vliegtuigen en helikopters mee neergehaald. Na de oorlog, toen de Russen waren verdwenen, was het van ongeveer tweehonderd raketten onduidelijk waar ze waren gebleven. Jullie mensen probeerden ze op te kopen, maar kwamen met lege handen terug. Je schiet er zo een militair of civiel vliegtuig mee uit de lucht... Wat we niet weten, is hoe lang de munitie goed blijft. Doen de raketten het achttien jaar na levering nog? Zijn ze achteruitgegaan? Geen idee. Ik weet niet wat mijn mening waard is, maar ik denk dat het niet om de kisten gaat. Het probleem is groter. Ik denk dat het om de mannen gaat. Ik denk dat de vier vreemdelingen het belangrijkst zijn.'

Het grootste probleem van iemand die voor een veiligheidsdienst werkt, is dat hij voortdurend relevante informatie van irrelevante informatie moet scheiden. Meestal vertrouwde de branche op elektronisch onderschepte gesprekken. Die werden van satellietverbindingen afgetapt, door computers opgeslokt en weer als een ruwe woordenstroom uitgespuwd. Wroughton en Gonsalves noemden het 'gebabbel'. Hun bazen noemden het 'elektro-inlichtingen'. Wat ze nu onder handen hadden, kwam het minst voor: de woorden van een ooggetuige.

'Oké, vier mannen die in het grootste geheim door het Lege Kwartier worden vervoerd moeten wel belangrijk zijn. De ooggetuige weet zeker dat er over de prijs van de kamelen wordt geruzied. Dan bemoeit een van de mannen zich ermee. Hij stelt zich autoritair op. Hij is jong. Hij is lang. Hij heeft een andere bouw, dat valt de ooggetuige op. Hij heeft andere gelaatstrekken dan de anderen. Hij draagt dezelfde kleren, maar hij is anders. Hij is een jonge leider en hij heeft autoriteit. Dat is alles wat ik weet.'

Ze wisselden de beste informatie, van hoog niveau en strikt geheim, uit boven de eettafel. De kinderen waren dol op Wroughton. Hij maakte tekeningen die zij mochten inkleuren en deed dat beter dan hun eigen vader. Na het eten gingen ze meestal naar de goed verlichte tuin, waar hij een balletje gooide met de oudste zoon. Ook dat deed hij beter dan Gonsalves. Later, als de kinderen in bed lagen, las hij hun voor, en ze vonden zijn accent mooier dan dat van hun moeder. In Londen en in Washington zou de vriendschap tussen de twee mannen tot argwaan en strubbelingen hebben geleid.

'Juan, ze hergroeperen zich daar, ze rekruteren nieuwe manschappen, vers bloed. Ik voel het aan mijn water.'

'Dood haar.'

Caleb klom met gebogen hoofd de duin op. Hij zag het rulle zand tussen zijn verbrande tenen door glijden. Naast hem ploeterde de kameel omhoog. Hij hield hem bij de teugels en hielp hem overeind te blijven. Ze klommen samen naar boven. Het was de stem van Tommy.

'Ik zeg: dood haar.'

Hij keek op. De zon stond laag, het licht scheen fel in zijn ogen. Ze waren boven op de duin aangekomen en hun silhouetten staken af tegen de ondergaande zon. Hun schaduwen en de schaduwen van de kamelen vielen over de helling van de zandheuvel naar Caleb. Hij hoorde alleen de stem van de Irakees.

'Ze heeft ons gezien, daarom moet je haar doden.'

De anderen schenen hem niet te horen. Ze staarden voor zich uit, of naar beneden. Caleb bereikte hen. Hij duwde Hosni en Fahd opzij en passeerde de jongen die zich naar hem toe draaide en hem met opengesperde ogen aankeek. Hij liep langs de gids, die zijn armen naar de bagage op zijn kameel uitstrekte en zijn hand op het geweer liet rusten. Naast Tommy, de beul, bleef hij staan. Hij keek naar beneden.

'Omdat ze ons heeft gezien en ons kan identificeren, moet je haar doden.'

Daar stond ze. Haar haren, verward en nat van het zweet, kregen in het licht van de ondergaande zon een gouden gloed. Haar pastelkeurige bloes zat onder de vlekken, en ze droeg een vale spijkerbroek en zware laarzen. Haar handen, gezicht en kleren zaten onder de olievlekken. Ze keek naar hen omhoog en verplaatste haar gewicht van haar ene voet op de andere, alsof ze te moe was om overeind te blijven staan. Ze straalde rust uit, onverschilligheid. Ze was niet bang voor Tommy... Caleb zag de Land Rover die in het zand vastzat. Hij vroeg zich verbaasd af hoe minuscuul klein de kans geweest moest zijn dat zij precies op hun pad was terechtgekomen.

'Als jij het niet doet, dood ik haar.'

De gids had het geweer gepakt. Hij spande de haan met een snelle, ratelende beweging van zijn handen. Caleb keek in Rashids gezicht en zag de aarzeling. Zijn drijfnatte voorhoofd werd doorploegd door lijnen. Caleb begreep het. Een bedoeïen bood hulp, deed wat in zijn macht lag om een reiziger in nood te helpen. Het was de gewoonte van iedere dorpeling in Afghanistan... Ze hadden hem hulp geboden toen hij naar het dorp was gekropen. Herinneringen die diep in zijn geheugen waren weggestopt, woelden door zijn hoofd. Ze kwamen van de andere kant van de diepe kloof; hij had ze weggedrukt. De woorden kwamen moeizaam uit zijn keel: 'Dat zou tegen de cultuur van de woestijn ingaan. We zouden onszelf te schande maken.'

Tommy lachte hem uit, er vloog speeksel uit zijn mond, dat nat op Calebs gezicht bleef zitten. 'Cultuur, dat is verdomme onzin! Te schande maken, waar heb je het over? Als jij het niet doet, doe ik het.'

'Ze heeft alleen maar een karavaan zien langskomen. Ze heeft niet gezien...'

Ze wisten allemaal dat zijn woorden leeg waren. Ze lachten spottend.

Caleb negeerde hen. Rashid had het geweer. Hij keek strak naar Rashid. Hij wendde zijn blik niet af, knipperde niet met zijn ogen, werd niet onzeker. Hij staarde naar Rashid. Hij zou alleen naar Rashid luisteren... Hij was de uitverkoren man. Voor hem ploeterden ze door de woestijn. Was hij het niet waard vertrouwd te worden? Rashid gaf het op, hij keek weg en schoof het geweer terug onder de tassen tegen de flank van de kameel.

Caleb zei tegen Rashid: 'Je bent een goed mens, ik hou van je... Ga verder tot het te donker is om verder te reizen. Maak een vuur. Daar vind ik jullie terug.'

Ze vertrokken: na enig tegensputteren – waar Caleb zijn rug naar toe keerde – leidde de gids hen in een brede cirkel om de vrouw heen, alsof ze door haar blik of door haar aanwezigheid vergiftigd zouden kunnen worden. Caleb keek toe tot ze waren vertrokken. Toen de zon de duinen aan de horizon raakte en hij hen niet meer kon zien, toen zijn lichaam pijn deed van de vermoeidheid, de honger en de dorst, daalde hij moeizaam de helling af naar haar toe.

Haar hand haalde iets uit haar broekzak. 'Kom je me verkrachten?'

Ze sprak duidelijk verstaanbaar Arabisch. Haar hand had een verdedigende houding aangenomen. Caleb zag het glanzende lemmet van een geopend mes tegen het stof en de olie op haar bloes afsteken.

'Kom je me vermoorden?'

'Nee,' antwoordde Caleb. 'Ik kom je uitgraven.'

9

Het was een uitputtingsslag, maar in de vermoeidheid voelde hij zich vrij.

Caleb groef bij het laatste zonlicht, bij het invallen van de schemering en bij het zilveren licht van de maan. Hij had de wielen vrijgemaakt. Vanaf het moment waarop ze hem de schep met de korte steel had gegeven, had hij geen woord meer gezegd, alsof praten zonde van de energie zou zijn. Ze leek de stilte op waarde te schatten. Hij had de bagageboxen van het dak gehaald en er een wand mee gevormd, zodat het zand, als hij een schep opzij gooide, niet meteen weer naar beneden gleed. Elk nieuw wiel was lastiger vrij te maken dan het volgende, omdat zijn krachten steeds verder afnamen en hij steeds vermoeider werd. Ze kon hem niet helpen. Als hij een wiel had vrijgemaakt, liet hij haar met de volgende box een nieuwe wand maken, en ze gaf hem het water dat hem op de been hield. Ze had bij het invallen van de duisternis en bij het maanlicht naar hem gekeken en schoot alleen te hulp om de boxen op de goede plek te zetten of om hem water aan te reiken.

In de nacht was de jongen teruggekomen. Hij was op een afstandje in het zand gaan zitten en paste op zijn eigen kameel en die van Caleb.

Tijdens die uren waarin hij groef en het water dat zij hem gaf opdronk, leerde Caleb een nieuwe vrijheid kennen. Hij verbrak ketens en wierp een last van zich af. Hij was geen rekruut uit het trainingskamp, geen lid van de 55ste Brigade. Hij lag niet in de loopgraven en er waren geen bombardementen. Hij was ver weg van Camp X-Ray en Camp Delta, hij leefde geen leugen, hij reisde niet om zich bij zijn familie te voegen. Het gevoel vrij te zijn werd steeds sterker.

Ze had een zaklamp en Caleb was, in het schijnsel van de zaklamp, over de kloof in zijn geheugen heen gestapt. Hij had de motorklep van de Land Rover opengezet en de onderdelen die onder het zand zaten met zijn vingers en met zijn hoofddoek – de *ghutrah* – schoongemaakt. Sinds de bruiloft en zijn rekrutering had hij de stap naar zijn verleden niet meer gezet, en had hij nooit laten merken dat hij precies wist hoe de motor van een auto werkte. Ze had een tas overhoop gehaald en er een schone bloes uit gepakt. Ze had het zachte katoen verscheurd en hem repen stof aangereikt: één voor de filters, twee voor de carburateur, één voor de pomp en één voor ieder ander motoronderdeel waar zand in zat. Toen de zaklamp begon te flikkeren, ging hij op zijn gevoel verder, op zijn geheugen.

De vrijheid was van korte duur. Bij het aanbreken van de nieuwe dag zou hij zijn mars naar zijn familie moeten hervatten.

Op het laatst had hij, aan het eind van zijn krachten, de schep met de korte steel gepakt en ermee tegen het hout van een van de boxen geslagen totdat hij uit elkaar was gevallen. Daarna had hij vier planken in de lengte onder de blootgelegde banden geschoven, zodat ze de eerste meter grip zouden hebben. Hij was achter het stuur gekropen en had het sleuteltje omgedraaid en het gaspedaal ingetrapt. De motor was meteen aangeslagen en hij had hem weer uitgezet.

Hij was een niet al te hoge duin opgeklommen. Op de top had hij zich in het zand laten vallen en was hij begonnen de herinneringen uit te wissen. Zonder de herinneringen was Caleb een Arabier, keerde hij terug naar zijn familie, was hij een man die haatte, was hij de uitverkorene. Hij hoorde de zachte geluiden van de onrustige kamelen en de geruststellende stem van de jongen achter hem. Zij zat naast hem en hij wist dat hij moest oppassen omdat hij anders door herinneringen overstelpt zou worden. Met de herinneringen kwam de zwakheid.

Haar vragen waren een stormvloed.

'Wie ben je?'

'Waar kom je vandaan?'

'Waar ga je naartoe?'

De vragen werden in het Arabisch gesteld. Hij keek op, naar de sterren die hun schittering al verloren en naar de ondergaande maan. Hij voelde de kou van de nacht, de pijn in zijn benen, armen en schouders, de leegte in zijn hoofd. Ze knielde en boog zich over hem heen. Ze gebruikte de laatste reep van haar aan stukken gescheurde bloes en het laatste beetje water om zijn voorhoofd en zijn lippen te bevochtigen. Hij rook haar; geen parfum uit een flesje, maar zweet. Haar vingers gleden over zijn huid en over zijn lippen. Hij was bang om te praten, want hij zou zich kunnen verspreken en dan zou hij zichzelf verraden.

'Je bent geen bedoeïen, daar ben je te lang en te sterk voor. Waar kom je vandaan? Hoe komt het dat je de motor van de Land Rover kent? Waar heb je die kennis opgedaan?'

Hij had de laatste reep van haar bloes, de laatste druppels uit haar watervoorraad en haar laatste broodjes gekregen. Die waren warm, kromgetrokken en uitgedroogd, en hij had het gevoel gehad dat hij moest overgeven, maar hij had zich vermand en moeizaam doorgeslikt.

Ze kwam dichter bij hem en ging op haar rug liggen. Ze zweeg nu, maar haar vingers speelden over zijn rechterarm. Caleb voelde oude emoties oplaaien en zijn hart bonsde in zijn keel. De vingers gleden over zijn onderarm en stopten bij de plastic armband onder de stof van zijn kaftan, alsof het een grens was. Ze schoof de mouw terug en deed de zaklamp aan; het zwakke, onzekere schijnsel viel op zijn pols. Caleb probeerde zijn arm terug te trekken, maar ze hield hem stevig vast en probeerde met de zaklamp op de pols te blijven schijnen. Ze was gespierd, niet teer. Ze worstelden met elkaar, maar toen had hij zijn arm onder zijn lichaam. Ze liet hem los en ging op haar hurken naast hem zitten. Het schijnsel van de zaklamp gleed over hem heen en viel op zijn voetzolen. Hij hoorde dat haar adem stokte. De lichtbundel veranderde van richting en scheen in zijn gezicht. Hij sloeg haar op haar arm en verraste haar zo dat de zaklamp uit haar hand viel.

Ze leunde achterover, raapte de zaklamp op en knipte hem uit. 'Het is tijd voor een gesprek.'

Hij wendde zijn blik af.

'Wie ben je?'

'Kijk me niet in het gezicht. Lees niet wat er op mijn pols staat. Je kent me niet. Alsjeblieft, vergeet dat ik besta.'

Ze lachte. 'Hij spreekt, hij heeft een stem. Het wordt steeds raadselachtiger. Een stem die niet Arabisch klinkt, niet van een bedoeïen, en voeten die rauw zijn van de wonden. Wie ben je? Ik ben Bethany Jenkins, ik ben lerares en geoloog. Ik werk op het oliewinningcomplex van Shaybah. Ik ben zevenentwintig. Ik ben in de woestijn omdat iemand me heeft verteld dat hier een meteorenveld zou zijn dat nog nooit eerder is bestudeerd. Ik heb geen satelliettelefoon en mijn mobiele telefoon heeft hier geen bereik. Ik heb geen briefje achtergelaten waarop staat waar ik ben. Het duurt dagen voordat er een zoektocht wordt georganiseerd en ze hebben geen idee waar ze moeten zoeken. Zo, nu weet je alles over mij. En hoe zit het met jou? Je hebt me van de uitdroging en de dood gered, of van de kogel en de dood. In Shaybah zitten Arabieren uit alle landen, maar jou kan ik niet plaatsen. Aan je voeten te zien loop je voor de eerste keer van je leven zonder schoenen of sandalen. Waarom? Omdat ik bij je in het krijt sta, heb ik het recht te weten wie je bent.'

'Je hebt mij nooit gezien. Je bent niet in de storm terechtgekomen. Morgenochtend ga je verder en vergeet je me.'

Ze zat vlak bij hem, in kleermakerszit. Ze zei: 'De mannen die bij je waren, wilden me vermoorden omdat ik je gezicht heb gezien. Als ze de kans hadden gekregen, zouden ze het gedaan hebben ook. Ik heb gehoord wat je zei. Weet dat ik je dankbaar ben.'

'Wis de herinnering aan mij uit. Ik ben vergeten.'

Er kwam geen antwoord.

Hij voelde haar warmte. Hij voelde dat de pijn zijn greep op zijn spieren verloor. Er daalde een grote rust op hem neer. Zij ademde langzamer, regelmatig. Ze sliep. Als hij een onhandige beweging maakte, zou hij haar wekken. Ze wist alles over hem. Ze wist dat hij, als het stigma van een veroordeelde, een plastic armband om zijn pols droeg. Ze wist dat hij in het geheim door het Zand trok, dat zijn identiteit verborgen moest blijven, dat zijn missie zo belangrijk was dat ze haar zouden vermoorden om hem te beschermen, dat zijn accent anders was dan dat van de mensen uit de regio, dat je aan de littekens, blaren en striemen op zijn voeten kon zien dat hij een vreemde was, een buitenstaander. Vanaf de voet van de zandduin klonk de droge hoest van de jongen, het heen en weer geschuifel van de kamelen en hun gegrom als ze spuugden. Als hij bewoog, zou hij de betovering van haar slaap verbreken. Ze draaide zich om in haar slaap, en haar hoofd lag nu op zijn schouder. Hij bewoog zijn hand. Zijn vingers raakten haar hals aan. Ze gleden over haar hals, van de luchtpijp naar haar nek, tot ze in haar haar verstrengeld raakten. Ze zou terugrijden naar waar ze vandaan kwam; daar zou ze naar een politiebureau of een legerpost kunnen gaan. Ze zou hem kunnen verraden. Zijn vingers lagen op haar hals. Ze sliep en kon zich niet verdedigen. Hij haalde zijn vingers van haar hals. Ze sliep omdat ze hem vertrouwde.

De eerste zonnestralen schenen op hem.

Hij hoorde dat de jongen naar hem floot.

Caleb tilde voorzichtig en liefdevol haar hoofd op en haalde zijn arm weg. Daarna liet hij haar hoofd zachtjes op het zand zakken. Haar ogen bleven gesloten. Hij kroop naar achteren, wreef over zijn gezicht, huiverde en kwam overeind. De jongen keek uitdrukkingsloos toe. Hij verliet haar en daalde de duin af.

Caleb nam de kameel bij de teugels. Hij liep energiek en liet de vrouw en de Land Rover achter zich. De jongen leidde hem. Hij had vijftig, zestig stappen gezet en de warmte van de zon nestelde zich al in zijn nek.

Hij kon haar stem goed horen, hij schalde over het zand. 'Dank je. Je hebt mijn leven gered, ik ben je dankbaar. Als het ooit mogelijk is, zal ik je terugbetalen.'

Hij draaide zich niet om, maar zette zijn handen aan zijn mond en schreeuwde naar de zandvlakte om hem heen: 'Je hebt me nooit ontmoet, ik ben er nooit geweest... Je hebt mijn gezicht niet gezien.'

Ze liepen verder.

De jongen zei: 'De Irakees zou haar de keel hebben afgesneden. Mijn vader zou haar hebben doodgeschoten.'

'Maar dat heeft hij niet gedaan.'

'Je hebt mijn vader zacht gemaakt. Ik denk dat het komt doordat je anders bent, mijn vader kan het niet uitleggen. We weten niet wie je bent.'

'Wat heb je in godsnaam gedaan? Te veel munitiekisten opgetild?'
Bart liep naar de wastafel en trok zijn rubber handschoenen uit.
'Nee, geen munitiekisten.'
De patiënt was halverwege de veertig en te zwaar. Hij had bij Logistiek & Transport gezeten, waar hij zich tot adjudant-onderofficier had opgewerkt. Na zijn pensionering was hij op zoek gegaan naar een aanvulling op het schamele pensioen dat het leger uitkeerde.
Ze praatten langs elkaar heen.
'Ik denk dat het een hernia is.' Barts gezicht plooide zich in zijn geruststellende huisartsenglimlach.
'Denk maar niet dat die jongens van de Nationale Garde een beetje aanpakken. Als het even kan, proberen ze eronderuit te komen en het op iemand af te schuiven die zo stom is om het wel te doen. Nee, het waren vooral traangaspatronen, en plastic kogels. Ze schieten niet met scherp.'
'Ik verwijs je door naar een specialist, maar ik ben er vrij zeker van dat de pijn en de bult door een hernia inguinalis worden veroorzaakt.'
'We gebruiken de Nationale Garde eigenlijk alleen nog maar als oproerpolitie.'
'Ik neem aan dat je bang was dat je prostaatkanker zou hebben, met dat gezwel en de andere symptomen. Maar dat durf ik wel uit te sluiten, dus al met al is het goed nieuws.'
Bart had zijn handschoenen uitgetrokken en in de afvalbak gegooid, en waste zijn handen. Ondertussen vertelde de voormalige adjudant-onderofficier, die nu als instructeur bij de Nationale Garde werkte, tot in detail hoe zijn werkdag eruitzag.
Bart maande hem pas tot spoed toen de stroom informatie opdroogde. De patiënt was inmiddels van de behandeltafel gekomen. Hij had zijn gulp dichtgedaan, zijn riem vastgemaakt en zijn gymschoenen aangetrokken.
'De herstelperiode zal wel meevallen. Twee weken na de operatie kun je al weer autorijden. Tot die tijd geen zware voorwerpen tillen. Eigenlijk is de periode die je nodig hebt om er weer helemaal bovenop te komen afhankelijk van de narcose – als je tenminste volledig verdoofd wordt. Ik zorg verder overal voor en maak de afspraak met de specialist. Vergeet niet de receptioniste te vertellen hoe je bent verzekerd... Het was aangenaam kennis te maken.'
De patiënt grijnsde, schudde Bart dankbaar de hand en vertrok. Bart ging achter zijn bureau zitten en maakte aantekeningen. Niet van de hernia inguinalis, maar van de opleiding van de Nationale Garde; inderdaad, allemaal topgeheim, allemaal angstvallig bewaard door de leiders van het koninkrijk. Prima informatie, het beste wat hij in de afgelopen twee maanden had gehad. Hij was met handen en voeten gebonden, hij was het speeltje van Wroughton. Dat was al zo vanaf de dag dat hij op de advertentie had gereageerd. Ze hadden zijn

curriculum vitae gescreend en hem aangenomen. Hij was op eigen kosten naar Cyprus gevlogen en had een taxi naar Nicosia genomen, een ritje dat hem een fortuin had gekost. De scheidingspapieren waren getekend en Ann en de kinderen achtergelaten, wat op het conto van die klootzak van een Saabdealer kon worden geschreven. Maar goed: nieuwe rondes, nieuwe kansen, en dat in de zon. Hij was de zee niet in gelopen, maar in gerend. Hij had Engeland verlaten zonder een adres achter te laten; niet voor die zuurpruim van een rechercheur in Torquay, en niet voor die pretentieuze griezel van een jurist van het Britse Genootschap van Huisartsen. De laatste maand die hij in het Verenigd Koninkrijk had doorgebracht, had hij een spoedcursus Russisch gevolgd, want hij had gelezen dat er, Moskou niet meegerekend, nergens ter wereld zo veel Russische banken waren als op Cyprus. Er zouden Russen met hartproblemen zijn en Russen die het aan hun lever of aan hun nieren hadden. En hij zou Engelse toeristen met een zonnesteek of een alcoholvergiftiging op zijn spreekuur krijgen. Fluitje van een cent; zo kwam alles toch nog op zijn pootjes terecht.

Bart had die avond uitstekend gegeten en die nacht als een roos geslapen. De volgende ochtend had hij zich zorgvuldig geschoren. Hij had zijn beste pak aangetrokken, een nette stropdas omgedaan en was vanaf zijn hotel naar de praktijk gelopen waar hij zou gaan werken. Daar hadden ze hem vijfentwintig minuten laten wachten zonder hem ook maar een kopje koffie met een koekje aan te bieden. Ze hadden hem duimen laten draaien, tot een man met een afgemat gezicht hem binnen had geroepen. 'Dokter Bartholomew, tot mijn spijt moeten we het aanbod dat we u hebben gedaan, intrekken. We hebben een uitstekende reputatie op het eiland, en mijn collega's en ik zijn niet van zins die op het spel te zetten.' Er was een loodzware stilte gevallen, waarin de man naar de vloer had gekeken en Bart hem stomverbaasd had aangestaard. Hij had een brief aangereikt gekregen, met het brievenhoofd van het Britse Genootschap van Huisartsen. Daarin had alles gestaan: over het politieonderzoek naar de handel in klasse A drugs dat nog niet was afgerond en over het onderzoek van het Britse Genootschap van Huisartsen waaraan nog werd gewerkt. De man had zijn schouders opgehaald en zich toen naar de deur gehaast, om die voor Bart open te doen. 'U begrijpt, dokter Barthomolew, dat wij geen keuze hebben.'

Hij was halfverdoofd het zonlicht in gelopen. Zijn hoofd was gebogen geweest, en daardoor had hij de sigarettenpeuk die op de grond viel en de glanzende schoen die hem uittrapte gezien. Een stem had in onberispelijk Oxford-Engels gezegd: 'Tja, je hebt van die dagen: je wordt wakker en de zon schijnt, dus je loopt zonder paraplu naar buiten, en voordat je het weet, komt de regen met bakken uit de hemel. Begrijpt u wat ik bedoel? Het regent, nietwaar? Laten we een kop koffie drinken en proberen of we die donkere wolken kunnen verjagen. Kom.' Hij was bij de arm genomen en meegegaan, zoals iedereen die met handen en voeten is gebonden zou doen.

Toen hij zijn aantekeningen had afgemaakt, belde Bart Wroughton om een lunchafspraak te maken. Daarna liet hij de volgende patiënt komen.

Beth stond op een plek waar nog nooit eerder een man of een vrouw had gestaan. Ze zou dolblij moeten zijn, ze zou een gat in de lucht moeten springen.

Maar de herinneringen aan de nacht hielden haar in hun greep. Ze staarde om zich heen en liep naar voren. De krater lag voor haar. Er was haar verteld dat ze een hoge zandberg zou zien, de hoogste in dat deel van de woestijn. Vierhonderd stappen vanaf de rechterzijde van de helling van die berg zou de volmaakte cirkel van de krater moeten liggen. Het zou haar moeten verbazen dat de bedoeïen haar zo nauwkeurig had verteld waar de plek lag, en dat hij haar zonder GPS zo precies had weten te vertellen welke route ze moest volgen. Ze had vanaf de plek waar ze door de storm was overvallen maar achttien kilometer hoeven rijden, en na zesenhalve kilometer, toen ze begon te twijfelen, had ze de zandmuur gezien die boven alle andere uittorende. De krater lag een tiental stappen voor haar; ze kon de top duidelijk zien. Eromheen bevonden zich andere, kleinere rondingen en er lagen, verspreid, donkergrijze stenen.

De rand van de krater stond rechtop. Vijfhonderd jaar eerder, of vijfduizend of vijf miljoen jaar eerder, was er een steenmassa uit de hemel komen vallen. Die was door de dampkring gevlogen en bij de inslag geëxplodeerd. Het gesteente was in de atmosfeer zo warm geworden dat het buitenste ijzererts was gesmolten. De gesmolten rand was na het passeren van de dampkring weer gestold en had een smalle, donkere glazen korst gevormd. Er moest op die plek in het Zand een explosie met het equivalent van vijf kiloton TNT hebben plaatsgevonden. Misschien waren er mensen in de buurt geweest, misschien was de woestijn net zo verlaten geweest als hij nu was, maar ieder levend wezen binnen een straal van honderden meters van het ejectaveld zou zijn gedood. Beth maakte werktuigelijk berekeningen en schattingen van de omvang van de meteoriet, maar haar gedachten waren bij de man die haar leven had gered en die met superieure autoriteit had gezegd: 'Je hebt me nooit ontmoet, ik ben er nooit geweest... Je hebt mijn gezicht niet gezien.'

Beth was acht keer bij Wabar geweest. Het was de op acht na grootste inslagplek ter wereld. De meteoriet die de grootste krater daar, met een doorsnee van vierhonderd meter, had veroorzaakt, moest een ijzerertsmassa van drieduizend ton hebben gehad. De grootste ter wereld lag in Arizona en had een doorsnee van veertienhonderd meter, maar dat was, in Beths ogen, een saaie toeristische attractie, en ze was er nooit naartoe gegaan. Ze had de inslagplek bij Chicxulub aan de kust van Yucatán, in Mexico, evenmin bezocht. Die was vijfenzestig miljoen jaar oud: er werd gezegd dat daar een steenmassa ter grootte van de Mount Everest met tienduizend kilometer per uur was ingeslagen, wat zo'n seismologische schok zou hebben veroorzaakt dat de dinosaurus erdoor was uitgestorven en de baan van de aarde om de zon er een fractie door zou zijn gewijzigd. Er kwamen busladingen toeristen op af, oersaai.

Ze had zijn vingers over haar hals voelen glijden, maar ze was niet bang geweest. Door de jaren heen hadden mannen geprobeerd indruk op haar te maken, ze hadden haantjesgedrag vertoond... Hij niet. De mannen die zij had leren kennen, op de universiteit, in het Londense uitgaansleven en tijdens het veldwerk, hadden geprobeerd ervoor te zorgen dat ze bij hen in het krijt stond: ze hadden haar mee uit eten genomen, of naar het theater, ze hadden demonstratief haar tas gedragen, ze hadden geprobeerd bij haar in de gunst te komen... Hij niet. Sommige mannen hadden haar aan het lachen gekregen, andere mannen hadden met heftige en serieuze gesprekken laten merken dat ze slim waren... Hij had geweigerd haar vragen te beantwoorden. Sommige mannen hadden haar hun hele levensverhaal verteld... Van hem wist ze niets.

Er was geen mens in de wereld, niemand die ze kende, aan wie ze iets over haar ontmoeting in de duinen zou vertellen, zelfs niet aan haar moeder. Hij had niets van haar gewild. Hij was sereen en krachtig. En de manier waarop hij zijn arm onder haar hoofd had weggetrokken zodat hij kon opstaan en weggaan terwijl zij deed alsof ze sliep, was teder geweest.

Maar dat was niet wat haar het meest verwarde. In Shaybah ontmoette ze Arabieren uit het hele Midden-Oosten: Jemenieten, Egyptenaren, Koeweiti, Jordanezen. Er waren ook arbeiders uit Pakistan. Maar zijn accent kon ze niet plaatsen.

Ieder aspect van haar leven was op zekerheid gebaseerd, behalve hij. Hij had geen naam, ze wist niet waar hij vandaan kwam en niet waar hij naartoe ging. Ze vloekte luidkeels.

De echo van haar vloek werd door de muur van zand weerkaatst. Ze liep met driftige passen terug naar de Land Rover. Boos, alsof hij haar op dit moment kon zien, griste ze haar fototoestel, de tas voor de monsters en het klembord uit de auto. Ze ging aan het werk op de plek waar geen mens eerder was geweest, maar ze slaagde er niet in aan hem te ontsnappen.

Caleb reed voor de eerste keer. Hij had het niet gewild, maar Ghaffur had erop aangedrongen. Ghaffur wilde dat hij reed, hij had met zijn hoge stem tegen hem geroepen en het hem voorgedaan. Ghaffur had gezegd dat Caleb, als ze de karavaan wilden inhalen, moest leren rijden, en dat hij, als hij van de kameel zou vallen, er weer op moest klimmen.

De jongen noemde de kameel de Beautiful One.

Caleb rolde heen en weer, schommelde op de bult. De Beautiful One liep waar ze wilde, in haar eigen tempo. Caleb had geen controle over haar. Hij zat op het juten zadel, hing aan de teugels of aan de nek van de kameel en drukte zijn dijen tegen de flanken. Hij viel niet... Hij ging de kloof weer over. De herinnering kwam van ver: er viel regen op zijn gezicht, het was donker en er waren felle lichten om hem heen. De stilte van het Zand maakte plaats voor hese kreten: hij was op de kermis en zat in de achtbaan. De jongens schreeuwden en de meisjes gilden... Maar om hem heen was de woestijn en de stilte. Het was iets uit het verleden, iets wat in zijn geheugen terecht was gekomen, en hij zat op de bult en vocht tegen de herinnering. De Beautiful One stapte met trage, vermoeide passen door het zand. Hij had gezien hoe Rashid met de kamelen omging; zo ruw als hij tegen zijn reisgenoten was, zo zachtaardig – bijna liefdevol – was hij voor de dieren. De jongen draaide zich vaak om, alsof hij verwachtte dat hij zou zijn gevallen. Maar zijn blik was niet ondeugend, zoals gewoonlijk wel het geval was. Ze wonnen tijd. Caleb besefte dat zijn beslissing de vrouw te helpen de argwaan van de vader van de jongen en van Hosni, Fahd en Tommy had gewekt, en dat de jongen daardoor was aangestoken. Als hij er niet was geweest, zouden ze Beth Jenkins hebben vermoord en haar lijk hebben achtergelaten, overgeleverd aan de wind, het zand en de zon.

Ze zagen twee keer sporen van de karavaan, beide keren in een vallei tussen de duinen, waar het zand in de luwte lag. Beide keren waren ze door de vallei gereden en waren de sporen weer verdwenen. Het zand zweefde over het oppervlak en vulde de afdruk van de hoeven. Caleb begreep niet hoe de jongen zo zeker kon weten waar de karavaan naartoe was gegaan. Hij zag zelf geen enkel herkenningsteken.

Ze stopten niet om te rusten, te eten of te drinken. Hij zat hoog op de bult, hobbelde heen en weer. Hij moest en zou blijven zitten. Hij was haar vergeten, zij maakte geen deel meer van hem uit. De lange nacht lag achter hem, en de wind blies haar geur uit zijn kaftan.

‘Ik weet waar we naar zoeken.’ Gonsalves stond opgewonden in de deuropening van het vluchtleidingscentrum. Ze konden de opwinding die hij veroorzaakte goed gebruiken. De deur had op een kier gestaan en hij had alleen het achterhoofd van de piloot en het profiel van het gezicht van de sensor operator gezien. Uit de houding van de schouders en de rug was hem meteen duidelijk geworden dat opwinding hier schaars was. ‘Ik weet wat jullie doelwit is.’

Hij was in de Cessna gestapt, had zich vastgesnoerd en was zonder de veiligheidsgordel los te maken naar hen toe gevlogen. Nu ijsbeerde hij door de kleine ruimte achter hun werktafel. Hij had het gevoel dat de piloot hem met alle geweld wilde geloven en dat de sensor operator presentjes die weer konden worden afgepakt met argwaan bekeek.

'Het is echt waar. Het gebeurt niet vaak, maar deze informatie komt van een ooggetuige. Wat ik heb gezegd, staat als een huis. Er wordt jacht op hen gemaakt, ze proberen zich te hergroeperen en doen er alles aan om weer op krachten te komen. We weten dat ze met een karavaan kamelen de grens tussen Oman en Saudi-Arabië zijn overgestoken en de Rub' al-Khali in zijn getrokken. Ze hebben de moeilijkste weg gekozen, wat aangeeft dat ze ten minste één man bij zich hebben die buitengewoon waardevol is. En dat is niet het enige. Ze hebben ook geavanceerde wapens bij zich. Die hebben niet de hoogste prioriteit, maar zijn nog altijd heel belangrijk.'

Hij haalde een fotokopie uit zijn koffertje, boog zich voorover en deponeerde het vel papier met een klap tussen het schakelbord van de sensor operator en de joystick van de piloot.

'Dit is de kist van een Stinger. Ik weet uit de tweede hand dat de ooggetuige soortgelijke kisten op kamelen geladen heeft zien worden. De Stinger is een luchtverdedigingswapensysteem dat van de schouder kan worden afgevuurd, het...'

De vrouw zei: 'We weten heus wel wat een Stinger is, meneer Gonsalves.'

Gonsalves zei, op zijn plaats gezet: 'Ze hebben er zes bij zich; er zijn drie kamelen met ieder twee stuks.'

Op de werktafel lag een kaart op grote schaal van de Rub' al-Khali. Er was een vel cellofaan overheen gespreid, waarop ze lijnen hadden getrokken die de kaart in vlakken verdeelde. Op een jammerlijk klein aantal vlakken stond een kruis, met de tijd en de datum erbij.

De vrouw voerde het woord, voor haarzelf en voor de piloot. 'Waar is de karavaan de grens overgestoken?'

Gonsalves keek op zijn eigen kaart en bracht zijn pen naar die van hen. Hij zette de punt op een plek op de stippellijn die de grens aangaf.

'Mooi,' zei ze rustig. 'En wanneer is de karavaan de grens volgens die ooggetuige gepasseerd?'

'Die mensen zijn nogal vaag. Ze denken niet in dagen en maanden zoals wij dat doen.'

'Wanneer?' Haar stem was ijzingwekkend kalm.

'Meer dan een week geleden. Tien dagen, hooguit twee weken. We mogen nog van geluk spreken dat we zo veel weten.'

Er trok een schaduw van een teleurstelling over het gezicht van de piloot. Gonsalves zag de hoop uit de ogen achter de dikke brillenglazen verdwijnen. Zij sprak uit wat hij dacht.

'Laten we zeggen, meneer Gonsalves, dat een karavaan van kamelen minimaal veertig en maximaal vijfenvijftig kilometer per dag kan afleggen. Op een gemiddelde dag zal het daar ergens tussenin liggen.'

Ze pakte een potlood en trok drie halve cirkels op het cellofaan; de tweede en de derde halve cirkel bevatten meer vlakken dan de vorige. Hij begreep het. De buitenste halve cirkel omvatte een groot deel van de woestijn, en de straal vanaf de inktstip naar de buitenste halve cirkel vertegenwoordigde een afstand van om en nabij de achthonderd kilometer.

Hij zei, nietszeggend: 'Het is de beste informatie die we hebben. Wat bedoel je nou eigenlijk?'

'Dat het een naald in een hooiberg is. Kijk maar, meneer Gonsalves.'

Ze wees naar de rij monitoren. Hij zag het zand, kilometer na kilometer. Het was zand zonder horizon. Vlak zand, geribbeld zand, zandrichels, zandduinen. Hij zag de leegte. Toen zette ze haar vinger op de kaart, in de wijdste halve cirkel.

'We vliegen vandaag met *Carnival Girl*. Achter u staat een pisemmer. Zolang een van de vogels in de lucht is, verlaten we deze ruimte niet. Marty en ik zijn als een hand in een handschoen. We zijn samen. Als hij moet pissen, gaat hij boven de emmer staan. Als ik moet pissen, dan hurk ik boven de emmer neer. Waarom? Omdat we een karavaan over het hoofd zien als een van ons naar buiten gaat om te pissen en de ander even niet oplet. Om van een paar kamelen nog maar te zwijgen. We laten ons hier broodjes brengen en we krijgen water. We zitten hier zolang de vogel in de lucht is. We zouden eigenlijk minstens één rustdag moeten hebben, maar die hebben we niet. We zouden een reserve sensor operator moeten hebben, maar ook die hebben we niet. Weet u waarom ik u dit vertel, meneer Gonsalves? Omdat u dan begrijpt dat de hooiberg heel groot en de naald heel klein is. Vat u het niet op als een belediging. U doet uw best en wij doen ons best. U doet wat u kunt en wij doen wat wij kunnen. Ik wens u een goede terugreis.'

Hij staarde naar het zand op de schermen. Hij staarde tot zijn blik op het beeld wazig werd. Volgens hem moesten de piloot en de sensor operator om de twee uur kunnen pauzeren om geconcentreerd te kunnen blijven. Volgens hem was twaalf tot vijftien uur per dag in het vluchtleidingscentrum gekkenwerk. Voor zijn geestesoog tekende zich de nachtmerrie af: het onbemande vliegtuig, *Carnival Girl*, zou over de karavaan van kamelen met zes zeer waardevolle kisten en een extreem belangrijke man kunnen vliegen zonder dat ze de dieren of de mannen zouden zien.

'Doe je best,' zei hij zwakjes. Zijn komst had hen, heel even, opgebeurd. Nu hingen hun schouders weer moedeloos naar beneden.

Hij liep naar buiten.

De hitte sloeg hem in het gezicht en leek hem de adem te benemen.

Hij liep naar de jeep die hem naar de Cessna zou terugbrengen. Het was het oude liedje... Een officier van de inlichtingendienst bereikte zelden hoogtepunten en regelmatig dieptepunten. Hij vocht in de oorlog die van de opiniebladen thuis de bijnaam 'de Oorlog zonder Einde' had gekregen. De klant verwachtte wonderen. Hij herinnerde zich wat er na de aanslagen in Riyad, een jaar geleden, werd geschreven: 'Ze hebben gezegd: "We kunnen jullie altijd treffen, waar dan ook."' Het was goede informatie geweest, maar er bleef niet veel van over toen ze hem de beelden van de woestijn en de halve cirkels op de kaart lieten zien. En ondertussen hergroepeerde de vijand zich... Hij schopte woest tegen een steen en liep verder naar de jeep.

Hij werd geroepen. Hij draaide zich om, ging terug en liep het trappetje naar het vluchtleidingscentrum op.

Ze wees op een van de schermen.

Hij zag twee minuscule vormen. Aan de rand van het beeld was het dak van een auto te zien, in het midden een piepklein poppetje. Ze trok haar trukendoos open en zoomde in. Hij herkende de auto als een Land Rover. Het poppetje was een vrouw. Het beeld zoomde verder in op de vrouw, de Land Rover verdween uit beeld. Ze had zich voorovergebogen. Hij zag een klembord naast haar in het zand liggen, en felle stenen weerkaatsten het licht. Ze knielde. Ze was blond – godsamme, hij kon zelfs de kleur van haar haar en haar bloes zien.

'Ik wilde u alleen even laten weten, meneer Gonsalves, waartoe de apparatuur in staat is als we het doelwit hebben kunnen vinden.'

'Wie is zij in godsnaam?'

De sensor operator grijnsde en zoomde nog iets verder in. 'Ze is meteorietendeskundige, wetenschapper. En ze is degene die mij tampons heeft geleverd. Ze is het enige levende wezen dat we vandaag hebben gezien.'

'Kan ze niet even zwaaien?'

De piloot zei: 'Ze heeft er geen idee van dat we boven haar hoofd vliegen. We hangen nu op een hoogte van 24.000 voet boven haar, dat is 7,3 kilometer. Ze kan ons niet horen, en als ze al omhoogkeek, zou ze ons niet kunnen zien. We wilden alleen maar even demonstreren, meneer Gonsalves, dat we die kamelen met militaire kisten kunnen vinden.'

'Zijn jullie met Hellfire uitgerust?'

Ze zei van niet.

'Vlieg geen dag meer zonder Hellfire. Geen dag.'

'Ze zijn er om rellen de kop in te drukken, meneer Wroughton. Ze trainen vijf dagen per week op het neerslaan van opstanden en het handhaven van de openbare orde.'

Wroughton maakte nooit aantekeningen in de aanwezigheid van een informant. Als hij een paar snelle aantekeningen maakte, zou de informant denken dat zijn informatie interessant en belangrijk was. In Wroughtons manchetknoop zat een microfoontje, voor het geval dat, en de taperecorder zat op zijn rug, verborgen onder zijn jasje. Zijn gezicht drukte bestudeerde desinteresse uit. Ze zaten in de lobby van een klein hotel, waar zelden buitenlanders kwamen. De stoelen waar ze op zaten en het tafeltje waar hun drankjes op stonden, werden door planten in potten van de draaideur en de receptie afgeschermd.

God nog aan toe, die schooier had er weinig voor hoeven doen.

'Alle soldaten en officieren van de Nationale Garde zonder essentiële functie worden getraind om opstanden neer te slaan. Neem me de uitdrukking niet kwalijk, meneer Wroughton, maar het loopt hen dun door de broek. Op dit moment gebruiken ze traangas en plastic kogels, maar de Nationale Garde heeft de mogelijkheid gekregen om met scherp te gaan schieten. Ik weet dat het een detail is, maar de pantservoertuigen van de Nationale Garde worden aan het eind van de dag altijd met een volle tank geparkeerd. Het lijkt wel alsof ze weten dat de boel op instorten staat.'

Sommige agenten raakten gesteld op hun informanten. Ze behandelden hen als lastige kinderen en deden net alsof ze een waardevol onderdeel van de inlichtingenmachinerie waren. Die fout zou Eddie Wroughton niet maken. Hij verachtte Samuel Bartholomew. Voor vriendelijke woorden en aanmoedigingen was alleen plaats als hij ze met een sarcastische ondertoon lardeerde.

'Ik neem aan dat het uit de moskeeën komt. Niet uit de grote, daar heeft de partij het voor het zeggen, maar uit de kleinere. De mensen die daar komen, hebben het meest onder de nieuwe harde lijn te lijden. De Amerikanen zijn vertrokken, hun troepen zijn weg. Volgens mijn patiënt richt het venijn uit de kleinere moskeeën zich nu op de koninklijke familie. Het komt door de lagere levensstandaard, zegt mijn patiënt. O ja, de pantservoertuigen zijn niet alleen met traangas en plastic kogels uitgerust, er zijn ook zware machinegeweren op gezet. Ze worden bang. Ik hoop dat u hier iets aan hebt, meneer Wroughton. Ik heb mijn best gedaan, vindt u niet, meneer Wroughton?'

Wroughtons lip krulde smalend. Hij had zo'n idee van wat er ging komen en hij schoof zijn glas, dat op wat fruit op de bodem na zo goed als leeg was, van zich af. Hij glimlachte flauwtjes en stond op.

'Alstublieft, laat u me uitspreken. Alstublieft!' Daar had je het al. 'Ik heb zitten denken, meneer Wroughton, uw mensen weten toch hoe ze in gebouwen moeten komen? En in bestanden?'

Dat was zo. 'Ik kan je niet volgen, Bart.'

'Ze hebben bestanden over mij, ik...'

‘We komen allemaal voor in de bestanden, Bart,’ zei Wroughton pesterig.

‘De bestanden die de politie van Devon en Cornwall van mij heeft, en de bestanden van het Britse Genootschap van Huisartsen, ik vroeg me af of...’

Wroughton hield zich van de domme. ‘Wat vroeg je je af?’

‘Na alles wat ik heb gedaan, u weet wel, alle hulp... Nou ja, kunnen ze niet gewoon zoekraken?’

‘Zoekraken?’ papegaaide Wroughton. ‘Zoekraken? Suggereer je soms dat we in het politiebureau en in de kantoren van het Britse Genootschap van Huisartsen moeten inbreken? Dat we bestanden moeten verwijderen die betrekking hebben op strafrechtelijk onderzoek? Is dat wat je suggereert?’

De schooier kroop ineen. ‘Ik heb mijn straf nu toch wel uitgezeten? Ik wil weg. Ik wil een nieuwe start maken, en die vervloekte bestanden houden me tegen. Dat is toch niet onredelijk, dat is vast wel...’

Blijf een informant altijd de baas. Hou hem stevig onder de duim. Wroughton zei: ‘Jij vertrekt pas als ik dat zeg. Bestanden verdwijnen op het moment dat ik daartoe beslis – en dat moment is nog niet aangebroken. Je gaat helemaal nergens heen, Bart.’

Er liep wat speeksel uit Barts mond.

Voor woede zou Wroughton nog respect kunnen hebben. Strijdvaardigheid droeg hij een warm hart toe.

De arts zwichtte. ‘Ja, meneer Wroughton.’

De man had totaal geen ruggengraat. Hij gebaarde hem te vertrekken en keek toe hoe hij de lobby overstak en door de draaideur naar buiten ging. Op dat moment kreeg hij haar in het oog. Als hij niet had toegekeken hoe Bartholomew het hotel verliet, zou hij de vrouw niet hebben gezien. Ze was een elegante verschijning, misschien wat mollig, maar met zorg gekleed. Ze droeg een rok en een bloes. Ze was niet jong meer, maar zag er nog goed uit. Ze bladerde in een tijdschrift, maar had haar aandacht er niet bij. Hij ving haar blik... Eddie Wroughton wist als geen ander de verveling in de ogen van een vrouw van middelbare leeftijd te peilen. Ze droeg een trouwring. Getrouwde vrouwen waren een gemakkelijker doelwit – ze verveelden zich meer dan andere vrouwen. Ze keek naar hem, haar blik bleef even op hem rusten. Hij had het gevoel dat ze probeerde in te schatten in hoeverre hij geïnteresseerd was. Hij stond op, bleef voor de vorm even staan en liep toen door de lobby naar haar toe.

Een kwartier later liet hij haar weer met haar tijdschrift achter. Inmiddels wist hij dat ze Belgisch was en dat haar man ergens in de provincie werkte. Ze had hem haar telefoonnummer gegeven.

Jed slingerde heen en weer alsof hij dronken was. Hij kwam van de veerboot die de verblijfplaatsen met de kantoren van het Korps Mariniers van Camp Delta verbond en had het gevoel dat hij ieder moment kon omvallen. Iedereen op de boot had naar hem gekeken – dat wist hij maar al te goed: burgers, officieren en gewone soldaten.

Hij had een griep opgelopen en koorts gekregen. Gedurende twee dagen, twee nachten en een deel van de derde dag had hij het bed moeten houden. Door pillen versuft had hij vloekend liggen woelen onder lakens die klam waren van het zweet. Hij was zo gefrustreerd dat hij uiteindelijk was opgestaan en zich in zijn uniform had gehesen. Geschoren had hij zich niet, want zijn handen trilden en hij betwijfelde of hij het scheermes wel zou weten te hanteren. Jed was een schaduw van zichzelf. Hij sleepte zich moeizaam van de veerboot naar de pendelbus.

Hij klampte zich vast aan de taak die hij zichzelf had gegeven. Hij had nog wat pillen achterovergeslagen en zich op goed geluk aangekleed. Met zijn stoppelbaard en ongekamde haren liep hij erbij als een zwerver. Er werd onderdrukt gelachen. Hij zei niets, maar klom moeizaam in de bus en liet zich op de eerste de beste vrije stoel zakken.

Bij de ingang van Camp Delta stapte hij uit en aan het hek liet hij zijn kaart zien.

'Gaat het wel, meneer?'

'Ja hoor, dank je.'

Maar het ging helemaal niet – hij voelde zich hondsberoerd. Hij wist wankelend bij de archiefbarak te komen, ver weg van het kantoor waar hij een kamer had. Dit was het territorium van een kolossale Afro-Amerikaanse sergeant, een man die je met respect moest behandelen omdat je anders iedere kans op hulp op je buik kon schrijven.

Hij gaf de naam van Fawzi al-Ateh. 'Waar valt hij onder, meneer Dietrich?'

Hij zei dat hij onder 'Ontslagen van Rechtsvervolging' viel, en dat de gevangene was vrijgelaten. 'U vraagt nogal wat van me, meneer Dietrich. Hoe moet ik een OvR vinden die hier niet meer is?'

Hij vroeg eerbiedig of de OvR-documenten vernietigd of versnipperd waren en kreeg te horen dat hij ze in het bijgebouw kon vinden. Hij bedankte de sergeant en hield de suggestie dat de man zijn tijdschrift en de tweeliterfles Pepsi opzij zou kunnen schuiven om zelf naar het bijgebouw te gaan voor zich. Hij zei dat hij met alle plezier zelf zou gaan kijken of hij kon vinden wat hij zocht.

'Neem me niet kwalijk dat ik het zeg, meneer Dietrich, maar u ziet er niet al te best uit.'

Jed verdween door de deur achter de tafel van de sergeant en trok hem achter zich dicht. Hij liep langs rekken vol documenten, kopieën, diskettes en bandopnames. Hij kwam bij een deur die piepte toen hij hem opendeed. Na meer dan twee jaar Camp X-Ray en

Camp Delta werd dit bijgebouw nog nauwelijks gebruikt. Hij drukte de schakelaar in en een peertje aan het plafond verspreidde een mat licht. De documenten en bandopnames van de OvR's lagen zonder enige rangschikking in zakken op de vloer. Hij deelde het bijgebouw met een kakkerlak, meer spinnen dan hij kon tellen en een legertje mieren. Toen hij vijftien zakken open had gemaakt, stuitte hij op een document met de datum die overeenkwam met de datum waarop Fawzi al-Ateh met de bus van het vliegveld naar Camp Delta was gebracht. In de zak zaten bruine overheidsenveloppen. Nadat hij er negen had geopend, vond hij de envelop met de kopieën en bandopnames van de verhoren van de taxichauffeur. Hij stak de envelop onder zijn arm en verliet het bijgebouw in iets grotere wanorde dan hij het had aangetroffen. Met moeite liep hij tussen de voorraadplanken en daarna langs de barak. Eén keer bleef hij staan om, leunend tegen de omheining, zijn krachten te verzamelen.

Hij passeerde een kantoor van de FBI. De deur stond open en een man riep: 'Hé Jed, ik dacht dat jij ziek op bed lag...' Hij glimlachte naar het gezicht achter de schoenen op het bureau en bedankte de agent voor zijn bezorgdheid. Hij zou ze nog wel te grazen nemen.

Eenmaal op zijn kamer stopte hij een van de cassettes van Fawzi al-Ateh in zijn cassettespeler en schoof de koptelefoon op zijn hoofd. Hij luisterde en drukte de knop in. Hij opende zijn bureaulade en haalde er een andere cassette uit. Hierop stond de stem van de Engelse gevangene die beweerde alleen maar in Peshawar geweest te zijn om de Heilige Schrift te bestuderen, en die de in het Pashto vertaalde tekst had opgelezen. Steeds opnieuw luisterde Jed naar fragmenten van de twee stemmen, tot ze in zijn hoofd bleven hangen en in elkaar overgingen. Hij ondersteunde zijn hoofd met zijn handen, die hij tegen de koptelefoon gedrukt hield... Hij voelde zijn krachten wegvloeien... Zijn hoofd werd zwaarder en zwaarder... Hij zakte weg.

Hij deed zijn ogen open. Hij wist dat hij in slaap was gevallen, want de cassette was afgelopen.

Maar hij had wat hij wilde hebben.

Caleb en Ghaffur waren in de hitte stevig doorgereden en vonden laat in de middag aansluiting bij de karavaan.

Toen ze de anderen hadden ingehaald, liet Ghaffur hem achter. Hij spoorde zijn kameel aan, passeerde de overige reizigers en voegde zich bij zijn vader, die vooraan reed. Het was een uur voordat de zon zou ondergaan en ze hun kamp zouden opslaan, en er hing een sfeer van wantrouwen en twist. Caleb was er de oorzaak van. Hij zag dat Ghaffur tegen zijn vader praatte, maar Rashid leek de jongen te negeren. Toen de gids zich omdraaide en zijn blik onderzoekend over de mannen achter zich liet gaan, zag Caleb dat de woede in zijn blik niet op hem, maar op de Irakees was gericht. Het was die dag heter geweest dan alle voorgaande dagen; Caleb kwam tot de conclusie dat de hitte en het water dat verloren was gegaan, Rashids slechte humeur veroorzaakt moesten hebben. Omdat zijn kameel snel had gelopen, was Caleb stijf geworden en waren er pijnlijke blaren aan de binnenkant van zijn dijen ontstaan. Plotseling versnelde de Beautiful One, zonder dat Caleb hem daartoe opdracht had gegeven. Ze passeerden Fahd, die zijn gezicht afwendde en Calebs blik meed, en de twee mannetjeskamelen met de kisten, tot ze evenwijdig aan Hosni's kameel liepen.

De Egyptenaar leek Caleb nauwelijks te kunnen zien. Hij had waterige, troebele ogen en staarde naar de teugels en de nek van zijn kameel. Zijn kleren zaten ruimer om hem heen dan toen ze waren vertrokken, en toen hadden ze al om zijn magere lichaam heen gewapperd. Er was geen schaduw. Ze waren overgeleverd aan het geweld van de zon en ze hadden een tekort aan water. Caleb begreep maar al te goed hoe snel de krachten van de oude Egyptenaar moesten afnemen. Zelf leed hij ook, en de blaren begonnen steeds pijnlijker te worden, maar dat liet hij niet merken, want het lijden en de pijn van Hosni moesten veel heviger zijn. Hosni draaide zijn hoofd een klein stukje – waarschijnlijk had de Egyptenaar zijn ademhaling gehoord, want op die momenten dat de Beautiful One een slingerbeweging had gemaakt en het ruwe juten zadel tegen de grootste blaren had geschuurd, had hij de lucht tussen zijn lippen naar binnen gezogen.

'Dank je, Fahd, dat je naast me komt rijden. Ik val niet, ik...'

Caleb keek in de doffe, waterige ogen. 'Ik ben het, Hosni, ik ben er weer.'

'Ah, de nobele man. De man met het geweten. Wat heb je voor elkaar gekregen?'

'Ik heb de wielen uitgegraven. Ik heb de motor schoongemaakt.'

'Heeft ze je bedankt?'

'Ze heeft me bedankt.'

'Hoe heeft ze je bedankt?' Hosni klonk spottend.

Caleb zei, kordaat en rustig: 'Ze zei dat ze me dankbaar was voor wat ik heb gedaan.'

De Egyptenaar wierp zijn hoofd in zijn nek met een gebaar dat een grote inspanning verried, en hij snoof verachtelijk. 'Ze zei dat ze je dankbaar was. En lopen we nu allemaal gevaar omdat jij haar wielen hebt uitgegraven en haar motor hebt schoongemaakt?'

'Ik heb ons niet in gevaar gebracht, dat beloof ik.'

'Beloof je dat? Beloven, dat is een fraai woord. Ik zou haar hebben vermoord. Dat zouden we allemaal hebben gedaan.' Zijn gezicht was door uitputting en zwakte getekend, maar zijn stem was helder en krachtig. 'Ze zullen je naar een plaats sturen waar veel mensen zijn. Er zullen duizend mannen, vrouwen en kinderen rondlopen die zich achter je verdringen, die jou niet zien, of die juist tegen je glimlachen. Er zullen oude mannen zijn en er zullen knappe vrouwen en lieve, lachende kinderen langs je lopen. Als jij je taak vervult, zullen zij allen gedoemd zijn... Kunnen we je nog wel vertrouwen? Ik ben er niet zeker van. Fahd twijfelt en Tommy is ervan overtuigd dat we je niet...'

'Ik zal doen wat mij wordt gevraagd. Ik heb een inschatting gemaakt, en ik zal ernaar leven.'

'Maar het was een knappe vrouw...' Hosni spuugde in het zand, en de hoeven wierpen zand over het speeksel. Hij hoestte, zijn keel brandde. 'Omdat je naast me rijdt, omdat je van buitenaf komt en omdat je van groot belang maar nieuw voor ons bent, zal ik je vertellen welke fouten de mannen van al-Qaeda hebben gemaakt. Luister goed... Het zijn veel fouten en ze werden gemaakt door mannen die gelovig en toegewijd, maar ook onvoorzichtig en dom waren... Ramzi Yousef zal in de gevangenis sterven omdat een collega zijn laptop op een tafel in een appartement in Manila liet liggen; Ramzi's strategie stond op de harde schijf. Onvoorzichtig en dom, en een fout... Arabische strijders lieten zich triomfantelijk voor vernietigde Russische pantservoertuigen fotograferen. Een van de strijders had een afdruk van die foto's bewaard en werd tien jaar later door de CIA gearresteerd; zijn dierbaarste kameraden zijn allemaal geïdentificeerd. Onvoorzichtig, een fout... Een cel wilde een aanslag plegen op de Amerikaanse ambassade in Nairobi. Om dicht bij het gebouw te komen, moesten ze voorbij de bewaakte slagboom zien te komen. De man die was uitgekozen om de bewaker neer te schieten, besefte op het moment dat de auto met explosieven afremde dat hij zijn pistool op het onderduikadres had laten liggen. Dom, een fout... Een kaderlid plande een aanslag, en een uur voordat de bom moest afgaan, nam hij het vliegtuig terug naar Pakistan. De bom explodeerde en de beveiliging in Karachi werd verscherpt. Bij de douane toonde het kaderlid zijn vervalste paspoort. Hij had een baard, maar de man op de foto in zijn paspoort had een gladgeschoren gezicht. Een fout... Een man reed met zestig kilo explosieven in de achterbak van zijn auto naar de Canadees-Amerikaanse grens. Het was midden in de winter, de grond was bevroren en er lag sneeuw op de weg, maar hem stond het zweet op het voorhoofd. Een domme fout, een onvoorzichtigheid... Onder het World Trade Center werd in 1991 een busje vol explosieven tot ontploffing gebracht. Dat was de eerste aanslag, waarbij de torens niet zijn ingestort. In zesduizend ton puin vonden de Amerikanen het chassisnummer van het busje terug. Ze wisten het tot het verhuurbedrijf terug te leiden en de man die het busje had gehuurd, had zijn eigen naam en adres opgegeven. Een domme, onzorgvuldige fout... Iedere fout, het gebruik van internet, van een satelliettelefoon of van een mobiele telefoon kost velen de vrijheid en velen het leven. Luister je naar me?'

'Ik luister.'

'Een week voordat je bij ons kwam, las ik in een Omaanse krant dat aan de grens tussen Pakistan en Afghanistan twee lichamen van mannen zijn gevonden. Ze waren allebei dood. Hun keel was doorgesneden en er waren dollarbiljetten in hun mond gepropt. Ze hadden het vertrouwen verloren... Je vroeg ons de vrouw te laten leven. Was dat een fout?'

Caleb antwoordde: 'Ik heb geen fout gemaakt.'

10

Het was niet het moment voor een drinkpauze of voor de gebeden. Rashid had de karavaan tot stilstand gebracht: hij had zijn hand opgeheven en zijn kameel laten knielen. Daarna was hij afgestapt en alleen verder gelopen. De jongen was teruggerend en had de kamelen bij de teugels genomen; ze waren bewegingloos blijven staan. De zon brandde genadeloos en Caleb had moeite om op de Beautiful One te blijven zitten. De blaren op zijn dijen en zijn billen waren die nacht tot rust gekomen, maar waren tijdens het rijden weer opengegaan.

'Waarom zijn we gestopt?' vroeg Caleb aan Ghaffur.

De jongen haalde zijn schouders op.

'Hoe lang blijven we stilstaan?'

De jongen wendde zijn blik af. Hij meed het Caleb aan te kijken.

Hij staarde om zich heen. De kamelen waren onrustig, zelfs de Beautiful One, de kalmste van hen. Sommige staken hun kop in de lucht en leken een geur op te snuiven; andere loeiden en spuugden herkauwmassa uit. Ze voelden iets, Caleb had geen idee wat. Ze bevonden zich midden in een uitgestrekte zandvlakte, die er anders uitzag dan de andere gebieden waar ze doorheen waren gekomen. Het was net alsof er onder een dunne laag rul zand een korst zat. Nadat ze door een vallei tussen twee zandduinen waren getrokken, was het zand grover geworden en koekte het aan de hoeven van de kamelen vast.

Caleb kneep zijn ogen samen. Het zonlicht werd door het zand gereflecteerd en brandde op zijn oogleden. Hij bedacht hoe lang geleden ze voor het laatst een schorpioen of het spoor van een slang hadden gezien, of de kleine afdrukken van de pootjes van een muis, een sprinkhaan of vlieg, of een struik waar nog leven in zat, een grasspriet. Het leek wel alsof hier niets kon overleven. Geen schepsel, geen insecten, geen vegetatie. Hij wist niet hoe ver ze waren gekomen of hoe ver ze nog te gaan hadden. Het was een oord des doods. Hij kon Rashid nauwelijks zien. Het silhouet van het lichaam van de gids bewoog glinsterend. Maar hij zag het paaltje.

Caleb knipperde met zijn ogen.

Een meter schuin voor Rashid stak een kaal stuk oud hout uit het zand. Het afgebroken uiteinde kwam tot de knie van de gids. Het kon daar onmogelijk door een speling van de natuur terecht zijn gekomen. Rashid hield zijn hand boven zijn ogen om ze tegen de zon te beschermen en tuurde voor zich uit alsof hij iets zocht.

Toen kwamen ze plotseling weer in beweging. Tot dan toe waren ze alleen van de rechte lijn afgeweken als ze daar door zandduinen toe gedwongen werden, maar nu boog Rashid zonder zichtbare aanleiding naar rechts af. De jongen, die achter hem liep, hield de kamelen die ze bereden en de kamelen met de kisten dicht bij elkaar. Ghaffur kwam naast Caleb rijden. De jongen keek hem niet aan en sprak niet, maar sloeg de Beautiful One op de flank, zodat hij een positie doorschoof. Caleb besefte dat de volgorde waarin ze reden, werd veranderd.

Hij reed niet langer achteraan.

Er was een nieuwe volgorde gevormd. Eerst Rashid, dan Ghaffur, dan Caleb. Hosni reed achter Caleb, en daarachter kwam Fahd. Calebs plek aan de staart van de karavaan was ingenomen door de Irakees, Tommy. Tommy had, sinds ze op weg waren gegaan, de grens tussen Oman en Saudi-Arabië waren overgestoken en het Zand in waren getrokken, nog niet eerder op de laatste positie gereden.

Toen Rashid zich ter controle omdraaide, zag Caleb zijn gezicht en het gezicht van de jongen, en hij voelde dat de spanning was gestegen. Hij begreep niet wat de oorzaak was en kon er geen reden voor bedenken, maar het knaagde aan hem.

De tocht verliep nu anders dan in de voorgaande dagen waarin ze door de woestijn waren getrokken. Ze kwamen een tweede teken tegen. Het stuk hout stak maar een centimeter of vijftien uit het zand en Calebs verbrandde ogen zouden het over het hoofd hebben gezien. Bij dit stokje verlegde Rashid de koers naar links. De hitte versufte hem. Hij was te moe om Rashid of de jongen een vraag toe te roepen. Hij klampte zich aan het zadel vast en de Beautiful One liep traag en lethargisch achter de kamelen voor hem aan, en zijn hoeven zakten weg in de afdrukken van de kamelen voor hen. De hitte was extreem, de blaren werden steeds pijnlijker. Na een meter of vierhonderd bogen ze weer naar links af, en na een meter of tweehonderd naar rechts. Daarna gingen ze rechtdoor, en de kamelen staken hun neusgaten in de warme lucht en de mannetjeskamelen loeiden, maar Caleb zag geen verschil tussen dit zand en het zand waarover ze eerder die dag waren gereden. Dat Rashid zulke vreemde hoeken maakte, verwarde hem. Hij ontkwam niet aan het gevoel dat de spanning nog steeds toenam.

Hij had nauwelijks gemerkt dat Rashid was gestopt.

Ghaffur nam nu de koppositie in. Caleb volgde de jongen. Hij passeerde Rashid en probeerde zijn blik op Rashids gezicht te vestigen, maar het lukte hem niet: hij slaagde er niet in zijn ogen op één punt gericht te houden. Rashid groette hem niet, gaf geen uitleg, zei niets. De Beautiful One sjokte voort. Achter hem liepen de pakkamelen, daarachter Hosni en Fahd, en ten slotte de Irakees. Hij had geen verklaring voor de spanning die hen nu in haar greep hield.

Caleb draaide zich op zijn juten zadel om. De beweging joeg een pijnscheut door zijn dijen; de blaren waren verder opengesprongen. Rashid reed achter Tommy; de kop van zijn kameel bevond zich op dezelfde hoogte als de flank van Tommy's kameel. Caleb keek weer voor zich. Hij koos een punt in het midden van Ghaffurs rug en concentreerde zich daarop. De jongen liet zijn kameel naar rechts zwenken; ze vervolgden hun zigzaggende route.

Zijn ogen waren gesloten. Hij hunkerde naar de volgende stop, naar het kwart bekertje water. Hij hield zijn ogen dichtgeknepen om ze tegen de felle zon te beschermen. Zijn keel was kurkdroog. Het zand prikte in zijn gezicht. Hij rolde heen en weer op de bult van de kameel, dreigde te vallen en vergat zijn bezorgdheid over wat er achter hem gebeurde.

De ambassade adviseerde om niet met een auto zonder chauffeur te rijden.

Bart reed zonder chauffeur en nam de kortste route.

De ambassade adviseerde om op vrijdagen, zelfs met chauffeur, zeer voorzichtig te zijn.

Het was een vrijdag.

De ambassade drukte buitenlanders op het hart de straten rondom de Grote Moskee en het grote plein tussen de Grote Moskee en het Paleis van Justitie op vrijdagen te mijden.

Maar Bart had de oproep gekregen. Het was een spoedgeval, en het was vrijdag, dus er was geen chauffeur beschikbaar die hem zou kunnen rijden. Hij had het advies van de ambassade in de wind geslagen en de snelste route van zijn woningcomplex naar de plaats van het paniektelefoontje uitgestippeld. Hij reed door de Al-Malik Faisalstraat. De wijzer van zijn kilometerteller gaf aan dat hij tegen de maximum snelheid aan zat. Hij had geen oog voor de op drift geraakte menigte mannen, jong en oud, en hij dacht niet aan het tijdstip waarop het gebed in de Grote Moskee zou zijn afgelopen. Bij de gerestaureerde oude stadsmuren sloeg hij rechtsaf, de Al-Imam Torki Ibn Abdullastraat in, waar hij vaart moest minderen omdat de menigte daar nog groter was en de doorgang belemmerde. Toen besefte Bart waar hij was, en hij huiverde.

Het voetgangersgebied, met aan de noordkant de moskee, aan de zuidkant het Paleis van Justitie, aan de oostkant de souvenirwinkeltjes en aan de westkant de soek, was bekend onder de buitenlanders. Het gaf voeding aan een eindeloze stroom kletspraatjes, fascinaties, speculaties en huiveringwekkende griezelverhalen. De diplomaat die zich met veiligheid bezighield, had de buitenlanders in niet mis te verstane bewoordingen ontraden zich op vrijdagen na het ochtendgebed in de buurt van dat gebied te begeven. De buitenlanders noemden het plein 'het Gehaktplein'. Op vrijdag werden, na het ochtendgebed en zonder dat daar van tevoren via kranten of het journaal mededelingen over werden gedaan, op het Gehaktplein executies uitgevoerd. 'Ga er niet naartoe om toe te kijken – haal het niet in je hoofd... Tijdens een onthoofding stijgen de emoties tot extreme hoogten... Blijf er uit de buurt, rij er in een grote boog omheen... Neem geen enkel risico.' Maar Bart had een oproep voor een spoedgeval gekregen en niet aan de instructies van de ambassade gedacht. Hij reed stapvoets, de mensenmassa kolkte om hem heen. Nu en dan ving hij, als hij tussen de zee van gewaden door langs de zijkant van de moskee kon kijken, een glimp op van het plein.

Het was een spoedgeval, en een spoedgeval betaalde goed. Het was een vrijdag, en op vrijdagen was er geen personeel op de woningcomplexen. In een keuken was een peertje stukgegaan. De huurder, een Amerikaanse jurist, had een stoel onder de lamp gezet en was erop geklommen om het peertje dan maar zelf te verwisselen. De stoel was gekanteld, de jurist was eraf gevallen en zijn vrouw had met groeiende paniek de lijst Amerikaanse artsen afgebeld. Maar het was vrijdag; als ze niet bij iemand op bezoek waren, stonden ze op de tennis- of de golfbaan. Iemand had haar het nummer van Bart gegeven. Ze had het in haar paniek zo verteld dat het ernaar uitzag dat de arm van haar man ernstig geblesseerd was. Kon hij komen? Het liefst onmiddellijk. Het liefst een halfuur geleden. Bart golfde niet, tenniste niet en had geen sociaal leven. Hij had zijn kat eten gegeven en zijn dokterstas gepakt en was naar buiten gerend. Buitenlanders, zowel Amerikanen als Europeanen, waren als de dood voor ongelukken en moesten er niet aan denken op de eerste hulp van een Saudisch ziekenhuis te belanden. Bart zou er royaal voor worden beloond dat hij vrijdags midden op de dag kwam opdraven.

De menigte weigerde aan de kant te gaan. Hij stuurde zijn auto erdoorheen. Hoe was hij daar terechtgekomen? Je kon de situatie waarin Samuel Agernon Laker Bartholomew zich bevond linea recta terugvoeren op de dag dat hij met knikkende knieën uit de praktijk in Nicosia was gewankeld en de man die daar op de stoep had gestaan hem had meegenomen om iets te drinken. De man die zo onverwacht in zijn leven was gekomen, heette Jimmy. Hij had geen achternaam, geen adres en geen telefoonnummer gegeven, maar hij had wel zijn portemonnee getrokken en was zo vriendelijk geweest om een dubbele Jameson – geen water – op het tafeltje in een hoek van het café te laten zetten. 'Als je eenmaal in de penarie zit, staat de hele wereld klaar om je een flinke trap na te geven – het is verdomd oneerlijk. Op dit eiland kun je het verder wel vergeten. Maar je moet het van de zonnige kant zien. Ik zeg altijd dat een glas halfvol is, en niet halfleeg. Ik weet toevallig waar een arts met een goede opleiding en een schat aan ervaring echt goed werk kan doen en er een hoop waardering voor terugkrijgt. Hoe zal ik het zeggen: het is werk dat een goed opgeleide, ervaren arts de kans geeft om de klootzakken die hem onterecht beschuldigen van katoen te geven. Laat mij dit varkentje maar voor je wassen...' Een baan in Engeland had hij uit zijn hoofd kunnen zetten. Hij had geen cent meer op de bank gehad en was op Cyprus aan zijn lot overgelaten. Hij had Jimmy bedankt; die was zelfs zo vriendelijk geweest om Barts hotelrekening te betalen en hem geld voor maaltijden en een ticket naar Tel Aviv te geven. Twee dagen later – en zonder Jimmy te hebben teruggezien – had Bart in Israël gezeten. God, wat naïef. Wat was hij een onnozele hals geweest.

Hij toeterde vol ongeduld en keek opzij, waar mensen tegen het portier van zijn auto drongen. Hij zag gezichten waar de emotie van afspatte. De razernij om hem heen leek aan te zwellen. Hij mocht dan in een afgesloten, airconditioned cocon zitten, de woede en de emotie leken tastbaar. Had hij verdomme nou maar niet getoeterd. Daarvóór had de meute hem nauwelijks opgemerkt. Nu drukten mensen hun gezicht tegen de ramen en vormden de lichamen een menselijke muur voor zijn motorkap. Boven het gezoem van de airconditioning uit hoorde hij een langzaam gescandeerde kreet door de gesloten ramen en portieren heen dringen. De lichamen verduisterden de cabine van de auto. Toen herkende Bart het woord. Het werd eindeloos en steeds luider herhaald.

'Osama... Osama... Osama... Osama...'

Er werden handen op zijn auto gelegd; ze begonnen hem heen en weer te wiegen. De stemmen pasten precies bij de gezichten, de woede en de emoties. Hij werd in zijn stoel heen en weer geschud. Als hij niet door de veiligheidsgordel was tegengehouden, zou hij met zijn hoofd tegen het portier zijn geslagen. Hij voelde zich licht in zijn hoofd, maar hij was niet bang. Hij schommelde heen en weer, en de intensiteit waarmee de naam werd gescandeerd nam toe. Toen kwam de sirene.

De menigte verspreidde zich. De straat stroomde leeg en een politieauto kwam met grote snelheid de hoek om. Om de een of andere reden scheen de zon plotseling door de ramen naar binnen en Bart baadde in het licht. Als het nog iets langer had geduurd, als de sirene van de politieauto de menigte niet op de vlucht had doen slaan, dan zou hij bang zijn geworden – hij was geen held. Hij keek opzij, zonder directe aanleiding, gewoon om te zien of hij weg kon rijden. Hij keek voorbij de Grote Moskee. Een zwarte auto reed weg van het midden van het plein. Een man haalde zaagsel uit een zak en strooide het op de grond. Hij deed een paar stappen, nam weer een handvol uit de zak, strooide ook die uit en herhaalde de handeling nog een keer. De beul had zijn zwaard schoongemaakt en was vertrokken. Bart reed weg.

Er waren drie mannen onthoofd. De lichamen en de hoofden lagen in de zwarte auto die was weggereden. De menigte had de naam van een icoon gescandeerd. De veroordeelden waren waarschijnlijk geen verkrachters, moordenaars of drugsdealers geweest. De menigte had de naam van Osama gescandeerd.

Bart kon niet verhullen dat het hem opwond. Die opwinding werd veroorzaakt door de nabijheid van de dood, de naam van Osama bin Laden en het geweld van de mensenmassa. Hij verafschuwde de stad, het regime, het land, het leven dat hij leidde, het bloed dat nu met zaagsel werd bedekt, de wagen, het scanderen en de handen die zijn auto heen en weer hadden geschud. Hij was verbijsterd, de adrenaline golfde door hem heen en hij had tegelijkertijd een extreme les getrokken. Het wond hem op. Hij deelde zijn afschuw met de menigte. Hij was aan niemand loyaal, hij identificeerde zich met... Bart hapte naar lucht. Hij reed hard. Maar in zijn hoofd hoorde hij de echo van de stem: 'Jij vertrekt pas als ik dat zeg... Jij gaat helemaal nergens heen, Bart.'

En hij ging naar de man die van een stoel af was gevallen toen hij een peertje wilde verwisselen.

Juan Gonsalves loste een probleem liever op met een telefoongesprek dan met een e-mailtje. E-mail liet een onuitwisbaar spoor achter en werd voor altijd in het archief van de geadresseerde opgeslagen. Hij belde Wilbur Schwarz om halfzeven 's ochtends plaatselijke tijd in Washington DC op een beveiligde lijn. Zijn overtuiging dat Schwarz al achter zijn bureau zou zitten, bleek gerechtvaardigd. Schwarz was de coördinator van alle antiterreuroperaties in het Saudi-Arabische koninkrijk. Hij zat in Langley, in een kamer zonder ramen. Binnenkort zou hij met pensioen gaan, en zijn toewijding zou gemist gaan worden. Gonsalves vertrouwde hem.

'Wilbur, ik bel niet om te klagen. Dit is gewoon een vertrouwelijk gesprek, ik wil niet dat we er een formele draai aan geven. Jij hebt een team met Predators naar Shaybah verscheept – kun je me tot zover volgen? Het ziet ernaar uit dat iedereen gelooft dat ze testvluchten uitvoeren om te onderzoeken hoe de vliegtuigen reageren op de extreme hitte van de woestijn... Ja, ja, het is me de woestijn wel. Het probleem is alleen dat er op dat team is bezuinigd. Er is maar één piloot en maar één sensor operator. Die jongens doen het geweldig, maar ze zijn aan het eind van hun Latijn en er is daar niemand die het even kan overnemen. Ze werken de klok rond, en meer dan dat. Ik was daar gisteren, ze zaten er helemaal doorheen. Je moet weten wat voor woestijn dat is. Het wordt niet voor niets het Lege Kwartier genoemd: het is er echt leeg. Als je zand wilt, moet je daar zijn. Voor iets anders hoef je er niet te komen. Ze zien uren achter elkaar niets anders dan zand. Ik denk dat dat zand er in het begin best leuk uitziet, maar na een tijdje niet meer. Je moet me goed begrijpen: ik wil niet zeggen dat ze al slecht beginnen te werken, dat zou overdreven zijn. Ik zeg alleen dat er te veel van hen wordt gevraagd. Het is natuurlijk niet aan mij om jou te vertellen wat voor hulp ze nodig hebben of wat, gegeven het budget, wel en niet kan. Ik vertel je alleen dat er, volgens mij, een kans is dat ze een fout maken, dat ze iets over het hoofd zien. Ze zoeken in zeshonderdduizend vierkante kilometer waar helemaal geen reet is... Ik wil niet zeggen dat het onmiddellijk op een ramp uitdraait, maar als we zo nog lang doorgaan, kan het er wel een worden. Kunnen we daar niet iets aan doen, Wilbur? Toen ik daar gisteren aankwam, moest ik hen om te beginnen een beetje opvrolijken en oppeppen. Nou, dat viel niet mee. Je begrijpt wel wat ik bedoel, Wilbur. Als jij nou eens een rondje belt en iets bedenkt waardoor de werkdruk wat minder wordt. Probeer...'

Caleb knielde. Aan de uitroepen van Fahd, de eenvoudige vroomheid van Hosni of de waardigheid en het geloof van Rashid en zijn zoon kon hij niet tippen, maar hij deed zijn best. Caleb was slap van uitputting. Hij was verbrand, werd gekweld door de pijn van zijn blaren en smeekte om kracht; in zijn gebed vond hij troost. Alleen Tommy, de Irakees, deed niet mee. Hij zat een eindje van hen vandaan met zijn rug naar hen toe in kleermakerszit op het zand.

Toen ze het gebed hadden beëindigd, stond de zon recht boven hun hoofd en was er alleen wat schaduw aan hun voeten. De gids deelde het middagrantsoen water uit. Hij schonk het heel voorzichtig in. Ghaffur hield de mok vast en Rashid hield de waterzak erboven. Er was geen streepje in de binnenkant van de metalen mok gekrast, maar Caleb wist dat Rashid iedereen dezelfde karige hoeveelheid toebedeelde. Het was niet meer dan een mondvol.

Toen ze allemaal hadden gedronken, blafte de stem over het zand.

'Jij, daar. Kom hier, jij.'

Rashid stond naast Tommy's kameel. Het was een bevel geweest. Rashid wees naar de Irakees, die vloekte en in het zand naast hem spuugde.

'Gehoorzaam! Kom hier.'

Caleb herinnerde zich de spanning weer die door de gebeden, het water en zijn vermoeidheid uit zijn hoofd waren gefilterd. De gids richtte nu al zijn woede op de Irakees.

'Je hebt me te gehoorzamen, je hebt hier te komen!'

Tommy duwde zich omhoog, veegde het zand van de achterkant van zijn broek en liep langzaam en onverschillig naar Rashid en zijn kameel. Fahd keek naar hem, net als Hosni en de jongen.

Caleb spande zich in om te kunnen horen wat hij zei.

Rashids stem klonk kalm maar was vol gif. 'Hoeveel waterzakken heb jij?'

Hij antwoordde kribbig en met tegenzin. 'Ik heb er vier.'

'Hoeveel heb je er op je kameel?'

'Vier, natuurlijk.'

'Tel ze, laat zien dat het er vier zijn.'

Caleb zag dat Tommy zijn schouders ophaalde, alsof hij met een idioot van doen had. Hij liep om de kameel heen en telde hardop. 'Hier hangt de eerste, hier hangt de tweede, daar hangt de derde en daar...'

Hij werd ruw in de rede gevallen. 'Waar is de vierde?'

De schouders krompen ineen. 'Ik weet niet waar de vierde is.'

'Je bent verantwoordelijk voor de waterzakken die je bij je hebt.'

'Ik neem mijn verantwoordelijkheid... Maar ik weet niet waar hij is. Toen we vertrokken, zaten ze nog stevig vast.'

'Ik zal je laten zien waar de vierde zak is.'

'Ik heb gecontroleerd of de zakken goed vastzaten.' Toen vervolgde hij, opstandig: 'Als je weet waar de waterzak is, waarom vraag je het me dan? Ik heb geen idee.'

Rashid gebaarde met zijn arm naar achter, naar waar ze vandaan waren gekomen. Caleb deed zijn best om te kijken in de richting waarnaar de arm wees. Het licht van de zon weerkaatste op het zand. Hij dacht een stip te zien die donker tegen het rode zand afstak, maar hij wist niet of zijn ogen hem bedrogen. Hij hield zijn hand boven zijn ogen om ze tegen de zon te beschermen, deed ze wat verder open, tuurde en zag de stip weer. De wind verplaatste het zand, het was alsof er een lichte mist boven de woestijn hing. Hij zag de stip en kon er maar even naar blijven kijken, want het licht was zo fel en zijn ogen brandden zo erg dat hij zijn blik weer moest afwenden. Hij begreep niet hoe er meer dan honderd meter terug een waterzak van Tommy's kameel kon zijn gevallen. Hij knipperde met zijn ogen en kneep ze samen om de pijn te verdringen.

'Daar ligt je vierde zak.'

'Ik zie het.'

'Ga hem halen, breng hem bij ons.'

De Irakees had geen strijdlust meer over. Schreeuwen, tieren of smeken kon hij evenmin: dat zou met zijn waardigheid in tegenspraak zijn geweest en zijn trots hebben gebroken. Caleb zag dat hij zijn hand uitstak, het haar in de nek van de kameel greep en probeerde hem naar beneden te trekken om hem te laten knielen. Caleb herinnerde zich dat de volgorde in de karavaan die ochtend was gewijzigd. Hij was niet langer de hekkensluiter geweest; de laatste positie was overgedragen aan de Irakees. En hij herinnerde zich ook dat Rashid was blijven staan en zich had laten terugvallen tot hij schuin achter Tommy reed; na enige tijd had hij zich weer naar voren gespoed en zijn kopppositie opnieuw ingenomen.

'De kameel blijft hier.'

De Irakees spuwde de woorden uit: 'Moet ik gaan lopen?'

'Ik wil niet dat je de krachten van de kameel verspilt. Je gaat lopen. De kameel heeft het water niet verloren.'

'Vergeet het maar.'

'Het is jouw verantwoordelijkheid. Je loopt terug en haalt de waterzak.'

'Ik doe het niet.'

'Je haalt de waterzak en brengt hem bij ons terug. Daarna kunnen we verdergaan.'

De toonhoogte van Tommy's stem veranderde. 'Ik ben een man met aanzien. Ik vervul een rol in deze idiote rotreis. Jij bent betaald om mijn gids te zijn.'

Rashids stem klonk zacht, Caleb kon hem nauwelijks horen. 'Als je niet teruggaat om het water op te halen en terug te brengen, laten we je hier achter. Dan nemen we de kamelen mee en laten we je achter. Je zult een paar honderd meter achter ons aan lopen, daarna zul je op achterstand komen. Wij zullen achter de horizon verdwijnen, en je zult alleen zijn. De keuze is aan jou.'

Tommy draaide op zijn hakken in het zand en keek zijn medereizigers stuk voor stuk aan. Van wie kon hij steun verwachten? Van niemand. Wie zou voor hem opkomen? Geen van hen. Hosni niet en Fahd niet. Caleb staarde uitdrukkingsloos terug. Tommy schopte nog wat zand tegen Rashids been aan en begon te lopen.

Hij liep in een rechte lijn en volgde niet het zigzagpatroon dat Rashid hen na het ontdekken van het eerste teken had laten volgen.

Caleb vroeg aan de jongen: 'Zou je vader hier iemand aan zijn lot overlaten?'

De jongen antwoordde: 'Iemand voor wie we geen liefde voelen en die we niet vertrouwen, ja, die zouden we achterlaten.'

De spanning steeg. Tommy liep kaarsrecht, met een waggelgang. Hosni liet zijn hoofd zakken toen zijn ogen hem niet langer konden volgen. De hitte schroeide op hen neer. Fahd huiverde. Het zand rondom Tommy glinsterde. Ze waren in de zigzagroute ver naar rechts gegaan, en toen ze linksaf terug waren afgesneden, waren ze niet in de buurt geweest van de rechte lijn die Tommy nu nam. Hij ploeterde zonder om te kijken door het rulle zand naar de gevallen waterzak, de stip in de zandvlakte. Rashid keek niet naar Tommy, maar zijn gezicht was vlak bij de kop van Tommy's kameel en hij mompelde zachtjes in zijn oor en aaide de haren in zijn nek. Tommy was halverwege de waterzak, de stip. Caleb wist niet wat er stond te gebeuren, hij wist alleen dat het Zand een oord was waar de dood regeerde, een wreed oord, een oord met het medeleven van een beul. Tommy bleef rechtdoor lopen.

Caleb besefte dat hij als enige niet wist hoe het zou aflopen. Hij was de hele nacht en het grootste deel van de dag weg geweest. Iedere bocht die Rashid die ochtend had gemaakt, was gepland geweest. Hij had zich tot de staart van de karavaan laten terugzakken en was schuin achter de Irakees gaan rijden. De Irakees had ten dode opgeschreven op zijn kameel gezeten. De brandende zon en de verdovende zandvlakte die zich voor hem uitstrekte, hadden hem totaal versuft. Hij had niet gemerkt dat de gids de waterzak had losgemaakt en in het zand had gegooid, en dat hij voor water en het gebed was gestopt toen ze de zak nog net konden zien.

De kreet bereikte hen, gedragen door de wind.

Caleb had het idee dat Tommy kleiner werd, of dat hij onvolgroeid was, of dat zijn onderbenen waren afgehakt, of dat hij een dwerg was. De jongen maakte een piepend geluid. Caleb zag dat de Irakees even op de been kwam en probeerde te lopen, maar daar niet in slaagde en viel. Aan het zand om hem heen was niets te zien. Hij bevond zich midden in het gebied waar ze omheen waren gezigzagd. De kreet werd een schreeuw. Caleb herinnerde zich: 'Hij heeft mijn vader geslagen. En omdat hij mijn vader heeft geslagen, is hij dood... Er zit niets anders op.' De Irakees probeerde weer overeind te komen, maar Caleb kon zijn scheenbenen en zijn knieën niet meer zien. De Irakees zwaaide met zijn armen door de lucht en zakte met iedere beweging die hij maakte verder weg.

De eerste kreet had ontzetting uitgedrukt, de tweede woede. De laatste, de luidste, was een angstkreet.

Caleb liep naar Ghaffur, greep de jongen bij zijn arm en hield hem stevig vast, zodat de jongen zich niet kon losrukken. 'Wist je dat er drijfzand was?'

'Mijn vader wist het.'

'We zijn er niet toevallig langsgekomen?'

'Toen hij mijn vader had geslagen, heeft mijn vader een andere route gekozen. We zijn hier niet voor niets.'

'We zijn hier om een man te doden.'

'Hij heeft mijn vader geslagen.'

'Hoeveel tijd hebben we verloren – om een man te doden?'

'Misschien een dag, misschien een halve dag.'

Hij liet de jongen los. Er klonk nog een kreet, schriller en luider dan de vorige. In Afghanistan had Caleb ook drijfzand gezien: hij had een geit in de modder zien wegzakken, hij had hem horen blaten. Op dat drijfzand had bedrieglijk, diepgroen gras gegroeid. Een van de Arabieren had zijn geweer op de geit gericht en één schot gelost. De kogel had weinig van de schedel van de geit overgelaten. De geit was niet doodgeschoten om een eind aan zijn lijden te maken, maar om zijn geblaat te beëindigen. Caleb had niet gedacht dat er in de woestijn, net als in Afghanistan, drijfzand zou kunnen zijn; het had er tien of vijftien jaar geleden voor het laatst geregend. De kamelen moesten het onder het zand begraven water hebben geroken en de gids had geweten wat de waarschuwingstekens hadden betekend... De moord was als een executie gepland en voorbereid.

Hij zag de borstkas van de Irakees en zijn hoofd en zijn armen.

De man vocht voor zijn leven. Misschien, dacht Caleb, worstelt hij wel zo om ervoor te zorgen dat hij sneller wegzakt, zodat het eerder is afgelopen.

Hij keek om zich heen. Rashid had de kameel laten neerknielen en gebaarde hen naar hem toe te komen. Caleb stond nu met zijn rug naar Tommy. Hij liep langs Fahd en ging op de bult zitten. Toen hoorde hij de sneer van de Saudi: 'Wil je hem net zo graag helpen als die vrouw?' Hij begreep: ook hij werd op de proef gesteld. Hij was op de proef gesteld om zijn kracht, of zijn zwakte, te zien. Hij ging op het zadel zitten en gaf de kameel het commando dat hij de gids had horen gebruiken. De Beautiful One schudde, schommelde heen en weer en stond op zijn poten.

De wind voerde weer een schreeuw mee. Tommy's schouders, nek, hoofd en armen kwamen nog boven het zand uit, maar Caleb draaide zich niet om. Hij had om genade geschreeuwd, en hij had naar hem, naar Caleb, geschreeuwd. Ze reden weg. De gids was nu hun baas. Hun lot lag in zijn handen, hing af van zijn deskundigheid. De Irakees, hun wapenbroeder, was veroordeeld. Geen van hen – Hosni niet, Fahd niet en Caleb niet – was tegen de gids in opstand gekomen om Tommy's leven te sparen. Caleb reed naast Rashid.

Hij vroeg op sombere toon: 'Was de waterzak, toen je hem van Tommy's kameel afhaalde, vol? Heb je een zak met water verspild om Tommy te vermoorden?'

Rashid antwoordde: 'Ik had hem met zand gevuld. Als hij niet vol was geweest, zou je hem op zo'n afstand nooit hebben kunnen zien. Ik heb geen water verspild.'

Achter hen werd een laatste kreet geslaakt, werd hij voor de laatste keer geroepen. De kreet werd gesmoord en stierf weg. Alleen de wind in Calebs kaftan, het geritsel van het voortgeblazen zand en het neerploffen van de hoeven van de kamelen waren nog te horen. Hij keek niet meer om.

Camp Delta, Guantánamo Bay

De bewakers paradeerden achter de ordonnans, die het karretje met maaltijden door de gang met cellen reed. Hij zat tegen de achtermuur van zijn cel, op zijn gezicht een pathetische uitdrukking van dankbaarheid. Eerder op de dag had de zeewind de muziek van een militaire kapel en gezang en gejuich meegevoerd. Het was de tweede Onafhankelijkheidsdag sinds ze hem naar het kamp hadden gebracht. Aan de muziek, het gezang en het gejuich te horen moest het een grotere parade zijn geweest dan het jaar ervoor, toen hij nog in Camp X-Ray zat. Tussen zijn wimpers door zag hij de agressie van de bewakers en hij dacht: de feestdag en de muziek hebben hun vaderlandsliefde een impuls gegeven.

Caleb had zich de act van pathetische dankbaarheid eigen gemaakt.

Hij had de dagelijkse procedures in zich opgezogen. De dagen van de week stonden in het teken van het luchten, over twee dagen, en het bezoek aan de douches, over drie dagen. Hij was negenentwintig dagen geleden voor het laatst ondervraagd, en de dagelijkse sleur zou alleen kunnen worden verbroken als hij opnieuw werd opgeroepen. Sommige mannen in het cellenblok waren door de sleur gebroken, of hadden hun verstand verloren. Ze jammerden, of gilden het uit van frustratie. Caleb speelde de rol van de modelgevangene die per vergissing gevangen werd gehouden.

Het plastic dienblad werd door het luikje onder aan de celdeur geschoven. Zijn hoofd schoot onderdanig dankbaar naar beneden. De kolossale, geüniformeerde mannen met hun rode nek en kaalgeschoren hoofd in de gang rezen hoog boven hem uit. Twee van de vier hadden een houten wapenstok bij zich, en een van hen, degene die een stukje van het karretje afstond, speelde zenuwachtig met het pistool in zijn holster. Caleb glimlachte dom en wachtte tot ze verder zouden lopen; dan pas zou hij over de grond naar het dienblad toe kruipen.

Een van de bewakers zei luid: 'Het is vandaag Onafhankelijkheidsdag, knul. Daarom krijg je speciaal eten. Jongen, als je net zo van dit feest genoot als wij…' Hij vervolgde met zijn gewone stem: 'Die achterlijke rijstkakker verstaat er geen woord van. Het zijn me verdomme wel een stelletje stakkers, hè? De stomme klootzakken.'

Caleb koesterde de momenten waarop hij dicht bij de bewakers was en hij voedde zich met de kracht die hem werd gegeven. De bewakers en het karretje met eten gingen verder. Hij was ver boven hen verheven, daar geloofde hij heilig in. Hij verachtte hen. Zijn minachting schonk hem een primitief genoegen. Hij boog zijn hoofd en toonde dankbaarheid. Ze werden geminacht en gehaat.

De kracht gaf hem aandacht voor de details. Misschien was hij nog één, twee of vijf jaar van zijn vrijheid verwijderd, maar hij bereidde zich erop voor. Het gerucht was als een lopend vuurtje door het gaas van de kooien gegaan; de eerste vier mannen waren vrijgelaten. Zijn leven in de kooi werd volledig door details opgeslokt.

De belangrijkste details hadden met zijn vroegere leven te maken. Zijn nationaliteit, zijn cultuur, zijn opvoeding, zijn werk, het moest allemaal worden uitgewist, er mocht niets van overblijven. Verder had hij zijn leven in twee compartimenten verdeeld; in de privacy van zijn gedachten was hij Abu Khaleb, strijder van de 55ste Brigade. In de ogen van de bewakers die hem te eten gaven, hem lichaamsoefeningen lieten doen en hem overal ver-

gezelden, was hij Fawzi al-Ateh, de taxichauffeur. Het detail drong door tot het hart van de misleiding. Hij bad vijf keer per dag. Als hij iets tegen de gevangenen in de cellen naast hem fluisterde, ging het over zijn omgekomen gezin en het gebombardeerde dorp, en over een jeugd in de boomgaarden, want hij ging ervan uit dat ze mollen, infiltranten in de cellen tussen de gevangenen lieten rouleren. Hij ging er ook van uit, en dat idee gaf soms aanleiding tot paranoia, dat er microfoons in de achtermuur van de cel zouden zitten en dat hij door verborgen camera's in de gaten gehouden zou worden. Hij conformeerde zich volledig aan het beeld dat hij had gecreëerd – het beeld van de taxichauffeur. Als ze het niet helemaal hadden vertrouwd, en als ze hem niet hadden geloofd, zouden ze hem aan meedogenloze verhoren hebben onderworpen. Dat gebeurde niet. De details beschermden hem.

De bewakers liepen verder, het karretje met maaltijden rolde met piepende wielen naar het eind van de gang. Daarna kwamen ze terug; een van hen floot vrolijk. Ze konden niet in zijn hart kijken, ze konden zijn haat niet zien.

Hij leefde de leugen, en hij deed het goed. Zijn tweede Onafhankelijkheidsdag in gevangenschap liep met het invallen van de duisternis ten einde, en de felle lampen verlichtten het cellenblok.

'We vinden heus wel iets,' zei Lizzy-Jo vriendelijk. 'Je ziet er gespannen uit. Vroeg of laat vinden we altijd iets.'

Hij zat over zijn werktafel heen gebogen en zijn vingers bespeelden de joystick. De spieren in zijn schouders waren stijf en hard, zijn nek was gespannen en de aders in zijn hals waren gezwollen. De ogen achter de dikke brillenglazen brandden van het staren.

Marty antwoordde met vlakke stem: 'Laten we het hopen.'

Hij veegde met zijn onderarm het zweet van zijn voorhoofd. Hij bestuurde *First Lady* met de hand. Het vliegtuigje bestreek nu een vlak waarvan de dichtstbijzijnde punt meer dan vijfhonderd kilometer van het vluchtleidingscentrum in Shaybah was verwijderd. Ze vloog op een hoogte van zesenhalve kilometer met 135 kilometer per uur over de woestijn. Terwijl ze daar zo stilletjes, heimelijk en kwetsbaar rondvloog, waren er hevige zijwinden. Door de turbulentie van de bovenwinden moest Marty wel handmatig vliegen, en door het extra gewicht van de twee Hellfires – 110 kilo aan beide vleugels – reageerde ze traag op zijn manoeuvres. Als het beneden op de landingsbaan net zo hard had gewaaid als op die hoogte, dan zou *First Lady* nog steeds onder het dekzeil bij de landingsbaan hebben gestaan. Hij zat achter de joystick en iedere keer dat de wind het vliegtuigje heen en weer schudde en het beeld trilde, schudde en schokte, hoorde Marty dat Lizzy-Jo de lucht geërgerd tussen haar tanden door naar binnen zoog.

'Weet je, hierbij vergeleken waren Bosnië en Afghanistan wandelingen door het park.'

'O ja?' Zijn handen lagen op de joystick, zijn blik was vastgeketend aan de instrumenten die de windsnelheden, de windrichting en de windkracht aangaven en, daarboven, de beeldschermen met zand, niets dan dat vervloekte zand. Het zweet liep over zijn rug en over zijn buik. 'Dat is een schrale troost.'

'Maar we zitten hier. Hier, op deze godvergeten rotplek. En we moeten ervoor zorgen dat het lukt.'

'Neem me niet kwalijk, Lizzy-Jo, maar je klinkt als een van die eikels van Personeelszaken. Hebben zij je die tekst soms toegestuurd?'

Je kon wel proberen met Lizzy-Jo te ruziën, en je kon haar wel beledigen, maar ze lachte er alleen maar om. Daar kwam nog bij dat ze heel hard lachte. Hij vroeg zich altijd af of haar man, die in Amerika woonde en voor hun kind zorgde, wel met haar had geruzied of had geprobeerd haar te beledigen; zij vond haar werk voor de CIA tenslotte belangrijker dan haar kind grootbrengen en zorgen dat er voor hem, na een dag levensverzekeringen verkopen, eten op tafel stond. Waarschijnlijk had hij dat wel gedaan, en waarschijnlijk had ze erom gelachen.

Toen ze was uitgelachen, trok ze een serieus gezicht. Zo was ze ronduit knap en het zweet dat op haar gezicht parelde, maakte haar nog knapper. 'We hebben een moeilijke opdracht gekregen, zo moeilijk als maar kan. We doen ons best. Meer kunnen we niet doen. Het heeft in ieder geval weinig zin om als een kind te zitten mokken. Een beetje vrolijker, Marty, een beetje vrolijker. Voor de draad ermee!'

'Voor de draad met wat?' Hij wist dat hij moeilijk liep te doen. Hij liet *First Lady* een gestage bocht naar bakboord maken en het beeld dat de camera van het zand uitzond, werd even onscherp. Iedere keer dat de wind hem dwong in te grijpen en van de rechte lijn af te wijken, misten ze een stuk zand ter grootte van een zakdoek... En misschien pasten de kamelen met de kisten en de mannen, of een ander doelwit, precies op die zakdoek. Maar als hij geen rekening met de gemene wind hield, zou hij het risico lopen dat de vogel beschadigd raakte. Dat was die jongens in Bagram overkomen, die hadden er een verloren. Het vliegtuig was neergestort en er was niet veel van overgebleven. Als je dat zag, daar kreeg een volwassen kerel tranen van in de ogen. Een instructeur op Nellis had gezegd dat een Predator MQ-1 met Hellfires onder de vleugels net een vlinder in de regen was – hij vloog, maar hij vloog niet echt lekker. 'Wat wil je nou?'

'Laat maar horen wat je dwarszit. Vooruit, zeg op, waar zit je je zo over op te winden?'

Hij gooide het eruit. 'Nou, om te beginnen komt die hoge pief hier. Hij kletst wat over waardeloze inlichtingen, breidt het gebied waar we moeten zoeken uit... We zijn met een kansloze missie bezig, zo denk ik erover...'

'Daar zullen we het mee moeten doen. Wat is er nog meer?'

Marty hakkelde even en stamelde toen: 'Mijn plaat. Daar heb ik flink voor gedokt. Er zit zand in, die storm, er zit zand tussen het glas en de afdruk. En er zit condens achter het glas, van de hete dagen en de koude nachten. Het is de enige plaat die ik echt heel graag wilde hebben, en zo meteen is hij naar de klote.'

Ze zei, zacht en lief: 'Dat is vervelend. Ik heb nooit een plaat gehad. Misschien kunnen we hem laten herstellen als we hier weg zijn... Heel vervelend. Wat is er nog meer?'

Hij leefde weer een beetje op. 'De airconditioning doet het niet goed. Hij werkt nog maar op halve kracht. We baden allebei in het zweet.'

Er klonk een piep naast haar en er knipperde een groen lichtje.

'Stel je voor dat de airconditioning helemaal uitvalt, dan zijn we echt de lul. Dan worden we levend geroosterd.'

Ze sloeg op het toetsenbord en er kwam een leeg scherm in beeld waarop een boodschap aan en uit flikkerde.

'Het is buiten bijna vijftig graden, dan worden we echt gekookt. Dan hebben we een niet te harden...'

Lizzy-Jo onderbrak hem. 'Weet je wát wij hebben? Een bezoeker. Ik ga naar kanaal acht.'

Boven het gezoem van de airconditioning, die maar op halve kracht werkte, uit klonk een heldere, rustige stem. Hij kwam via een satellietverbinding met de andere kant van de wereld: de stem kwam uit Langley.

'Hallo Marty, hallo Lizzy-Jo. Mijn zendercode is Oscar Golf, en zo kunnen jullie mij ook noemen. Jullie zijn misschien aan het eind van jullie Latijn, maar daar gaat verandering in komen. Vanaf nu kijken wij de hele tijd dat *Carnival Girl* en *First Lady* in de lucht zijn en materiaal van de gewone en van de infraroodcamera uitzenden, naar de output. Jullie zijn niet meer alleen, we kijken over jullie schouder mee. Als jullie een pauze nodig hebben om naar de wc te gaan of te eten, of even willen uitrusten terwijl de Predators vliegen, zitten wij hier klaar om in te springen. Dat wilde ik jullie even laten weten, over en uit.'

De verbinding werd verbroken. Marty was onderuitgezakt. Zijn handen lagen niet meer op de joystick, maar hielden zijn hoofd vast.

'Ze denken dat we het niet aankunnen,' mompelde hij tussen zijn vingers door. 'Alsof we niet professioneel genoeg zouden zijn. Het is godverdomme het enige wat ik wilde, toeslaan, winnen...'

'Dat willen we allebei, Marty, dat willen we allebei. Ze streek over zijn nek en kneep even in zijn bezwete, gespannen schouderspieren. Ze was in de Bronx opgegroeid, ze wist hoe ze met mannen om moest gaan. 'Laat ze de klere krijgen.'

Eén bord bleef ongebruikt en er werd één portie water minder in de beker geschonken.

Toen ze waren gestopt, had de jongen een uur gezocht, maar hij had geen dood hout of dode wortels gevonden. De zon was ondergegaan en de kou was komen opzetten, en ze hadden geen vuur om zich bij te warmen of het brood in te bakken. De reizigers zaten zwijgend en gelaten het ongebakken deeg en de gedroogde dadels te eten en het water te drinken, maar Rashid sprak zacht tegen zijn zoon. Zij zaten aan de andere kant van de cirkel en Caleb kon hem niet verstaan. De kou nestelde zich in zijn lichaam, en hij leek de man die door het drijfzand was verzwolgen te kunnen horen schreeuwen. Hij hoorde de kreet in zijn oren nagalmen, smekend om hulp.

Caleb verbrak de stilte. 'Dit was een spelletje, iedere stap was gepland. Er werd een spelletje gespeeld en Tommy werd vermoord. Waarom moest er een spelletje gespeeld worden?'

Hij hoorde Fahd kakelend lachen. 'Wil je echt dat ik je dat vertel? Doet het er iets toe?'

'Het is belangrijk om te weten waarom iemand uit onze familie is vermoord en waarom het zo'n theater moest worden.'

De wind floot om hen heen en Hosni's woorden kwamen er nauwelijks bovenuit. 'Hij had de gids geslagen. Dat was zijn vonnis. Toen hij de bedoeïen had geslagen, was Tommy ten dode opgeschreven... Ik heb over zijn dood onderhandeld. Welke waarde Tommy ook voor Fahd, jou en mij mocht hebben, hij was dood. Als we hadden geprobeerd Tommy te beschermen, zouden de gids en zijn zoon ons hebben verlaten. Het is de plicht van Fahd en mij, maar vooral van jou, om het eind van deze reis te halen... Vooral van jou, want jij bent van grote waarde. Begrijp je dat?'

'Ik begrijp niet waarom het een spelletje moest zijn, een toneelstuk.'

Fahd grinnikte weer, en opnieuw antwoordde Hosni. 'Hij was jouw vriend, jij hebt met hem gesproken. Je weet van zijn leven als beul en je kon je met hem identificeren... En je bleef bij de vrouw die ons had gezien en die ons in gevaar bracht, en je hielp haar. Het was geen toneelstukje, het had een reden. Wij hebben je in de gaten gehouden. Zou je hem gaan redden? Zou je over het zand naar hem toe rennen? Zou je op de plek waar het zand zachter werd op je buik gaan liggen en je hand naar hem uitsteken? We hebben je nauwlettend in de gaten gehouden. Je hebt niet naar hem gekeken. Je hebt hem de rug toegedraaid. Hij heeft je geroepen. Hij keek de dood in de ogen en hij riep de enige van ons van wie hij dacht hulp te mogen verwachten. Tommy was van mening dat je niet sterk genoeg bent om te doen wat je gevraagd zal worden. Hij riep je. Je draaide je rug naar hem toe en reed weg. Je hebt ons je kracht laten zien.'

Caleb fluisterde hees: 'Als ik hem had geholpen, als ik Tommy uit het drijfzand had getrokken en hem had teruggebracht, wat zou er dan zijn gebeurd?'

Hosni's stem was scherp. 'Dan zou de gids jullie allebei hebben doodgeschoten, maar jou het eerst. Dan zouden we het antwoord hebben gehad. Omdat je ons niet van nut zou zijn geweest, zou de gids je hebben doodgeschoten. Dat hadden we afgesproken.'

Caleb zat lange tijd in de duisternis. Hij zag het patroon van de sterren en het maanlandschap en hij voelde de kou van de wind op zijn lichaam. Hij rilde en sloeg zijn armen om zich heen... Rashid vertelde zijn zoon een verhaal over een strijder uit de geschiedenis van de bedoeïenen, en de jongen zat tegen zijn knie en ging op in het verhaal. Hij dacht aan de man wiens noodkreten hij had genegeerd, aan zijn doodsstrijd in het drijfzand. Om hem heen klonken stemmen, de wind rukte aan zijn kaftan en de blaren tussen zijn dijen jeukten branderig. Hij dacht aan zijn belofte dat hij geen fout had gemaakt toen hij de vrouw hielp, en aan de test waarmee ze hem op de proef hadden gesteld.

Hosni leunde voorover en prikte met zijn vinger tegen Calebs borst. 'Morgen is er een nieuwe dag. Dan rakelen we je verleden op. Je moet je oude leven weer tot leven wekken.'

Caleb zei: 'Mijn oude leven is dood, ik ben het vergeten.'

Het oude lichaam rilde, maar Hosni's stem was scherp als een mes. 'Blaas het nieuw leven in, haal het terug.'

11

Caleb kon niet aan de droom ontsnappen. Hij werd naar de kloof toe getrokken. 'Rakel het verleden op... haal het terug.' De stem was achter hem, de kloof voor hem. Iedere keer dat hij in de kloof keek, aarzelde hij. En iedere keer dat hij aarzelde, klonk de stem achter hem dwingender. De laatste keer dat hij naar de kloof toe liep, versnelde hij. Hij begon te rennen, zette af en vloog met doortrappelende voeten door de lucht.

Hij hing in de lucht. Het was alsof hij door een kilte werd gegrepen. Hij zou de overkant van de kloof niet gaan halen. De kloof leek wijder te worden. Het maanlicht zweefde boven de richel in de verte. Hij hoorde zichzelf om hulp roepen. Hij had zijn armen uitgestrekt en zijn vingers uit elkaar gespreid. Hij viel. De kloof werd breder. Hij graaide om zich heen.

De droom werd teruggespoeld naar het moment van de sprong; vervolgens kreeg hij ieder moment van zijn val te zien.

Zijn vingers wisten de richel te pakken. Zijn vingertoppen en zijn nagels grepen in gras en losse aarde en zochten houvast bij stenen en boomwortels. Zijn blote voeten vonden nergens steun. Het gras in zijn vingers scheurde af, aarde verbrokkelde. Hij gleed naar beneden. Hoe hij ook zijn best deed grip te krijgen, zijn lichaamsgewicht trok hem verder de kloof in. De loslatende stenen vielen op zijn gezicht, bezeerden hem, caramboleerden tegen zijn been en vielen de diepte in. Hij hing aan nog maar één wortel. Hij hoorde de stenen tegen de wand van de kloof kletteren. Hij hield zich aan de wortel vast en wachtte op het geluid waarmee de stenen op de bodem van de kloof terecht zouden komen – maar hij hoorde niets, alleen het zwakker wordende geluid van de tuimelende stenen. De kloof had geen bodem. Hij wist niet of de uitgedroogde wortel in zijn hand af zou breken. Als hij afbrak, zou hij vallen. Hij trok zich op. De wortel hield. Hij wist één arm op de rand van de kloof te krijgen, en hij kon met zijn been op de wortel steunen. Zijn vingers grepen in de aarde en het gras. Hij kroop de rand op. Teruggaan zou hij nooit meer. Hij lag op het gras en de adem kwam met horten en stoten uit zijn keel. Hij keek achterom, over de kloof, en hij kon Hosni niet meer zien; er was alleen mist. De wind rukte aan zijn kleren. Hij zag rijtjeshuizen en liep door een voordeur, door een hal en een keuken. Achter het lage muurtje aan het eind van de tuin liep het jaagpad. Hij wist dat hij de kloof niet meer over zou gaan en huilde.

Caleb werd wakker. Hij wist niet waar hij was en hij wist niet wie hij was.

De jongen stond over hem heen gebogen; zijn silhouet stak donker tegen de sterren af.

'Je schreeuwde.'

'Echt?'

'De kamelen werden onrustig van je, daar ben ik wakker van geworden. Toen hoorde ik je schreeuwen.'

'Sorry. Het was een droom.'

'Wat droomde je dan?'

'Niets – iets uit het verleden.'

'Was het zo naar voor je dat je ervan schreeuwde?'

'Het was maar een droom. Het was niet echt... Hoe lang duurt het nog voordat de zon opgaat?'

'Lang genoeg om nog even te slapen.'

'Ga dan weg.'

'Ik hoop dat je weer in slaap valt en geen nare droom meer hebt.'

'Dank je, Ghaffur.'

'Ik droom nooit,' zei de jongen. Daarna verdween hij in de duisternis.

Caleb lag op zijn zij en had zijn knieën tot zijn borst opgetrokken, alsof hij nu kwetsbaarder was. De beelden die uit het verleden waren opgerakeld en teruggehaald, speelden door zijn hoofd, maar zijn ogen waren geopend. Hij durfde niet te gaan slapen. Als hij sliep, zou hij weer naar de kloof geduwd kunnen worden en zou hij er weer overheen moeten springen. Dan zou hij weer voelen hoe het gras zou afscheuren, hoe de aarde en de stenen waar hij zich aan zou vasthouden, zouden loslaten. Hij zou de eindeloze diepte weer onder zich weten. Hij was die kloof overgestoken, hij kon niet meer terug. Zijn verleden was tot leven geroepen.

Caleb lag in het zand en wachtte tot het in het oosten licht zou worden.

Tegen de tijd dat Beth haar bungalow bereikte, gloorde de donkerbleke ochtend. Ze was doodmoe, hongerig en dorstig. De koplampen van haar jeep schenen op de auto, maar dat drong niet tot haar door, en ze moest een ruk aan het stuur geven om hem te ontwijken. De auto stond buiten het hek op het stukje onverharde weg dat naar de carport naast het huis leidde. Ze kende de Mercedes, het duurste type dat er was, en ze vloekte. Ze nam de tijd. Ze zette de Land Rover voor de voordeur – die op een kier stond – en begon hem uit te pakken. De lege koelbox en de lege watertanks, haar slaapzak, het klembord en de zak vol monsters zette ze op de binnenplaats. Ze voelde zich een wrak. Er zat zand in het zweet op haar gezicht, haar handen en haar bloes zaten onder de olievlekken en haar nagels waren vuil. Het enige waar ze naar verlangde was een bad te nemen, zich aan de inhoud van haar koelkast te goed te doen en daarna lekker te slapen. Op bezoek zat ze beslist niet te wachten. Ze voelde de vermoeidheid pas goed toen ze de deur verder openduwde. Ze leunde even tegen de deurpost en liep toen naar hem toe.

De adjunct-gouverneur zat op de bank in haar woonkamer.

Hoe lang was hij daar al? Het antwoord bleek uit de asbak op de leuning van de bank, die vol verfrommelde peuken zat... God nog aan toe.

'Hallo,' zei ze, in een mislukte poging ontspannen over te komen. 'Wat een verrassing.'

Het antwoord klonk bitter; de beleefde, zachte stem kon de agressie niet verhullen. 'Waar komt u vandaan? Ik was hier gistermorgen en gisteravond. Het dienstmeisje vertelde me 's ochtends dat u voedsel en water voor de woestijn in de auto had gezet, maar 's avonds was de bungalow nog steeds verlaten. Als u over twee uur nog niet terug was geweest, had ik een grote zoektocht georganiseerd om u op te sporen... Ik was bezorgd. U hebt niets eens een briefje achtergelaten om te laten weten waar u was. Terwijl u weg was, heeft het in het Zand gestormd. U moet zich kunnen voorstellen dat ik ongerust was.'

'Ik was op veldonderzoek, het duurde langer dan ik had gedacht,' zei ze. Ze was zich ervan bewust dat het een lege, betekenisloze verklaring was.

'Het heeft gestormd, en u was alleen. Ik ben echt teleurgesteld, mevrouw Bethany, dat u het aanbod dat ik u zo vaak heb gedaan, hebt afgewezen. En dan heb ik het over het aanbod betrouwbare voertuigen mee te laten gaan als u het Zand in gaat. Ik ben echt buitengewoon teleurgesteld. U bent een belangrijk wetenschapper, ik ondersteun u en u staat onder mijn bescherming; u reist niet in uw eentje, dat brengt veel te veel risico's met zich mee.'

Hij was inderdaad, dat besefte Beth maar al te goed, haar beschermheer en mecenas. Zonder zijn steun en bescherming was haar visum waardeloos en zou ze op de eerste de beste vlucht naar Riyad worden gezet.

'Het spijt me. Het spijt me echt,' zei ze. 'Ik heb er gewoon niet bij stilgestaan dat iemand bezorgd zou kunnen worden. Dat was egoïstisch van me.'

Ze voelde nog steeds waar hij haar had aangeraakt. Hij had geen naam, maar ze had de hele nacht aan hem gedacht. Ze was met te grote snelheid over de zoutvlakte gereden, ze had om kuilen en zandduinen heen gestuurd en naar het zand in de koplampen gestaard – en al die tijd was hij bij haar geweest. Hij had haar verlaten. Hij had gevoelens in haar hartstochtloze, liefdeloze leven losgemaakt, maar ze had hem niet bezeten. Ze bezat alles wat ze wilde, behalve hem. Hij was van haar weggegaan, het Zand in, hij was ver buiten haar bereik. De adjunct-gouverneur, een prins, bezat haar wel. Ze was zijn slavin.

'Ik bied mijn oprechte excuses aan. Het was egoïstisch. Wat kan ik verder zeggen? Ik dacht alleen aan mezelf. Ik begrijp dat u zich zorgen hebt gemaakt, en ik ben u er dankbaar voor.'

Enfin, afgezien van neerknielen en haar bloes uittrekken zodat hij haar rug flink met de zweep zou kunnen geven, was er niet veel meer wat ze kon doen. In het klooster had ze, als ze in de problemen kwam, geleerd dat een berouwvolle houding woede tot bedaren bracht en de straf verminderde. Beth boog haar hoofd.

'U kent de gevaren van het Zand beter dan welke buitenlander ook. U kent het Zand net zo goed als de bedoeïenen. U kent ze net zo goed als ik.'

'Dat is waar.'

'Het is standaardprocedure om zelfs als u maar voor een halve dag het Zand in trekt, een kaart achter te laten waarop staat waar u naartoe gaat.'

'Dat weet ik.'

'Ik was ongerust over u.'

De asbak vertelde haar dat hij de hele nacht op haar bank had gezeten. Zijn kaftan was tijdens de lange, stille uren in haar bungalow verfomfaaid en verkreukeld... Ze vroeg zich af waar de man zonder naam was, waar de kleine karavaan kamelen was. Was hij, nu de zon was opgekomen, verder getrokken met de mannen die haar hadden willen doden? Ze bezat niets van hem. Hij was geen bedoeïen, geen Arabier. Ze wist niet waar hij vandaan kwam en ze wist niet wat de eindbestemming of het doel van zijn reis was. Hij reisde in het geheim, en de anderen zouden haar hebben vermoord om het geheim te bewaren. Zijn vertrouwen in haar had haar leven gered... Ze glimlachte dromerig.

'Ik geloof, mevrouw Bethany, dat u mijn bezorgdheid en uw gevaren nogal licht opneemt?'

'Nee, nee... Maar ik kan niet meer doen dan mijn excuus aanbieden.'

De fluweelzachte stem werd scherper. 'De storm, mevrouw Bethany? Het vliegveld was gesloten. Ik kon vanwege de storm niet uit Riyad terugvliegen. Alles lag hier stil. Door de storm maakte ik me zorgen over uw welzijn.'

Het kostte haar geen enkele moeite om te liegen. 'Ik heb er geen last van gehad. Ik zag hem aankomen en heb me ertegen beschermd.

Er was wel wat zand tegen de wielen op gewaaid, maar ik kon ze gemakkelijk uitgraven.'

Wanneer had ze voor het laatst gelogen? Beth kon het zich niet herinneren. Het lag niet in haar aard om te liegen. Ze had in het klooster en thuis altijd geleerd dat een leugen door de waarheid achterhaald zou worden.

Hij vroeg op kalme toon: 'Bent u nog iemand tegengekomen in het Zand, mevrouw Bethany?'

'Nee… Wie zou ik moeten zijn tegengekomen?'

'Reizigers, handelaren?'

'Waarom vraagt u dat?'

'Omdat ik me afvroeg, mevrouw Bethany, of we, als we naar u hadden moeten zoeken, reizigers of handelaren waren tegengekomen die u hadden gezien en ons de juiste richting op hadden kunnen sturen.'

'Nee.' Dat was haar tweede leugen. 'Ik heb niemand gezien.'

'We leven in moeilijke tijden… Er zijn geruchten… Er wordt gezegd dat een groep illegale, buitengewoon gevaarlijke mannen door het Zand trekt… Het zijn maar geruchten… Er is geen enkel bewijs voor.'

De leugen huppelde van haar tong: 'Echt, er was niemand.'

'Beloof me dat u niet nog een keer in uw eentje het Zand in gaat.'

'Ik heb niemand gezien… Maar ik vertel u graag wat ik wél heb gezien.'

Ze vertelde de adjunct-gouverneur over het ejectaveld waar de stukken ijzererts terecht waren gekomen en ze liep snel naar buiten. Ze kieperde de zak met monsters leeg boven de plastic tuintafel, en de stukken steen en glas rolden rinkelend over de tafel. Zijn handen vormden een kom en ze legde er de grootste stukken in. Hij streek er met zijn vingers over. Als ze haar proefschrift had geschreven, zei ze, en als ze de kaarten, foto's en monsters had voorgelegd aan het Amerikaanse genootschap dat gevonden meteorieten collationeert, dan zou ze het veld zijn naam geven. Ze zag het plezier op zijn gezicht en hoe liefdevol en voorzichtig zijn vingers de stukken aanraakten. Hij was bang voor haar geweest – hij bezat háár niet, zij bezat hém. Er was één man die ze niet bezat.

Terwijl hij de stukken liefdevol in zijn hand hield, hoorde Beth het zachte brommen. Ze keek vanaf de binnenplaats in het felle licht van de opkomende zon en zag het vliegtuigje opstijgen. Het had niet de gratie die ze eerder had gezien; het slingerde heen en weer en won moeizaam en onhandig hoogte. Ze zag kakikleurige buizen, onder elke vleugel één… Het vliegtuigje won hoogte. Ze zag dat haar beschermheer opkeek en een blik op het traag klimmende vliegtuig wierp; daarna keerden zijn ogen terug naar de stenen, ze glommen van fascinatie.

Ze had gelogen en ze had de belofte gemeden. Ze gaf de adjunct-gouverneur twee stenen voor zijn verzameling en keek toen toe hoe hij vertrok.

Beth liet het bad vollopen en trok haar kleren uit... Ze besefte niet hoe sterk haar leugens haar hadden veranderd.

De adjunct-gouverneur zat boven in de verkeerstoren en kreeg de verrekijker aangereikt. Hij bracht hem naar zijn ogen en keek naar het tentenkamp dat tegen het buitenste hek aan stond. Hij fronste zijn voorhoofd. De schoonheid van het glas en de stenen verdween uit zijn gedachten.

Zijn gastheer gaf hem een glas Saudische champagne aan. Hij deed het een beetje onhandig; de stevig ingepakte pols maakte het hem onmogelijk vloeiende bewegingen te maken. Bart glimlachte en nam het glas aan. Waarschijnlijk had zijn gastheer liever een mitella gekregen – alsof het een medaille was – maar Bart had besloten dat een strak verband volstond. Het was niet meer dan een verstuiking. Bij wijze van beloning voor het feit dat hij met de snelheid die bij een spoedgeval past door Riyad was gescheurd, was hij uitgenodigd voor een open-top Amerikaanse picknick. Je mocht niet barbecuen in het park van de ambassadewijk, maar de vrouw van de gastheer had thuis hamburgers gebakken en ze goed in aluminiumfolie ingepakt, zodat ze nog warm waren. Om hem heen klonk het geroezemoes van gesprekken. Bart had het gevoel dat hij zich vereerd moest voelen dat hij erbij mocht zijn, en dat hij dat ook moest laten zien.

'Ik weet niet waar het met dit land heen gaat, of het moest naar de knoppen zijn. Ik zie hier geen toekomst meer. Sinds ze zich in hun bolle kop hebben gehaald dat ze het ook wel zonder ons Amerikanen afkunnen, sinds ze in die waan verkeren, gaat het helemaal de verkeerde kant op.'

'Waar ik vooral van baal, is dat er geen greintje dankbaarheid bij is. Ik heb hier ruim tien jaar doorgebracht, aanstaande Thanksgiving zijn het er elf, en ik heb nog nooit een Arabier horen zeggen dat hij me dankbaar is voor wat ik voor zijn land heb gedaan. Natuurlijk, ze hebben olie. En zeker, wij willen die olie hebben. We hebben hun het proces van de winning en het op de markt brengen geleerd, van begin tot eind. Tot vorig jaar waren de beste mannen en vrouwen van ons leger hier gestationeerd. Zij hebben hier in de woestijn geleefd om het regime te beschermen. Ik vraag jullie, hebben ze ons er ooit voor bedankt? In het Arabisch is dank u wel *shukran*, en ik gebruik het van 's ochtends vroeg tot 's avonds laat. Maar ik maak zelden mee dat ze het tegen mij zeggen. In 1991 hebben we een oorlog gevoerd om te voorkomen dat dit een buitenpost van Bagdad zou worden. Ook toen kregen we stank voor dank.'

Bart ontmoette niet veel Amerikanen. Ze woonden in hun eigen woningcomplex. Ze hadden hun eigen Kamer van Koophandel en op de tribune van de renbaan hadden ze een eigen vak dat met hekken van de rest was afgeschermd. Het was kleingeestigheid troef. Deze mannen, dat wist Bart maar al te goed, waren niet gek. Het waren praatjesmakers, dat wel, en ze waren arrogant. Maar dom: nee.

'Ze doen gewoon alsof het niet zo is. Ze steken hun kop in het zand. Ze voeden al-Qaeda, ze financieren die bende fanatiekelingen, fundamentalisten en psychopaten. Ik heb dat rapport van die Amerikaanse denktank gelezen. Ik citeer: "Individuen en liefdadigheidsorganisaties uit Saudi-Arabië zijn al jaren de belangrijkste geldbron van al-Qaeda, en daar sluit de Saudische regering al jaren de ogen voor." Einde citaat. Wacht maar tot die antiterrorismewet in werking is getreden. Weten jullie nog hoe die man van het Pentagon dit deugdzame, godvruchtige koninkrijk noemde? "De kern van het kwaad." Ik zeg: wie heeft Saudi-Arabië nodig? We hebben Irak, we hebben deze mensen helemaal niet nodig. Wij hebben de macht, zij stellen niets voor. Ze hebben gezaaid, laat ze ook maar oogsten.'

Zijn gedachten dwaalden af. De oordelen en commentaren vlogen over het linnen tafellaken en ondertussen werden de monden volgestopt met het beste voedsel dat in de supermarkten van Riyad te koop was. Waarschijnlijk dreunden ze, als ze elkaar zagen, altijd dit soort teksten op, en toch bleven ze fel. Als het zo'n rotland was, waarom bleven ze er dan? Bart vermoedde dat ze bleven omdat ze er goed verdienden en omdat ze te trots waren om zich door een bevolking die pro al-Qaeda was naar het vliegveld te laten jagen. Waarom bleef hij zelf? Bart verslikte zich bijna in het laatste stukje van zijn hamburger. Misschien moest je, om ervandoor te gaan, moedig zijn. Bart had het ticket kunnen verscheuren en het vliegtuig zonder hem naar Tel Aviv kunnen laten vliegen. Hij had kunnen weigeren in de gereedstaande auto te stappen. Hij had de kamer met uitzicht op het strand in het Dan Hotel níét kunnen nemen. Maar je had meer moed nodig om tegen de stroom op te roeien dan om je erdoor te laten meedrijven. Er was een Engelsman naar hem toe gekomen die hem had bedankt in naam van een medische hulporganisatie waarvan de naam en de statuten waarschijnlijk in de week ervoor in elkaar waren geflanst. De Engelsman had eczeem op zijn handen gehad, sporen van een te hoge bloeddruk vertoond – Bart was goed in het stellen van een snelle diagnose – en had met nasale stem gesproken. 'Ik heb vernomen dat je weer gerespecteerd wilt worden, ouwe jongen. Ik kan je een eind op weg helpen, maar ik moet je wel vertellen dat het een weg vol hobbels en kuilen is... Mijn werk is een vorm van handeldrijven. Ik verleen een vriend een gunst, en weet dat ik een gunst zal terugkrijgen. Laten we jou de gunst noemen. Jij bent de gunst die ik een vriend verleen.' Bart had op dat moment weg kunnen lopen, maar daar had hij het lef niet voor. De Engelsman was vertrokken en hij had een uur naar de badgasten op het strand zitten kijken. Toen was er op de deur geklopt en had hij Ariel ontmoet. Ariel was opgeruimd en druk geweest. Hij had het vrolijke enthousiasme uitgestraald dat problemen als sneeuw voor de zon doet verdwijnen. Om Ariel iets te kunnen weigeren, moest je sterker in je schoenen staan dan Bart. Na de hamburgers en de zogenaamde champagne sneden de vrouwen de appeltaart in stukken en kroonden die met een schep softijs uit de koelbox. Ondertussen zwol het venijn rondom hem aan.

'Maar ik kan vooral niet tegen de corruptie, het omkopen, de steekpenningen, het smeergeld en de commissies voor tussenpersonen.'

'Daar kan ik nog wel mee leven. Mij irriteert vooral de verspilling, de buitensporige verkwisting. Weet je hoeveel de koning tijdens zijn zomervakantie in Spanje heeft uitgegeven? Drie miljoen dollar per dag, echt waar.'

'Als ze niet snel leren veel nederiger te worden, komen ze er op een dag achter dat wij er allemaal vandoor gaan. Dan zul je ze eens horen jammeren.'

De vrouw van de gastheer glimlachte naar hem, alsof ze net met z'n allen uit de kerk waren gekomen en iedereen zich kiplekker voelde. 'U hebt niet veel gezegd, dokter Bartholomew.'

Er was genoeg wat hij had kúnnen zeggen, maar Bart koos de gemakkelijke weg. 'Ik geniet te veel. Verrukkelijk eten, geweldige gastvrijheid, het kan niet beter.'

Al Maz'an, een dorp op de bezette Westelijke Jordaanoever, in de buurt van Jenin

Hij zag het bloed naar beneden druipen en voelde zich schuldig.

Het mooiste huis van het dorp lag aan het centrale plein en was ouder dan de andere gebouwen. Het moest van voor de Tweede Wereldoorlog zijn en was misschien van een rijke koopman geweest: het vertegenwoordigde een welvaart die al lang geleden uit de Palestijnse gemeenschap was verdwenen. Voordat Bart in het dorp kwam werken, was het huis bij een verrassingsaanval door Israëlische tanks beschoten. De familie waarvan het huis het laatst was geweest, had de Westelijke Jordaanoever al een hele tijd geleden verlaten en was naar de Verenigde Staten van Amerika vertrokken, waar ze fortuin had gemaakt. De familie had onlangs geld gestuurd om het gebouw te laten restaureren, zodat het dorp het als centrum voor lokaal beleid en volwassenenonderwijs en als ontmoetingsplaats zou kunnen gaan gebruiken. Om te beginnen was het huis in de steigers gezet, zodat de granaatinslagen konden worden weggewerkt. Bart had gezien dat de steigers werden neergezet, maar sindsdien was er niet veel meer gedaan. Het was meerdere malen door zijn hoofd geschoten dat de weldoeners bar weinig voor hun geld terugkregen.

Het lijk hing aan de steigers.

Hij was als arts vertrouwd met het zuidwesten van Engeland, om precies te zijn met het stadje Torquay in de provincie Devon. Je zou die streek kunnen kenschetsen met theemaaltijden met scones en dikke room, glooiende heuvels met grazend vee, gezinsvakanties op het strand en verzorgingstehuizen voor vrouwen en mannen bij wie het levenslicht begon te doven... En hier hing het slachtoffer van een lynchpartij aan een roestige buis van een steiger. Hij voelde het maagzuur naar boven komen en begreep, besefte, hoe diep hij was gezonken.

De benen bewogen niet meer, maar het touw tussen de buis en de nek draaide ritmisch in de wind en de stromende regen. De ruitenwissers van zijn auto werkten uitstekend, en Bart had een goed zicht op het slachtoffer en de mensenmenigte daaronder.

Hij kon niet beoordelen of de steekwonden waaruit het bloed droop, waren toegebracht voordat het slachtoffer was opgehangen, of dat het slachtoffer eerst was opgehangen en toen was doodgestoken, of dat hij met een mes was bewerkt nadat het leven uit hem was weggevloeid. De regen plensde op het lichaam neer en het drijfnatte T-shirt van de man plakte tegen zijn borst en rug. Door al dat water verspreidde het bloed zich sneller. In het matte licht zag hij messen flitsen en er zwaaide een slagersmes boven de hoofden van de scanderende massa. Bart was het plein op gereden, had de op en neer deinende meute gezien en had afgeremd. Hij zag pas waarop de woede van de mensen zich richtte toen hij stilstond: op het lijk aan het touw en op het druipende bloed.

Er stonden kinderen bij zijn auto. Ze sloegen op het raam. Hun gezichten straalden van opwinding. Een van hen droeg het shirt van het Duitse voetbalelftal. Maar de kinderen keken niet naar een spel, ze waren niet door een doelpunt in vervoering gebracht: het was de moord, de lynchpartij. Ze riepen in gebroken Engels tegen hem en de gezichten werden door de regen op het raam vervormd. Het hoefde hem niet uitgelegd te worden.

'Hij was een spion... Hij was een verrader, hij werd betaald door de Israëli's... Hij heeft zijn verdiende loon gekregen, hij nam hun geld aan... Dankzij zijn informatie is een held van de gewapende strijd gestorven.'

Samuel Bartholomew moest in zijn rol blijven en het braaksel inslikken. Hij pakte zijn dokterstas, sloot de auto af en liep naar voren. Hij was een soort rattenvanger van Hamelen: de kinderen huppelden achter hem aan. Joseph had in het gebouwtje bij de controlepost tegen hem gezegd: 'We zorgen goed voor je. Je bent goud waard, je bent heel belangrijk. Je hoeft niet bang te zijn...' Om hem te redden was een minder belangrijke informant geofferd. Waarschijnlijk hadden ze een gerucht verspreid, waarschijnlijk hadden ze een stroom van valse informatie op gang gebracht. Hij had een activist vermoord, dat kon hij nog rechtvaardigen. Bart had foto's van de gevolgen van zelfmoordaanslagen gezien. Hij kon zichzelf nog wijsmaken dat zijn aandeel in de dood van een activist verdedigbaar was. Maar de dood van een informant, om hem te beschermen, dat was onverteerbaar. De menigte week uiteen, de messen en het slagersmes werden weggestopt, de stemmen verstomden. Hij liep in een rechte lijn tussen de mensen door: hij veroordeelde niemand, maar hij zou ook niets vergeten.

Bart zei, met haperende stem: 'Ik denk dat hij er beter afgehaald kan worden. Zouden jullie hem alsjeblieft willen lossnijden?'

Een gemaskerde man klom behendig naar boven en maakte het touw los. Het doorweekte lichaam viel naar beneden. Het rolde over de bestrating voor Barts voeten. Zijn knieën knikten, hij vroeg zich af of hij wel op de been zou blijven... Hij zag de vrouw, geheel in het zwart, die ineengekrompen in de deuropening van het gebouw stond. De menigte was uitgedund, de kinderen stonden op een afstandje. De vrouw keek naar Bart, haar ogen schoten tussen het lijk en hem heen en weer.

De vrouw sprak met een krakende, gebroken stem tegen Bart. Een jonge man vertaalde haar woorden: 'Ik ben zijn moeder. Ik ben gekomen. Zijn vrouw wilde niet komen, zijn kinderen wilden niet komen. Zijn vrouw zei dat hij zijn familie te schande heeft gemaakt. Zijn kinderen zeiden dat hij, hun vader, hen had verraden. Alleen ik ben gekomen. Wie zal hem begraven?'

Bart knielde en voelde de hals en de pols van het lichaam. Het hart klopte niet meer.

'Wat moet ik? Moet ik hem in m'n eentje begraven? Hij heeft het voor zijn gezin gedaan. Hij nam geld aan van de Israëli's, maar dat deed hij om zijn gezin te voeden. Ze hadden geen eten. De Israëli's hebben hem vermoord, en ik vervloek hen... Zij zullen hem niet begraven. Wie wel?'

'Je hebt niets gezegd.' Hosni sprak op vleiende toon.

'Je ziet eruit als een gekweld mens,' zei Fahd.

De Egyptenaar was teruggezakt en de Saudi was dichterbij gekomen. Ze reden aan weerszijden van Caleb. Het was in de middag, de zon stond hoog aan de hemel. Hij verwelkomde hen niet.

'Heb je je herinneringen teruggevonden?'

'Heb je ze nieuw leven ingeblazen, zoals Hosni je had gezegd te doen?'

Hij staarde naar de rug van de gids, die meerolde op de bewegingen van zijn kameel. Ze reden iedere dag langzamer, met het uur wonnen ze minder terrein. Hij voelde dat de reis zou mislukken als ze niet dicht bij hun bestemming waren. Hij had de gids niet gevraagd hoe ver ze nog te gaan hadden, maar 's ochtends en tijdens de middagpauze was het rantsoen water in de mok kleiner geweest. De dynamiek was al lang geleden uit de passen van de kamelen verdwenen. Ze liepen moeizaam, en Caleb en de anderen moesten de kisten afladen bij heuveltjes die de kamelen een week eerder nog met kisten hadden beklommen. Als ze faalden, zouden ze in het zand sterven. Eerst zouden de kamelen sterven, daarna Hosni en Fahd, en daarna Caleb. Als hij was gestorven zou de beurt aan Ghaffur, de jongen, zijn. De vader van de jongen, de gids, zou als laatste sterven. Caleb was niet bang voor de dood in de woestijn. Hij was wel bang voor zijn herleefde, teruggehaalde herinneringen.

'Als je geen herinneringen hebt, ben je waardeloos.'

Zijn geheugen had hem de bakstenen rijtjeshuizen gegeven, en de zwart geschilderde voordeur met het nummer dat scheef hing omdat de schroef in het tweede plastic getal had losgelaten. Hij was door de smalle gang gelopen, met het behang dat losliet en de vloerbedekking die met de jaren kaal was geworden. Hij was de keuken in gegaan, waar het naar oud frituurvet stonk. Hij was door de kleine achtertuin vol oude troep gelopen. Achter in de tuin had de kapotte wasmachine gelegen, op zijn kant, tegen het lage muurtje. Ze waren terug, de beelden die hem aan zijn ondervragers zouden hebben verraden. Hij voelde zich verzwakt.

'Je zult het verleden moeten hebben, en je zult ermee moeten leven. Je bent geen Arabier. We hebben een heel leger Arabieren...'

Caleb zei: 'Niemand uit de plek waar ik vandaan kom – niemand die ik kende – zou het hier ook maar één dag hebben volgehouden. Niemand, niet meer dan één dag. Ik kan overleven omdat ik het ben vergeten. Het verleden betekent niets voor me.'

Zouden ze hem vertellen wat ze van hem wilden? Hij kon het niet vragen. Fahd liet zich terugzakken en Hosni trapte zijn kameel in de flanken en reed naar voren. Hij besefte dat Hosni hem nooit in de ogen had gekeken, en hij vroeg zich af hoe blind de oude Egyptenaar was...

Toen slokte het zand zijn gedachten op en werd hij volledig door de pijn van zijn blaren in beslag genomen.

De karavaan trok verder.

'Hier Oscar Golf... Op het moment dat de wind naar noordnoordwest draaide, hebben we, na jullie laatste bocht naar stuurboord, een stukje gemist. We hebben het begin van die duin niet gezien. We schatten dat het een gebied van 1,4 bij 0,5 kilometer is. Zouden jullie even terug willen vliegen? Kunnen jullie dat gebied alsjeblieft nog een keer doen?'

First Lady was nu vijf uur in de lucht en dit was al de derde keer dat de stem, die altijd redelijk en beschaafd klonk, in hun oren drong.

Lizzy-Jo antwoordde – dat vertrouwde ze Marty niet toe. 'Ontvangen en begrepen, we gaan de manoeuvre maken.'

'Hier Oscar Golf. Hartelijk bedankt. Zo te zien zijn de vliegomstandigheden niet gemakkelijk. Oscar Golf, over en uit.'

Marty zat aan de joystick en Lizzy-Jo riep de coördinaten door van de strook zand van 1,4 kilometer lang en 0,5 kilometer breed waar *First Lady* nog een keer overheen moest vliegen. Ze voelde aan haar water dat Marty kookte van woede. Alles wat ze deden en zeiden, werd gezien en gehoord. Ze hadden beiden het gevoel dat ze niet meer werden vertrouwd, en iedere keer dat ze de beleefde stem hoorden, werd dat gevoel sterker. Het was niet ongebruikelijk dat beelden van een directe verbinding live naar Langley werden doorgestuurd – dat was in Bosnië en in Afghanistan ook gebeurd – maar de toon van de onpersoonlijke stem leek hun bekwaamheid in twijfel te trekken. Marty nam het zwaarder op dan zij. Na het tweede telefoontje had hij zijn rechterhand van de joystick afgehaald en in zijn notitieblok geschreven: 'Dit voelt aan alsof je met z'n drieën in bed ligt.' Zij had vreugdeloos gegrinnikt, zich voorovergebogen en opgeschreven: 'Erger nog – als zíjn moeder in míjn keuken.' Alles werd gehoord, iedere beweging was in beeld en ze werden bespioneerd, maar Lizzy-Jo moest toegeven dat ze bij de bocht naar stuurboord inderdaad een stukje van de woestijn hadden overgeslagen. Dat stukje besloeg driekwart vierkante kilometer goud- en roodkleurige zandvlakte en ze hadden het gemist door turbulentie in de bovenwind.

Ze vlogen terug om er nog een keer overheen te gaan, en de camera zocht het desolate zand af. Lizzy-Jo staarde met branderige ogen naar het scherm. De stem van Oscar Golf had altijd een goede reden om via de koptelefoon in hun wereld binnen te dringen. Om die verdomde stem het zwijgen op te leggen, streefde ze naar perfectie. Het zandschap was oneindig en grenzeloos, en er bewoog daarbeneden niets. Ze bekeek de beelden zo geconcentreerd dat ze er steken van in haar hoofd kreeg. Ergens daar in de woestenij was een karavaan van kamelen met zes kisten en een stuk of zes mannen. Maar ze zag alleen het zand en de duinen, de hellingen en de uitgestrekte vlakte. Ze zocht naar de kamelen, de mannen, sporen... Er was helemaal niets.

Lizzy-Jo riep de weersvoorspelling op. Ze vloekte.

Marty was zo moe dat hij zijn hoofd niet rechtop kon houden. Hij kneep zijn ogen dicht en opende ze weer. Ze drukte haar vuist in zijn lendenen en zei: 'Het houdt maar niet op, hè? Er wordt voor morgen meer wind voorspeld, westenwind. Als de voorspelling klopt, is het uitgesloten dat we morgen vliegen...'

Lizzy-Jo was een jaar of vijf ouder dan Marty, maar ze had, vooral sinds ze samen naar Shaybah waren gekomen, eerder het gevoel dat ze zijn tante was. Sinds ze met z'n tweetjes in het vluchtleidingscentrum zaten, raakte ze met de dag meer op hem gesteld. Ze hoopte dat de wind daar hoog boven de woestijn inderdaad zou toenemen, dan kon de knul slapen. Ze gaf om hem, ze wilde dat hij kon slapen, en ze schudde haar eigen vermoeidheid van zich af.

Hij glimlachte mismoedig, en haar hand, die ze in zijn zij had gelegd, rustte nog even op zijn onderarm en...

De stem zei: 'Hier Oscar Golf. We vliegen morgen wél. We vliegen iedere dag. Misschien wisten jullie het nog niet, maar deze missie heeft de allerhoogste prioriteit. We trekken ons niets van standaardprocedures aan. Zolang het doelwit niet is gevonden, gaan we tot het uiterste. Oscar Golf, over en uit.'

‘Weet je het zeker? Jezus, man, weet je het echt zeker?’

‘Absoluut, geen discussie mogelijk. Het is zo zeker als wat.’

Zijn chef, Edgar, was twee dagen weg geweest; hij was net terug uit het Pentagon, waar hij over de voorbereidingen voor zijn pensioen had gesproken. Het Pentagon had een goed programma om oudgedienden van de CIA voor te bereiden op de koude douche die hun te wachten stond als ze op een maandagmorgen wakker werden en niet meer naar hun werk konden. Jed zag dat zijn chef zenuwachtig met zijn ogen knipperde en met zijn vingers friemelde. Hij had net zo goed een handgranaat met de pin eruit onder het bureau kunnen laten rollen.

Misschien zou Jed een greintje medeleven hebben moeten voelen. Uit de fysieke reacties van zijn chef bleek onmiskenbaar dat hij heel goed doorhad hoe ernstig Jeds boodschap was. Jed had de twee dagen waarin de chef was ingelicht over het pensioeninkomen, de belastingimplicaties van een deeltijdbaan in de civiele sector en de psychologische consequenties van de ommezwaai van toegewijde overheidsdienst naar de golfbaan, goed besteed. Hij had de geluidsbanden met de stem van de zogenaamde taxichauffeur en met de stem van de zogenaamde illegale strijder uit Engeland met elkaar vergeleken. De nasale overeenkomst stond buiten kijf.

‘Je wilt dus zeggen dat…’ De stem van de chef stierf weg, alsof hij de omvang van de waarheid die nu tot hem doordrong, niet kon bevatten.

Jed zei: ‘Ik zeg dat we de verkeerde man hebben vrijgelaten. Ik zeg dat Fawzi al-Ateh, taxichauffeur, een valse identiteit was. We hebben een man vrijgelaten die slim genoeg, intelligent genoeg was om ons te misleiden.’

‘Hij is terug naar Afghanistan gevlogen, dus wat is het probleem? Laat hem terugsturen.’

Jed schoof het bericht dat Karen Lebed hem uit Bagram had toegezonden over het bureau. De chef las het vluchtig door. De vingers die het vel papier vasthielden, begonnen te trillen. Hij zuchtte diep, alsof hij er persoonlijk onder leed.

‘Godallemachtig. Waar hebben we dit aan verdiend?’

‘Dat zou ik niet weten, maar het is zoals het is. Ik vermoed dat we een gevangene van Engelse komaf hebben vrijgelaten die waarschijnlijk van zijn leven nog nooit een Afghaanse taxi heeft bestuurd… Maar je kunt het ook van de zonnige kant bezien.’

De chef was met stomheid geslagen. ‘Dat zou ik best willen, maar waar moet ik dan kijken?’

Jed zag in een flits alle momenten voor zich waarop de jongens van de CIA en de FBI hadden laten merken dat zij de uitverkorenen waren. Al die beledigingen, kleineringen, schimpscheuten en hatelijkheden zweefden hem voor ogen. Hij betreurde het misschien dat zijn chef in de problemen zat, maar hij genoot van de ellende die de CIA en de FBI op hun bord kregen. Hij grijnsde. 'Ik denk dat de beslissing door anderen is genomen. Volgens mij zijn wij hier niet verantwoordelijk voor.'

De chef antwoordde somber: 'Ik was erbij.'

'Je handtekening staat er alleen maar onder. Ik wil je niet beledigen, maar dat soort beslissingen wordt niet door jou genomen.'

De chef vrolijkte een beetje op. 'Ze hebben een lijstje met namen voor me neergelegd. Dat lijstje was al samengesteld... Jed, besef je eigenlijk wel wat dit voor gevolgen kan hebben?'

'Ik weet in ieder geval zeker dat de CIA en de FBI er gekleurd op komen te staan.'

De chef balde de hand die de pen vasthield. 'Er zijn belangrijker zaken dan machtspelletjes, Jed. Stel je voor... Als een man zo veel moeite doet om zijn ware identiteit te verbergen, betekent dat volgens mij dat hij een overtuigd activist is. We hebben het niet over zomaar iemand die staat te popelen om naar huis te gaan. We hebben het over trouw, toewijding. Dit is een hoofdrolspeler, een man die een ultieme bedreiging kan gaan vormen. Dit kan consequenties hebben, Jed, heel nare consequenties.'

'Maar het is niet ons pakkie-an.'

'Jezus, er is meer op deze wereld.' De chef liet zijn schouders zakken, alsof er een zware last op hem drukte. 'En dan heb ik het over een gegarandeerde bedreiging van ons vaderland. Een strijder die in Engeland is geboren en getogen, wiens smerige rothart is vervuld van haat, kan op veel meer plekken komen dan een Arabier... Maar we hebben geen naam.'

'Dan gaan we de naam zoeken.'

De chef bracht de punt van zijn pen vlak bij Jeds gezicht. 'Ik wil niet dat dit op straat komt te liggen.'

Jed speelde zijn laatste kaart uit, zijn troef: 'Moet ik geen vliegtuig pakken?'

'Geef me even de tijd.'

'Ik dacht dat we juist geen tijd hadden.'

'Je laat dit aan mij over, Jed, en ik doe het op mijn manier. Ik zit er echt niet op te wachten om in de laatste dagen van mijn carrière het middelpunt van een conflict tussen de CIA en de FBI te worden.'

Jed schoof zijn stoel naar achteren. Hij beet zijn chef tussen zijn tanden door toe: 'Stop dit niet in de doofpot. Als je dit in de doofpot...'

'Dat doe ik niet. Geef me één dag.'

'Ik zou morgen al in een vliegtuig moeten zitten. Denk niet dat je dit in de doofpot kunt stoppen en denk niet dat ik het loslaat. Het is mijn zaak.'

Hij liet het document en de geluidsbanden op het bureau van zijn superieur liggen, deed de deur achter zich dicht en liet de man een strategie uitwerken. Hij liep terug naar zijn kamer en hoorde de geluiden van het kamp om zich heen. De zon brandde en hij kon de zee ruiken. Hij wist niet waar de overeenkomst tussen de twee stemmen hem, als hij toestemming zou krijgen om het vliegtuig te pakken, naartoe zouden voeren. Hij was trots, alsof hij in de beroepsmatige kant van zijn leven eindelijk iets waardevols had bereikt. Hij liep met grote passen langs de openstaande deuren van de kamers waar de CIA zat, en daarna langs de openstaande deuren van de kamers waar de FBI zat.

Hij liep naar de verhoorbarak, waar een gevangene, bewakers en een vertaler op hem zaten te wachten, en hij dacht aan de chaos die hij had ontketend. Hij nam plaats tegenover de gevangene, een Jemeniet, maar hij zag een ander gezicht. De gelaatstrekken van de Jemeniet waren in die van een langere man overgevloeid. Hij had een stevige neus en een krachtige kaaklijn, die zich ondanks zijn bezweringen dat hij onschuldig was, niet verloochenden. Jed dacht aan de kwaliteiten van de man die hen allemaal had misleid.

De vrouw was vergeten, evenals Tommy. De gevaren waren vergeten. Alleen overleven telde nog. Zijn geest was verdoofd en zijn herinneringen waren verdwenen.

De zon scheen in Calebs ogen. De droge lucht schroeide zijn keel en de aanwakkerende wind voerde zand mee dat door de hoeven van Hosni's kameel werd opgeworpen. Het prikte in zijn gezicht. Hij kneep zijn ogen dicht om ze tegen de zandkorrels te beschermen. Als hij ze opende en ermee knipperde, zag hij Hosni's rug diep over het zadel gebogen. Hijzelf schommelde heen en weer op de bult van de Beautiful One en bedacht dat het aan haar moed te danken was dat ze door bleef lopen. Ze stapte met een loodzware tred door het rulle zand. Hij had, vaker dan op voorgaande dagen, het gevoel dat hij van de kameel zou vallen, en hij smachtte naar de avond en het kleine rantsoen water dat hij met zijn tong door zijn mond zou laten gaan, hij smachtte naar de kou van de nacht en naar het ongebakken deeg, het handje dadels en de slaap erna. Hij had gehoord dat Fahd achter hem was gevallen en hij had de jongen horen roepen, maar hij was niet gestopt; hij had de jongen Fahd weer op zijn kameel laten helpen. Aan het eind van de laatste rustpauze, toen de zon op het hoogste punt had gestaan en op z'n felst had geschenen, had Rashid, op het moment dat ze op de neergeknielde kamelen waren geklommen, een touw om Hosni's middel gewikkeld en hem aan het zadel vastgeknoopt. Voor overleven was hij op zichzelf aangewezen.

De woede in hem zwol aan.

Caleb herkende het, begreep het.

De woede kwam in hevige golven... Het was de woede die hij uit de kampen kende. In X-Ray en Delta had hij zijn woede op de bewakers gericht. De bewakers hielden hem gevangen... Fahd en Hosni waren zijn cipiers. Zij hadden de sleutels en de wapenstokken, en ze waren bij hem. Zijn geest raakte op drift. Hij was hun gevangene. Hij haatte hen zoals hij de bewakers had gehaat. Zijn uitgedroogde keel prikte. Zijn ogen brandden, de pijn van zijn blaren vrat aan hem. Hij was zogenaamd de man met kracht, en hij schommelde heen en weer en gleed langzaam weg.

Caleb kantelde en verloor zijn greep.

Hij viel langs de Beautiful One's flank naar beneden. Zijn gezicht kwam het eerst in het zand.

Hij hoorde de schelle lach achter zich.

De Beautiful One was blijven staan en torende hoog boven hem uit. De grote bruine ogen staarden hem aan. Het was Fahd die lachte.

Fahd stak zijn hand naar beneden en Caleb greep hem. Fahd trok hem overeind en Caleb pakte de teugels die aan weerszijden van de nek van de Beautiful One hingen. Hij klom omhoog, worstelde zich naar boven, wist zich in zijn zadel te trekken.

'Laat je het afweten? We verwachten niet van de ezel dat hij het laat afweten.'

Caleb spuwde in zijn handen. 'Zien jullie me als een ezel?'

'De ezel is een nobel dier, een lastdier.'

Hij ging met zijn tong door zijn mond, verzamelde het zand en schraapte het met zijn vinger van zijn tong af. 'Zien jullie me als een ezel?' herhaalde hij.

'Wat had jij dan gedacht?' Fahds lach was verdwenen. De uitdrukking op zijn gezicht was grimmig, gesloten. 'Een ezel is belangrijk voor ons, want hij draagt wat we op zijn rug zetten. Hij gaat waar wij willen dat hij gaat en hij draagt wat wij willen dat hij draagt. Het is voor ons noodzakelijk de ezel te gebruiken. Maar als we denken dat hij het laat afweten, dan schieten we hem dood. Dan verspillen we geen voedsel meer aan hem, maar zoeken we een andere ezel. Je bent een ezel, een lastdier. Je draagt wat we op je rug zetten.'

Caleb reed verder naar zijn familie.

Instinctief keek hij op, hij negeerde het zand dat in zijn gezicht waaide. Hij speurde de duinen en de toppen van de zandmuren af. Hij zocht het gevaar, maar hij zag niets. Eén keer keek hij kort omhoog, naar de strakblauwe lucht, maar de zon stond laag en scheen fel in zijn ogen.

12

Hij dacht aan regen, verkoelende, genezende, zoete regen die tegen de vensterruit aan spetterde.

Die laatste nacht had hij geslapen. Hij had niet gedroomd, maar toen hij wakker werd, was hij nog net zo gebroken als toen hij op het zand was gaan liggen. 's Ochtends hadden ze zich weer op weg begeven. Twee keer bleef een mannetjeskameel die met kisten was beladen staan en weigerde verder te lopen. Beide keren was Rashid vanaf zijn koppositie teruggekomen. Hij had de kop van de kameel in zijn handen genomen, zijn gezicht er vlakbij gebracht en hem in zijn oor gefluisterd, hem geaaid en hem getroost. Beide keren had de kameel zijn loyaliteit getoond en de vriendelijkheid van de gids beantwoord door tegen de krachtige wind in verder te lopen.

Het was laat in de middag toen ze halt hielden, en niet om het kamp op te slaan. De gids zei dat ze kort zouden pauzeren en daarna verder zouden trekken. Caleb zat tegen het lichaam van de neergeknielde Beautiful One, en voelde het ritmische hijgen van het dier tegen zijn rug.

Als hij zich door zijn herinnering had laten meevoeren, zou hij met uitgestrekte armen, zijn hoofd in zijn nek en zijn overhemd opengeknoopt in de neerstromende regen hebben gestaan. Hij zou drijfnat zijn geworden en zijn kleren zouden aan zijn lichaam vastplakken, en hij zou hebben gedanst en gezongen. Hij zou gelukkig zijn geweest. Hij zou niet ineen zijn gedoken, zoals de vrouw die haar baby in een kinderwagen over het trottoir duwde, of zijn verkrampt zoals de man die zijn hondje aan een halsband over het jaagpad trok. Hij verlangde naar de regen die hem in de verschroeiende hitte verkoeling zou hebben gebracht, die de pijn van de blaren zou hebben verzacht en die zoet over zijn lippen zou hebben gestroomd.

De gids schonk water uit de hals van een waterzak in een metalen mok die Fahd voor hem ophield. Fahd bracht de mok naar Hosni. Misschien zag Hosni de mok niet goed. Misschien lieten zijn ogen hem in de steek, misschien was hij van slag door uitputting. Misschien had hij een zonnesteek opgelopen. Hoe dan ook, Hosni stak zijn hand uit, wilde de mok grijpen en miste hem. Daarvoor in de plaats pakte hij de pols van Fahd en trok eraan. De mok kantelde. Er klotste water uit, als regen.

De glinsterende waterdruppels uit de mok rukten Caleb los uit zijn fantasie.

'Idioot... Rund!' schreeuwde Fahd.

Hosni jammerde.

'Je hebt water verspild, imbeciel!'

Hosni pakte de mok met zijn magere, graaiende vingers en trok eraan. Er klotste nog meer water over de rand. Fahd liet de mok los en Hosni zakte terug. Er ging nog meer water verloren.

'Ik breng je water. En wat doe jij? Je gooit het in het zand.'

Caleb keek toe, hij zei niets. De mok was voor eenderde gevuld geweest toen Fahd hem in Hosni's uitgestrekte handen wilde drukken. Nu zat er alleen nog maar een bodempje in.

'Je krijgt niet meer. Als je water verspilt, doe je het maar zonder.' Fahd schreeuwde van woede en zijn lichaam trilde. 'We hadden je nooit mee moeten nemen.'

Hij zag dat Hosni de mok aan zijn lippen zette om de laatste druppels naar binnen te laten glijden, en hij ging met zijn tong over de zijkant en de bodem. Toen Fahd Hosni de mok afhandig maakte, lag er een smekende blik in Hosni's natte, waterige ogen.

'Er is geen water meer voor jou. Ik deel mijn water niet met je.'

Fahd haalde de mok weg. Caleb zag dat Hosni met gebogen hoofd het donkerder laagje zand waar het water in was gevallen opschraapte. Hij vormde zijn handen tot een kom, werkte het zand naar binnen, kokhalsde. De gids schonk Fahds rantsoen in de mok en Fahd dronk hem tot de laatste druppel leeg.

'Dat zal je leren, je gooit geen water weg!' schreeuwde Fahd.

Zonder water zouden ze sterven. De jongen had gezegd dat de kamelen maximaal achttien dagen zonder water konden, daarna zouden ze doodgaan. Caleb was allang de tel kwijt van het aantal dagen dat ze in het Zand waren. De mannen konden geen achttien dagen zonder water. De zakken op de Beautiful One waren allemaal leeg. Caleb wist niet precies hoeveel volle waterzakken er nog aan de kameel van de gids hingen; hij hoopte dat het er één, of twee waren... Er werd weer water in de mok geschonken en Fahd bracht hem naar Caleb. Caleb nam de mok aan.

Hij keek in het water. Het was groen, dood. Hij voelde de droogte in zijn keel, de ruwheid in zijn mond. Hij dacht aan de regen, aan de verlichting die hij bracht. Hij hield de mok zorgvuldig recht toen hij opstond en naar Hosni liep.

Hij stopte zijn vinger in Hosni's mond, ging ermee over zijn tong en haalde hem door de holte van zijn keel. Hij haalde het zand eruit en veegde het af aan zijn kaftan. Daarna zette Caleb de mok aan Hosni's lippen en hield hij hem schuin. Toen de mok leeg was, bracht hij hem terug naar Rashid.

'Dus we zitten met twee idioten opgescheept,' snauwde Fahd tegen Caleb. Zijn gezicht was verwrongen van woede.

De hitte die op hen en op het zand brandde, de wolkeloze, helblauwe, meedogenloze lucht en de uitgestrekte woestijn maakten hen kapot. Caleb wist het.

Ze stegen op en reden verder, en het stuifzand wiste al hun sporen uit.

Het was weer lunchtijd en er werd opnieuw een lezing gegeven. Michael Lovejoy was nog niet aan de kruiswoordpuzzel op de achterpagina van zijn krant begonnen. De pagina lag dubbelgevouwen op zijn knie en hij hield zijn pen in de aanslag, maar hij had alleen de eerste omschrijving gelezen, één horizontaal: 'Een vrouw die een man wil zijn, heeft gebrek aan... (graffiti, NY), zeven letters'. Lovejoy zat op zijn vaste plek achter in de zaal. Hij was al vroeg, meteen na afloop van een vergadering die ochtend, naar beneden gegaan om zijn krant op zijn favoriete stoel te leggen. Dat was maar goed ook. Ze zaten op de gangpaden die trapsgewijs opliepen en stonden bij de ingang.

De spreker had het uiterlijk van een ouderwetse leraar van een middelbare school. Hij zag er buitengewoon vriendelijk uit: zijn grijze piekhaar zat in de war en hij droeg een geruit overhemd met omkrullende boorden, een geweven stropdas die loszat, een colbertje met leren stukken op de mouwen, een ongestreken broek en ongepoetste schoenen. De man die ervoor had gezorgd dat de aula van het hoofdkwartier aan de noordelijke oever van de Theems vol zat, had een reputatie. Officieren uit alle takken van de geheime dienst hadden hun lunch ingekort om naar de wetenschapper te komen luisteren: er werd over hem gezegd dat niemand in het Verenigd Koninkrijk zo veel van dit onderwerp afwist als hij. Het onderwerp was 'Vuile bommen'.

'Ik geloof niet dat het risico op biologische of chemische bommen groot is. Een explosie waarbij het miltvuur- of pokkenvirus of zenuwgas wordt verspreid, heeft weinig effect, zelfs in een afgesloten ruimte als een metrostation. Het gebruik van anthrax, zoals in de Verenigde Staten, of van een zenuwgas als sarin, zoals in Japan, heeft weliswaar tot vette krantenkoppen geleid, maar de reële schade was beperkt. Nee, ik maak me veel meer zorgen over de échte vuile bom: de radioactieve bom. Laten we om te beginnen eens nagaan in hoeverre de benodigde onderdelen voor zo'n bom beschikbaar zijn...'

De onderdirecteur van afdeling C, die zich normaal gesproken nerveus stilhield, hoestte raspend. Lovejoy had de omschrijvingen zitten bekijken, maar de onbeduidende, vriendelijke indruk die de spreker wekte, en zijn bedaarde stem, gaven zijn boodschap een opmerkelijke, ijzingwekkende lading. Hij stond bij veel van zijn jongere collega's – als ze zich beleefd over hem uitdrukten – bekend als een 'veteraan'. Een veteraan van de veiligheidsdienst uit de tijd van de koude oorlog, een veteraan uit de dagen dat er marxisten in de vakbonden zaten, een veteraan uit de guerrillaoorlog die twintig jaar in Ierland had gewoed. Hij was bovendien goed op de hoogte van de geschiedenis van de geheime dienst. En hij vond dit nu al de naargeestigste lezing over een rampscenario die hij had gehoord sinds hij uit de spionagedienst van het leger was gestapt. Hij liet zijn gedachten even de vrije loop en kon zich eigenlijk maar één soortgelijk moment voor de geest halen: het moment, vierenzestig jaar geleden, waarop het de dienst ter ore was gekomen dat er een Duitse invasie dreigde.

'We beginnen met een koffer. Gewoon, een koffer die een man of een vrouw voor een verblijf van een week in een hotel bij zich heeft. Ga in de aankomsthal van vliegveld Heathrow staan en u zult stromen passagiers met zo'n koffer voorbij zien komen. Het tijdmechanisme en de bedrading zijn bij iedere elektronica- en ijzerwinkel te koop. De terrorist heeft verder vijf kilo semtex nodig, of explosieven die in het leger of in de mijnbouw worden gebruikt. Ook het ontstekingsmechanisme is eenvoudig aan te schaffen. Helaas, en ik verzoek u dringend mij te geloven, is het niet moeilijk het benodigde radioactieve materiaal te vinden. Cesiumchloride is heel geschikt. Op het platteland en de boerderijen van de voormalige Sovjet-Unie slingeren grote hoeveelheden rond. Het werd in poedervorm gebruikt om onder hoge druk zaad te laten ontkiemen, waardoor het, nadat het gezaaid was, vruchtbaarder werd. Maar we hoeven niet per se naar de landbouw van Wit-Rusland of Oekraïne te kijken. Er komt veel radioactief materiaal vrij bij röntgenstralen. Medische apparatuur voor de behandeling van kanker gebruikt cesium. Het gebruik van het radioisotoop cesium 137, dat dertig jaar besmettelijk blijft, is in de radiotherapie wijdverbreid. Er zijn nog een heleboel andere stoffen, maar ik hou het nu bij cesium. Een hoeveelheid die je in je hand kunt houden volstaat, meer is niet nodig. Je koopt zo'n dodelijke hoeveelheid voor een appel en een ei. Het cesium wordt op de explosieven geplakt en bedekt met kleren, boeken, waszakken en cadeautjes. Alleen een heel uitgeslapen bewakingsbeambte die net van zijn lunchpauze terugkomt, zal iets verdachts zien.'

De aanwezigen in de zaal werden geacht de laatste verdedigingslinie te vormen, en de belastingbetaler hoestte hun salaris op. Lovejoy wist niet waar die verdedigingslinie precies liep, en uit het feit dat iedereen doodstil was, begreep hij maar al te goed dat de overige aanwezigen, of het nu nieuwkomers of oudgedienden waren, evenmin een flauw idee hadden... Hij herinnerde zich de boodschap van de jonge Rus een week eerder, en die van de psycholoog de week daarvoor. Hij zou die avond op weg naar huis niet bij zijn stamcafé langs wippen – ze dachten daar dat hij bij de sociale dienst werkte. Nee, hij zou linea recta naar zijn vrouw Mercy gaan en er met haar over praten, want zij was de enige bij wie hij zijn gemoed kon luchten.

'Een man loopt met zo'n koffer, niet bepaald een zware last, naar Trafalgar Square in Londen, of naar Times Square in New York, of naar een druk kruispunt in het centrum van Parijs. Hij zet de koffer neer en loopt verder. Voordat iemand alarm heeft kunnen slaan, explodeert de koffer. Een grote, heel grote klap. Op het journaal van die avond zien we brandende auto's en beschadigde gebouwen – dat komt allemaal goed in beeld. We horen dat er drie mensen zijn omgekomen en dat er dertig gewonden zijn gevallen. Maar de wolk, de deeltjes cesiumchloride, zullen we niet kunnen zien en niet kunnen horen. De wolk stijgt door de hitte van de ontploffing op en wordt door de wind meegenomen. De snelheid waarmee dit gebeurt, is onvoorstelbaar: één kilometer per minuut, tien kilometer in een halfuur. De deeltjes koelen af en vallen naar beneden. Ze belanden op gras, op tuinen, op gebouwen waar duizenden mensen wonen. Ze komen in afvoerkanalen en het ventilatiesysteem van de metro terecht. Een dag later maken de terroristen via een website bekend dat het een vuile bom was, en dat de stad is besmet. En dan, dames en heren? Wat doet u dan?'

Zorgen dat je weg bent en in een grot in Wales gaan wonen. Zorgen dat je weg bent en een boerderij in een vallei in Yorkshire huren. Ze hadden geen namen en geen gezichten in de dossiers in de Bibliotheek. Lovejoy betwijfelde of de bestanden van de CIA en de FBI wel iets waardevols bevatten. Ze tastten in het duister. Hij voelde in de zaal het sterke, opgekropte verlangen eropuit te trekken en op jacht te gaan, en een niet minder sterke frustratie omdat ze niet wisten waar ze naar moesten zoeken.

'Afhankelijk van de afstand tot de explosie blijven de deeltjes tot tweehonderd jaar schadelijk voor de mens – zeg dus maar: de rest van ons leven. Het risico van kanker is op korte termijn klein, maar op de langere termijn neemt dat risico toe. Mogelijkerwijs staat in de toekomst miljoenen mensen, ook mensen die nog geboren moeten worden, de nachtmerrie van de meest afschuwelijke tumoren te wachten. Op het moment zelf is het grootste probleem voor de overheid dat er paniek uitbreekt. Paniek. Een naar woord voor een naar beeld. Het veroorzaken van paniek is het belangrijkste oogmerk van de terrorist, en ik verzeker u dat hij zijn oogmerk zal hebben bereikt. Stelt u zich de psychologische klap voor. De gevolgen van de recente SARS-uitbraak vallen erbij in het niet. We hebben het over paniek op een schaal die het Westen nog nooit heeft meegemaakt. De economie zal stilvallen. Ziet u, dames en heren, de burgers die onder de Duitse Blitzkrieg of de geallieerde bombardementen op Hamburg, Berlijn of

Dresden leden, konden de aanvallen zien, voelen, aanraken, horen – maar deze wolk beweegt onzichtbaar, snel en geluidloos. De paniek zal immens zijn. Wat kan de regering daartegen inbrengen?'

Bar weinig. Het zou een donderslag bij heldere hemel zijn. De explosie, de paniek zou uit die heldere hemel komen, waarschijnlijk zonder enige waarschuwing. En de aanwijzing die naar de man met de koffer leidde, zou uit diezelfde onbewolkte hemel moeten komen. Die goeie ouwe blauwe hemel was de hel en het paradijs van de veiligheidsdienst.

'In een Braziliaanse stad is ooit een handvol radioactief materiaal weggelekt. Het was niet door explosieven verspreid en niet door de wind meegevoerd. Om dat op te ruimen moest drieënhalve ton kubieke meter aarde en puin worden verwijderd. In mijn scenario ontploft een bom in het centrum van een stad. Het is onmogelijk alle gebouwen, tunnels, tuinen en parken te ontmantelen. Dat zou geen maanden, maar jaren duren – en waar zou je de kolossale berg vervuild materiaal moeten dumpen? De kosten zouden onbetaalbaar zijn. Ik durf te beweren dat de enige oplossing massa-evacuatie zou zijn; een hele stadskern zou moeten worden prijsgegeven. De paniek die zou uitbreken zou het begin van de nieuwe duistere Middeleeuwen inluiden. Ik heb u slechts één schrale troost te bieden.'

Lovejoy besloot één horizontaal in te vullen.

'Als de man die de koffer naar het drukke centrum van de stad brengt, de koffer nooit heeft geopend, de cesiumchloride nooit heeft aangeraakt en zich uit de voeten maakt voordat de explosie plaatsvindt, overleeft hij het. Dat kan ik van de maker van de bom niet zeggen. Ik schat dat het onvermijdelijke contact met het poeder zijn leven tot een paar weken inkort. Hij zal een langzame, zeer onaangename dood sterven. Dat is de schrale troost die ik u kan bieden, dames en heren. Ik dank u voor uw aandacht.'

Er werd niet onderdrukt gegiecheld of opgelucht gelachen om het lot van de maker van de bom, en er werd niet geapplaudisseerd toen de wetenschapper wegliep van de katheder. Geen stoel bewoog. Lovejoy schreef 'ambitie' op. Een vrouw die een man wil zijn, heeft gebrek aan ambitie. Het leverde hem de eerste letter van drie, vijf en zes verticaal op. Heel even bood het kruiswoordraadsel Michael Lovejoy bescherming tegen de weerzinwekkende boodschap.

Toen hij op zijn kamer bij zijn broodje aankwam, vond hij een briefje van zijn afdelingshoofd op zijn bureau.

Mikey,
Morgen arriveert Jed Dietrich (DIA) met Americain Airlines-vlucht 061 vanuit Florida. Zijn mensen zijn terughoudend/gereserveerd met informatie over de reden van zijn komst, maar verzoeken om bijstand. Haal hem op, begeleid hem en leg hem in de watten, s.v.p.
Boris

Een heldere blauwe hemel – maar niet heus. Hij keek uit zijn raam, naar de Theems. De asgrauwe wolken hingen er laag boven. Het kon ieder moment gaan regenen.

Marty hoorde de rustige, kalme stem weer in zijn koptelefoon. 'Hier Oscar Golf. We beseffen dat de omstandigheden tegenzitten, en we vinden dat we, sorry, jullie het heel goed doen. Jullie hebben alles onder controle en we zijn tevreden met wat jullie presteren.'

Hij bevestigde kort dat hij het bericht had ontvangen.

'We hebben besloten dat we, sorry weer, jullie, de vogel in de lucht moeten houden zolang de bovenwind niet veel sterker wordt. Daar valt verder niet over te praten. We vertrouwen jullie volledig, Marty, maar als jullie te moe worden en rust nodig hebben, dan nemen wij het over. Terwijl Lizzy-Jo slaapt, bekijken wij de beelden, het is allemaal van primair belang. Deze wind vraagt om eersteklas vliegwerk, en we gaan tot het uiterste. Oscar Golf over en uit.'

Lizzy-Jo beschikte over de ruimte op de vloer achter hem. Ze had haar slaapzak meegenomen en gebruikte die als matras. Ze lag met haar hoofd vlak bij de muur en met haar voeten bij de deur. George was de hele middag binnen geweest en ze waren allebei gek geworden van de geluiden van zijn hamer en zijn moersleutel, maar hij was er niet in geslaagd de motor van de airconditioning weer aan de praat te krijgen. Lizzy-Jo droeg een korte broek en had haar bloes van onder tot boven losgeknoopt. Zijn moeder zou, thuis in Californië, haar bovenlip optrekken en zeggen dat het niet fatsoenlijk was. Als hij zich omdraaide, kon hij de donkerbruine moedervlek op de witte huid van haar buik, haar borsten en haar platgedrukte tepels zien. Lizzy-Jo's werk werd nu in Langley gedaan, waar Oscar Golf zat; daar keken ze naar de direct uitgezonden beelden van de camera. Hij vond het niet prettig dat ze sliep. Oscar Golf en zijn mensen waren niet op de woestijn ingesteld – niet zoals zij. Hij zou haar nog tien minuten laten slapen. Hij zat roerloos in zijn stoel – alleen zijn vingers op de joystick bewogen – en vroeg zich af of ze van haar dochter droomde, en van haar man die verzekeringen verkocht in North Carolina. Hij keek een paar keer naar haar; hij vond dat ze er goed uitzag.

Maar hij keek niet vaak.

Het was lastig vliegen. Als Langley er niet toe had bevolen, zou *Carnival Girl* niet zijn opgestegen. Hij was onder druk gezet. Weigeren behoorde niet tot de mogelijkheden. Als de weersomstandigheden goed waren geweest en de bovenwind de maximaal toegestane snelheden niet had genaderd en zelfs overschreden, dan zouden Oscar Golf en zijn team de boel best onder controle kunnen hebben. Bij goed weer kon *Carnival Girl* vanaf Langley worden gevlogen; dan verstuurden ze de commando's die op de gegevens op hun instrumentenbord waren gebaseerd over een afstand van een kleine tienduizend kilometer – of hoeveel het er ook mochten zijn. Maar de omstandigheden waren bar slecht, en dan was het een ander verhaal.

En omdat de omstandigheden bar slecht waren, met die bovenwind, had Marty iets gedaan wat hij zelden deed: hij had George zijn wil opgelegd. *Carnival Girl* moest vliegen, niet *First Lady*. De aftandse, gammele Predator mocht de lucht in, het betere vliegtuig niet. *First Lady* was te kostbaar om door de wind te grazen genomen te worden en als een vleugellamme libel neer te storten. Hij bedacht dat hij in die tien dagen sinds ze van Bagram naar Shaybah waren gekomen, beter in slecht weer had leren vliegen dan in al zijn pilotenjaren daarvoor. Zijn handen op de kleine joystick deden pijn, maar hij hield haar stabiel en ze graasde de bodem af en verzond de beelden. Het duurde niet lang meer voordat de nacht zou vallen, en dan zouden ze van de livebeelden op de infraroodcamera overstappen... Oscar Golf moest echt niet gaan denken dat hij hen het commando over *Carnival Girl* liet overnemen. Ze was van hem, en als ze neerstortte, zou het zijn schuld zijn, en niet die van een andere klootzak.

Hij vloog haar over de lege zandvlakte.

Ze werd wakker. Hij hoorde de vloer kraken. Hij voelde haar handen op zijn gespannen schouders, op zijn stijve spieren.

Haar stem klonk nog slaperig. 'Hoe is het daarboven?'

'Klote,' zei Marty.

'Nog steeds zo'n wind?'

'Het wordt alleen maar erger. Hij komt nu uit zuidzuidwest, veertig knopen.'

'Wat is acceptabel?'

'We zijn het punt van wat acceptabel is allang gepasseerd. Volgens het handboek zouden we haar aan de grond moeten houden. We zitten echt op het randje.'

Ze gleed in haar stoel. Ze zei tegen Oscar Golf dat ze op haar post zat. Haar bloes hing nog steeds open, alsof dat er niets toe deed. Er liep een spoortje zweet van de gleuf tussen haar borsten naar haar navel. Hij voelde, via zijn vingers op de joystick, hoe de harde wind aan *Carnival Girl* trok... Toen begon de Predator te stuiteren en dook hij omlaag. De wijzers maakten rukbewegingen en lampjes begonnen te knipperen. Iemand riep een waarschuwing. Ze stortte naar beneden. Lizzy-Jo bleef stil. Marty moest haar laten gaan. Ze viel als een baksteen naar beneden en de camera met de directe verbinding vertoonde het beeld van woestijnzand dat razendsnel dichterbij kwam. Hier hadden ze in de simulator op Nellis voor getraind, voor zulke luchtzakken – lage luchtdruk. Hij voelde, door zijn vingers, de druk op de vleugels, die door de Hellfires toch al zwaar waren belast. Ze viel gedurende één minuut en twaalf seconden, en al die tijd hield hij haar neus naar beneden en bad hij dat ze niet in een spin zou raken. Toen leek het alsof ze op de bodem van de luchtzak was beland en kreeg hij haar weer onder controle. Hij liet haar vijf kilometer rechtuit vliegen, zodat hij ieder onderdeel van het instrumentarium kon checken om te zien of er schade was; daarna liet hij haar weer naar de hoge thermiekwinden klimmen. Hij zuchtte. Lizzy-Jo legde haar hand op zijn arm en kneep, om hem te laten weten dat hij het goed had gedaan. Hij berekende hoeveel brandstof en vliegtijd er verloren waren gegaan toen hij had geprobeerd te voorkomen dat ze zou neerstorten en toen hij haar weer terug naar de cruisehoogte had gebracht.

Ze zei, met een strak gezicht en uitstekende kaaklijn: 'We krijgen ze wel te pakken. Ik weet niet wie het zijn en waar ze zitten, maar ik heb het gevoel dat we ze te pakken krijgen.'

Lizzy-Jo had haar bloes niet dichtgedaan en hij verwachtte niet dat dat nog zou gaan gebeuren.

Het begon te schemeren.

Bart had geen keus. Een dappere man zou allang zijn weggelopen, maar hij was niet dapper en daar had hij zich bij neergelegd: hij was nooit dapper geweest en zou het ook nooit worden. Hij was nooit tegen zijn vader of zijn vrouw in opstand gekomen. Hij zat die avond in een kamer van het woningverhuurbedrijf te wachten tot die verwaande kwast zo goed zou zijn hem te ontvangen. Hij was op tijd geweest voor de afspraak, maar dat was die verwaande kwast dus niet.

Hij zat daar omdat het contract voor de huur van zijn villa verlengd moest worden. In de week die achter hem lag was hij er weer niet in geslaagd zich tegen die klootzak van een Eddie Wroughton te verzetten. 'Jij vertrekt pas als ik dat zeg. Bestanden verdwijnen op het moment dat ik daartoe beslis – en dat moment is nog niet aangebroken. Je gaat helemaal nergens heen, Bart.' En omdat hij 'helemaal nergens heen' ging, moest hij zijn huurcontract verlengen. Hij kon zijn vrijheid op die klootzak van een Eddie Wroughton maar op één manier herwinnen: door met informatie aan te komen die zo belangrijk was dat alle roddels, geruchten en insinuaties – de hele voorraad waarover Wroughton kon beschikken – er triviaal bij afstaken. Dan kon hij ermee kappen en vertrok hij als de bliksem naar het vliegveld.

Tegen Ariel was hij ook niet in opstand gekomen. Maar Ariel had hem in ieder geval nog het idee gegeven dat hij hem nodig had. Door hem had hij zich niet bedreigd gevoeld. Met Ariel ging hij naar het strand van het Dan Hotel, bracht hij de dag door met een ritje in een auto en een bezoek aan een kantoor in Jeruzalem of wandelde hij door de straatjes van het centrum van Tel Aviv. Ariel had hem in de watten gelegd en zich dienstvaardig opgesteld. 's Avonds had Ariel gesproken over de Hamas, de al-Aqsabrigade en de Hezbollah, die de vrede bedreigden. 'Die organisaties haten de vrede, ze vechten ertegen,' had Ariel gezegd. Ariel had hem door Jeruzalem naar een fruit- en groentemarkt en naar een busstation gereden en hem verteld waar de daders van zelfmoordaanslagen hun vest tot ontploffing hadden gebracht. Bart had geprobeerd zich een voorstelling te maken van het bloedbad op de plek waar nu nieuwbouw verrees. 'De extremisten hebben veel doden op hun geweten, maar er zijn nog veel meer mensen die een aanslag hebben overleefd of die hun geliefden hebben begraven. Zij zijn allemaal voor de rest van hun leven beschadigd door het fanatisme van deze moordenaars,' had Ariel tegen hem gezegd. Ariel liet hem in een kale kamer in een kantoorgebouw zonder naamplaatjes bij de ingang boeken vol foto's zien. Die foto's waren onmiddellijk na de aanslagen genomen. Hij had gezien hoe mannen de overblijfselen van armen, benen, rompen en hoofden van mannen, vrouwen en kinderen uit de rook en het vuur droegen. 'Wij richten ons vooral op de mannen die de aanslagen plannen en de daders rekruteren, om hen vervolgens met explosieven te behangen en de dood in te jagen. Zij "offeren" zich niet op, zij doen het niet om martelaar te worden; zij verstoppen zich achter de waanideeën van de kinderen. Zij zijn de moordenaars die iedere kans op vrede om zeep helpen. Wij richten ons op hen om hen te doden,' had Ariel hem toegefluisterd, terwijl hij de bladzijden van het boek omsloeg. Hij was met hem door Ben Yehuda gelopen, en langs het strand, en hij had de restaurants, de cafés en de discotheken met de bewakers ervoor gezien. 'Soms hebben we geluk. Dan twijfelt de dader op het laatste moment, of wekt hij achterdocht omdat het heet is en hij een jas draagt die zijn explosieven moet verbergen. Dan kan de bewaker ingrijpen. Maar daar is veel geluk voor nodig. Als we weten wie de aanslag plant, als we weten wat hij doet en waar zijn laboratorium zit, en we slagen erin hem te treffen, dan hebben we helemaal geen geluk nodig. Daarom slaan we inlichtingen hoger aan dan geluk. Als u ons helpt, dokter Bartholomew, bent u een trotse dienaar van de vrede, en zult u geëerd worden,' had Ariel hem in het oor gefluisterd terwijl ze zich een weg baanden tussen de mensenmenigte op de trottoirs. Hij was geen dapper mens, toen niet en nu ook niet.

Toen hij veertig minuten later dan ze hadden afgesproken binnen werd geroepen, kreeg hij niet zijn huisbaas te spreken. Zijn villa was eigendom van een prins van koninklijken bloede, en zoiets smakeloos als een onderhandeling werd door een huurling gedaan. Dat was, in dit geval, een pedant mannetje in een witte kaftan en een roodwitte *ghutrah*. Hij zat zijn nagels te vijlen en wees hem met een achteloos gebaar een stoel.

Die middag verbaasde Bart zichzelf.

Hij was dan misschien niet dapper, maar hij kon wel bloeddorstig zijn. Hij schoof alle adviezen van de Kamer van Koophandel over het betrachten van geduld aan de kant en stak met een schaamteloze leugen van wal. 'Het kan me echt niet schelen dat ik veertig minuten in de wachtkamer zit te verknoeien, maar ik maak me wel druk om mijn patiënten. Ik ben te laat voor twee visites bij patiënten die onwel zijn en die mijn zorg hard nodig hebben. U hebt met een druk bezet mens van doen. Goed, ik wil mijn huurcontract met een halfjaar verlengen. Ik heb gezien dat er, vanwege de veiligheidssituatie, op dit moment vijf huizen in mijn woningcomplex leegstaan. Als u wilt voorkomen dat daar een huis bij komt, eis ik een korting van twintig procent voor het komende halfjaar. Mocht dat onacceptabel zijn, dan ga ik ergens anders heen.'

Hij leunde naar voren. Zijn gezicht drukte zorgvuldig gesimuleerde bezorgdheid en ongerustheid uit. 'Bent u de laatste tijd nog wel eens bij de dokter geweest? Uw hals lijkt mij een beetje opgezet. Hebt u de laatste tijd wel eens last van uw schildklieren? Pijntjes, of steken? Ik wil niet zeggen dat u zich meteen zorgen moet gaan maken, maar ik raad u aan een afspraak met uw arts te maken voor een algemeen onderzoek. Het kan heel vervelend zijn als je schildklieren opspelen. Daar kun je maar beter vroeg bij zijn.'

Meesterlijk. Het pedante mannetje trok bleek weg. Zijn vingers gleden onder zijn *ghutrah* en masseerden de van nature vlezige hals. 'Goed, ik heb nog twee afspraken, dus ik ga ervandoor. We hebben het over een verlenging van een halfjaar met twintig procent korting – en wenst u vanzelfsprekend het allerbeste aan Zijne Koninklijke Hoogheid. Ik kom er wel uit.'

Hij liep de namiddag in. Een stevige wind rukte aan zijn broek. Zijn chauffeur knipperde met de koplampen. Bart liep naar de auto en bedacht dat hij – eindelijk – zijn mannetje had gestaan. Het was weliswaar geen situatie die er echt toe deed, maar het deed hem toch goed. Hij liep met verende passen. Die rotwind greep zijn das en slingerde hem over zijn schouder.

Beth hoorde haar ramen rammelen in de wind. De bladeren van de palmen buiten ritselden. Ze hield het boek omhoog. 'Is iedereen bij sonnet acht? Ik begin met de eerste twee regels, daarna gaan jullie om de beurt verder, steeds totdat er een punt staat of een verseenheid is afgelopen. Ik begin rechts vooraan. *Shall I compare thee to a summer's day? Thou art more lovely and more temperate.* De volgende.'

Haar vier beste leerlingen, die voor haar zaten, hingen aan haar lippen. Zij werden niet met de technische taal van oliewinning opgezadeld, maar kregen Shakespeare. Haar vinger wees de Pakistaanse scheikundige aan.

Met haar keuze voor een liefdessonnet liep ze een risico: het lag op de grens van wat religieus nog betamelijk was. Op de dag dat ze haar terugreis had geboekt en bevestigd, zou ze misschien aan *De koopman van Venetië* kunnen beginnen en hun de weeklacht van Shylock kunnen voorschotelen. Maar voor dit moment was de liefde, en nota bene onderwezen door een vrouw, spannend genoeg.

Ze gaf de pijpleidingingenieur een seintje. De man las, begon te stotteren en hield ermee op. 'Mevrouw Bethany, ik begrijp het niet.'

De mannen lachten, zij grinnikte. Ze hadden *King Lear* kunnen doen, of de speeches van Agincourt. Ze had hun ook *Coriolanus* kunnen voorschotelen, maar ze had voor de liefde gekozen. Een non, een eeuwige maagd, had haar klas op de nonnenschool opgedragen het sonnet uit het hoofd te leren. En er was geen uur voorbijgegaan of ze had aan hem gedacht... En de wind joeg het zand op, ze vroeg zich af waar hij bescherming vond en hoe zwaar hij het te verduren had.

'Als we bij het eind zijn, zul je het wel begrijpen. Goed, we gaan verder...' Ze wees de vliegveldmanager aan.

Hij had haar niet meer verlaten. Hij was er 's ochtends bij geweest toen ze onder de douche stond – ze had geen tijd voor een bad gehad – en toen ze haar ontbijt wegwerkte. Hij was ook nu bij haar. Ze hoorde zijn ademhaling bij het graven met de schep. Ze zag voor zich hoe hij de mannen die haar hadden willen vermoorden aankeek totdat ze hun ogen neersloegen. Ze hoorde zijn stem toen hij met de jongen was vertrokken: 'Je hebt me nooit ontmoet, ik ben er nooit geweest... Je hebt mijn gezicht niet gezien.' Hij was voortdurend in haar nabijheid.

Ze had besloten dat de adjunct-gouverneur er met zijn waarschuwing naast zat. Ze zou het niet accepteren. Hij had gezegd dat er illegale, gevaarlijke mannen door het Zand reisden. Ze had gelogen, ze had gezegd dat ze niemand had ontmoet of gezien. Maar de waarschuwing was als een zaag die een spijker in een plank raakt. Ze kon het niet uit haar hoofd zetten.

'Goed, uitstekend. Vragen?'

De pijpleidingingenieur vroeg: 'Het is erg mooi, mevrouw Bethany, maar waar schrijft Shakespeare over? Over lust, over verliefdheid of over liefde? Hoe moeten we Shakespeares woorden interpreteren? Gaat het over liefde?'

'Lees het aan uw vrouw voor als u zo meteen thuiskomt, en vraag het aan haar,' zei Beth. 'Ikzelf denk niet dat het over lust of een verliefdheid gaat. Nee, het gaat over liefde.'

De wind buiten werd nog sterker, heviger – en daar ergens was hij.

Ze bevonden zich in de duisternis; er kwam niet meer dan een flauw schijnsel van de maan. Hij had het gevoel dat ze niet langer rechtdoor gingen maar in een flauwe bocht liepen. Hij had zijn ogen tot streepjes samengeknepen om ze te beschermen tegen het zand waarmee de wind hem te lijf ging, en af en toe tilde hij de doek voor zijn mond op, om zijn ogen tegen de zwaarste windstoten te beschermen. Als het zicht hem werd ontnomen en hij tuurde voor zich uit, kon hij alleen de romp van Ghaffurs kameel onderscheiden. Rashid kon hij niet zien, maar hij voelde dat de gids hen in grote kwart cirkels liet lopen en hun baan corrigeerde door steeds een kwart cirkel naar links en dan weer een kwart cirkel naar rechts af te leggen.

Was de gids de weg kwijt?

Hij dacht dat Fahd en Hosni sliepen. Beide mannen waren aan hun zadel vastgebonden. Caleb was Ghaffur, sinds de maan op z'n hoogste punt stond en ze verder waren getrokken, drie keer uit het oog verloren. Dan ging de jongen naar voren om met zijn vader te praten. Maar iedere keer had de jongen zich weer laten terugvallen en had hij zijn plaats voor Caleb weer ingenomen. En iedere keer waren ze daarna weer in een tegenovergestelde boogvormige bocht verdergegaan.

Wat zouden ze moeten doen als ze verdwaald waren?

De gids had geen kaart en geen instrumenten, en hij kon de vormen van de grote duinen – als die er al waren – in de duisternis niet onderscheiden.

Zijn gedachten waren naar het verleden teruggedreven. Hij had een kamer gezien. Er was een onopgemaakt bed en er lag een verfomfaaide groene sprei op de grond. De dunne vloerbedekking was lichtbruin en behalve de sprei slingerden er tijdschriften rond. Ze lagen open, er stonden foto's van motoren en auto's in. Aan de muur hingen ook foto's, van meiden: brede heupen, kleine kontjes, grote borsten. De kamer verdween weer uit Calebs bewustzijn.

Hij probeerde zich te herinneren uit welke richting het zand tegen hem aan waaide, maar hij wist het niet. Hij was te verward, te moe, te dorstig en te hongerig. Hij was eerst door de hitte van de dag afgemat en nu door de kou van de nacht. Iedere stap die de Beautiful One deed, bracht haar dichter bij haar instorting. Hij had zich in zijn hoofd gehaald dat ze verdwaald waren, dat ze over zand trokken waar ze de dag ervoor en de dag daarvoor ook overheen waren getrokken. De vraag kwam krakend uit zijn mond. 'Weet hij wat hij doet, Ghaffur? Weet je vader waar we heen gaan?'

Het leek alsof de jongen naar hem siste dat hij zijn mond moest houden.

'Is je vader hier ooit geweest, ooit eerder?'

Hij siste harder, scheller.

'Het is krankzinnig om door de duisternis te trekken...'

Het gesis was nu een hoog gefluit en snoerde hem de mond.

Hij kon vaag zien dat Ghaffur hoog in zijn zadel zat. Hij hield zijn hoofd opgeheven. De wind rukte aan de kaftan van de jongen. Het was natuurlijker om met gekromd lichaam tegen de wind in te rijden, opdat de wind een zo klein mogelijk doelwit had. Het leek wel alsof Ghaffur de wind opsnoof, of dat hij iets hoorde. Hij deed zijn best om de jongen beter te zien, maar het lukte hem niet. 'Ghaffur, vertel me: zijn we verdwaald?'

'Mijn vader weet waar hij is en waar we heen moeten. Hij weet alles van het Zand.'

'Waarom gaan we dan niet rechtdoor, in een rechte lijn?'

'Alleen God weet meer van het Zand af. Mijn vader is verantwoordelijk voor jou. Hij kiest de route, jij volgt.'

'Waarom ga je steeds naar voren om met hem te praten en kom je daarna weer terug?'

De jongen riep terug naar hem, met een stem die in de wind nauwelijks verstaanbaar was: 'Omdat ik iets hoor.'

'Ik hoor niets.'

'Ik heb de beste oren, mijn vader zegt dat ik de oren van een luipaard heb, een luipaard die in de bergen leeft. Ik hoor het geluid van een motor. Heel ver weg, maar ik dacht het te horen.'

'Wat voor motor? In de lucht of op de grond? Waar kwam het vandaan?'

'Dat weet ik niet. Als jij praat, kan ik steeds niet luisteren.'

Caleb hoorde alleen het geluid van de voetstappen van zijn kameel en het gesnurk van Fahd en Hosni, en de duisternis sloot zich rondom hem en de wind sneed door hem heen.

Tijdens de nacht draaide de wind naar het noorden, en met die verandering nam hij nog in kracht toe. De mannen in het zand van de Rub' al-Khali waren, op zoek naar beschutting, tegen hun kamelen aan gaan liggen. Alleen hun gids wist de wind op waarde te schatten.

Hoog boven het zand vloog de Predator. Hij werd op en neer geslingerd en alle kanten op geschud, maar hij vloog en hij joeg, heimelijk en stil, en onder elke vleugel zat een Hellfire-raket.

Het licht van de opkomende zon nestelde zich op de vleugels van de Predator en streek over de met een laag zand bedekte rug van de kamelen.

'Ik zal het simpel houden: waag het niet me in de maling te nemen.'

'Het spijt me, meneer Wroughton, maar ik ben echt niet bevoegd u toe te laten.'

'Jongeman, ik word verwacht.'

'Dat denk ik niet, meneer Wroughton.'

'Er is een vergadering voor me geregeld.'

'Ja, meneer, maar niet hier.'

Wroughton had bij het krieken van de dag het bed van de vrouw van de landbouwspecialist verlaten, tegen de tijd dat de stad begon te ontwaken. Ze was Belgisch, groot en niet echt knap, maar zeer bedreven. Hij was vanaf haar huis meteen naar het woningcomplex van Gonsalves gereden. Soms kwam hij daar op het moment dat Teresa de kinderen hun thee gaf en wachtte hij tot Gonsalves kwam. Soms ontbeten ze samen voordat Gonsalves naar de ambassade ging. De landbouwspecialist werd die avond terugverwacht uit Layla, ten westen van de grote woestijn. Als Wroughton geen afspraak met zijn vriend Juan had gehad, zou hij het er nog een uurtje of drie, vier (als hij het tenminste zo lang zou hebben volgehouden) van hebben genomen en was hij in het bed van de landbouwspecialist – of liever: in de vrouw van de landbouwspecialist – gebleven. De man was in Layla om te bekijken of er daar aan de rand van de woestijn aardbeien geteeld zouden kunnen worden. De sukkel. Teresa had nog in haar nachthemd rondgelopen en de kinderen hadden om haar heen lopen ravotten. Ze had tegen hem gezegd dat Juan al een uur geleden naar de ambassade was vertrokken.

'Pak alsjeblieft even de telefoon en vertel hem dat ik hierbeneden sta... Of is dat soms ook te veel gevraagd?'

'Hij weet dat u hier bent, meneer Wroughton.'

Teresa was aan de voordeur gekomen, had gegaapt, een grimas getrokken en geknipoogd. 'Een hoop opwinding, Eddie, een of ander paniektelefoontje. Hij heeft zich in de auto aangekleed.' De marinier bij de ingang van de ambassade had gebeld en de jongeman was naar beneden gekomen. Wroughton kende hem als de vijfde man in de pikorde van het vijfkoppige ambassadepersoneel van Riyad. Ze 'vergaderden' normaal gesproken aan de ontbijttafel; dat was een gewoonte geworden en een mooie gelegenheid om nieuwtjes uit te wisselen. Voor Wroughton waren die ontbijtjes heel belangrijk. Op die dag van de maand begon hij zijn rapport voor Vauxhall Bridge Cross; daarin was hij net zo stipt als in zijn stoelgang. Een groot deel, een té groot deel van zijn maandelijks verslag bestond uit de kruimels die hij aan Juan en Teresa's ontbijttafel kreeg toegeworpen. Een hoop opwinding, een paniektelefoontje, daar moest hij dus meer van weten. Maar hij mocht niet verder, en hij begon kwaad te worden.

Wroughton wees op de telefoon op het bureau van de marinier die de wacht hield. 'Roep hem aan de telefoon. Ik praat wel even met hem.'

De jongeman zou aan de helpdesk van een telefoon- of elektriciteitsmaatschappij moeten werken: hij bleef doodkalm en zijn stem verraadde geen spoor van irritatie. 'Hij zei al dat u langs zou komen. Hij zei dat ik, als u langskwam, naar beneden moest gaan en tegen u moest zeggen dat hij het te druk had – een andere keer, graag. Hij zou u nog wel bellen. Dat moest ik tegen u zeggen, meneer Wroughton.'

De jongeman haalde zijn schouders op, liep weg en verdween door het binnenhek met een druktoetsslot.

Wroughton draaide zich woedend om. Dus zo veel was hun godvergeten bijzondere relatie waard. Hij beende de poort uit, nagestaard door de onbeweeglijke marinier. Een hoop opwinding, een paniektelefoontje, en Eddie Wroughton werd buitengesloten. Hij kon het zich nauwelijks voorstellen, niet van deze bijzondere relatie, niet van zijn vriend. Hij rook de geur van de Belgische vrouw nog op zijn lichaam, en hij ging naar huis om een schoon overhemd aan te trekken... Zijn wereld stond op zijn kop: hij was aan de kant geschoven.

'Hoeveel meer tijd hebben ze in godsnaam nodig?'

Juan Gonsalves keek al meer dan een uur naar het scherm. De koptelefoon met microfoontje zat op zijn ongekamde haar. Hij beende door de communicatieruimte. Zijn overhemd hing uit zijn broek en op zijn vest zaten vingerafdrukken van het eten van de kinderen van de avond ervoor. Maar zijn bloeddoorlopen, vermoeide ogen bleven op het scherm gericht. Het kwam niet vaak voor dat hij de spanning zo slecht de baas was.

Hij kreeg geen toestemming voor een rechtstreekse verbinding met het vluchtleidingscentrum in Shaybah. De keet op de trailer die aan het eind van de landingsbaan tegen het buitenste hek aan stond, was opeens verboden terrein voor Gonsalves geworden. De situatie daar is te precair, had hij te horen gekregen. Dat betekende dat ze niet zaten te wachten op iemand die over hun schouder meekeek. Nathan, de jongeman die net uit Langley kwam, stond vlak bij hem tegen de deurpost geleund en had hem gebaard dat de bezoeker die in de lobby had gestaan, was vertrokken. Er waren dingen die Gonsalves wilde delen en er waren dingen die hij niet wilde delen. Livebeelden van zeven kilometer hoogte boven de Rub' al-Khali – met doelwit – werden niet gedeeld.

Het livebeeld op het scherm schommelde en maakte bokkensprongen, werd onscherp, zoomde op het doelwit in, raakte het kwijt en vond het weer terug. Nathan was naar de koffiemachine gelopen. Via zijn koptelefoon hoorde Gonsalves de aanmoedigingen van Langley en de oplopende spanning bij de jongens in Shaybah. Ze spraken een gecodeerde, technische taal en Gonsalves ving alleen bagatellen op. Waarom sloegen ze verdomme niet toe? Het beeld op het scherm dat door de Predator werd uitgezonden, zoomde in en uit op een uitgerekte kamelentrein. De sensor operator moest proberen een scherp beeld te krijgen van de lading die drie van de kamelen droegen. Er was ontelbare malen op de kamelen ingezoomd, en steeds als het beeld zo sterk was uitvergroot dat het minder scherp werd, verloren ze het doelwit uit het oog. Hij had de mannen – het waren er vijf – gezien; ze hadden zich over een lengte van zo'n tweehonderd meter verspreid. Ze trokken langzaam door de woestijn en volgden de lijn van een boog. De camera probeerde nogmaals op een van de kisten in te zoomen, maar het beeld werd niet scherp. De hoek veranderde. Gonsalves nam aan dat de Predator, hoog boven de karavaan, heen en weer geschopt door de wind, rondjes vloog.

Nathan gaf hem koffie. Hij dronk zonder te proeven en gooide het plastic bekertje naar de vuilnisbak, maar hij miste en er droop koffie over de vloer. Hij pakte een kopie van een foto van een olijfgroene kist van de tafel; de kist was gemaakt voor het transport van een Stinger, de luchtafweerraket die vanaf de schouder kan worden afgevuurd. Hij wist dat de wind boven de woestijn op de hoogte waarop de Predator vloog sterker was geworden: het beeld schommelde nog meer heen en weer en er leek een mist op de mannen en de kamelen te zijn neergedaald, wat opgewaaid stuifzand moest zijn. Gonsalves was bij het uitoefenen van zijn beroep niet eerder zo gespannen geweest. Hij drukte het knopje van de microfoon in zijn koptelefoon in.

'Hoe lang... Wanneer kunnen we schieten?'

De stem klonk heel gelikt, heel rustig. 'Hier Oscar Golf. Bemoeienissen van mensen die in onze ogen toeschouwers zijn, leiden ons alleen maar af. Ik zal kort zijn: we schakelen het doelwit pas uit als we zeker zijn van zijn identiteit. De identificatie vindt nu plaats. De omstandigheden zijn zwaar. We vliegen op het hoogste niveau waarop onbemande vliegtuigen normaal gesproken vliegen en het is zo goed als onmogelijk om het cameranavigatiesysteem stabiel te krijgen. Het weer wordt nog slechter en we raken door de brandstof heen. Dus ik verzoek u om ons niet meer te onderbreken. Oscar Golf, over en uit.'

Hij was op zijn plaats gezet, hij voelde zich als een kind dat een standje heeft gekregen. Hij keek naar het scherm en zag de karavaan onder de camera gestaag voortkruipen. Hij voelde zich zwak, misselijk.

'Nog vier minuten operationeel,' zei Marty.

'Als we *Carnival Girl* daar meer dan vier minuten rond laten cirkelen, kunnen we haar niet meer terughalen,' zei Lizzy-Jo.

De stem van Oscar Golf reageerde o zo kalm. 'Begrepen.'

Marty bewoog de joystick en bracht *Carnival Girl* een volle zesduizend voet naar beneden. Dat was zijn eigen beslissing. Iedere voet die het vliegtuig daalde, maakte het cameranavigatiesysteem minder stabiel. Hij had haar laten terugzakken, hij was naar het westen afgebogen, hij had de hoek van de lens verkleind. Lizzy-Jo volgde hem. Ze vormden net een danspaar. De camera schraapte de uitgerekte karavaan af. Hij hoefde niets tegen haar te zeggen. Ze bewogen samen, die dag beter dan ooit. Hij vloog *Carnival Girl* vanaf de staart van de karavaan naar voren. De computers maakten de berekeningen. George liep achter hun rug heen en weer en zorgde ervoor dat er genoeg waterflessen stonden. Maar Marty kon niet drinken; hij durfde de joystick niet los te laten. Het fascineerde hem dat ze daarbeneden op de kamelen niet wisten dat ze door het oog van de camera werden geobserveerd. Hij was halverwege de karavaan en Lizzy-Jo wees op de cijfers onder aan het scherm: twee minuten en veertig seconden. Zouden ze zich, op bevel van Oscar Golf, terugtrekken of zouden ze *Carnival Girl* opofferen en haar met leeggevlogen brandstoftanks in de woestijn laten neerstorten? Er kwam een grote, zwaarbeladen kameel in beeld – toen hoorden ze de stem door hun koptelefoon.

'We hebben een still. Blijf wachten. We bekijken de foto.' Er klonk geen opwinding in de stem, geen passie.

Marty keek op naar het scherm rechts van het hoofdscherm. De still zag eruit als een gewone foto. Er stonden twee kamelen op. Hij zag de scherpe omlijning van de kisten. Hij...

De stem verraadde niets, geen enkele spanning, alsof het een machine was. 'Aanvallen. Nu onmiddellijk.'

Hij hoorde de vraag van Lizzy-Jo. 'Eén of twee raketten?'

Het antwoord. 'Ze mogen ze alle twee hebben. Vermorzel die klootzakken.'

Hij vloog eromheen en naderde hen van voren. Hier waren ze voor opgeleid, alle oefeningen hadden gediend om dit te kunnen doen. Lizzy-Jo hoefde hem niet te vertellen wat ze nodig had. Ze zouden niet gewaarschuwd worden. De mannen die daarbeneden langzaam over het zand bewogen zouden er niet op zijn voorbereid. De zijwind geselde *Carnival Girl*.

'Bakboordraket afgevuurd,' mompelde Lizzy-Jo.

Ze zagen de voortsnellende, kleiner wordende vuurbal op het scherm. Een raket die van die hoogte was afgeschoten, deed er twaalf, dertien seconden over om in te slaan. De camera schudde opnieuw op het moment waarop het tweede gewicht werd losgelaten.

'Stuurboordraket afgevuurd.'

De twee geconcentreerde vuurmassa's van de fel brandende stuwstof raceten naar beneden. Elke vuurbal dreef een raket aan met in de kop een springstoflading van twaalfenhalve kilo. Het waren fragmentatiebommen, die door de schok van de inslag tot ontploffing werden gebracht. Hij keek toe. Lizzy-Jo's blik begeleidde hen en hij hoorde kleine fluitgeluiden tussen haar tanden door komen. Ze waren bijna beneden; hij telde zacht toen de kamelen zich begonnen te verspreiden. Ze deden een paar stappen; de lens registreerde de paniek. Ze draaiden en begonnen weg te rennen. Toen schoten de vlammen omhoog. De kamelen verbraken de rij en verdwenen in de wolk en de vuurzee. Het beeld op het scherm werd met zand en stof gevuld.

Marty sprak effen in het microfoontje voor zijn mond. 'Ik ben door mijn vliegtijd heen. Breng ik haar terug of moet ik haar dumpen?'

'Breng haar terug – en verwen haar maar flink. Zo'n klap kan niemand overleefd hebben. Breng haar thuis. Oscar Golf, over en uit.'

Marty liet haar zwenken, en de wolk verdween uit beeld.

Hij hoorde niets.

De jongen stond boven op een duinkam. Hij zette zijn handen aan zijn mond en zijn schouders gingen omhoog, zodat hij zo hard mogelijk kon roepen. Caleb hoorde hem niet.

Hij had geen idee hoe lang hij al alleen in het Zand lag. Alleen de Beautiful One was bij hem. Ze was zich kapot geschrokken en op hol geslagen. Hij had zich aan haar vastgegrepen. Ze had het op een lopen gezet, ze galoppeerde al toen de eerste, oorverdovende explosie plaatsvond. Op het moment van de tweede explosie galoppeerde ze op volle snelheid. Hij had aan haar nek gehangen. Ze was blijven rennen tot ze niet meer kon; toen was ze, hevig trillend, gestopt. Hij had gedaan wat hij van de gids had geleerd. Hij bracht zijn gezicht dicht bij de bek van de Beautiful One, knuffelde haar en fluisterde zoete woorden in haar oor, net als hij Rashid had zien doen. Hij had ervoor gezorgd dat ze stopte met trillen. Ze waren verder gebanjerd, samen maar alleen. Hij had niet geweten waar ze heen gingen – de kameel had de route bepaald. Zijn oren suisden en zijn gedachten waren verdoofd, en de kracht van de zon nam toe.

In de verte, hoog op de duin, bolde de kaftan van de jongen op in de wind. De oren van de Beautiful One gingen omhoog. Ze luisterde geconcentreerd, alsof ze iets hoorde wat Caleb niet kon horen... Ze behoorden allemaal tot zijn familie, de jongen en de Beautiful One en de mannen die hem aan het eind van zijn reis opwachtten. Een andere familie had hij niet. De kameel versnelde zijn pas om bij de jongen te zijn die naar hen had gezocht en hen had gevonden.

13

Ze reden verder.

Caleb keek vaak omhoog, op zoek naar gevaar. Er was geen wolk aan de helderblauwe hemel. Hij zocht de hemel af tot zijn ogen er pijn van deden, maar hij zag niets en hij hoorde niets.

Ze reden in een rechte rij, op ruime afstand van elkaar, en hun sporen werden door het stuifzand uitgewist. Rashid reed helemaal vooraan. Het lichaam van Fahd lag op een mannetjeskameel die al met twee kisten was beladen. Verder naar achteren reed Hosni; daarachter kwam Caleb, gevolgd door nog een mannetjeskameel. Achter aan de rij reed de jongen, Ghaffur. Caleb had het niet gezien, maar achter de horizon lagen de lijken van Fahds kameel, van een kameel die kisten en van een kameel die voedsel had gedragen.

Hij dacht aan Fahd, de fanaat die erop had aangedrongen dat ze elke keer dat er gebeden moest worden, zouden stoppen, de man die hem en de anderen nooit bemoedigend had toegesproken... Zijn ogen waren vochtig geworden, maar nu had hij geen vocht meer over, dus hoefde hij niets te verbergen. Iedere keer dat ze omhoogkeken en de blauwe peilloze diepte van de hemel afzochten, stonden ze doodsangsten uit.

De wind trok aan Calebs kaftan en rukte aan de doek die zijn mond, zijn kruin en zijn oren bedekte. Hij wist niet of Fahd bij de eerste of bij de tweede explosie was geraakt en of hij tijd had gehad om aan het paradijs te denken. Had hij heel even, in de halve minuut tussen de twee explosies in, aan de Hof van Eden gedacht? Alle Arabieren van de 55ste Brigade zwoeren bij hun God dat ze geloofden in de Hof waar martelaren naartoe gingen. In de Hof stroomden koele beekjes, lagen manden vol fruit en wachtten vrouwen op hen. Hij zag Fahds lichaam. Zijn voeten bungelden aan de ene kant van de kameel, zijn hoofd hing aan de andere kant. De achterkant van Fahds hoofd was weggeslagen, maar het bloed en het hersenweefsel waren er allang uitgedropen en de kamelen die erachter liepen hadden het met zand bedekt. Terwijl de Beautiful One door de laatste druppels bloed en hersenweefsel was gesjokt, had Caleb naar het felle blauw van de lucht gekeken. Had Fahd de dood in de laatste momenten van zijn leven verwelkomd? Had hij in de Hof van Eden geloofd? Caleb wist het niet, kon het ook niet weten. Caleb was de kloof overgestoken en bevond zich in de oude wereld die hij eerder had verworpen, en dat bezoedelde zijn zekerheid over de Hof van Eden. Caleb tolde heen en weer in zijn zadel en zocht de hemel af, en hij was verdrietig omdat zijn laatste herinnering aan Fahd zijn woedende blik en zijn schreeuwende stem zou zijn... Ook deze man had bij zijn familie gehoord.

Hij trok aan de teugels, boog zich voorover en fluisterde zoete woorden in het oor van de Beautiful One. Ze vertraagde haar pas en het beeld van Fahds voeten en hoofd vervaagde. Het zand dat door Hosni's kameel werd opgeworpen, waaide niet langer in zijn gezicht en de lastkameel passeerde hem. Caleb liet de jongen langszij komen.

'Wil je met me praten?'

'Mijn vader zegt dat je met praten energie verspilt.'

'Zegt je vader ook dat alleen zijn bang zijn is?'

'We zijn nooit alleen in het Zand. God is met ons, zegt mijn vader.'

'Was je bang, Ghaffur?'

'Nee.' De jongen schudde zijn hoofd.

Hij herinnerde zich hoe hij zelf was geweest toen hij de leeftijd van Ghaffur had, en hij herinnerde zich de jongens met wie hij had gespeeld. Caleb zou, net als zij, doodsangsten hebben uitgestaan toen de vlammen naar beneden kwamen, toen de vuurballen uit de helderblauwe lege hemel stortten. Hij geloofde de jongen.

'Vertel.'

'Mijn vader zegt dat het een vliegtuig zonder een piloot is. Het wordt bestuurd met commando's – hoe dat kan, begrijp ik niet – van mannen die ver weg zijn. Ze zitten misschien wel op een week kameelrijden afstand, misschien nog wel verder. Mijn vader heeft de bedoeïen uit Jemen erover horen praten. Er was een man uit de stad Marib, zijn naam was Qaed Sunian al-Harthi en de Amerikanen zaten achter hem aan. Hij zat in de woestijn, hij dacht dat hij daar veilig was. Hij reed met een auto naar een oliebron waar Amerikanen werkten. Hij had een bom gemaakt... Hij was verraden. Ze wisten wanneer hij zou komen en in welke auto. Er was geen waarschuwing. Hij werd vanuit de lucht geraakt. Mijn vader zegt dat het vliegtuig camera's heeft en dat de Amerikanen de auto waarin hij zat konden zien. Hij werd vanuit de lucht gedood, en de mannen die bij hem waren ook. De bedoeïen dacht eerst dat de autobom was geëxplodeerd, maar de politie vertelde de bedoeïen dat de Amerikanen hadden opgeschept over hun vliegtuig in de lucht... Was jij bang?'

Caleb beet op zijn lip. Er zat zand tussen zijn tanden. 'Ik hoop dat ik geen lafaard ben, ik geef toe dat ik bang was... Zegt je vader ook hoe we eraan kunnen ontsnappen?'

'Alleen met de hulp van God, en Hij heeft ons de wind gegeven.'
'Als de wind te sterk is?'
'Als dat is wat Hij wil,' zei de jongen eenvoudig. 'God heeft je gespaard – Hij heeft je voor iets groots voorbestemd.'

Het vliegtuigje kwam tegen de storm in binnen. Beth had door haar raam gezien hoe de eerste poging om te landen was mislukt.

Het leek haar absurd om het vliegtuig bij zulke weersomstandigheden te laten vliegen. Toen het ongeveer vijftig voet boven het begin van de landingsbaan had gevlogen, was het als door een onzichtbare hand opgetild en opzij gesmeten. De lijnvlucht vanuit Riyad was die ochtend geannuleerd, en dat ging om een Boeing 737, die zwaar was en laag in de lucht hing. Dit was een relatief minuscuul en lichtgewicht speelgoedvliegtuigje. Het had hoogte gewonnen, schuddend alsof het werd afgeranseld, en terwijl het een rondje vloog om het nog een keer te proberen, was Beth de binnenplaats op gelopen. Ze begreep niet waarom ze voor proefvluchten en het in kaart brengen van het gebied bij zulk weer moesten vliegen.

Het vliegtuigje was opnieuw in een rechte lijn op de lichten in het zand voor het buitenste hek aangevlogen. Het leven van Beth was altijd op zekerheden berust geweest, maar daar was in de afgelopen dagen verandering in gekomen. Ze hield zich vast aan de stam van een palm, en ze zag wat er was veranderd: de buizen onder de vleugels waren verdwenen. De laatste keer dat het vliegtuig was opgestegen, hadden er buizen onder de vleugels gehangen.

Ze was in de war. Ze had een hoop vragen, maar geen enkel antwoord.

Het vliegtuig schommelde op de wind. Het scheerde over de landingsbaan en zweefde vlak voor de landing nog één keer op, zoals de *shahin* deed waarmee haar beschermheer vloog. Het vliegtuigje slingerde onhandig, en ze herinnerde zich de elegantie waarmee het was opgestegen. Eén vleugel dook naar beneden, het vliegtuig verloor zijn evenwicht. Haar beschermheer zou het leven van zijn waardevolle *shahin* of *hurr* nooit in gevaar brengen door ze bij slecht weer te laten vliegen. Hij had 110.000 dollar voor de afgerichte slechtvalk en 80.000 voor de sakervalk betaald – en hij had tegen haar gezegd dat ze het geld meer dan waard waren. Deze vogel moest miljoenen hebben gekost. Waarom namen ze er dan zo veel risico mee? Het sloeg nergens op. Beth zag dat het te laat was om het vliegtuig nog een keer te laten draaien; het moest landen.

De rechtervleugel kwam weer omhoog, het vliegtuig vloog weer in horizontale positie. Het was een kreupele, fragiele vogel. De linkervleugel helde over.

Geen piloot. Het enige leven dat gevaar liep, was dat van de vogel zelf. Toen schraapte het uiteinde van de linkervleugel over het asfalt.

Het vliegtuig schoot een stuk door, stopte toen even en draaide. Het taxiede over de landingsbaan en kwam langzaam, aarzelend tot stilstand, alsof de motor was uitgezet. Een jeep die uit het kleine kampement kwam, reed er met grote snelheid naartoe.

Ze liep naar binnen en zette zich weer aan haar verslag van het ejectaveld. Maar ze kon zich niet concentreren... Niets was zeker, de twijfel regeerde. Hij was bij haar. 'Je hebt me nooit ontmoet, ik ben er nooit geweest... Je hebt mijn gezicht niet gezien.' Ze tikte op de toetsen van haar laptop, maar de geest was uit de fles en ze kon hem niet bezweren. Beth wist niet wat het vliegtuig met hem te maken had, maar ze voelde dat er een verband was.

Ze had willen schreeuwen, een waarschuwing willen roepen, maar dat kon ze niet. Ze hoorde de stilte om haar heen.

Hij zag een lange, atletisch gebouwde man met een bruin gezicht die niet op het Engelse weer van die morgen gekleed was.

Michael Lovejoy stapte naar voren, niet al te energiek, want in de winter nam de pijn in zijn heupgewricht toe. De man had Lovejoys naam in grote letters op een vel papier geschreven, dat hij ophield. De vlucht was vroeg en Lovejoy was laat. De man had stevige suède schoenen aan en droeg een verbleekte spijkerbroek met een fel ruitjesoverhemd erboven. Er stond een tas voor zijn voeten en hij keek om zich heen. Een brede frons van ongeduld deelde zijn voorhoofd in tweeën. Lovejoy zette zijn charme in.

'Meneer Dietrich... Meneer Jed Dietrich? Ik ben Lovejoy. Ze hebben mij gevraagd u op te halen. Mijn welgemeende excuus voor het feit dat ik u hier zo heb laten staan. Het verkeer was rampzalig.'

'Aangenaam kennis te maken. Ik begon me al af te vragen...'

Zijn handdruk verpletterde Lovejoys vingers. 'Dat geloof ik graag. Enfin, eind goed, al goed, nietwaar? God, wat is dit toch een verschrikkelijk oord. De auto staat buiten, ik vrees dat we een stukje zullen moeten lopen.'

Lovejoy had zelden met Amerikanen te maken. Als het al gebeurde, was het een jurist van de ambassade. Die werkten voor de FBI: kerels met gemillimeterd haar, glanzende schoenen en een vlinderdasje, vrouwen met kort haar die broekpakken droegen en geen borsten hadden. Hij had een ingebakken wantrouwen tegen hun soort. Als ze op zijn terrein kwamen, kreeg hij het gevoel dat ze onmiddellijk op zijn onverdeelde aandacht rekenden; kwam hij daarentegen op hun terrein, dan wekten ze de indruk het heel druk te hebben en niet geïnteresseerd te zijn. Hij was niet te laat omdat er veel verkeer was, maar omdat Mercy en hij te lang hadden ontbeten. Hij was met zijn eigen auto gekomen, een zes jaar oude Volvo stationwagen waarmee je de kleinkinderen goed rond kon rijden.

Na een wandeling die zo snel verliep als zijn heupgewricht hem toestond, bereikten ze de parkeergarage met meerdere verdiepingen en deed hij de Volvo van het slot. Hij verwachtte dat de Amerikaan iets over de kinderzitjes op de achterbank zou zeggen. Die taalverwanten van de andere kant van de oceaan, vrouwen én mannen, begonnen meestal al snel over kinderen en toverden als het even kon foto's uit hun portefeuille. Maar er kwam geen opmerking over de kinderzitjes of over de rommel van een sponsorloop voor school, die Mercy een week eerder had georganiseerd.

'Ik zie dat u in de zon hebt gezeten, meneer Dietrich. Dat zal u hier niet snel gebeuren... Dus u komt uit Florida? Werkt u daar of was u er op vakantie?'

Michael en Mercy Lovejoy waren dat jaar niet op vakantie geweest. De serre die ze aan de achterkant van hun huis hadden laten aanbouwen, had het spaargeld opgeslokt. Uit geldgebrek hadden ze de gebruikelijke twee weken in een cottage in Cornwall overgeslagen; hij had de zomervakantie gebruikt om de eetkamer en de woonkamer te behangen. Als Lovejoy aan de vakantie van andere mensen refereerde, kreeg zijn stem een hatelijke ondertoon.

Het antwoord was ter zake. 'Ik werk in Guantánamo Bay.'

Het laatste wat Lovejoy tegen zijn vrouw had gezegd voordat hij haar op de wang had gekust en de deur uit was gegaan om naar het vliegveld te rijden, was: 'Joost mag weten wat de DIA nu weer van ons wil. Ik heb altijd begrepen dat zij een "eeuwige vlam" zijn – ze gaan nooit uit, snap je? Ze zitten de hele dag in hun bunkers te proberen iets uit het radioverkeer op te maken, of ze kijken met een vergrootglas in hun hand naar luchtfoto's van Bagdad om te zien of ze een olievat met miltvuur kunnen vinden. Wens me sterkte, schat, dit wordt geen lolletje.' Op hem konden ze rekenen. Maar wat belangrijker was, het spoor naar al-Qaeda liep dood, morsdood zelfs, en het deed er weinig toe dat hij niet in het centrum van Londen zat. Mercy had gegrijnsd en hem nog een kus gegeven.

'Ik neem verhoren af in Camp Delta.'

'U meent het? Fascinerende plek.' Hij hoopte dat het niet opviel dat hij de lucht tussen zijn tanden door naar binnen zoog. Op de derde verdieping van het hoofdkwartier bevond zich een afdeling waar ze zich bezighielden met Guantánamo Bay en de acht Britten die daar vastzaten. Ze hadden Camp X-Ray en Camp Delta al vijf keer bezocht, maar ze waren nooit teruggekomen met iets wat ook maar in de verste verte relevant leek te zijn – althans, hij had er niets van gemerkt. Hij wist dat de rechters van het Hooggerechtshof weigerden om de detentie van de Britten, die niet in staat van beschuldiging waren gesteld en geen proces kregen, te veroordelen als zijnde in strijd met het internationale recht; hij wist ook dat de betrokken ministers hardnekkig bleven weigeren om hun stem te laten horen en er een probleem van te maken. De Britten die op Guantánamo Bay zaten, bevonden zich, voorzover Lovejoy het begreep, in een zwart gat.

Het werkzame leven van Michael Lovejoy – hij zat al achtentwintig jaar bij de inlichtingendienst en was daarvoor vijftien jaar officier bij de commando's geweest – was geregeerd geweest door de 'Bijbel van de Geheimhouding'. Sinds zijn huwelijk deelde hij geheimen alleen met Mercy; niet met de mensen die hij uit het café kende, niet met de mensen die hij tijdens diners ontmoette, en, maar al te vaak, niet met zijn collega's. Als hijzelf net op een vliegveld in New York of Washington was geland, zou Lovejoy zijn geheimen ook bewaard hebben – hij zou het hoognodige meedelen, en geen woord meer. Hij luisterde.

'Het enige fascinerende aan Camp Delta is dat het proces daar is vastgelopen – zo vast als een auto die in de modder is blijven steken. We doen niets anders dan procedures volgen. In twee jaar tijd hebben we hooguit enkele tientallen keren nieuwe of belangrijke informatie losgekregen, en dat gebeurde vooral in het begin. We doen ons werk, we praten met mensen, we lezen de vertalingen door en vallen in slaap. We worden niets wijzer. En dan gebeurt het en staan we te trillen op onze benen. Het gebeurt.'

'En bij heldere hemel, zoals, als ik me niet vergis, het cliché wil.'

'Uit die heldere hemel komt een donderslag. Begrijpt u? We hebben een man vrijgelaten. We staan onder zware druk van de publieke opinie om een paar onschuldige lieden te vinden en hen met veel blazoengeschal en de hele rimram terug te transporteren. We hebben een man vrijgelaten van wie we dachten dat hij een Afghaanse taxichauffeur was...'

Lovejoy wachtte af – hij was zelden ongeduldig.

'Ik was met vakantie. Ik zat met mijn vrouw en kind in Wisconsin om een beetje te vissen voordat de winter begon. De taxichauffeur stond op mijn lijst, maar ik was er niet toen ze besloten hem over te brengen. We vormen Joint Task Force 170, die bestaat uit de FBI, de CIA en de DIA, maar de FBI en de CIA maken de dienst uit, wij hebben niet veel in te brengen. Zij hebben die beslissing dan ook genomen. Hij is teruggevlogen. Hij werd naar Kabul gereden, vroeg onderweg om een sanitaire stop en zette het op een lopen. Hij was maar een taxichauffeur, dus wie maalde erom?'

'U.' Een ander talent van Lovejoy was zijn vermogen mensen, ogenschijnlijk oprecht, te complimenteren. Hij reed met een kalm gangetje tussen de busjes en de vrachtwagens, en deed als altijd zijn best om zijn informant op zijn gemak te stellen... God, wat moest er van hem komen als hij met pensioen ging? Wat voor man zou hij dan worden? Hij vreesde de dag dat het zover zou zijn. 'Dus toen u terugkwam, was de taxichauffeur verdwenen.'

'Ik had een Engelsman onder mijn hoede. Een of andere onderkruiper, een volstrekt onbelangrijk figuur. Ik stelde hem de vragen die ik geacht werd te stellen, dat was vorige week. U kent dat wel, je voelt het aan je water... Je ziet opeens een verband... Het was zijn accent. Toen ik begon, was ik in de koude oorlog gespecialiseerd. Daarna deed ik de Balkan en nu zit ik op Guantánamo Bay. Er is geen accent of ik ken het – Russisch, Pools, Noord-Koreaans, Servisch, Bosnisch, Kroaats, Jemenitisch, Egyptisch, Saudisch, Koeweits... De accenten komen me de strot uit. De Brit die ik voor me had, sprak met hetzelfde accent als die taxichauffeur.'

'Echt waar?'

'Volgens mij was het hetzelfde accent. Wat ik voor me zag, joeg me angst aan...'

Met reden. Lovejoy greep het stuur steviger vast. Er kwamen flarden van de drie lezingen die tijdens het lunchuur waren gegeven bovendrijven. De psycholoog had gezegd: 'Ik druk jullie op het hart jullie blik te verleggen. Waarheen? Naar kwaliteit, beschikbaarheid; naar de besten. Want naar die jonge mannen zijn Osama bin Laden en zijn adjudanten op zoek.' De officier van de Russische veiligheidsdienst had gezegd: 'Ergens in zijn ziel ligt de bron waaraan zijn haat ontspringt. Hij haat u, hij haat mij en hij haat de maatschappij die wij dienen.' De wetenschapper had gezegd: 'We beginnen met een koffer. Gewoon, een koffer die een man of een vrouw bij zich heeft voor een verblijf van een week in een hotel...' Hij had alle reden om bang te zijn. Hij herinnerde zich de ontdane stilte in de zaal op het hoofdkwartier van MI5. Een man die het voor elkaar kreeg de verhoorprocedure te verslaan, verdiende respect... Grappig, respect. Dat woord werd vaak voor oude vijanden uit de kast gehaald: voor Rommel, voor Vo Gnuyen Giap, of voor de Argentijnse piloten boven het zuiden van de Atlantische Oceaan. Maar hij had nog nooit gehoord dat iemand respect had voor de nieuwe vijand. Hij rekende er niet op dat er waar dan ook in het hoofdkwartier over respect voor daders van zelfmoordaanslagen of voor strijders van het leger van de nieuwe orde zou worden gesproken. Als je geen respect had voor je vijand – en hem niet meer dan de status van een plaag verleende – vertegenwoordigde die vijand een des te groter gevaar.

'Hebt u de banden van de verhoren, van die Engelsman en van die taxichauffeur, bij u?'

Hij zag het hoofd naast hem knikken.

'Hoeveel tijd hebt u, meneer Dietrich?'

'Ik heb tot gisteren de tijd – en noem me alsjeblieft Jed.'

Het begon harder te regenen. 'Je reist licht – heb je geen winterkleren bij je?'

'Zodra ik toestemming had gekregen, ben ik als de bliksem uit Gitmo vertrokken. Ik weet zeker dat ik, als de FBI en de CIA hun zaakjes op orde hadden gehad, onmiddellijk zou zijn teruggeroepen. Dit kan voor een hoop opschudding zorgen, het kan een paar hoge pieten de kop kosten... Maar voorlopig is het mijn zaak, en dat wil ik zo houden. Ik ga tot het gaatje, meneer Lovejoy, en...'

'Michael, alsjeblieft.'

'... en als ik me vergis, word ik door het slijk gehaald. Als ik gelijk heb trouwens ook. Dit gaat me geen populariteitsprijs opleveren. Maar dat kan me geen reet schelen.'

Lovejoy pakte zijn mobiele telefoon uit de zak van zijn colbertje en belde Mercy. Ze zou wel boven zijn om de bedden voor de kleinkinderen op te maken: die zouden die avond komen. Hij zei tegen haar dat hij er niet zou zijn en dat hem dat speet. Daarna vroeg hij haar op zoek te gaan naar de trui die zijn schoondochter hem twee jaar geleden voor Kerstmis had gegeven – die was hem een maat te groot en hij had hem nooit gebruikt – en naar de regenjas die hij in geen vijf jaar meer had gedragen. Hij zei dat hij over een uurtje langs zou komen, maar niet zou blijven. Omdat hij maar één hand vrij had, zette hij zijn knie even onder het stuur, zodat hij kon schakelen. Daarna bladerde hij door zijn adresboekje, dat was gevuld met namen en telefoonnummers. Hij drukte de toetsen van zijn telefoon in en maakte de afspraak die hij nodig had.

Nadat de professor in de fonetiek van het King's College van de universiteit van Londen twee keer naar de geluidsopname had geluisterd, zei hij: 'U zit ernaast. Het spijt me dat ik u teleur moet stellen. Maar het staat buiten kijf, er is geen discussie mogelijk. De accenten komen niet uit dezelfde streek. Een geoefend oor hoort het verschil tussen het accent van de Engelsman op wat u Tape Alfa hebt genoemd, die Pashto leest, en die op Tape Bravo. Ik vind het heel vervelend, maar feiten zijn feiten. Tape Alfa is Birmingham, er zijn slechts marginale overeenkomsten met Tape Bravo. Tape Bravo is Black Country. Nu zult u me moeten excuseren, ik moet een college geven.'

Ze stonden weer buiten en haastten zich door de stromende regen naar de parkeerplaats. De Amerikaan worstelde met de oude regenjas.

Lovejoy zei: 'Kijk niet zo verdomde sip. Black Country ligt niet in Kandahar, Peshawar of Jemen. Vergeet die pedante fratsenmaker. Black Country ligt ten noordwesten van Birmingham. Je hebt goed werk geleverd. Het is nog geen twintig kilometer van Birmingham vandaan. Uitstekend werk.'

Hij stond voor de voordeur, had op de bel gedrukt en wachtte tot er open werd gedaan.

Het dienstmeisje, een Filippijnse, stond voor zijn neus. Eddie Wroughton liep langs haar heen en ging de woonkamer in. De Belgische vrouw keek in haar badjas naar een video en lakte haar nagels in dezelfde kersenrode kleur als haar lippenstift.

Hij liep door naar de keuken, pakte een sapje uit de koelkast en schonk zichzelf in. Voor iemand die de naam had slim, intelligent en listig te zijn, nam hij een wel erg groot risico door bij daglicht naar de villa terug te keren; er konden buren op de loer liggen en het roddelende personeel zou hem zien. Hij had drie keer naar Juan Gonsalves gebeld en hij had drie keer te horen gekregen dat de heer Gonsalves 'in vergadering' was en hem terug zou bellen. Wroughtons mobiele telefoon had niet gerinkeld.

Vanuit de keuken hoorde hij dat de Belgische vrouw de meid instructies voor de boodschappen gaf. Er was een officier van de inlichtingendienst, ene Penny, die op een post in Riga zat en zijn foto op haar nachtkastje had staan. Ze had hem in een van haar vele onbeantwoorde brieven over die foto geschreven. Maar hij dacht niet aan Riga, of aan het risico; hij dacht alleen aan de vrouw van de landbouwspecialist. Hij hoorde dat de voordeur dichtging.

Als zijn vriend Juan Gonsalves zijn telefoontjes had beantwoord, zou Wroughton niet in de keuken van de landbouwspecialist hebben gestaan. Dan was hij niet zo gefrustreerd geweest dat hij zo'n risico nam. Hij vroeg zich af of de lak op haar nagels al droog zou zijn en of de lipstick op haar mond zou afgeven. Zijn naam werd geroepen; niet vanuit de woonkamer, maar vanuit de slaapkamer.

Hij brandde van verlangen om de vernedering bij de CIA uit te wissen.

Zijn schoenen en kleren lagen verspreid over de tegelvloer van de keuken en de woonkamer; hij was, op zijn zonnebril na, naakt toen hij de slaapkamer binnenkwam. Hij hield er niet van zijn ogen te laten zien: ze zouden de vernedering verraden.

De receptioniste bracht hem tussen twee patiënten door een uitdraai van de verlenging van het voorgestelde huurcontract.

Hij had gewonnen.

Het aanbod gold een korting van achttien procent op het bedrag dat hij nu per maand betaalde.

Dat was een overwinning.

Toen ze zijn kamer had verlaten en hij op de volgende patiënt stond te wachten, verraste Bart zichzelf opnieuw: hij maakte een onhandig vreugdedansje.

Hij huppelde op en neer op de maat van het deuntje dat hij floot. Hij had zijn overwinning aan zijn brutaliteit te danken – wie had dat gedacht! Terwijl hij op en neer huppelde, dacht hij aan al die mensen die over hem heen waren gelopen: en in het bijzonder aan die klootzak van een Eddie Wroughton – niet dat hij nu van Wroughton verlost zou zijn, maar de overwinning was een succes dat gekoesterd moest worden.

De nieuwe patiënt, een Duitser, sprak met een beschaamd gezicht over snurkproblemen; Bart sprak over complicaties bij lymfeknobbels; de vrouw van de patiënt sprak over haar verstoorde nachtrust; Bart sprak over een heel geschikte Griek van KNO in het Koning Fahd Ziekenhuis. Ze waren opgelucht en dankbaar.

'Ik zal een afspraak voor u maken, meneer Seitz, ik zorg voor alles. Laat het maar aan mij over. U hebt me nog niet verteld wat u in het koninkrijk doet.'

'Ik ben met vervroegd pensioen uit de Luftwaffe gegaan. Ik leid nu verkeersleiders voor de Saudische luchtmacht op.'

Bart maakte zijn aantekeningen. 'Werkelijk? Dat moet interessant zijn.'

'Het is één grote chaos, ik word er knettergek van.'

Bart vroeg, zonder van zijn aantekeningen op te kijken en met bestudeerde onverschilligheid: 'Wat vindt u precies zwaar aan uw werk?'

Hij was een worm in het hart van een appel – overwinning op zijn verhuurder of niet, hij was nog altijd van die klootzak van een Eddie Wroughton.

Caleb reed naast Hosni. Hij merkte dat de wind afnam, maar de stank werd erger. Het lichaam van Fahd was door de hitte opgezwollen en de wind voerde de zoete, walgelijke geur met zich mee. Het herinnerde hem aan de geur van de lichamen in de loopgraven nadat de bommenwerpers over waren gekomen.

Er koekten zandkorrels aan de ogen van de oude Egyptenaar. Ze stonden dof, alsof het leven eruit verdwenen was. Hosni had zijn hoofd geen één keer in zijn richting gedraaid. Caleb reed uit vriendelijkheid naast hem. Hij stelde zich voor hoe het voor de Egyptenaar geweest moest zijn toen de raketten naar beneden waren gekomen. En hoe het, in het halfduister, geweest moest zijn toen de kamelen op hol waren geslagen, toen Hosni's kameel ervandoor was gegaan, met hemzelf erop, vastgebonden aan het zadel, alle kanten op geschud, geschrokken, verdoofd, onwetend. Er waren herinneringen uit een vorig leven naar boven gedreven... Er was een oude man met een stok geweest die, weer of geen weer, langs het kanaal wandelde. De kinderen hadden naar hem geroepen en hij had wild met de stok om zich heen geslagen, maar hij had hen niet kunnen zien. Caleb was een van die kinderen geweest. Hij had zich die oude man langs het kanaal herinnerd, en de stok en het uitjouwen, en hij was naast Hosni gaan rijden. Hosni was broos en zwak... Caleb putte inspiratie uit zijn moed.

'Hoeveel, Hosni, zie je?'

'Ik zie wat ik moet zien. Ik zie het zand, ik zie de zon.'

'Kan een arts niets doen?'

'Een jaar geleden had een arts misschien nog iets kunnen doen. Twee jaar geleden had een arts zeker iets kunnen doen. Ze zaten achter ons aan, eerst in de Tora Bora, daarna in de grotten bij de grens. Ik kon niet naar Quetta of Kandahar gaan om daar een arts te zoeken. Ik bevond me in het gezelschap van de emir. Als ik naar een arts op zoek was gegaan en was opgepakt… Ik wist te veel om naar Quetta of Kandahar te gaan. Pas in Oman ben ik naar een arts gegaan.'

'Kon hij niets doen?'

Hosni richtte zijn hoofd op en een glimlach brak het gezicht in stukjes; het aangekoekte zand viel eraf. 'Hij heeft wel íéts kunnen doen. Hij heeft me kunnen vertellen. Hij heeft me een diagnose gegeven. Het kan niet worden behandeld, en het proces is onomkeerbaar, het wordt alleen maar erger.'

'Wat?'

'Misschien heb ik me met vuil water gewassen. Misschien ben ik door een vervuilde beek getrokken. Het kan lang geleden zijn gebeurd, in de dagen dat we tegen de Russen vochten en ik aan de zijde van de emir streed. De arts had een mooie naam voor de ziekte, *onchoceriasis*, en een nog mooiere naam voor de parasiet, *onchocerca volvulus*. De arts in Oman was goed opgeleid en zeer belezen. De parasiet is een wormpje dat veertien jaar in je lichaam kan blijven zitten. Als je door vies of vervuild water waadt, kan het vrouwtje door een wondje, bijvoorbeeld een geschaafde knie of een sneetje in de voet, in het lichaam komen. Daar broedt het larven uit. Voordat je het weet, zitten er miljoenen wormpjes in je lichaam, die door je heen zwerven. Sommige – het hoeven er niet veel te zijn – maken de lange reis naar de achterkant van je ogen. Ze leven daar, die kleine wormpjes; ze eten er en broeden er. De diagnose is dat je uiteindelijk blind wordt.'

'Hoe lang heb je nog?'

'Lang genoeg om te doen wat ik wil doen. Vrees niet voor mij.'

'Vertel.'

'Ik zal niet lang genoeg leven om helemaal blind te worden.'

'Leg uit.'

'Een broeder maakt een tas of een koffer klaar. In de tas zit een materiaal. Ik zal het aanraken, ik zal ermee werken. Ik heb gezegd dat ik het zal doen. Het materiaal aanraken is het leven achter je laten. Als de tas of de koffer eenmaal verzegeld is, kan hij veilig worden gedragen. Ik droom ervan. Die droom houdt me in deze hel op de been. En ik droom van de jonge man die de tas of de koffer zal dragen, en hij is mijn vriend.'

'Ik ben je vriend, Hosni.'

'Is je haat sterk genoeg?'

De geur van Fahds lichaam speelde door zijn neus. Het lawaai van de donderslagen weergalmde in Calebs oren en hij zag het vuur uit de raket die uit de lucht neerdaalde.

'Mijn haat is sterk genoeg. Ik zal een koffer of een tas dragen.'

Camp Delta, Guantánamo Bay

De dag voor de lichaamsbeweging... Weer een week voorbij. Lichaamsbeweging, en daarna douchen.

Hij werd de stoffige luchtplaats op geleid. Het was de tweede keer dat hij op de luchtplaats kwam, voor lichaamsbeweging. Hij zag dat er doelpalen waren geplaatst.

Zijn handen waren geboeid. Er liep een ketting van de handboeien naar zijn middel, waar weer een andere ketting omheen zat. Vervolgens liep er een ketting van zijn middel naar zijn geboeide enkels. De bewakers lieten zijn armen los. 'Vooruit knul, loop maar wat rondjes.'

Het voetbalveldje lag in het midden van de luchtplaats. Er waren zelfs witte lijnen op de aangestampte grond getrokken. Er schuifelden wat mannen om het veldje heen; ze bevonden zich op twintig meter van elkaar, en hun stappen werden beperkt door de lengte van de ketting tussen hun geboeide enkels. Ze luisterden naar de kreten van de twintig of vijfentwintig gevangenen die op het veldje achter een bal aan renden. In de nieuwste verordening van Camp Delta werden gevangenen uitgenodigd om extra lichaamsbeweging aan te vragen. Caleb had niet geweten wat hij ervan had moeten denken. Hij had niet geweten of hij zich ervoor moest aanmelden, of het hem zou helpen bij het misleiden, of dat het hem zou compromitteren. Zou hij, als hij de uitnodiging had aanvaard, worden geacht informatie over zijn medegevangenen te verstrekken? Hij had zich niet opgegeven. Er lagen vijftien minuten lichaamsbeweging voor hem, maar de voetbalspelers mochten een uur achter de bal aan rennen.

Een grote Amerikaan in een trainingspak heerste met een fluitje over het voetbalveld. Hij haatte hen, stuk voor stuk, of ze nou een trainingspak aanhadden en aardig waren, lichte zomerhemden droegen en hem ondervroegen of in camouflagepakken rondliepen en de sleutels van de celdeuren en de boeien hadden.

Hij liep zijn rondjes. Als er een doelpunt werd gemaakt, blies de Amerikaan op zijn fluitje en applaudisseerde hij. Hij keek naar de spelers die vreugdedansjes maakten omdat de bal in het net lag, en hij probeerde hun gezicht te onthouden. Als een van hen naar een cel naast die van hem zou worden overgeplaatst, zou hij nog voorzichtiger zijn, zou hij zich hoeden voor de kleinste fout.

Aan het eind van zijn laatste rondje gebaarden zijn bewakers naar hem.

Hij werd bij zijn armen vastgepakt en van de luchtplaats af geleid. Het zou een week duren voor hij weer wat lichaamsbeweging zou krijgen.

'Dat zou jij ook kunnen doen, knul, een potje voetballen. Je hoeft het maar te vragen...'

Hij verstond het niet. Hij glimlachte zenuwachtig naar de bewaker. Hij kende zijn rol.

Hij werd naar de barak met de douches geleid.

De haat ging vergezeld van minachting. Hij voelde zich verheven boven de mannen die hem begeleidden, die de kettingen verwijderden en de boeien afdeden, die toekeken hoe hij zich uitkleedde en hem zagen terwijl hij het water in het hokje over zich heen liet stromen. Hij ging niet zomaar overstag. Ze zouden hem niet overhalen door een potje voetbal aan te bieden. Hij leidde hen om de tuin. De wetenschap dat hij boven hen verheven was, gaf hem kracht.

Er werd een handdoek naar hem toe geworpen.

Marty lag op zijn rug op zijn veldbed. De reproductie, zijn enige bezit van waarde, stond tegen de stoel waarop zijn kleren lagen. Achter het glas, waar zandkorrels en condensatie onder waren gekomen, stond Marty's held, luitenant Souter, bij Gundamuck. Hij hield de vlag van het 44ste Regiment om zijn schouders. Luitenant Souter had 162 jaar geleden de laatste verdedigingsstelling van zijn troepen overleefd en was daarna als een gevierd man thuisgekomen. Marty verlangde naar het heldendom, maar wist niet hoe hij het moest bereiken.

Als hij nog steeds in Bagram was geweest, zou Marty nu in de officiersmess hebben gezeten. Hij zou het middelpunt van de belangstelling zijn geweest. Het bier zou zijn blijven komen. Hij zou omgeven zijn geweest door mensen van de CIA, piloten, sensor operators, ondervragers en analisten, en hij zou het ene na het andere blikje bier aangeboden hebben gekregen. Hij had twee Hellfires afgevuurd, hij had gezien hoe ze het vliegtuigje verlieten en een paddestoelvormige wolk hadden veroorzaakt. Het zou zijn feestje zijn geweest, zijn moment van heldendom, als hij in Bagram was geweest.

Maar daar was hij niet; hij zat daar in dat rothok.

In Bagram zou Marty een publiek hebben gehad, en zijn chefs en de hoge officieren zouden hem toejuichen. Ze zouden hem lof toezingen en daarna zouden ze het erover hebben gehad hoe hij *Carnival Girl* thuis had gebracht terwijl de tank leeg was en hij bij de landing veel last van de wind had. Hij was verdomme een held, maar er was niemand in de buurt die dat tegen hem kon zeggen.

De wind rukte aan de tent. Het zand kwam binnen door de kier tussen de tentflappen en het grondzeil, en het dak golfde op en neer. Op de stoel, half tussen de kleren die over de rugleuning hingen, stond één biertje, dat George hem had gegeven. Marty had het blikje niet eens opengetrokken.

Het laatste wat hij van Oscar Golf had gehoord, was een verzoek om informatie over de eventuele schade die bij de landing aan het uiteinde van de bakboordvleugel van *Carnival Girl* kon zijn ontstaan. Langley had hem geen heldenstatus verleend, hij was niet door die lamzak van een Gonsalves gefeliciteerd, niets. Hij was het vluchtleidingscentrum uit gewankeld en het had weinig gescheeld of hij had zich in het zand onder aan het trappetje van de trailer laten vallen.

George was met dat biertje komen aanzetten, maar het blikje was niet eens koud geweest. George was in de jeep gesprongen om de vogel van de landingsbaan te slepen. Lizzy-Jo was uitgeteld boven haar deel van de werktafel in elkaar gezakt. Hij zou moeten gaan slapen, maar dat kon hij niet. De beelden bleven door zijn hoofd spoken: de plotselinge slingerbeweging van de vleugel op het moment dat de eerste Hellfire *Carnival Girl* verliet, de vuurbal die naar beneden schoot, de kamelen die de marslijn verbraken en de tweede raket die in de wolk verdween. Hij kon niet slapen…

De flap van de ingang van de tent werd teruggeslagen. De wind waaide achter haar aan naar binnen. Het zand vloog om haar heen en kwam op zijn benen en zijn borst en in zijn gezicht terecht.

Ze liet de flap neervallen.

Ze ging bij hem op bed zitten. Haar heup in de strakke korte broek drukte tegen zijn knie. Hij had iets kunnen aantrekken, hij had zijn boxershort of een hemdje kunnen pakken, maar dat deed hij niet – het kon hem niet schelen, hij was te moe, te kapot, hij voelde zich te oneerlijk behandeld. Het bed zakte door onder haar gewicht.

'Dat ziet er fraai uit,' zei Lizzy-Jo, en ze knipoogde. 'Misschien jaagt het de meisjes in Carolina schrik aan, maar een New Yorkse niet.'

Ze had haar bloes niet dichtgeknoopt. Haar hand lag op zijn borsthaar.

'Heb je geslapen?'

'Nee. Ik heb het wel geprobeerd.'

'Wil je weten wat het laatste nieuws is?'

Haar vingers trokken plagerig aan zijn borsthaar.

'Wat is het laatste nieuws?'

'Je ziet eruit alsof je wel iets opbeurends kunt gebruiken…'

Marty had maandenlang met Lizzy-Jo gewerkt en de werktafel met haar gedeeld. Zij was goed, hij was onervaren. De jongens in Bagram zeiden dat ze bij hem was gezet om op hem te passen. De helft van de piloten in Bagram zou er een maandsalaris voor overhebben om een maand naast Lizzy-Jo te mogen werken. Hij had zich vaak genoeg afgevraagd of ze zich erover had beklaagd dat ze met hem was opgescheept, want hij was nieuw en hij kreeg de rotklusjes. Hij had niet bij de luchtmacht gevlogen, hij had acne en hij droeg een bril met jampotglazen. Hij kende haar niet – hij wist van Rick die verzekeringen verkocht en van Clara, voor wie Ricks ouders overdag zorgden. Hij wist van het huwelijk dat was gestrand en van haar toewijding… Maar van haarzelf wist hij niets.

'Langley zegt dat de vlucht vanaf Shaybah een prestatie van buitengewoon hoog niveau was, dat het vliegtuig onder zeer ongunstige omstandigheden is teruggebracht en dat de videobanden van de vlucht en van het afvuren van de raketten in de toekomst voor trainingsprogramma's zullen worden gebruikt. Dat heeft Langley gezegd.'

Hij voelde het bloed naar zijn wangen stijgen.

Ze had zich over hem heen gebogen. Haar borsten hingen boven zijn borstkas en haar vingers speelden door zijn borsthaar. 'En Gonsalves kwam door vanuit Riyad. Hij zei dat hij trots op ons was. Als je in de trailer was blijven zitten, zou je hebben kunnen horen wat hij zei.'

Hij bloosde, voelde zich een klein kind. Het was als toen hij op de middelbare school zat en zijn eindexamencijfers bekend werden gemaakt – hij had gedacht dat hij het had verknald, maar dat was helemaal niet zo geweest.

'Ik zou zeggen dat het tijd is voor een feestje.'

Ze leunde over hem heen en pakte het blikje. Hij kende haar niet, wist niet wat ze voor hem voelde. En ze schoof haar vinger door de ring en trok eraan. Het bierschuim spoot over hem heen en gleed over zijn buik. Ze zette het blikje aan zijn mond en het bier droop langs zijn mond terwijl hij dronk. Hij had ongeveer de helft van het bier opgedronken toen ze het blikje weghaalde. Ze likte het warme bier van zijn borst en nam zijn borsthaar in haar mond. Haar tong gleed over zijn buik.

'Ben je te porren voor een feestje?'

Marty knikte en deed zijn ogen dicht. Ze trapte haar teenslippers uit en wrong zich uit haar strakke korte broek. Ze stond op en trok haar slipje uit. Haar gezicht stond serieus, onverzettelijk, alsof ze iets deed wat heel belangrijk was. Daarna voelde hij haar gewicht. De condoom had in haar zak gezeten, ze trok de verpakking er met haar tanden af en schoof hem over hem heen.

Hij wendde zijn hoofd af, zodat hij haar niet in het gezicht zag... Hij wist niet waarom, hij wist niet wat ze van hem wilde, of ze het bij de verzekeringsagent ook zo had gedaan. Het zweet liep in stroompjes tussen haar borsten naar beneden, over hem heen; ze werden nat en glibberig en plakten aan elkaar. In Nellis was hij voor het laatst met een meisje geweest. Ze werkte in de kantine van de basis en haar brillenglazen waren nog dikker dan die van hem en ze had een kilo of tachtig gewogen. Ze had gehoopt dat hij met haar zou willen trouwen. Toen was hij naar Bagram vertrokken en had ze hem nooit meer geschreven.

Hij had gedood. De beloning voor het doden was dat hij in een halfuur twee keer klaarkwam. Misschien had ze dit in Bagram zo vaak gedaan, in haar eigen prefab barak of die van een piloot, maar dat kon hem niet schelen. Hij glorieerde in haar en drong de tweede keer dieper in haar door. Hij hoorde haar diepe gegrom en hij luisterde naar het ritme van haar ademhaling en hij hield haar vast alsof hij bang was dat het voorbij zou zijn. Hij keek haar niet in de ogen, hij kende haar niet. Hij drukte zijn heupen tegen haar heupen aan. Op het laatste moment kreunde hij het uit, snakkend naar adem, snikkend. Zij schreeuwde... Hij vroeg zich af hoeveel van de jongens haar hadden kunnen horen, of George haar had gehoord. Hij kon niet verder in haar doordringen. Haar nagels drongen in zijn rug, het zweet droop van haar af en kwam in zijn mond, en hij proefde het zout, samen met het bier.

Lizzy-Jo stroopte de tweede condoom van hem af, maakte er een knoop in en gooide hem naast het bed.

Ze kuste hem op zijn wang, alsof ze zijn tante was.

Ze zat op haar knieën over hem heen gebogen op het bed, haar hoofd in de lucht. 'Weet je wat het verschil is?'

Marty hijgde. 'Tussen jou en mij? Het was fantastisch, het was...'

'Nee, sukkel,' zei ze scherp. Er was geen spoor van hartstocht te zien. Haar gezicht stond net zo serieus en onverzettelijk als toen ze met de camera had ingezoomd en de raketten had afgevuurd. 'Het is de wind.'

'Ik hoor geen wind.'

'Stomkop. Dát is het verschil.'

Hij keek naar de zijkant van de tent, daarna naar het dak. Het tentzeil wapperde nog wel heen en weer, maar niet alsof het op instorten stond. Hij hoorde de wind nog wel zingen, maar niet meer bulderen. Ze had haar slipje weer aangetrokken, wrong zich in haar strakke korte broek en glipte in haar bloes. De wind was gaan liggen. Er waaide geen zand meer tussen de flappen van de tent en het grondzeil door. Ze boog zich over hem heen en hij probeerde haar te kussen, maar ze draaide haar gezicht weg; ze pakte de twee dichtgeknoopte condooms en stak ze in haar zak... Hij begreep niets van haar. 'Waarom ben je naar me toe gekomen?'

'Ik dacht dat we wel een feestje hadden verdiend, jij niet?'

Ze tilde de flap op, liep erdoorheen en liet de flap terugvallen. Marty kwam van zijn bed af en kleedde zich langzaam aan. Een schoon T-shirt en een schone onderbroek, z'n oude spijkerbroek. Zijn vader en moeder, die in een huisje met uitzicht over Santa Barbara woonden, hadden hem nooit gevraagd of hij een vriendin had. Ze leken gewoon te verwachten dat hij er vroeg of laat wel een mee naar huis zou nemen. Hij wist niet wat ze van een vrouw als Lizzy-Jo zouden denken. Hij schreef hun eens per maand een brief, dat was hij hun verplicht, maar over zijn feestje zou hij niets vertellen. Hij dronk de rest van het verschaalde bier en plenste wat water in zijn gezicht. Hij nam geen douche, hij wilde haar geur niet van zich afspoelen.

Buiten sloeg de zon hem vol in het gelaat.

Aan de trailer met de satellietschotel was een stok met een kleine windzak bevestigd; hij wapperde, maar stond niet stijf.

Er werkte een troepje mannen aan de bakboordvleugel van *Carni-*

val Girl. George en Lizzy-Jo stonden bij de voorkant van de romp. Hij liep naar hen toe. George stond met zijn gezicht naar hem toe. Hij deed een stap opzij en maakte een respectvolle buiging. Er stond iets zwarts op het wit van de romp. Marty staarde naar het doodshoofd met de gekruiste knekels eronder, balde zijn vuisten en stak ze in de lucht. Het was bevestigd dat ze een voltreffer hadden geplaatst.

Marty was in de zevende hemel.

Ze zei koel, alsof ze niets met hem deelde: 'Morgenochtend gaan we weer de lucht in. Je ziet eruit alsof je wel wat slaap kunt gebruiken. Een uur voor zonsopgang stijgen we op. Dan vliegen we over de plek van de inslag, maken een taxatie van de schade en gaan daarna achter de klootzakken aan die we hebben gemist. Begrepen?'

Bij leven had hij een mager lichaam gehad. Dood was het opgezwollen en grotesk. Toen ze bij het invallen van de duisternis halt hielden, begroeven ze hem bij de ondergaande zon, voordat ze hun rantsoen water namen.

Er waren geen stenen waarmee ze een gedenkteken bij Fahds graf konden oprichten. Rashid, Ghaffur en Caleb schepten met hun handen zand weg, gebruikten hun nagels om te graven en maakten het gat. Hosni sprak de gebeden uit.

Met hun voeten duwden ze het zand over hem heen en bedekten wat er van zijn hoofd over was.

Nadat hij in het zand was verdwenen, bleef de stank van het lijk bij hen. Caleb had het gevoel dat de geur in zijn kaftan zat. Ze dronken water, een kwart mok per persoon, en trokken verder.

De wind wapperde nog wel in hun gewaden, maar hij rukte er niet meer aan. Hij wist dat het gevaar groeide. Er werd op hen gejaagd. De jongen zat gespannen en rechtop op de kameel, hij reed en luisterde. De duisternis viel over hen neer, de koelte kwam.

Hosni zei: 'Ik vroeg je: is je haat sterk genoeg?'

Caleb fluisterde het antwoord: 'Ik heb het je verteld, dat is niet veranderd. Mijn haat is sterk genoeg.'

'Zonder haat zul je falen.'

'Ik haat. Eerst was er de opwinding, daarna was er de trots. Na de trots is de haat gekomen.'

'Leg dat uit.'

'Toen ik met mijn vrienden naar Landi Khotal ging, was alles vreemd, gekleurd, nieuw. Ik werd op de proef gesteld, daarna werd ik uitverkoren. Waar ik vandaan kwam, had ik die opwinding nooit gekend. Ik doorliep de trainingskampen. Ik werd geaccepteerd in de 55ste Brigade, ik werd sectieleider. Natuurlijk was ik trots – ik was nooit getraind, nooit geaccepteerd en had nooit eerder leiding gegeven. In de kampen, Camp X-Ray en Camp Delta, waren er twee mogelijkheden, twee wegen. Ik kon me overgeven, zoals velen hebben gedaan, en me onderwerpen, of ik kon tegen hen vechten en hen haten.'

'Is er geen liefde voor het land waar je vandaan komt?'

'Nee. Al mijn liefde gaat uit naar mijn familie, die ik aan het eind van deze reis bereik.'

Naast hem klonk laag, gesmoord gegrinnik. 'Moedig gesproken. Hoe zou je toekomst eruit hebben gezien als je niet naar de bruiloft in Landi Khotal was gegaan?'

'Dan zou ik nooit opwinding, trots en haat hebben leren kennen,' zei Caleb eenvoudig en kalm. 'Ik zou dood zijn geweest, en zonder liefde. Ik zou niets hebben gehad. Ik zou me dood hebben verveeld... Ik leef dankzij mijn geloof in de liefde van de familie, de liefde van jou, van Fahd, en zelfs van Tommy. Ik leef dankzij mijn geloof in de liefde van de mensen die me hebben geholpen om jullie te bereiken. Ik leef dankzij mijn geloof in de liefde van de mensen die op ons wachten.'

'Er is veel vertrouwen in jou en in wat jij kunt volbrengen.'

Caleb zei: 'Ik hoop dat vertrouwen niet te beschamen.'

'Vertel me, wat zullen zij die jouw vrienden waren, daar waar je vandaan komt, over jou zeggen als je erin slaagt te volbrengen wat wij van je vragen?'

'Zij zullen het niet begrijpen; zij leven zonder te leven, zonder liefde.'

'En als ze je naam vervloeken?'

'Ze zijn vergeten, ze zijn dood. Het zou me niets kunnen schelen.'

Hij voelde dat de magere, benige hand zijn heup raakte. De hand leek over hem heen te kruipen, tot hij zijn hand aan de teugels vond. De hand omklemde hem, als een bankschroef. Dit was zijn vriend, niet de jongens van school, of de jongens op het jaagpad langs het kanaal, of de mannen in de garage. Dit was zijn familie, niet zijn moeder. Hij tilde zijn hand op. Hij kuste de hand van Hosni.

14

'We doen het niet goed,' zei Caleb. 'Het moet anders.'

Hij ging tegen de gids in.

De gedachte had zich gevormd bij het opgaan van de zon, toen ze op weg waren gegaan, en tijdens de eerste uren van de ochtend. Toen de zon hoog aan de hemel stond, had hij, overtuigd dat Rashid het bij het verkeerde eind had, de uitgeputte Beautiful One aangespoord en was hij naar voren gereden. Ze reden in een lange rij, de gids ver vooraan en de jongen ver achteraan. Hij was op gelijke hoogte met de gids gekomen, de Beautiful One strompelde van de inspanning.

'We doen het niet goed, omdat we zo een te groot doelwit vormen. Het moet anders.'

Hij sprak in de taal die hij van de Arabieren in de 55ste Brigade had geleerd – wat hij had geleerd als ze lachten, als ze schreeuwden van woede, als ze gilden van angst. Hij had goede tijden met hen gekend, maar ook de hel van de overvliegende bommenwerpers.

'We moeten ervan uitgaan dat het vliegtuig, nadat het heeft geschoten, is teruggehaald vanwege de wind. De wind is nu gaan liggen. We moeten ervan uitgaan dat het terugkomt om naar ons te zoeken.'

Hij zou niet hebben kunnen tellen hoeveel dagen er voorbij waren gegaan sinds de storm en het meisje, of sinds Tommy in het zand onder was gegaan. In al die dagen reed hij voor het eerst voor aan de karavaan, reed hij voor het eerst naast de gids.

'Als we zo verspreid rijden, maken we het makkelijker voor hen, voor de camera. De kans dat ze ons zien is groter als we een lang lint van kamelen vormen dan wanneer we dicht bij elkaar rijden.'

Het woestijnlandschap was veranderd; er waren nu lage rode zandheuvels. Sommige waren twee keer zo hoog als hij en de Beautiful One. De wind had ze perfect rond gemaakt, en daartussen was het vlak en was het zand weggeschraapt. Maar de formatie van de karavaan baarde hem zorgen. In al die dagen, die hij niet kon tellen, was het nog niet eerder in hem opgekomen tegen de gids in te gaan.

'We moeten de rij sluiten, we moeten dichter bij elkaar rijden. We moeten een zo klein mogelijk doelwit vormen... We moeten het moeilijk voor hen maken.'

Nu draaide de gids zich om. Hij had niets gezegd en hij had de teugels niet aangetrokken om de kameel langzamer te laten lopen. Hij had een onverzorgde baard, dunne, droge, gebarsten lippen en een krachtige, uitstekende neus. Zijn smalle ogen glinsterden en er liepen diepe lijnen in zijn voorhoofd. Hij was een vreeswekkende man. Aan zijn middel hing de gekromde schede en het afgesleten handvat van zijn mes. Vlak bij de handen die de teugels van de kameel vasthielden, was het geweer aan zijn zadel bevestigd. Het zonlicht weerkaatste erop.

'Als ze over ons heen vliegen, hebben ze vijf kansen om ons te zien, of zes. We moeten die kans tot één terugbrengen.'

Caleb had kalm gesproken, geduldig. Maar hij was vastberaden, de beslissing was genomen. Hij had een sectie van de 55ste Brigade geleid. Hij was net zo vastberaden als toen hij in de kooien van X-Ray en Delta zat neergehurkt en zichzelf had beloofd dat hij zou vechten. De Tsjetsjeen met het dode oog achter het lapje had de eigenschappen van de leider in hem gezien – de ondervragers en de bewakers niet. Het bewijs dat hij zijn hoofd erbij kon houden zat om zijn pols: de plastic armband met identiteitsnummer US8AF-000593DP. Hij trad niet in discussie, hij besprak het niet met de gids, hij vroeg hem niet om zijn mening. Hij sprak alsof hij een bevel gaf, maar op een beleefde manier. Hij zou niet discussiëren, hij zou leiding geven.

'Je zult zeggen dat, als we dicht bij elkaar rijden en ze ons vinden, één raket ons allemaal zal doden. Ik zeg dat, als we dicht bij elkaar rijden, de kans dat ze ons vinden kleiner is. Ik respecteer je als mijn broeder, maar doe alsjeblieft wat ik zeg.'

Caleb liet zien dat hij geduldig was. Hij liet zich terugzakken en reed een halfuur achter de voorste mannetjeskameel. Het dier droeg twee kisten. Hij kon het productienummer van de fabrikant lezen, en de gedrukte naam van de fabriek waar hij was gemaakt, en de naam van het wapen, in de taal waarvan hij had gedacht dat hij hem zich niet meer herinnerde. Na een halfuur rees de gids op uit zijn zadel en gebaarde hij Hosni en zijn zoon naar voren te komen en de kamelen samen te drijven. Ze reden dicht bij elkaar. De hitte was verzengend. Het zonlicht, dat ook nog door het zand werd gereflecteerd, deed hen pijn aan de ogen. Hun schaduw was klein onder de voortsjokkende hoeven. Caleb keek niet op. Als hij de hemel afzocht, zou zijn vastberadenheid afzwakken. Ze konden elkaar aanraken. Hij was sterk.

Bart sprak en Wroughton luisterde.

'De piloten zijn goed, zegt hij. De piloten zijn prima, heel professioneel. Ze worden alleen niet vertrouwd. Dat weten ze, en ze betreuren het. Natuurlijk weten ze het. En dat doet pijn. Met het moreel van de luchtmacht, maar vooral dat van de piloten, is het toch al niet best gesteld, zegt hij. Hij heeft gehoord – een van hen heeft het hem allemaal verteld – dat het gebrek aan vertrouwen uit de opleidingsperiode voortkomt. Ze gaan naar Californië of Arizona, ze komen in het land van de vrijheid en krijgen daar voor het eerst te maken met wat ze, geloof ik, "snelle jets" noemen. Ze hebben daar tussen de Amerikanen gezeten, en daardoor zouden ze in de ogen van het regime wel eens besmet kunnen zijn. Tijdens die trainingsperiode zijn ze buiten het bereik van de grote theocratische staat, ze staan bloot aan allerlei invloeden. Goede piloten, zeker, maar zijn ze ook betrouwbaar? Hebt u hier iets aan?'

Wroughton knikte, maar volgens Bart was hij er met zijn gedachten niet bij. Ze bevonden zich op bekend terrein, op de lage stoelen achter de palmen in de hoek van de hotellobby. Normaal gesproken varieerde Wroughton de ontmoetingsplekken en vermeed hij dat er een patroon ontstond. Het had Bart dan ook verbaasd dat hij weer voor deze locatie had gekozen. Het was de eerste keer dat Bart iets over de luchtmacht wist te rapporteren, en hij had een enthousiastere reactie verwacht... Bart had Wroughton nog nooit eerder zo meegemaakt – moe, afgetobd, zijn das los, zijn schoenen niet onberispelijk gepoetst.

'Het is nuttige informatie, maar ik denk dat we dit al wisten.'

'Denkt u dat? En dit dan? Het wapentuig. Het sluit dacht ik aan bij wat ik eerder al over de Nationale Garde heb verteld – u weet wel, die kerel die hen daar trainde in het neerslaan van opstanden, toch? Als ze oefenen op bombardementsvluchten, vliegen ze naar het noorden. Als ze eenmaal in het noorden zijn, worden de bommen geladen, maar krijgen ze maar een beperkte hoeveelheid brandstof mee. Ze hebben dan niet genoeg brandstof om met de bom terug naar Riyad te vliegen: ze hebben alleen genoeg om naar het testgebied te vliegen en de bom daar te laten vallen. Daarna moeten ze opnieuw landen en tanken – in het noorden.'

'Ik denk dat onze luchtmachtattaché dat ook wel weet.'

'Is dat zo? Ik kan u alleen vertellen wat ik hoor, meneer Wroughton. Als de paleizen binnen hun bereik liggen, vliegen ze zonder bommen. Het spijt me als u dat al wist. Ze zijn natuurlijk bang dat de geest van een piloot is vergiftigd tijdens de trainingsperiode in Amerika. Er zijn twee soorten gif, zegt mijn patiënt. De piloot kan door de blootstelling aan de Amerikaanse cultuur – McDonald's, Coca-Cola, porno – in de armen van de extremisten zijn gedreven... Maar hij kan ook hebben beseft dat het koninkrijk achterlijk is, dat ze in een achterhaalde denkwereld leven en dat een bom in de schoorsteen van het koninklijk paleis het land vooruit zou kunnen helpen. Hoe dan ook: geen bommen.'

'Zoals ik al zei, dat is niets nieuws onder de zon.'

Wroughton was uit zijn stoel gekomen. Bart vroeg zich af wat zich in het leven van die rotzak had voorgedaan. Hij was blij dat hij was gekomen, al had hij twee afspraken moeten verzetten om te kunnen zien dat zijn kwelgeest van slag was. Wroughton legde een bankbiljet op de rekening.

'Ik probeer te helpen, meneer Wroughton.'

'Hou contact.'

Bart bleef alleen achter. Hij dronk zijn sapje op, gooide ook wat Wroughton had laten staan achterover en slenterde de lobby door. Bij de draaideur besefte hij dat het bankbiljet op de rekening voor de twee drankjes voldoende was voor víjf drankjes en een royale fooi. Absurd. Hij liep de deur door, bleef op de stoep staan en keek waar zijn chauffeur was. Voor zijn neus stond een rode Toyota sedan geparkeerd, met draaiende motor, een Europeaan achter het stuur. Wroughton reed hard weg in zijn Discovery met nummerbord van de diplomatieke dienst. Op dat moment – Bart zou het hebben kunnen zweren – trok de rode sedan op en reed achter Wroughton aan. Hij bleef twee auto's achter Wroughton rijden. Hij had hem kunnen inhalen, maar deed het niet.

Die klootzak van een Eddie Wroughton werd geschaduwd. Bart wist het zeker.

Bart was in het verleden geïnstrueerd hoe hij surveillances en schaduwmannetjes kon herkennen.

Al Maz'an, een dorp op de bezette Westelijke Jordaanoever, in de buurt van Jenin

'God nog aan toe, waren er maar meer mensen zoals u. Waren er maar meer.'

Hij liep aan het eind van de kleine zuilengalerij op het centrale plein. Zij was een Oostenrijkse. Ze zou maar twintig minuten in Al Maz'an blijven, want ze was op weg van Jenin naar Nablus. De zuilengalerij stond vol mensen van een medische hulporganisatie uit München en hun Palestijnse begeleiders. Toen Bart hoorde dat ze die ochtend in Jenin zouden zijn en daarna naar Nablus zouden doorrijden, had hij het organiserende comité laten weten dat hij een bezoek aan het dorp, hoe kort ook, zou verwelkomen.

'Ik doe wat ik kan. Ik kan, helaas, niet veel.'

'Vertel me nog eens wat de belangrijkste klachten van uw patiënten zijn.'

'Ze klagen verreweg het vaakst over de bruutheid van de bezetter. Die ligt aan de basis van hun ontberingen. Het Israëlische leger heeft op iedere hoek wegversperringen, ze weigeren medicijnen binnen te laten komen, ze belemmeren artsen, verplegers en ambulancepersoneel in hun werk, zelfs mij... Maar dat bedoelde je niet.'

Ze was knap en ernstig, en haar gezicht drukte grote bezorgdheid uit. Twee Palestijnse artsen liepen achter hen, binnen gehoorafstand. Voor hen liep een functionaris van de Palestijnse Autoriteit. Haar collega-gedelegeerden liepen dáár weer voor en verspreidden zich over het plein.

'Ik heb hier bacteriële ziektes die welig tieren. E. Coli, salmonella, tyfus, de voortdurend aanwezige dreiging van een uitbarsting van cholera – noem maar op. Ik behandel veel amoebendysenterie en toxoplasmose. Er is hepatitis A en hepatitis B. Dan heb ik nog door insecten overgedragen ziektes waar jullie in Jenin waarschijnlijk wel over gehoord zullen hebben – dengue, filariasis en een buitengewoon taaie vorm van schistosomiasis, waarbij de parasiet zich in de darmen en de lever nestelt. Wij bevinden ons, hier op de bezette Westelijke Jordaanoever, in een situatie die vergelijkbaar is met die van uw voorouders in het Wenen van de vijftiende eeuw. En, mevrouw Hardenberger, het is volstrekt onnodig. Zonder de wreedheden van de bezetting zouden al die ziektes met wortel en tak zijn uitgeroeid.'

Elk woord dat hij uitsprak werd gehoord, en dat was precies de bedoeling. De steiger stond er nog steeds. In de zeven weken die voorbij waren gegaan, had hij de vrouw wier zoon aan de hoogste horizontale pijp had gehangen, niet teruggezien. In die zeven weken was hij drie keer in het huisje bij de controlepost geweest en had hij drie keer de poppenkast opgevoerd en de soldaten die zijn auto doorzochten uitgescholden. Hij had niets meer te rapporteren gehad; de laatste keer had hij het gevoel gekregen dat Joseph ongeduldig begon te worden.

'Ik geloof niet dat ik ook maar iets van schistosomiasis afweet, dokter Bartholomew. Ik ben gespecialiseerd in de verloskunde, begrijpt u?'

'Vanzelfsprekend, vanzelfsprekend. Ik wil alleen maar zeggen, mevrouw Hardenberger, dat ik hoop dat u, als u weer in Wenen bent, van de daken schreeuwt wat u hier hebt gezien. Doet u dat, alstublieft.'

'Dat zal ik zeker doen. Bij God, dat zal ik zeker doen.'

Het gebeurde heel snel. Hij keek naar haar gezicht, enigszins van zijn stuk gebracht door haar schone, frisse, onopgemaakte huid, toen de auto langsreed. Hij reed hard en de twee mannen achter hen, de artsen, duwden Bart en de Oostenrijkse vrouw, die midden op straat liepen, nogal hardhandig opzij. De auto, een roestige limoengroene Fiat, passeerde hen en de man die achterin zat, keek hun kant op. Het was het gezicht van een foto.

'Vertel eens, dokter Bartholomew, want uw toewijding en betrokkenheid maken mij deemoedig, wat hebt u in Engeland allemaal moeten opgeven om hier te gaan werken?'

In zijn hoofd liep hij de foto's af. Het waren duidelijke foto's, geen standaardpolitiefoto's, maar foto's die tijdens surveillances waren gemaakt. Ze zagen er natuurlijk uit, wat het gemakkelijker maakte de geportretteerde te herkennen. In het huisje van Joseph lagen de foto's op volgorde van belang, en Joseph liet hem de belangrijkste foto's het vaakst zien. Hij kende het gezicht van de man op de achterbank van de Fiat. De auto scheurde het plein over.

'Een gewone praktijk,' grijnsde Bart. 'U kent het wel: hernia's, heupen, zwangerschappen en prostaten.'

'U hebt zo veel opgegeven.'

'Ik kan u vertellen, mevrouw Hardenberger, dat je, als je ertoe neigt in zelfmedelijden te vervallen, alleen maar om je heen hoeft te kijken. Hier is zelfmedelijden niet op zijn plaats.'

'Ik hoop dat God over u waakt,' zei ze zacht.

Hij glimlachte naar haar... Dat zou misschien fijn zijn, dacht hij, maar waakt de eenheid in de controlepost op de heuvel ook over me? Ze luisterde naar alles wat hij zei. Ze liepen langs de steiger, waar een rijtje kinderen stond opgesteld om de delegatie bloemen te geven, en er werd vooraan geroepen dat ze moesten opschieten als ze het medisch centrum, een containerlokaal, nog wilden zien.

Hij liet haar vooruit gaan en mompelde dat hij niet te veel beslag op haar tijd wilde leggen. Ze liep met de man van de Palestijnse Autoriteit mee. Nu hij alleen was en niet door geklets werd afgeleid, had hij meer tijd om naar de Fiat uit te kijken.

Hij zag hem geparkeerd staan in een zijstraatje dat nauwelijks breed genoeg was om twee auto's te laten passeren. Het steegje lag aan de rechterhand van de bredere straat die naar het medisch centrum in de tuin van de dorpsschool liep. Tegenover het steegje zag hij een mooi herkenningspunt: een telefoonpaal die maanden eerder bij een manoeuvre van tanks was gesneuveld en nooit was gerepareerd.

Toen de delegatieleden weer in hun auto's zaten, kwam de Oostenrijkse naar Bart, ging ze op haar tenen staan en kuste ze hem op de wang. Hij rook het parfum dat ze droeg, een vage geur van veldbloemen.

Twee uur later zat hij in het huisje bij de controlepost. Hij dronk koffie, at een stuk zoete cake en vertelde Joseph dat hij de limoengroene Fiat had gezien. De foto stond op pagina twee, bovenaan, tussen de meest gezochte voortvluchtigen. Hij beschreef de gesneuvelde telefoonpaal tegenover het steegje.

'Weet je het zeker?'

'Honderd procent.'

'Iedere vergissing is uitgesloten?'

'Absoluut.'

Joseph zei: 'Ik denk dat we dit snel moeten afhandelen. We hebben geen tijd om ervoor te zorgen dat jij niet met het doelwit geassocieerd kunt worden. Ik wil je niet bang maken, maar wees voorzichtig, heel voorzichtig.'

Bart reed naar huis. Hij gaf zijn kat te eten en ging in zijn favoriete stoel zitten. De zon brandde op de ruit. Hij huiverde.

De les liep ten einde.

'Shu-ismak?' Hoe heet je?

'Min wayn inta?' Waar kom je vandaan?

Die ochtend, de laatste van de week, had Beth voor de lunchpauze haar grootste klas. Ze behandelde geen geschiedenis, geen literatuur en geen specifieke taal uit de handboeken over oliewinning. Het was de basisles.

'*Ana af-ham.*' Ik begrijp het.
'*Ureed mutarjem.*' Ik heb een tolk nodig.

De les was bedoeld voor alle werklieden uit alle secties van het complex in Shaybah. De klas zat altijd vol. Iedere keer dat zij een Arabische zin voorlas, volgde er een koor van stemmen die met de Engelse vertaling worstelden.

'*Mish mushkila.*' Geen probleem.
'*Wayn al-funduq?*' Waar is het hotel?

Iedere andere week zou ze van het enthousiasme in deze les hebben genoten. Ze vermoedde dat geen van de leerlingen besefte dat haar hart, terwijl zij het Arabisch voorlas en de leerlingen in het Engels antwoordden, niet bij hen was, dat ze er met haar gedachten niet bij was. De klas dromde in een kakofonie van gesprekken en aangeschoven stoelen naar de deur. Het hoofd van de beveiliging verzamelde de gestencilde blaadjes die ze had uitgedeeld om thuis te bestuderen. Hij was een van de laatste leerlingen die vertrok. Beth was het schoolbord aan het schoonvegen.

Ze riep hem en vroeg of hij even wilde blijven.

Het lokaal stroomde leeg.

'Ja, mevrouw Bethany?'

Ze aarzelde even, en gooide het er toen uit. 'Er is iets wat ik u wilde vragen.'

'Ik hoop dat ik u kan helpen.'

Ze voelde zich stom. Eigenlijk had ze willen terugkrabbelen, maar dat was niets voor haar, dat deed ze eigenlijk nooit. Ze probeerde haar vraag onverschillig te stellen. 'Ik heb gehoord dat het in de Rub' al-Khali gevaarlijk is, klopt dat?'

Hij keek op zijn horloge, alsof hij geen zin had om al te lang opgehouden te worden. 'Dat klopt, en dat weet u best. Extreme hitte, uitdroging, eenzaamheid, het is een erg wreed gebied.'

'Sorry, ik leg het niet goed uit – ik bedoel gevaarlijk vanwege de bewoners van het Zand.'

'Klopt niet.' Zijn blik dreef weer af naar zijn horloge en hij fronste zijn wenkbrauwen. 'In uw taal wordt de woestijn het Lege Kwartier genoemd. Dat is het ook. Er leven alleen bedoeïenen. Dankzij hun oude handelscultuur kennen ze het Zand. Zij kunnen er overleven, verder niemand. De bedoeïenen zijn geen dieven, zij hebben een traditie van gastvrijheid en generositeit. Ik weet dat u wel eens het Zand in gaat, mevrouw Bethany, dat u er naar meteorieten zoekt. Het is verstandig om de natuur te vrezen, maar voor criminelen hoeft u niet bang te zijn. Alleen de bedoeïenen komen daar, niemand anders kan op zo'n plek overleven. Een vreemdeling die in het Zand probeert te lopen, veroordeelt zichzelf – hij is dood.'

'Dank u.' Haar kin zakte op haar borst.

Hij fleurde op. 'Ik heb begrepen... U hebt vast de geruchten wel gehoord, mevrouw Bethany, roddels van de kamelenmarkt, dat er terroristen in het Zand zouden zitten. Maar nee, die zitten in Riyad, in Jedda en in Ad Dammam, niet in de woestijn. In het Zand zouden ze sterven. Excuseert u me, alstublieft.'

Ze bleef alleen achter in het lokaal.

Ze veegde de laatste zinnen van het bord. *Min wayn inta?* en *Shuismak?*

Waar kom je vandaan? Hoe heet je?

'In de kisten zitten Stinger-raketten. Heb je verstand van Stinger-raketten?' Hosni hing over de nek van zijn kameel en bracht niet meer dan een schril, zwak gefluister voort.

Caleb moest zich naar hem toe buigen om hem te kunnen verstaan. 'Ik heb er één keer een gezien, maar niet van dichtbij.'

'Ze zijn al oud. We weten niet of ze door de ouderdom zijn aangetast. Maar ze zijn van groot belang.'

Ze reden dicht op elkaar, schouder aan schouder, de ene kameel tegen de andere. Hij rook het zweet van de gids, de jongen, de Egyptenaar en hemzelf en de stinkende adem van de hijgende kamelen. Zijn knie stootte tegen een kist op de flank van een van de pakkamelen.

'Ik heb er een gezien toen we een linie bij Kabul verdedigden, maar de bommenwerpers vlogen te hoog,' zei Caleb. 'Hij werd niet gelanceerd.'

'De Stinger zorgde voor de omslag in de oorlog tegen de Russen. De Russen waren er erg bang voor.' Hosni hoestte en probeerde te spugen, alsof de herinnering aan de oude vijand daarom vroeg.

'Ik heb er nooit mee leren schieten.'

'We vervoeren ze door de woestijn en leveren ze af. Daarna zullen ze verder reizen, naar waar het doelwit is... Maar we weten niet of ze het nog doen. Tommy heeft de kisten opengemaakt, en er zat een handleiding in. Ze waren voor de Amerikanen geschreven, en Tommy kon het Engels niet lezen.'

'Moeten we ze achterlaten?' Caleb had de formatie van de karavaan gewijzigd. Hij verwachtte dat er naar hem geluisterd zou worden. 'Bezwijken de kamelen onder het gewicht?'

'Voor ons ben jij de Buitenstaander. Ik heb opdracht je te vergezellen. Ik heb opdracht je in de boezem van de familie te brengen. Ik weet niet waar je vandaan komt, wie je was. Ik stel geen vragen. We zijn al twee man kwijt, maar er zijn er nog vier over. Als ik vraag of je de Amerikaanse handleiding van de Stinger kunt lezen, vertel je me iets over jezelf. Mijn onwetendheid is jouw bescherming.'

'Ik vraag je of hun gewicht het leven van de kamelen waard is, of ze ons ophouden. Wat is belangrijker, jij en ik of de Stingers?' Hij kende het antwoord, verwachtte te horen wat hij al wist. 'Vertel het me.'

Hij wist niet wat de bleke, waterige ogen konden zien, maar hij keek hem met een doorborende blik aan en zijn toon werd scherper. 'Ik denk dat jij je van de domme houdt. Misschien hebben wij, jij en ik, de Stingers nodig om ons door dat wat voor ons ligt heen te slaan. Maar dan moeten ze het wel doen.'

'Tijdens onze volgende pauze open ik een kist en pak ik de handleiding...'

'Zul je hem ook lezen?'

'... en zal ik hem lezen. Dat zal ik doen omdat ik belangrijk ben,' zei Caleb.

Hosni worstelde even om in het zadel te blijven, maar het touw waaraan hij vastzat, hielp hem. Caleb zag een man die tegen de Russen had gevochten, die zijn leven had geofferd om tegen de emir te strijden, en hij zag de ingehouden woede.

'Ik waarschuw je: van onwetendheid kun je leren, verwaandheid vernietigt je. Met de verwaandheid komt de arrogantie, en met de arrogantie komen de fouten... Denk na. Er zijn karavanen, marscolonnes, muilezels. Er zijn niet alleen mannen die zich door deze woestijn worstelen; er zijn mannen die door de bergen trekken, over passen en door de straten en stegen van de *soeks*. Ze gaan moskeeën binnen, en grotten. Jij bent maar één man. Dacht je soms dat de organisatie van de emir afhankelijk was van één man wiens afkomst hem belangrijk maakt? We zijn met velen. We zijn met honderden. Sommigen worden tegengehouden, sommigen worden gearresteerd, sommigen worden gedood – zij worden vervangen door duizenden anderen. Je bent één tand in een rader van de grote machine. Ik vraag je, laat me nooit meer zien dat je verwaand bent.'

Caleb verstarde. De jongen, die vlak achter hen reed, moest de reprimande gehoord hebben, en de gids vóór hen ook. Het was alsof hij was geslagen. Hij voelde zich klein, een pygmee die in het niet verzonk bij deze oude man, mager als een spriet, van wie hij de hand had gekust.

'Tijdens de volgende pauze lees ik de handleiding.'

Er zaten twaalf mannen en vrouwen in twee rijen, van elkaar gescheiden door computers. Twee rijen van zes, de gezichten naar elkaar toe, daartussen de beeldschermen en toetsenborden.

De regen waaide over de parkeerplaats naar de ingang van de bibliotheek, en de schouders van Lovejoys jas en van de regenjas die hij aan de Amerikaan had geleend, waren nat. De lucht was asgrauw en er was voor de hele dag regen voorspeld. De rest van de week zou het weer onbestendig blijven – geen blauwe luchten aan de horizon.

Hij sprak rustig tegen de hoofdbibliothecaresse. Die ochtend had hij haar gebeld en zij had hem verteld tot hoe laat de internetles volgens het rooster zou duren. Hij had geen toeristische uitstapjes met de Amerikaan gemaakt. Ze waren in het hotel net buiten het centrum van Wolverhampton gebleven en vroeg naar bed gegaan, want de Amerikaan was doodmoe van zijn nachtvlucht. Tijdens het ontbijt had Lovejoy de benodigde telefoontjes gepleegd, die tot een allerminst oprecht gesprek met de hoofdbibliothecaresse hadden geleid. Dat was stap één. Hij had de Amerikaan niet meegenomen voor een tochtje langs de attracties van Wolverhampton, maar de tijd gedood in de lobby van het hotel. De eerste stap maakte Lovejoy altijd zenuwachtig, en zijn verklaring voor het bezoek aan de bibliotheek was dan ook kort en bondig geweest.

De bibliotheek lag vijf kilometer ten zuidwesten van Wolverhampton, een kleine vijftien kilometer ten noordoosten van het centrum van Birmingham. Na acht telefoontjes had Lovejoy de hoofdbibliothecaresse aan de lijn en zij had hem verteld wat hij wilde horen. Ze was een vrouw van middelbare leeftijd die zich voorstelde als Aggie. Ze zag er verzorgd uit en had een stralend, enthousiast gezicht. Ze wist niet beter of Lovejoy was een hoogleraar van de universiteit van Birmingham. De Amerikaan compliceerde zijn dekmantel; hij werd niet voorgesteld en had te horen gekregen dat hij zijn mond moest houden en moest glimlachen.

'Oké, goed gedaan, het uur is voorbij...' Aggies stem dreunde door de stille bibliotheek.

De bibliotheek was een afspiegeling van haar uitstraling. Het interieur was fris, vrolijk en schoon. Langs de lange zijde van de zaal stonden een leestafel en stellages waarop tijdschriften en kranten lagen. Er was een uitbouw voor kinderen, met planken vol plaatjesboeken en dozen met speelgoed. Aan de andere kant van de zaal stond de dubbele rij tafels met computers. De bibliothecaresse zou kinderen toegesproken kunnen hebben, maar het waren ouderen. 'Zouden jullie de computer willen uitzetten? Jullie gaan enorm vooruit, ik ben heel tevreden.'

Lovejoy had de cassettespeler in zijn hand; de cassette zat in de zak van de Amerikaan.

'Ik wil jullie graag aan Michael voorstellen. Hij werkt aan de universiteit van Birmingham en hij heeft proefpersonen nodig voor een onderzoek naar sociaal bewustzijn.' Ze sprak langzaam, alsof ze anders misschien niet begrepen zou worden, en met luide stem, omdat de meerderheid met een gehoorapparaat was uitgerust. Ze had eerder, aan de telefoon, uitgelegd dat haar cursus Kennismaking Internet voor Senioren, die om elf uur begon, hem de kans bood meerdere oudere inwoners tegelijkertijd te ontmoeten. Die dag, dat had hij gecheckt, was er geen specifieke bijeenkomst van een arbeidersvereniging of van het Britse Legioen. Dit was volgens hem de beste kans op een ontmoeting met vrouwen en mannen die in de streek waren geboren en getogen en na een werkzaam leven met pensioen waren gegaan. Ze keken hem aan met vermoeide ogen die door brillenglazen werden uitvergroot. Hun blik was, na de moeizame strijd om zich de fijne kneepjes van de computer en internet meester te maken, verwachtingsvol. 'Ik verzoek jullie aandachtig naar Michael te luisteren, en hem te helpen. Hij rekent op jullie.'

Ze gebaarde hun hun computerscherm te verlaten en haar naar de leestafel te volgen. Ze hobbelden achter haar aan, vijf mannen en zeven vrouwen, allemaal blanken met bleke, bejaarde gezichten. Twee van hen gebruikten een houten wandelstok, een liep met een aluminium kruk. Ze zette de stoelen in een halve cirkel om de leestafel en ze gingen zitten. Lovejoy zette de cassettespeler op de tafel en stak zijn hand uit om de cassette van de Amerikaan aan te pakken en erin te stoppen. Hij was zich bewust van de scepsis van de Amerikaan, die achter hem zat. Tot op dat moment hadden ze nog niets gezegd. De afstand tussen de Caribische zon van Guantánamo Bay en een openbare bibliotheek vijf kilometer ten zuidwesten van Wolverhampton was groot.

Hij verhief zijn stem. 'Dames en heren, ik ben jullie zeer dankbaar voor jullie tijd. Jullie zijn de deskundigen, jullie kunnen mij helpen. Aggie heeft me verteld dat jullie hier allemaal jullie hele leven hebben gewoond. Jullie kennen de accenten, jullie weten waar ze gesproken worden. Voor mijn onderzoek naar sociaal bewustzijn wil ik kijken of jullie weten waar een bepaald accent vandaan komt, in welke gemeenschap het wordt gesproken. Ik ga een bandje voor jullie afspelen. Er wordt een vreemde taal op gesproken, maar daar moeten jullie je niets van aantrekken; ik wil weten of jullie kunnen horen uit welke streek de stem komt. Het gaat er niet om dat jullie het proberen te raden, jullie moeten het echt zeker weten.'

Hij gebruikte de succesglimlach die hij in de twintig jaar dat hij al voor de inlichtingendienst werkte, had gecultiveerd. Mercy Lovejoy mocht graag zeggen dat die glimlach een wilde stier tot bedaren zou brengen en hem toegang verschafte tot ieder geheim van iedere persoon. De enigszins verontschuldigende en verlegen glimlach nam iedereen voor hem in.

'Jullie horen eerst de stem van een Amerikaan; die doet er niet toe. Daarna horen jullie de stem van een vrouw in een vreemde taal; die doet er ook niet toe. Dan komt de stem van een man, en dat is degene waar het in mijn onderzoek om gaat.'

Zijn vinger zweefde even boven de afspeeltoets. Michael Lovejoy was als officier van de inlichtingendienst belast met de verdediging van het koninkrijk – de veiligheid van deze bejaarde mannen en vrouwen, hun kinderen en hun kleinkinderen. Hij ontmoette zelden gewone mensen. Normaal gesproken dwaalde hij door een elektronische en digitale wereld van bestanden van de Nationale Gezondheidszorg, sociale verzekeringen en privé-bankrekeningen. De confrontatie met gewone mensen die niets van zijn wereld afwisten, zag hij als een uitdaging. Hij drukte de afspeeltoets in.

De Amerikaanse stem klonk gedempt, alsof de spreker ver van de microfoon af zat.

'Fawzi, wat vinden de mensen in jouw dorp van de Amerikanen?' De stem van de man die nu achter hem stond, klonk lijzig, verveeld. Hij had Lovejoy verteld dat de opname van het laatste verhoor kwam. Op dat moment was iedere hoop op informatie van de gevangene vervlogen en werd alleen maar voldaan aan de procedure dat een gevangene iedere maand verhoord moest worden. 'Kun je me vertellen hoe de mensen uit jouw dorp over de Amerikanen denken?'

Niet al te best, dacht Lovejoy. Hij had die avond ervoor op zijn kamer in het dossier zitten lezen, en daar stond in dat de familie van taxichauffeur Fawzi al-Ateh zou zijn verpulverd door bommen van een B-52 bommenwerper... Ware het niet dat de identiteit van de taxichauffeur vals was en hij niet uit een van god verlaten dorp in Afghanistan, maar uit de buurt van Wolverhampton kwam. De stem van de vrouw klonk al net zo gedempt.

De stem galmde door de stille bibliotheek. De bejaarden spanden zich tot het uiterste in om hem goed te horen. Ze leunden naar voren en een van hen tastte in zijn jaszak om zijn gehoorapparaat bij te stellen. Ze leken hem allemaal nederig, fatsoenlijk en genereus. Nieuwe kleren zouden ze wel bij het Leger des Heils kopen en hun oude kleren werden met naald en draad versteld. Hij was van hen afhankelijk. De microfoon was op deze stem gericht, en hij klonk dan ook helder. Een vrouw die ingespannen luisterde, hield haar hand boven de tafel en maakte een draaiend gebaar. Lovejoy zette het geluid harder en Camp Delta overspoelde de leeshoek van de bibliotheek. Toen stierf de stem weg.

De vraag kwam. 'We betreuren het ongeluk ten zeerste, Fawzi, maar ongelukken zijn in de moderne hightech oorlogsvoering onvermijdelijk. Stonden de mensen uit het dorp vóór het ongeluk wel positief tegenover de invasie van de Amerikanen? Die had tenslotte tot doel de repressie van de Taliban en de terreur van al-Qaeda...' Hij zette de cassettespeler uit. Hij had zich te veel op de gezichtsuitdrukkingen geconcentreerd – het was niet zijn bedoeling geweest de tweede vraag te laten horen.

'Dames en heren, jullie hebben het nu één keer gehoord, maar ik kan het zo vaak afspelen als jullie maar willen. Waar komt hij vandaan? Waar komt die jonge man vandaan?'

Sommigen wisten zeker waar hij níét vandaan kwam.

'Hij komt niet uit Moxley.'

'Hij is niet van Ocker, dat zweer ik.'

'En ook niet van Dudley.'

'En ik zal u nog iets vertellen: hij spreekt Aziatisch, maar het is geen Aziaat. Hij spreekt misschien wel Aziatisch, maar hij is het niet.'

'Precies, Alf. Aziaten kunnen de v niet uitspreken, die krijgen ze niet uit hun mond. Aziaten zeggen "woertuig", ze zeggen "weel", ze kunnen de v niet uitspreken... En hij komt niet uit Tipton, en ook niet uit Upper Gornal.'

'Ook niet uit Lower Gornal. En wat jij zei over wat Aziaten niet kunnen zeggen, dat klopt, Alf.'

'Maar het is ten zuiden van Wolverhampton.'

Lovejoy mengde zich zo zacht in het gesprek dat het nauwelijks opviel. Hij had een gok genomen: het had gekund dat hij de ochtend zou verknoeien. Hij had erop gerekend dat de bejaarden hun hele leven ten zuidwesten van Wolverhampton hadden doorgebracht, dat ze nooit tussen de bakstenen van hun straten waren weggekomen en hun hele leven binnen de muren van hun gemeente waren gebleven. Zij zouden beter dan wie ook in staat moeten zijn een vreemdeling te herkennen en moeten kunnen weten waar die vreemdeling vandaan kwam. Hij onderbrak hen: 'Ik zal het jullie nog een keer laten horen. Kunnen jullie zeggen waar hij volgens jullie vandaan komt?'

Ze luisterden, gefixeerd op de stem. Hij merkte dat er een begin van herkenning was.

'Het klinkt meer als Deepfields.'

'Bedoel je niet Woodcross?'

'Volgens mij is het een soort Ettingshalls.'

'Wat dachten jullie van Lanesfields? Wat zeg jij ervan, Alf?'

Iedere groep heeft zijn leider. In de groep Kennismaking Internet voor Senioren was Alf die leider. Alf was een zware, kale man. Zijn broek werd opgehouden door een brede leren riem, waar zijn pens overheen stulpte. 'Hij komt niet uit Ettingshall en ook niet uit Lanesfield, maar wel uit die buurt. Ik vermoed dat hij van Spring Road komt, tussen Coseley en Ettingshall, maar niet uit Ettingshall zelf. Het is dat stukje waar je nichtje woont, Edna, die met de duiven.'

'Prachtige vogels, echte kampioenen – zelden zo veel duiven met een rozet gezien.'

'Het gaat hem niet om de duiven, Edna. Hij wil weten waar die knul vandaan komt. Ik zeg van de buurt tussen Coseley en Ettingshall.'

'Ik denk dat je gelijk hebt, Alf. Tussen Coseley en Ettingshall.'

'Je hebt het bij het rechte eind, Alf. Grappig, dat ie wel Aziatisch spreekt, maar het helemaal niet is. Dat is het, tussen Coseley en Ettingshall. Zeker weten.'

Lovejoy pakte de cassettespeler, haalde de cassette eruit en gaf hem aan de Amerikaan. Hij bedankte hen glimlachend en zei dat ze hem geweldig bij zijn onderzoek hadden geholpen. Hij gaf Aggie een hand en verliet de bejaarden, die gezellig over de wedstrijdduiven van Edna's nicht begonnen te babbelen.

Lovejoy en de Amerikaan liepen naar buiten, renden door de regen over de parkeerplaats en doken de Volvo in. Daar haalde Lovejoy het stratenboek uit het handschoenenkastje en begon erin te bladeren.

'Was dat nou wetenschappelijk?'

'Nee,' antwoordde Lovejoy. 'Het was beter dan wat de wetenschap had kunnen bieden. Als zij het zeggen, dan geloof ik het. Blank en niet Aziatisch.'

'En dat betekent dat Delta op zijn kop staat. Godallemachtig!'

Lovejoys vinger was op de juiste pagina terechtgekomen en gleed langs de namen. 'Ettingshall en Coseley liggen een kilometer of twee uit elkaar. Daar komt jouw man vandaan. Daar kun je je pensioen om verwedden.'

'Ik kan je alleen vertellen wat hij tegen mij heeft gezegd, Eddie.' Teresa leunde tegen de deurpost. Haar twee jongste kinderen hingen aan haar rok. De andere twee liepen binnen te schreeuwen. 'Hij was er niet trots op dat hij je niet voorbij de lobby liet komen, maar er was iets aan de hand waarover hij echt niets kon mededelen – dat zei hij tenminste.'

'Aha.'

'In godsnaam, Eddie, er zijn heus wel dingen die jij ook niet met de CIA zou delen, zelfs niet met Juan.'

'Misschien.'

'Hij slaapt daar. Nathan, zijn rechterhand, kwam langs om spullen voor hem op te halen. Zal ik, als Juan belt, zeggen dat je hier was?'

Wroughton zei op vlakke toon: 'Ik wil hem niet lastigvallen, ik wil hem niet storen.'

Ze kon zijn ogen achter de donkere glazen niet zien, maar ze vermoedde dat ze brandden van woede. 'Kom op, Eddie, je weet toch hoe het werkt?'

Hij leek haar niet gehoord te hebben – hij had haar de rug al toegedraaid. Ze keek toe hoe hij over het gazon wegbeende en de Pakistaanse tuinman passeerde. Ze had geen zin in ruzie – ze bleef in de deuropening staan en zwaaide naar hem, als een vriend. Maar hij trok agressief op, passeerde het hek met de bewakers en voegde in het verkeer in. Ze zag een rode Toyota achter hem aan komen, remmen en volgen. Ze bleef staan kijken en zwaaien totdat Eddie was verdwenen.

Binnen was het geschreeuw van de kinderen in gegil overgegaan. Ze deed de voordeur dicht en liep naar de keuken om de vredestichter te gaan spelen – ze vond het vervelend dat er tussen haar man en zijn beste vriend geen vrede was en vroeg zich af wat er zo belangrijk kon zijn dat hij het niet met hem kon delen.

De stem die hij in zijn koptelefoon hoorde, streelde zijn oren. 'Mooier kan niet, jongens. Neem er de tijd voor. Oscar Golf, over en uit.'

De camera die aan de buik van *First Lady* hing, had hen veertien minuten eerder opgespoord. Marty en Lizzy-Jo zaten in het vluchtleidingscentrum, waar het bloedheet was. Ze hadden hun ongeregelde gesprekken gestaakt. George stond achter hen met water. De schermen hingen voor hen, hun aandacht was op het centrale beeld gericht.

De tactiek van het doelwit was gewijzigd.

Het beeld werd vanaf 23.000 voet hoogte, bij een snelheid van 131 kilometer per uur, naar het middelste, grootste scherm gezonden. Marty liet het vliegtuig in alle rust – de weersomstandigheden waren optimaal – in de vorm van een acht boven het doelwit cirkelen. Lizzy-Jo schakelde over van de surveillanceprogrammatuur naar de aanvalprogrammatuur. Het water dat George over Marty's hoofd had gegoten, liep over zijn rug en zijn borst, en verkoelde hem. Hij voelde zich goed. Hij kon zich meten met de luchtmachtpiloten die voor de CIA in Bagram hadden gevlogen. Nu hij had gedood, zag hij zichzelf als een veteraan.

Ze had het niet over de seks gehad. Ze had hem niet meer aangeraakt en ieder lichaamscontact gemeden, alsof ze afstand van hem had genomen. Haar bloes stond open tot aan haar middel en hij had gezien hoe het water in de plooien van haar buik liep... Ze had het doelwit in beeld, ze volgde het en liet het niet ontsnappen. En hij maakte achtjes en vond dat ze er ouder uitzag dan daarvoor en dat ze zich koeler opstelde dan hij van haar gewend was.

'Wanneer ga je het doen?'

'Bij de volgende cirkel,' zei ze. 'Ik ben er klaar voor.'

Zijn vingers lagen losser op de joystick dan de vorige keer. Toen moest hij tegen de wind opboksen. Ze filmde het doelwit met de groothoeklens. De camera hield het voortkruipende doelwit gevangen; het zag er vanaf die hoogte uit als een kleine kever die over de uitgestrekte zandvlakte kroop. De verandering bestond eruit dat het doelwit in elkaar was geschoven.

Marty had *First Lady* negen uur eerder laten opstijgen. Na twee uur vliegen had ze korte tijd rondgecirkeld boven de plek waar de eerste twee raketten waren ingeslagen. Hij had de twee identieke, zwart uitgeslagen kraters en het karkas van een kameel gezien, en ze waren op jacht gegaan. Hij had *First Lady* in een patroon van elkaar kruisende lijnen over de woestijnbodem heen laten vliegen. Het was een meedogenloze achtervolging geweest op vluchtelingen die geen enkele hoop meer hoefden te koesteren. Het was onvermijdelijk geweest dat de camera van Lizzy-Jo hen zou vinden. Toen het zover was, was haar stem niet omhooggeschoten, ze had geen kreet van opwinding geslaakt – ze had alleen een gebaartje met haar hand gemaakt en naar een punt rechts boven in het scherm gewezen. Daarna had ze de camera bijgesteld en was het doelwit in het midden van het scherm verschenen. Veertien minuten later liet hij *First Lady* achtjes vliegen en volgde Lizzy-Jo de procedure voor het afvuren.

De kever bewoog zich traag voort. Ze bevonden zich dicht op elkaar. Hij vroeg zich af of ze de hemel afspeurden, of ze in het felle licht staarden en hun ogen in de zon verbrandden. Het zou tevergeefs zijn. De hitte die door het zand rondom hen werd gereflecteerd, vormde een waas dat het beeld vervormde. Voor Marty en Lizzy-Jo bleef het beeld scherp genoeg om hun moeizame voortgang waar te nemen. Hij zag vier mannen. Hij kende hen niet, ze hadden voor hem geen identiteit. Hij herinnerde zich wat Gonsalves had gezegd. 'Een spijkerharde man. De sterkste. De man die ze nodig hebben. De man die ons het hardst kan treffen. Een man die geen angst kent.' Hij zag vier mannen, hij zag geen enkele bedreiging, geen enkel gevaar, geen enkel risico op gevaar – vier mannen, op kamelen, in de woestijn.

Ze zei: 'Als je achter hen langs draait, vuur ik.'

Marty had hen willen kennen, hij had het gevaar dat ze vormden willen zien.

'Wat zouden ze denken?'

Ze wierp een blik op hem. 'God, ik heb geen idee.'

'Doet dat er dan niet toe, wat ze denken?'

'Misschien denken ze aan water, aan eten, aan een douche. Ik weet het niet. Misschien denken ze aan ons.'

'Wat zouden ze dan van ons denken?'

'Ik denk dat ze zich afvragen of wij hen gevonden hebben, of we boven hen vliegen. Hoe moet ik het weten?'

Hij zag hen op het scherm. Zijn hand lag op de joystick en hij vloog *First Lady* naar een positie achter hen, klaar voor de aanval. 'Dat is geen antwoord. Wat denken ze over óns?'

'Misschien haten ze ons, minachten ze ons... Wil je soms hun zielenknijper zijn, Marty? Zet het uit je hoofd. Denk liever aan je plicht tegenover je land en doe je werk. Vergeet die onzin. Ik weet niet wat ze denken en het kan me ook niet schelen.'

Marty zei zacht: 'We vliegen westnoordwest, windsnelheid is acht knopen, onze snelheid is...'

'Dat weet ik allemaal al... We vuren over vijf seconden.'

Hij wist niets van hen en dat deed hem pijn.

De fluistertoon: 'Bakboordzijde vertrokken.'

Zijn vingers klemden zich om de joystick en hij ving de slingerbeweging van *First Lady* op. Ze werd opgetild en de stuurboordvleugel was naar beneden geschoten. Hij hoorde een geërgerde zucht naast zich – hij had het commando om haar in evenwicht te houden te traag uitgevoerd. Op het centrale scherm zagen ze hoe de vuurbal even leek te dralen voor hij aan zijn geleide duikvlucht begon. Hij had haar weer onder controle en wachtte op de tweede balansverstoring van *First Lady*, maar die bleef uit.

'Schiet je?'

'Ik wacht nog even... Moet je zien, Marty, kijk eens hoe ze rennen.'

Ze zagen op het grote scherm in het midden hoe de kever onder de vuurbal uiteenging.

'De rotzakken.'

Marty zag de panische galop van de kamelen. Ze renden alle kanten op, alsof de knoop die hen bij elkaar hield, was losgeschoten.

Vanaf die hoogte en met de scheve hoek van waaruit de Hellfire was afgevuurd, zou hij zeventien seconden onderweg zijn... Hij was halverwege... Hij zag aan de vuurbal dat Lizzy-Jo kleine correcties in de besturing aanbracht, en hij keek toe hoe de kamelen voortdenderden, zich dan weer van elkaar verwijderden, dan weer naar elkaar toe renden. Hij zag hun paniek. Hij was de voyeur. Hij was de hijgende jongen in de bosjes naast de parkeerplaats boven de oceaan, waar de studenten van de universiteit hun meisjes mee naartoe namen. Hij vergaapte zich aan de wilde vlucht van de kamelen. De raket sloeg in het zand.

De Hellfire was voor tanks bedoeld. Als ze op Nellis een Hellfire lanceerden, was het de bedoeling dat de sensor operator de kop van de raket die een pantserplaat kon doorboren, vanaf een hoogte van 24.000 voet op de geschutskoepel van een tank kon laten inslaan; ze hanteerden een marge van één meter ten opzichte van het doelwit. Instructeurs gingen er prat op dat ze er nooit meer dan een halve meter naast zaten... Niemand in Nellis had er rekening mee gehouden dat het doelwit uit galopperende kamelen zou bestaan. De stofwolk steeg op.

De wolk kwam naar de lens van de camera. Marty verloor de kamelen uit het oog. Hij wist niet of ze eronder zaten of dat ze eraan ontsnapt waren. Eerst was de wolk donker; onmiddellijk daarna schoot er een steekvlam uit het hart en sloegen de vlammen uit de wolk. Ze hadden munitie geraakt. Het nieuwe vuur rees boven de wolk uit en zakte toen in. Er kwam rook, duisternis en een giftig zwart voor in de plaats.

De stem klonk in zijn oor, masseerde hem zoals eerder haar handen hadden gedaan. 'Goed werk, jongens. De secundaire explosie wijst erop dat jullie in de roos hebben geschoten. Kijk op jullie scherm uiterst links. Ik zie onbereden kamelen aan de rechterkant, op tien uur, maar jullie moeten uiterst links kijken, op vier uur. Richt je op dat doelwit, en schakel het uit. Oscar Golf, over en uit.'

Eén kameel galoppeerde in zijn eentje door de woestijn. Marty had op tien uur gekeken, waar vier kamelen zonder berijder naast elkaar renden alsof ze aan elkaar vastzaten. Lizzy-Jo liet haar oog over het beeld gaan dat ertegenover lag, ging naar vier uur en zoomde in. Ze maakte een close-up en stelde het beeld weer scherp. Een eenzame kameel galoppeerde zigzaggend tussen de heuvels van de woestijn door. Marty kwam erboven. De kameel struikelde alsof hij aan het eind van zijn krachten was, probeerde het opnieuw en bleef toen staan. De kameel vulde het hele scherm. Hij bleef staan, alsof zijn overlevingsdrang geknakt was. Hij ging neer, zakte door zijn poten. De technologie waar Marty naar keek en die door Lizzy-Jo werd bediend, toonde een kameel die zich had doodgelopen. Hij zag de lading waarmee de kameel niet langer op de been kon blijven.

Het braaksel stond in zijn keel.

Hij behoorde tot een superieur ras. 8,6 kilometer onder de camera lag een oude man op de rug van een kameel.

Naast hem kwetterde Lizzy-Jo: 'Dit is echt prachtig materiaal – alsof hij vlak onder ons ligt.'

Er cirkelde een voor acht miljoen dollar geproduceerde Predator boven de oude man en de kameel die het hadden moeten opnemen tegen een Hellfire met fragmentatiekop van honderdduizend dollar. Hij zag het gezicht van de man en een vlek grijs haar. De oude man leek zijn hoofd op te tillen en omhoog te kijken. Maar hij zou niets kunnen zien en niets kunnen horen. Marty wist niet waarom de man niet van de neergeknielde kameel afsprong, waarom hij er niet van wegrende. Hij lag languit op de kameel uitgestrekt, van de bult naar de nek. Wist hij het? Het moest haast wel. Zijn arm kwam omhoog. Eerst dacht Marty nog dat het een saluut was. Mis. De arm strekte zich uit en wees naar *First Lady*: 'Krijg de klere.' Hij had het gevoel dat de opgeheven arm 'Krijg de klere' tegen hem zei.

Lizzy-Jo lanceerde de tweede Hellfire.

Gedurende twaalf van de zestien seconden waarin de vuurbal naar beneden schoot, keek Marty naar het scherm. Toen deed hij zijn ogen dicht en wendde hij zijn gezicht af. Hij keek niet naar de inslag.

Hij draaide zijn stoel en trok de koptelefoon van zijn hoofd. Hij duwde de hand van George weg en liep naar de deur. Hij hoorde Lizzy-Jo in het microfoontje voor haar mond murmelen dat haar piloot zijn post had verlaten. Hij stond in de deuropening, boven aan de trap.

Het braaksel stroomde uit zijn gebogen hoofd.

Hij voelde het warme bloed, alsof hij bij zijn bewustzijn was. Maar Caleb was van de wereld.

Toen hij weer bij zijn positieven kwam, voelde hij de pijn in hevige golven door zijn lichaam gaan.

Bij bewustzijn begreep hij niet hoe ze de draagbaar hadden gemaakt en hoe ze, vastgebonden aan de zadelriemen, onder de buik van de kameel bleven hangen.

De draagbaar van drie zakken hing laag tussen de Beautiful One en Rashids kameel. De poten van de dieren raakten hem en hij schudde heen en weer op hun bewegingen. Bij zijn voeten hing de jongen. De vader en zoon hielden zich happend naar adem vast aan de buik van de kamelen. Achter hen liep de enig overgebleven mannetjeskameel.

Toen de pijn kwam en hij het bloed rook, herinnerde hij het zich. De jongen had een waarschuwing geschreeuwd. Het vuur was op hen afgekomen. De klap, met de hete lucht en de donderslag, had hem geveld. Zij hadden hem opgepakt, de vader en zijn zoon.

Hij was verstopt, net als Rashid en Ghaffur.

Het laatste wat hij had gezien was dat de kameel waarop Hosni was vastgebonden van hen wegvluchtte.

Hij bad om slaap, om van de pijn verlost te zijn.

15

De doek om zijn hoofd was nat en koud en verspreidde een muffe stank. De stem zei: 'Niet proberen te praten.' De doek werd met grote tederheid om zijn voorhoofd, voor zijn ogen en om zijn wangen gewikkeld. Er droop wat vocht uit de doek op zijn lippen, en het prikte in zijn ogen.

Hij probeerde zich te bewegen en het gewicht op zijn rug te verplaatsen, maar de inspanning veroorzaakte pijn – hij hapte naar adem – en de doek kwam even voor zijn mond.

'Je mag je pijn niet uitschreeuwen.'

Hij wist niet hoe lang hij bewusteloos, in slaap, dood was geweest.

De pijn kwam van zijn been en van de zijkant van zijn hoofd. Als hij zich probeerde te bewegen, was de pijn in zijn been ondraaglijk en klopte zijn hoofd.

'Als ze je zien of horen, is alles voor niets geweest. Ze mogen je niet vinden.'

De doek over zijn gezicht kalmeerde hem.

Hij bewoog alleen zijn ogen, niet zijn hoofd.

Hij werd omringd door de nacht. Rashid knielde bij hem neer, doopte de doek in een emmer, wrong het water eruit en legde hem over zijn keel en borst. Het gaf hem verkoeling en wekte hem weer een beetje tot leven. Hij lag op de zakken die eerder de draagbaar hadden gevormd. Hij had de geur van stront en urine in zijn neus – zijn eigen stront en urine. Er zoemden vliegen om hem heen. De hoeven van de kamelen waren vlak bij hem. Zijn zwakke bewegingen of het gemompel van de gids hadden de aandacht van de Beautiful One getrokken; ze boog haar nek en duwde haar neusvleugels tegen hem aan. Achter de kamelen brandden vuren. Hij hoorde stemmen, gelach en de schrapende geluiden van het metaal van wapens. De wind voerde de geur van gebraden vlees en gekookte rijst met kruiden mee; hij herkende de geuren ondanks de stank van de kamelen en zijn eigen uitwerpselen. In een poging beter te zien kneep hij zijn ogen samen en hij zag silhouetten voor de vuren langs lopen. Eén silhouet kwam dichterbij. Rashid greep zijn geweer en was alert, maar het silhouet negeerde hen en liep door. Ze werden door doornachtige struiken van een grote groep mannen en dieren afgescheiden. Het water dat naar zijn lippen werd gebracht en waarvan hij dronk, smaakte bedorven. Hij kokhalsde. Hij had niets om over te geven, maar de beweging in zijn keel en zijn buik verhevigde de pijn in zijn been en het kloppen in zijn hoofd. Rashid nam hem in zijn armen.

'Ik dacht dat het was afgelopen. God zij geloofd.' De stem droop als zoete honing in zijn oor. 'Drie dagen en drie nachten lang dacht ik dat je op sterven na dood was. Alleen God kan je gered hebben... Ik heb Ghaffur weggestuurd om hulp te halen. Ik heb hem gevraagd in zijn eentje het Zand in te gaan; zijn leven is in handen van God... Al ons water was voor jou, en een dag en een nacht geleden was het op. Nu zijn we bij een bron. Het is slecht water, het heeft in geen jaren meer geregend, maar het is water dat God ons heeft geschonken. Als je hier wordt gevonden, zullen er mensen zijn die je wonden zien en weten dat je een Buitenstaander van het Zand bent. Dan zullen ze proberen je aan de regering te verkopen. Of ze vermoorden je en brengen je hoofd naar de regering, en ze vragen geld voor je hoofd. We zijn 's nachts gekomen en we zullen 's nacht weer vertrekken. God zal ons beschermen. Je hebt veel rust nodig, de dood is nog steeds bij je in de buurt. Als God je vergeet, ben je dood.'

De woorden kwamen krakend uit Calebs keel. 'Heb je je zoon weggestuurd?'

'Ik heb mijn zoon het Zand in gestuurd, opdat jij zult blijven leven. We zijn maar twee mannen. Dat we nog leven, hebben we aan de Egyptenaar te danken. Hij reed van ons weg. Hij nam het oog in de lucht van ons weg. Het oog ging achter hem aan. Wij sloegen op de vlucht. Ik hoorde de explosie. Hij heeft zijn leven voor ons gegeven, voor jou. Je moet blijven leven, dat ben je aan hem verschuldigd.'

'En aan je zoon.'

Hij sloot zijn ogen. Zijn greep op zijn omgeving verslapte. Hij was zo moe, zo zwak. Hij had de kracht niet om aan de wond in zijn been of de wond aan de zijkant van zijn hoofd te denken. Hij was van de wereld. Hij was bij het kanaal, op de stoep bij de zwart geschilderde deur. Hij voetbalde in de achtertuin en mikte op het glas in het deurtje van de omgegooide wasmachine... Hij was een nul, niemand. Hij dacht niet langer aan de pijn, dacht niet langer aan de koele, genezende aanraking van de natte doek. Hij dacht niet meer aan de jongen met zijn heldere, ondeugende ogen die door zijn vader in zijn eentje het Zand in was gestuurd.

In de Hummer stond Willie Nelson op volle geluidssterkte. Will zat achter het stuur en Pete zorgde voor de satellietnavigatie. Uit de luidsprekers kwam 'Help Me Make It Through The Night'. Er reden twee Hummers met Arabieren achter hen aan. Will liet zich nooit door een Arabier rijden en Pete vond dat niemand zo goed navigeerde als hijzelf. Ze vonden allebei dat de Hummer, de civiele versie van de militaire Humvee, het beste voertuig op vier wielen was. De Hummer kon hen overal naartoe brengen, ook naar plaatsen waar de helikopter bij extreme klimatologische omstandigheden niet kon komen. Will en Pete waren even oud, hadden op dezelfde school in Galveston in Texas gezeten, woonden naast elkaar in een buitenwijk van Houston en deden hetzelfde werk: ze waren allebei opzichter bij de gaswinning. Ze waren bloedbroeders. Tijdens de tocht, die hen al over meer dan negenhonderd kilometer woestijnzand had gevoerd, was er geen onvertogen woord tussen hen gevallen. Maar de reis liep bijna ten einde. Als hun Hummer met drie ton lading en de twee Hummers met de Arabieren achter hen geen problemen gaven, dan zaten ze diezelfde avond nog in het laatste vliegtuig naar Riyad. Ze werkten voor Exxon-Mobile en verdienden een goed salaris – en de wereld was hun dat ook verschuldigd, om waar ze waren.

De tijd was voorbijgevlogen, tweeënhalve week lang. Gedurende achttien dagen hadden ze in het Lege Kwartier rondgereden, gekampeerd en gewerkt, zonder ander gezelschap dan de Arabieren die achter hen aan reden; de hoogste temperatuur die ze hadden gemeten bedroeg 51,1 graden Celsius. De Hummer bracht hen overal waar ze naartoe wilden, duinen op en duinen af, door rul zand.

'Tjonge, tjonge, moet je dat nou zien...'

Will dacht aan de sappige hamburger die hij zou gaan eten als ze weer in hun hotel in Riyad waren.

'Hé, zonder dollen, moet je kijken.'

'Allejezus...' zei Will. 'Jij hebt echt een paar haviksogen. Ik zou er zo voorbij gereden zijn.'

'Ik geloof dat we dat maar niet moesten doen. Moet je zien, het is nog maar een kind.'

Op een dikke honderd meter rechts van waar ze de duin af waren gereden, zat een jongen in de schaduw van zijn kameel. Zelfs van die afstand konden ze, door de ramen die met een laagje zand waren bedekt, de sombere berusting op het gezicht van de jongen zien. De kameel, die nauwelijks nog op zijn poten kon staan, draaide zelfs zijn kop niet naar hen toe toen ze dichterbij kwamen.

'Alsof ze op de dood wachten.'

'Dit is echt een duivels kutoord.'

'Ik denk dat de kameel er net mee op is gehouden, die verzet geen stap meer. Stap maar uit, Pete. Jij hebt je goede daad voor vandaag weer gedaan.'

Een kwartier later reden ze verder. Het kind zat boven op de berg bagage in de tweede Hummer. De kameel was dood: de expeditieleider had hem een kogel door de kop geschoten. Pete en Will waren keiharde jongens. Ze waren acht maanden per jaar van huis en waren hard voor anderen en hard voor zichzelf. Geen van beiden sprak. Pete had tranen in zijn ogen en als Will iets had gezegd, zou hij zich in zijn woorden verslikt hebben. De jongen had de kameel vastgehouden. De expeditieleider had de loop van het geweer tegen de kop van de kameel gezet, de jongen had zijn armen om de nek van de kameel geslagen en de kameel had hem met zijn grote, dromerige bruine ogen aangekeken. Het geweer werd afgevuurd en het bloed was in het rond gespat – vers bloed op het geronnen bloed van de kaftan van de jongen. De kaftan van de jongen zat onder het oude bloed... Hij wilde er niet over praten. De expeditieleider had het geprobeerd, maar hij had geen antwoord gekregen – het bloed kwam niet van het kind zelf. Uit de woorden van het jochie, die door de expeditieleider werden vertaald, bleek alleen dat hij naar mevrouw Bethany uit Shaybah moest, verder niets.

Will dacht aan de fruitmachines waarop hij speelde als hij de kans kreeg – de kans dat hij de eens per jaar uitgekeerde jackpot won, was groter dan de kans dat het kind in de woestijn door iemand werd gevonden.

Volgens Pete moest iemand daarboven in de blauwe hemel over hem gewaakt hebben, want als hij de duin meer naar links af was gereden, zou hij hem nooit hebben gezien.

De Hummer raasde naar Shaybah, naar de late vlucht en de hamburgers in Riyad.

De adjunct-gouverneur werd door Gennifer naar de deur geleid.

De deur was nog niet achter hem dichtgedaan of de ambassadeur had de telefoon al tegen zijn oor gedrukt.

'Gonsalves, ben jij dat? Je spreekt met de ambassadeur. Kom even naar mijn kamer, wil je? Het heeft haast.'

Hij dacht na. Hij was invloed kwijtgeraakt. De evacuatie van militair personeel van de grote luchtmachtbasis ten zuiden van de hoofdstad had zijn aanzien ernstig aangetast. De oorlog in Irak had hem nog meer schade berokkend. De lopende rechtszaken – juristen in New York hadden het over onbetaalbare schadevergoedingen voor de slachtoffers van de Twin Towers – tegen de heersende elite (de koninklijke familie), hadden het zo kostbare vertrouwen ernstig geschaad. En de aanslagen op de woningcomplexen in Riyad waren de nagel aan zijn doodskist geweest. Vóór de evacuatie, de oorlog, de rechtszaak en de zelfmoordaanslagen zou hij de adjunct-gouverneur – in beleefde woorden – hebben laten weten dat hij de pot op kon. De wereld marcheerde voort en het koninkrijk was zijn leengoed niet lang meer; nog een jaar en hij zou op Yale lesgeven.

Er werd geklopt en de deur ging open. Gennifer liet de CIA-man binnen.

De ambassadeur stak meteen van wal: 'Gonsalves, dit is geen kritiek, ik heb geen enkele klacht over de relatie die jij en ik met elkaar hebben. Je hebt me ervan op de hoogte gesteld, dat betwist ik niet, dat je een Predator-team naar de Shaybah Field Basis zou laten komen. Het team kwam in de Rub' al-Khali surveilleren en deed dat onder het mom van het in kaart brengen van het gebied en het testen van de prestaties onder grote hitte. Maar we hebben een probleem.'

De ambassadeur was een man die zijn uiterlijk belangrijk vond. Hij trok twee keer per dag een schoon overhemd aan, en als het nodig was 's avonds nog een derde keer. Hij droeg altijd een stropdas, die hij nooit lostrok, en de knoopjes van de boorden van zijn overhemd zaten altijd vast. De man tegenover hem hing onderuit in zijn stoel en zag er doodmoe uit. Gonsalves droeg een spijkerbroek en een groezelig vest, met daaronder een overhemd dat openstond. Hij had een stoppelbaard en zijn haar zat in de war – hij zag eruit als een undercoveragent die in Little Italy tegen een lantaarnpaal aan leunt.

'De plaatselijke autoriteiten hier bekijken ons met steeds meer argwaan. Ze beginnen ons tegen te werken. Het komt erop neer dat ze ons uit het zadel proberen te wippen. De adjunct-gouverneur van de provincie waar die zandbak en Shaybah toe behoren, zetelt vlak bij mijn kantoor. We zijn niet langer welkom. De Predator is niet langer welkom op Shaybah. We worden door nieuwsgierige ogen in de gaten gehouden, maar dat zal ik jou niet hoeven te vertellen. Ze lijken van plan te zijn om spieren los te maken die ze lang niet hebben gebruikt. Ik neem aan dat er andere plekken zijn waar je heen kunt gaan – Djibouti of Dohar. Maar de deur van Shaybah gaat op slot. Er zijn twee mogelijkheden: of je glimlacht erom en verscheept de hele boel, of je laat hen meedoen en vertelt hun waar jullie mee bezig zijn… Ik weet wel wat ik zou doen. Ik zou nog geen detail van een operatie die tegen al-Qaeda is gericht aan wie dan ook in dit koninkrijk toevertrouwen. Het lijkt me het beste dat je maar eens met je mensen gaat overleggen. Ik heb wat tijd voor je gewonnen, waarschijnlijk een dag of drie, meer niet.'

De zon boven Riyad werd niet vaak door een wolk verduisterd, maar nu trok er een wolk over het gezicht van Gonsalves. Hij was opgestaan en naar de deur gelopen alsof hij een mes in de rug had gekregen.

'Het ging om surveillances, nietwaar, Gonsalves? Alleen surveillances, toch?'

De CIA-agent stond in de deuropening. Er gleed een kinderlijke glimlach over zijn gezicht. 'O ja, we hielden ze in de gaten. We hielden ze in de gaten tot het moment waarop de Hellfires insloegen. We hebben ze in de gaten gehouden tot de tweede explosie hun munitie de lucht in joeg. Als je ooit bent uitgekeken op de televisieseries, dan bel je maar, dan stuur ik je de video.'

'Drie dagen.'

De glimlach was verdwenen. 'Dat is genoeg.'

Het was alsof ze voor elkaar op hun hoede waren.

Sommige onderwerpen meden ze.

Het is hem te veel geworden, dacht Lizzy-Jo.

Drie dagen en drie nachten eerder had George een emmer water over de trap naar het vluchtleidingscentrum gegooid, maar er lag nog steeds een dun laagje opgedroogd braaksel op de traptreden. Hij had *First Lady* teruggevlogen en veilig laten landen. Daarna had hij zich teruggetrokken in zijn tent. De volgende ochtend was hij niet net als de eerste keer naar de videobeelden komen kijken. Hij had het uitvergrote beeld van de oude man die over de nek van de kameel hing niet nog een keer willen zien. Hij was niet naar buiten gegaan om toe te kijken hoe George een tweede doodshoofd met gekruiste knekels op de romp van *First Lady* zette. Hij had niet met haar meegegeten en niet met haar gesproken. Wat had hij dan gedacht? Dat het een spelletje was? Dat ze op de computer oorlogje speelden omdat het buiten regende? Het was nooit leuk geweest, ze hadden nooit gelachen.

Drie dagen en drie nachten. De maat was vol.

Ze keek weg van haar scherm en zette de schakelaar om zodat het contact met Oscar Golf werd verbroken. 'Goed, dus hij zag eruit alsof hij je opa kon zijn – nou en? Dacht je dat al-Qaeda een pensioenregeling had, dat ze niet met opa's werken? Doe niet zo slap – je gedraagt je als een kind dat met de grote jongens mee wil doen. Er is hier geen plaats voor kleuters. Als je je nog een keer zo laat gaan, zorg ik ervoor dat iedereen het hoort. Dan kun je het verder wel vergeten.'

Ze zette de schakelaar weer om en maakte weer contact met Langley.

Het zand gleed weer over haar scherm. Dat deed het al drie dagen en drie nachten, waarin *First Lady* bijna voortdurend in de lucht was geweest. Ze zou over een uur of zeven, als het al donker zou zijn, landen en voor onderhoud aan de grond blijven. De volgende dag zouden ze met *Carnival Girl*, de oude dame, vliegen. Ze begon een grondige afkeer van dat vervloekte zand te krijgen. Op het scherm was al drie dagen en drie nachten niets anders dan een uitgestrekte leegte te zien. Overdag gebruikten ze de gewone camera, 's nachts de elektro-optische infraroodcamera. De schermen waren leeg gebleven.

De telex begon te ratelen.

Ze vlogen boven nieuwe vlakken. Ze waren blijven rondcirkelen boven de plek waar ze de oude man op zijn kameel hadden zien liggen voordat hij door de Hellfire werd getroffen. Ze waren daar gebleven tot de stofwolk was gaan liggen. Toen de wolk was gaan liggen en ze de kleine krater hadden gezien, had Marty het vliegtuig naar de plek van de eerste inslag gevlogen. De krater daar was groter. Daarna waren ze gaan zoeken. Op het scherm waren vier kamelen zonder berijders verschenen. De vier kamelen zaten aan elkaar vast en liepen dicht bij elkaar. Geen mannen. Ze hadden hen een halfuur gevolgd en toen toestemming gekregen verder te vliegen. Als ze opnieuw waren gaan zoeken, en ze hadden heel goed hun best gedaan, dan zouden ze, verwachtte Lizzy-Jo, een of twee dode kamelen hebben gevonden. De rest zou eromheen hebben gestaan, niet in staat zich los te rukken... Ze zouden sterven in het zand, in de brandende zon. Het was beter om nieuwe vlakken af te werken.

Lizzy-Jo scheurde het vel van de telex. Ze vond het rot dat ze hem zo hard had aangepakt, maar ze zag geen andere mogelijkheid.

'Moet je horen,' zei ze. 'Over minder dan drie dagen zijn we hier weg. De Saudi's gooien ons eruit. Als je hier net zo werkt als in Bagram, dan gaan we naar huis. Kop op. Je hebt gevuurd, je hebt gescoord. We hebben de slechteriken van de aardbodem geveegd, de slechteriken en hun opa, we hebben ze om zeep geholpen.'

Hij liep de supermarkt uit. Hij had een hekel aan de winkel, het was net een klein stukje Londen of New York, maar je was er wel snel klaar. Dat kwam omdat de meeste buitenlanders, voor wie de winkel was bedoeld, uit het koninkrijk waren vertrokken, naar huis waren gegaan. Hij was liever naar een straatmarkt gegaan om daar lokale spullen te kopen, maar dat liet de veiligheidssituatie niet toe.

Eddie Wroughton droeg twee plastic tassen. Daarin zaten een gesneden brood, twee pakken melk, drie eenpersoonsmaaltijden voor in de magnetron, een kilo appels uit Nieuw-Zeeland en twee flessen water uit Schotland. Die avond zou hij normaal gesproken – maar de omstandigheden waren niet normaal – aan de keukentafel van de familie Gonsalves hebben gegeten en daarna in hun achtertuin een potje hebben gesoftbald.

Hij stak de parkeerplaats over. De lampen op de parkeerplaats verspreidden zo veel licht dat hij zijn auto kon zien, maar de schaduwen waren lang. De rode Toyota zag hij niet, de man die er vlakbij stond evenmin. Het licht viel even op zijn linnen pak en gestreken witte overhemd en weerkaatste op zijn glanzende zijden das, waardoor er sterretjes op zijn zonnebrilglazen fonkelden. In zijn gedachten werd een oude herinnering ontrafeld. Hij zag de zondagse lunch met de familie voor zich. Het was de dag voor hij naar het Century House zou gaan om zijn opleiding te beginnen. Zijn vader, zijn opa en zijn oudoom zaten ook aan tafel – allemaal veteranen van de inlichtingendienst. Ze hadden hem verteld hoe hij zich tegenover de instructeurs moest gedragen en het gesprek was gezellig nostalgisch geworden. Oude operaties werden herbeleefd en toen de port was ingeschonken en de sigaren waren opgestoken, waren ze bij hun stokpaardje aangekomen... De Amerikanen.

‘Vertrouw ze nooit, Eddie, nooit van je leven.’
‘De grootste zonde die een Amerikaan kan begaan, is verliezen. Vergeet dat niet, Eddie, vergeet dat niet. Zorg ervoor dat je uit de buurt bent als ze verliezen, hou afstand.’
‘Iemand heeft ooit tegen me gezegd: “Amerika is een blije hond in een kleine kamer, en iedere keer dat hij kwispelt, breekt er iets.” Ze hebben het niet eens door, Eddie, dat ze zo veel schade aanrichten. Zorg ervoor dat je je eigen baas bent, en niet hun poedel.’
Hij had gedacht dat Juan Gonsalves zijn vriend was... Hij kwam bij zijn auto en opende het slot met de afstandsbediening; de schaduw lag voor hem. Hij maakte de achterklep open en zette zijn boodschappen in de achterbak.
‘Bent u meneer Wroughton, Eddie Wroughton?’ De man sprak Engels met een buitenlands accent en een zeurderige ondertoon.
Hij draaide zich om. De man kwam uit de schaduw. Hij was lang en pezig, en hij had een scherpe blik.
Wroughton zei kortaf: ‘Dat ben ik, ja.’
‘Dus jij bent de klootzak die het met mijn vrouw doet.’
Hij kon geen kant op. Zijn auto stond achter hem, de man voor hem. In het licht van de hoge lampen zag hij de gebalde vuisten, de afkeer op zijn mond en de door zand en stenen kaalgeschuurde laarzen. Wroughton verstijfde. Hij voelde zijn armen en benen verslappen. Hij zou niet weg kunnen rennen. Hij had willen schreeuwen, om de aandacht van de beveiliging bij de hoofdingang op zich te vestigen, maar zijn keel was dichtgeknepen. Hij zag de rechterlaars naar achteren zwaaien. Hij kreeg een schop tegen zijn scheenbeen en de pijn schoot door hem heen. Hij kromp ineen. Zijn hoofd ging naar beneden en de gebalde vuist raakte hem op zijn kaak. Meer schoppen, tegen zijn heupen, maar ze waren voor zijn kruis bedoeld. Meer vuistslagen, zijn hoofd was een boksbal. Hij ging neer. Op het fort aan de zuidkust, iets buiten Portsmouth, werden door mannen van de militaire academie cursussen zelfverdediging gegeven. Hij had zeven jaar geleden voor het laatst zo’n cursus gevolgd, voordat hij naar de post in Riga was gegaan. Hij probeerde zijn hoofd te beschermen. Het was het een of het ander – hij kon niet zijn hoofd én zijn kruis beschermen. De man was koel. IJzig gif. Geen wilde woede, geen woeste bewegingen. Het was de aanval van een straatvechter. Waar haalde die vervloekte Belgische landbouwdeskundige de tactiek van een straatvechter vandaan? Er werd niets gezegd, geen woord. De man hijgde zelfs niet. Wroughton proefde het bloed in zijn mond. Hij zou niet doodgaan, dat wist hij. De man was te kalm om hem te vermoorden. Hij wilde hem alleen vernederen. Zijn zonnebril was van zijn gezicht gevlogen, hij hoorde dat hij onder de laars werd vermorzeld. Hij werd bij zijn das gegrepen, de man trok zijn hoofd aan de zijden das omhoog. Terwijl hij naar adem snakte, daalde de vuist twee keer in zijn

gezicht neer: één keer op zijn mond en één keer op de brug van zijn neus. Daarna spuugde de man hem in het gezicht en liet hij de das los. Wroughton viel achterover. De schaduw bewoog van hem vandaan. Zijn mond en zijn kin zaten onder het bloed. Het stroomde rondom zijn tanden en liep in zijn keel. Het gestamp van de laarzen verwijderde zich en het lukte hem met inspanning van al zijn krachten een klein stukje overeind te komen.

Terwijl hij bloed uitspuugde, schreeuwde Wroughton: 'Jammer dat je haar niet kon bevredigen – ze zei dat je niets presteert in bed.'

De laarzen verwijderden zich zonder onderbreking.

Hij trok zich aan het portier overeind, liet zich in zijn stoel zakken en reed de parkeerplaats af.

Wroughton had genoeg verstand van geneeskunde om te weten dat hij, als hij een rib, zijn pols of een botje in zijn hand had gebroken, niet zou kunnen rijden van de pijn. Zijn trots was wel gebroken. Hij reed door de verlaten straten. Zijn hooggeprezen eigenwaarde was geschopt en geslagen, weggevaagd. Hij bereikte het woningcomplex en stak met afgewend gezicht zijn identiteitskaart omhoog.

Eenmaal binnen trok hij zijn kleren uit; hij kreunde bij het losmaken van zijn riem, zijn rits, de knopen. Zijn linnen pak was bij de ellebogen en de knieën gescheurd en besmeurd met vuil van de parkeerplaats; zijn overhemd zat onder het bloed. Toen hij zijn pak, overhemd, sokken, schoenen en ondergoed uit had getrokken, kroop hij over de vloer naar de telefoon, haalde de stekker uit het stopcontact en zette zijn mobiele telefoon uit. Eddie Wroughton kon de wereld niet onder ogen komen. Hij zat naakt in zijn stoel en liet zich omringen door de donkere kamer.

Ze lag op de stenen binnenplaats en dacht aan liefde.

In de verte, achter de bungalow, hoorde ze het hoge janken van een krachtige motor.

Bethany Jenkins was vervuld van liefde.

Geen verliefdheid, geen lust. Liefde – verdomme! Het vrat haar op. De liefde zat onder haar huid; ze kon knijpen, krabben en strelen wat ze wilde, maar ze kon haar huid niet afleggen – de harde huid van haar armen en benen niet, de zachte huid onder de haartjes op haar dijen niet en de gebruinde huid van haar gezicht niet. Ze kon hem niet uit haar hoofd zetten.

Haar moeder had een keer, na haar derde cocktail, tegen haar gezegd dat ze haar vader voor het eerst had gezien toen hij aan de andere kant van een volle tribune bij de paardenrennen van Newbury stond. Op het moment dat ze elkaar tussen de schouders en hoofden van de andere toeschouwers door in de ogen hadden gekeken, had ze onmiddellijk geweten dat hij de man was met wie ze de rest van haar leven zou doorbrengen.

Beth zag de liefde niet als het product van ontmoetingen die door grootmoeders, tantes en vriendinnen werden gearrangeerd. Het ging er niet om of iemand geschikt was. Liefde liet zich niet regelen. Liefde overkwam je, wat de consequenties ook mochten zijn.

Liefde was de kans op een ontmoeting op het bovendek van de nachtbus in Londen, in een wagon van de trein die vanuit King's Cross naar het noorden ging... Liefde had niets te maken met de kans op een goed inkomen in de City, en ook niet met fatsoenlijke families en dikke erfenissen.

Je kon er geen invloed op uitoefenen. De liefde had geen agenda. Er was een geweer op haar gericht en er was een mes gegrepen en nu lag haar leven in de hand van een man. Zij kende hem niet en hij kende haar niet. Hij had het geweer naar beneden gedrukt en haar tegen het mes beschermd. Ze had hem niet geloofd. Ze had gezegd: 'Kom je me verkrachten...? Kom je me vermoorden?' Ze had het kleine zakmes met het vijf centimeter lange blad voor zich uit gehouden. Hij had gezegd: 'Nee... Ik kom je uitgraven.' En dat had hij gedaan. En zij was van hem gaan houden.

'Ik kan er verdomme ook niets aan doen,' zei ze tegen de motten om haar heen. 'Ik kan er ook niets aan doen. Het zijn die vervloekte hormonen.'

Beth had het gevoel dat ze zich hem nu, op de binnenplaats, beter kon herinneren dan een uur nadat hij achter de zandduin was verdwenen... Zou haar moeder haar begrijpen? Als Beth hem ooit nog zou ontmoeten, zouden er meer dan drie cocktails nodig zijn voordat haar moeder haar in haar armen zou nemen en zou zeggen dat het geweldig was, dat ze blij voor haar was. De liefde was uit de heldere blauwe hemel komen vallen...

Het grote voertuig stopte op de onverharde weg voor haar groene, goed onderhouden tuin. De motten dansten in het schijnsel van de koplampen. Het raampje werd naar beneden gedraaid.

Iemand riep naar haar: 'Is dit het huis van mevrouw Bethany? Bent u mevrouw Bethany?'

'Ja, dat ben ik.'

Het portier ging open en grote handen tilden een bundel over de passagier heen, alsof hij op de versnellingspook had gelegen. Hij werd op de grond gezet. Het was het jongetje.

Er kleefde bloed aan zijn kaftan.

'Neemt u me niet kwalijk dat ik stoor, mevrouw. We hebben hem in het Zand gevonden. Zijn kameel was op sterven na dood en hijzelf was er ook bijna geweest. We hebben hem een hoop water laten drinken. Hij heeft ons uw naam gegeven. We weten niet waar hij vandaan komt. Ik heb geen tijd voor flauwekul, mevrouw, we moeten het vliegtuig halen. Hij is niet gewond. Er is niets mis met hem, behalve met zijn tong. Ik weet alleen dat hij uw naam noemde. Dus ik kan hem naar Beveiliging brengen en hem daar bij het hek afzetten of hem hier laten – we zijn aan de late kant voor onze vlucht. Het is aan u, mevrouw.'

'Laat hem maar hier,' zei ze.

De jongen hoorde bij hem. Ze herinnerde zich hoe de jongen schril op zijn vingers had gefloten, ten teken dat hij haar moest verlaten. Ze zag de donkere bloedvlekken op zijn kaftan, en de lichtere bloedspatten eromheen. Ze voelde zich zo vervloekte slap.

De jongen kwam van hem en zijn bloed kleefde aan de kaftan, dat wist ze zeker.

'Luister je dan nooit, mam? Maakt het je dan nooit iets uit wat ik zeg, wat ik wil? Voor jou is het een bedrag van niets.'

Hij hoorde zijn eigen stem niet, en de woede die eruit sprak evenmin.

'Het is maar geld. Ik heb het nodig om de overtocht te maken en daar wat uit te kunnen geven. Zo veel is het niet. Ik wil geld, snap je. Ik wil geld om uit dit klotegat weg te komen. Het is hier klote, klóte. We zitten hier aan het eind van de wereld. Wil je soms dat ik mijn hele leven hier zit? Nogal een lekker leven wordt dat. O ja, echt fantastisch. Het mooiste leven dat jij je kunt voorstellen, hè? Waar houdt de wereld op? Bij Ettingshall en Coseley? Bij Woodcross en Bradley? Of bij Rookery Road en Daisy Street? Houdt de wereld daar op? Ga maar niet voorbij het spoor, steek het kanaal niet over – misschien val je wel van de wereld af. Ik wil meer van de wereld zien dan alleen deze mesthoop. Wat valt hier nou te beleven? Bingo, friet en werken, de bioscoop en de laatste bus, meisjes die kapster willen worden – wat valt hier nou te beleven? Ik wil iets meemaken, ik wil verdomme leven! Ik heb geen zin om me in deze klotekooi te laten opsluiten.'

Hij schreeuwde het uit, zonder te beseffen dat de oude taal de kloof was overgestoken en bezit van hem had genomen.

'Je hebt het geld. Je hoeft alleen maar naar beneden te gaan en het uit de muur te trekken. Waar is geld nou voor? "Het is een appeltje voor de dorst, Caleb." Appels heb je hier genoeg. Ik wil iets om me te herinneren. Ik wil hier niet mijn hele leven slijten, er is hier geen reet te doen. Hoe vaak krijg ik nou zo'n kans? Kijk om je heen, het stikt hier van de zombies. Wanneer heb je voor het laatst iemand horen lachen? Ik wil lachen en ik wil de zon, mam. Ik wil iets meemaken. Ik wil ademen... Hier ga ik dood, hier eindig ik ook als een zombie... Ik krijg deze kans en ik moet hem grijpen.'

Hij merkte niet dat de bedoeïenengids zich over hem heen boog en zijn ijlen met een natte doek tot zwijgen probeerde te brengen.

'Het zijn goede jongens. Ze gaan iedere twee jaar weg, weg van hier. Het zijn mijn beste vrienden. Het is een geweldige uitnodiging, mam. Ik hoef alleen maar voor de overtocht te zorgen. Heb je iets tegen ze, tegen mijn beste vrienden? En het zijn Paki's, nou en? Is dat het probleem soms, mam? Dat mijn beste vrienden Pakistani zijn? Maar wat wil je, als je hier woont? Je woont – we wonen – tussen de Aziaten. Dat was jouw keus. Ze zijn oké, ze doen het stukken beter dan wij. Farooq en Amin zijn mijn beste vrienden. Ze zullen op me passen. Ik ben daar bij hun familie... Het gaat maar om een week of twee. Dan kom ik ergens waar ik nog nooit ben geweest. Dan maak ik verdomme eindelijk eens iets mee. Kom op, mam. Alsjeblieft!'

Hij merkte niets van de koele doek of de hitte van de koorts die hem in zijn greep hield.

'Je moet me goed begrijpen, mam: ik ga hoe dan ook. Als het moet, sleep ik je naar de bank, desnoods breek ik je arm. Ik doe het echt. Ik ga. Ik zal eindelijk vrij zijn, twee weken vrij, weg van deze plek. Dacht je dat je me zou missen, mam? Dacht je dat je op je kussen zou gaan liggen huilen? Amme hoela. Nee, je gaat naar de bingo. Mam, heb je wel eens van de Khyberpas gehoord? Dat is geschiedenis. Heb je wel eens van de North West Frontier gehoord? Ik heb het in de bibliotheek opgezocht, het is geweldig. Ik wil daarnaartoe, ik wil de lucht opsnuiven, ik wil het voelen... Mam, ga nou niet huilen. Ik kan er niet tegen als je huilt... Dat had je niet moeten zeggen, dat had je niet moeten doen. Ik ben niet arrogant, ik ben niet hebberig. Zeg dat nooit meer, mam. Ik wil alleen maar ergens geweest zijn. Ik wil iemand zijn.'

Hij proefde de doek op zijn mond niet, maar die bracht hem wel tot zwijgen.

Op een vreemde manier voelde ze zich heel kalm. Ze hield de telefoon in haar hand, ze had het nummer ingetoetst en hoorde de telefoon overgaan. Het duurde een eeuwigheid voordat er werd opgenomen.

'Ja?' Ze hoorde hem onderdrukt gapen. 'Samuel Bartholomew – met wie spreek ik?'

Ze slikte moeizaam. 'Misschien weet u nog wie ik ben. Beth Jenkins.'

'Ik weet het nog – zo gezond als een vis.'

'Neemt u me niet kwalijk dat ik zo laat nog bel.'

'Geen probleem. Wat kan ik voor u doen?'

Voor haar was een lijn getrokken. De jongen zat achter haar, volgestopt met water en eten uit haar koelkast. Ze had hem uitgevraagd, brute vragen en vriendelijke woorden hadden elkaar afgewisseld. Ze wist wat er was gebeurd en dat hij gewond was... De jongen had de diepe wond en de jaap in zijn been beschreven. Het bloed op zijn kaftan was het bewijs. De jongen had een simpele beschrijving van zijn verwondingen, zijn zwakke toestand en het verlies van zijn bewustzijn gegeven. Misschien was hij al dood. Voorgoed verloren, dóód. De jongen had een route beschreven en zij had de kaart van de plank boven haar bureau gepakt. Ze had de kaart op de tegelvloer uitgespreid en was er met de telefoon in haar hand bij neergehurkt. De kaart met de lijn erop lag voor haar. De lijn was als de inkerving van de banden van een bulldozer. Je kon hem niet missen, je kon er niet omheen. Hij strekte zich aan weerszijden voor haar uit. De lijn versperde haar de weg. Ze besefte het belang van dit moment, ze hield zichzelf niet voor de gek: het zou de rest van haar leven bepalen. Ze kon over de lijn heen stappen en ze kon de lijn haar rug toekeren.

'Bent u daar nog? Ik vroeg u wat ik voor u kan doen, mevrouw Jenkins.'

Ze wist niet tot wie ze zich anders zou moeten wenden. Deze trage vetzak aan de andere kant van de interlokale lijn – en niet de arts van de kliniek in Shaybah, die uit de Verenigde Arabische Emiraten kwam – was de enige die haar zou kunnen helpen... Ze zette de stap, ze stak de lijn over.

'Ik heb u hier nodig, in de woestijn.'

'Neemt u me niet kwalijk, maar ik zit in Riyad. Is er geen medisch personeel op de plek waar u zit?'

'Ik vrees dat ik ú nodig heb.'

'Het lijkt me niet onredelijk als ik een verklaring vraag.'

Hij was de enige arts die ze kon bellen.

'Het gaat om een vriend...'

'Ja...'

'Hij is gewond en hij ligt in het Zand.'

'Zorg dan voor een helikopter, mevrouw Jenkins. Zorg voor een helikopter en haal hem op.'

'Dat zal niet gaan,' zei ze. Haar kalmte had haar niet in de steek gelaten.

'Ik kan u niet volgen. Wat heeft hij gedaan? Is zijn wagen over de kop geslagen?'

Ze voelde dat de jongen bewegingloos achter haar stond, zijn ogen op haar rug gericht, zonder haar te begrijpen. De jongen was drie dagen en drie nachten in de woestijn geweest. Hij had zijn leven gewaagd om naar haar toe te komen.

Beth zei gedecideerd: 'Ik kan geen helikopter bestellen en geen plaatselijke arts laten komen. Mijn vriend is gewond geraakt bij een militaire operatie.'

'Mijn god! Een militaire operatie? Begrijp ik het goed?'

'Hij is bij een raketaanval gewond geraakt, dokter Bartholomew. Mijn vriend heeft een hoofdwond en een beenwond. Ik denk dat hij niet veel tijd meer heeft.'

'Beseft u wel wat u van me vraagt?'

'Ik besef het heel goed, want ik vraag het mezelf ook af.'

'Is uw vriend een tegenstander van het regime?'

'Hij is mijn vriend.'

'Ik leid een gemakkelijk leven, mevrouw Jenkins. Wat u van me vraagt...'

Ze hoorde dat hij zijn adem fluitend liet ontsnappen. Ze zag hem voor zich, verward, het zweet dat in zijn nek liep. Zij zat aan de andere kant van de lijn, ze wachtte, hielp hem niet. Ze liet de stilte in de lucht hangen.

'God sta me bij, waarom doe ik dit? Waar zei u dat u was? Waar moet ik naartoe komen?'

Ze legde het hem uit, verbrak de verbinding en nam de jongen mee naar de binnenplaats. Ze wees. Ze liet hem de lichten in de verte zien. Onder het dekzeil, helder verlicht, waren de romp en de vleugels van een vliegtuigje zichtbaar, maar de ruimte onder het andere dekzeil was leeg. De jongen noemde het vliegtuigje 'het oog in de lucht'. Ze vertelde hem over de Predator, die twee raketten droeg, niet gehoord of gezien kon worden en hen twee keer had gevonden. Haar hand lag op de schouder van de jongen, op de donkere bloedvlek. In kaart brengen. Evaluatie van de prestaties onder extreme hitte. Het takkewijf.

Het leugenachtige takkewijf.

Ze liep naar binnen, gevolgd door de jongen, en pakte de spullen die ze nodig zou hebben.

'Ik denk niet dat ik u kan helpen.' De rector leunde achterover in zijn draaistoel. Jed keek hem aan. 'Begrijp me niet verkeerd, meneer Lovejoy, ik probeer u niet tegen te werken. Ik zal vanzelfsprekend alles in het werk stellen om u te helpen, alles wat in mijn macht ligt. Ik begrijp heel goed dat het gaat om een aangelegenheid die de nationale veiligheid betreft, en dat u daarom vaag, zo niet volkomen onduidelijk over de reden van uw bezoek moet zijn. Maar, en ik wil u écht niet tegenwerken, ik vrees dat ik u niet kan helpen.'

Naast Jeds voet stond een emmer waarin om de vijftien seconden een druppel regenwater lekte. De muren waren vochtig en de posters die eraan opgehangen waren, lieten los. Het gezicht van de rector zag bleek van het eentonige werk. Jed had het gevoel dat hij de waarheid sprak. De foto die hij uit Guantánamo had meegenomen, lag op het rommelige bureau.

'U verdient een verklaring voor mijn negatieve antwoord. U denkt dat de man op de foto ongeveer vierentwintig is, en het Adelaide dus minimaal zes jaar geleden heeft verlaten. Ik werk hier nu twee jaar en ik betwijfel of u onder mijn personeel ook maar één persoon vindt die hier al langer dan vier jaar werkt. Bot gezegd gaan we niet lang mee. Het Adelaide Comprehensive is een school in verval. Het is zwaar werk, neemt u dat maar van mij aan. Het zuigt het enthousiasme uit je weg – ik schaam me niet het te zeggen. We branden hier op, en snel ook. Als we geluk hebben, vinden we een andere baan, waar de stress minder groot is. Als we pech hebben, melden we ons bij een arts en accepteren we onze mislukking. We proberen onze leerlingen op het leven van volwassenen voor te bereiden en hun een beetje onderwijs te geven, maar de meeste jongens en meisjes wacht een toekomst van auto-inbraak, kruimeldiefstal, drugsdeals, zwangerschap op jonge leeftijd, vandalisme... De waarheid is dat deze jongeren zelden ambitie hebben – of het moest zijn om crimineel te worden.'

Jed zag plotseling een glimlach op het gezicht van de rector doorbreken.

'Het idee dat een oud-leerling van het Adelaide Comprehensive een serieuze bedreiging voor de veiligheid van het land vormt, is bijna lachwekkend. Ambitie is hier zeldzaam, verveling is troef. Het fatalisme hier lijkt wel besmettelijk. Ze hebben geen hoop. Weet u wat hun hoogste doel is? Een goede uitkering en een auto met een opgevoerde motor en asociale luidsprekers met het volume op de hoogste stand, niet de vernietiging van het Verenigd Koninkrijk. Het gebied waaruit mijn school zijn leerlingen haalt, is een van de meest achtergestelde gebieden van Engeland.'

Jed begreep de hint. Lovejoy was blijven staan en pakte de foto van het bureau. De rector haalde zijn schouders op. Er viel niets meer te zeggen.

Ze verlieten de verslagen man en liepen het schoolgebouw uit.

Het regende nog steeds. Het is geen regen die zuivert, dacht Jed, maar een regen die vuil maakt, die verontreinigt. Hij had zijn vertrouwen in Michael Lovejoy gesteld. De verrukking die hij had gevoeld bij het ontrafelen van een allejezus grote fout in Guantánamo was door de Engelse regen van hem afgespoeld. Achter hen lagen de gesloten, onverlichte klaslokalen waar die dag niets was geleerd en ook de volgende dag niets geleerd zou worden. Ze naderden de Volvo, in het donker, toen ze achter zich iemand met een hoge stem hoorden roepen.

Het water stroomde op de rector, die in hemdsmouwen naar hen toe kwam, en op het vel papier dat hij in zijn hand hield.

'Ik zat ernaast. Misschien dat we u toch kunnen helpen. Probeer Eric Parsons. Hij is gepensioneerd, maar hij is een soort icoon van het Adelaide. Hij verliet de school twee jaar voordat ik arriveerde, maar hij heeft het hier zestien jaar uitgehouden – vraag me niet hoe. Hij gaf wiskunde, maar hij had ook het voetbalelftal en het toneel onder zijn hoede. Hij zou de man kunnen zijn die u nodig hebt. Ik heb zijn adres en telefoonnummer voor u opgeschreven. Eric is het proberen waard.'

Het vel papier werd aan Lovejoy gegeven.

Lovejoy belde in de Volvo met zijn mobiele telefoon. De telefoon aan de andere kant van de lijn ging over tot het antwoordapparaat werd ingeschakeld. Een dun stemmetje zei: 'Eric en Violet kunnen nu niet opnemen. Laat u alstublieft een boodschap achter na de piep.' Lovejoy sprak niet in, maar verbrak de verbinding.

Jed liet zich op zijn stoel zakken. 'Hij zal wel met vakantie zijn. Godsamme, dat is net wat we nodig hebben. Godverdegodver.'

Lovejoy zei grimmig: 'Mijn vrouw zegt altijd dat een ketel met water niet sneller gaat koken als je ertegen tekeergaat.'

Ze reden door de toegangspoort in het hek van stalen palen met plaatgaas en rollen prikkeldraad erboven. Jed kon het niet bevatten. De straten waar ze doorheen reden, waren slecht verlicht. Ramen waren met triplex dichtgetimmerd en het doorweekte gras in de tuintjes voor de huizen kwam tot op kniehoogte. Er stonden oude fabrieken met schoorstenen die donker tegen de nacht afstaken. Er kwam geen rook uit de schoorstenen en sommige van de daken waren ingestort. Het was – voor de conservatieve agenten van de DIA – niet te bevatten dat de strijder die slim genoeg was geweest om het systeem van Camp Delta en Camp X-Ray te belazeren, hiervandaan kwam. Jed Dietrich wist niet of hij in staat was tot buitenissige gedachten, maar het werd tijd om het te proberen.

'Wat denk je ervan?'

Lovejoy zei, zonder zijn ogen van de weg te halen, zijn gezicht in de duisternis: 'Wat ik ervan denk, is dat ons doelwit in een patroon past. En dat patroon maakt hem tot een groot probleem.'

Hij was onbereikbaar via de vaste telefoon en op de mobiele telefoon kreeg hij de voicemail. Bart vloekte. Hij had nog nooit meegemaakt dat Wroughton beide telefoons had uitgeschakeld. Maar hij bereidde zich toch maar voor op de reis. Twee zakken met infuusvloeistof, twee pakken noodverband, zijn hechtsetje, het kunststof kistje met scalpels, scharen, tangen, pincetten en wattenproppen, middelen voor het reinigen van wonden, antibiotica en narcotica voor plaatselijke verdovingen werden in keurige stapeltjes op de vloer gelegd. Hij controleerde of hij alles had. Als laatste zette hij er de morfine bij, om de pijn te stillen.

Toen hij alles had klaargelegd, probeerde hij beide nummers nog een keer. Er werd niet opgenomen.

Het ging verdomme om zijn vrijheid, en nu waren die vervloekte telefoons niet te bereiken. Hij liet geen boodschap achter. Dit was zijn klapper. Dit was zijn kans om ervoor te zorgen dat die klootzak van een Eddie Wroughton de onverschilligheid van zijn gezicht zou halen en hij zijn smalende opmerkingen zou moeten inslikken. Om die reden had hij die stomme koe toegezegd dat hij midden in de nacht de verdomde leegte van de woestijn in zou rijden.

Bart liep naar de kamer naast de bijkeuken, waar zijn huishoudster zijn kleren waste en streek en waar haar schoonmaakspullen en de grote waterflessen en plastic benzinetankjes stonden. Alle buitenlanders hadden daar, sinds de aanslagen in de stad, een voorraad van. Als er een opstand uitbrak en het vliegveld werd gesloten, had je water en benzine nodig om naar Tabuk, Sakakah of Ar'ar te vluchten en vandaaruit naar de grens met Jordanië te reizen – die lag op achthonderd kilometer van Riyad.

Hij bracht eerst de tassen, pakken en dozen met medische spullen naar de Mitsubishi, daarna het water en de benzine. Toen hij weer binnen was, bestudeerde hij de kaart. Hij zou eerst over snelweg 513 naar Al Kharj rijden, en daarna de verharde Route 10 naar Harad nemen. Vanaf daar ging het verder over een stoffige onverharde weg door de Rub' al-Khali. Het was de enige weg in de woestijn en hij zou er minstens driehonderdvijftig kilometer over moeten rijden... God nog aan toe, het was gekkenwerk.

Maar misschien zou het gekkenwerk naar zijn vrijheid voeren.

Hij probeerde nog één keer Wroughton te bereiken. Hij kon niet wachten zijn kwelgeest te vertellen dat hij op weg was naar een man in de woestijn die bij een militaire operatie zwaar gewond was geraakt.

Hij tilde zijn kat op, gaf hem een kus en zette hem terug in zijn gevoerde mandje. Daarna trok hij de voordeur achter zich dicht.

Ze had hem verteld waar ze elkaar zouden ontmoeten. Hij rekende erop dat hij er tegen het vallen van de avond zou zijn.

Ze trokken door het zand en staken de onverharde weg over.

Rashid liet de kamelen stevig doorlopen, waardoor de draagbaar van zakken flink heen en weer schudde. Tussen de poten van de kamelen door zag Caleb een stuk of zes lichtjes in de verte, aan de horizon. Toen verdwenen ze uit beeld.

Hij rolde heen en weer op de draagbaar. De vliegen zoemden in zijn oren en cirkelden dan even rond, om vervolgens weer naar zijn hoofd en zijn been terug te keren. Hij kon niets tegen de vliegen doen. Hij had geen kracht en kon ze niet wegslaan.

Ze hadden de onverharde weg achter zich gelaten en reden van de lichten weg.

Caleb wist dat hij weggleed. Met de hitte, de vliegen en het vuil in zijn wonden was hij gedoemd om te sterven. Hij besefte het... Hij was de kloof weer overgestoken, hij was weer waar hij vandaan was gekomen, waar geen God was om tot te bidden. De kamelen om hem heen stonken, maar hij rook een nieuwe stank, van vlees in ontbinding, van rottend vlees waar vliegen hun eitjes in hadden gelegd. Hij rook zichzelf.

Dankzij het water en het voer bij de bron liepen de kamelen weer in een stevig tempo, en met iedere schok gleed Caleb verder weg.

Het was een weldaad om weg te glijden in bewusteloosheid.

16

Hij mompelde in de oude taal, nauwelijks verstaanbaar. Hij zag de gids niet meer. Hij wist niet dat Rashid verderop zat, dat hij in zijn eentje onder het zeildoek tussen de twee neergeknielde kamelen lag.

'Ik was niemand voordat ik de Tsjetsjeen ontmoette, niemand. Een man kijkt je aan, hij geeft je het gevoel dat je naakt bent, hij kijkt dwars door je heen. Je weet dat hij je beoordeelt. Stel je geen zak voor, of kan hij je gebruiken? Mensen hadden altijd gevonden dat ik geen zak voorstelde. Hij keek niet naar me alsof ik een stuk vlees was, hij zag me als mens. Ik ging die heuvel op en ze schoten met scherp. Dat was zijn test. Als ik had gefaald, zou ik de volgende dag in het vliegtuig naar huis hebben gezeten. En dan had ik weer op die kloteplek gezeten, dan was ik niemand geweest.'

Hij miste de kracht om de vliegen van zijn beenwond af te slaan of om zich op te richten en het donkere vlees rondom de wond te zien.

'De Tsjetsjeen is een strijder. Dat vertelde hij me niet, maar ik had het gehoord – hij was een van die mannen die in de loopgraven had gelegen en die de tanks over de loopgraven had laten komen; dan, als ze kwetsbaar waren, sprong hij te voorschijn en stak hij een handgranaat tussen de rupsbanden of gooide hij er een in het luik. Dat deed hij met die vervloekte tanks. Hij heeft onder tanks gelegen, vijftig ton weegt zo'n ding, en hij was niet bang. Hij was mijn held en hij hield van me als een vader.'

Hij lag op zijn rug en de vliegen zoemden om hem heen. Hij wist niet meer dat de gids zijn zoon, zijn enige zoon, de woestijn in had gestuurd om hulp te halen. Hij was de hoek in zijn geheugen omgeslagen.

'De Tsjetsjeen heeft iemand van me gemaakt. Terug op die schijthoop. "Kom je naar het kanaal? Heb je genoeg voor *the chipper*? Hé, heb je die griet bij Prince's Road al gezien? Ze pijpt je voor een vijfje. Kom eens van je luie reet af, op de parkeerplaats staat een BMW met een Blaupunkt erin, is dat niets voor jou?" Daar hebben ze nog nooit iemand als de Tsjetsjeen gezien. Hij gaf me het gevoel dat ik belangrijk was, niemand had me eerder het gevoel gegeven dat hij me… nodig had.'

Hij besefte niet dat hij, door de hitte en het bloedverlies, hard op weg was te sterven.

'Geen van die kinderen heeft ooit iemand als de Tsjetsjeen ontmoet, want ze leven op een schijthoop. Ik doe je een belofte, Tsjetsjeen: je zult nooit betreuren dat je mij hebt uitverkoren. Maar je bent dood, of niet? Je bent begraven, daar in het stof. Kun je me horen, Tsjetsjeen? Ik ben je man… Godallemachtig, het doet pijn, Tsjetsjeen.'

Hij sprak nog wel, maar verloor het bewustzijn alweer.

De stofwolk naderde de nederzetting in het zwakke licht van de schemering. Dit, dacht Bart, is de verste uithoek van de bewoonde wereld – de laatste halte op de onverharde weg die de woestijn in loopt, de laatste plek waar je nog eten of benzine kunt kopen. Op de kaart stond dat deze uithoek de naam Bir Faysal had gekregen.

Hij was nog twee keer gestopt om met zijn mobiele telefoon te bellen: één keer in het noorden, bij Al Kharj en daarna nog een keer bij Harad, waar de weg nog verhard was geweest. In beide steden stonden antennes die zijn signaal konden doorgeven, maar de telefoons van Wroughton stonden nog steeds allebei uit. Na Harad was hij zeven uur onderweg geweest, en hij had drie keer voor een truck moeten uitwijken – de klootzakken bleven gewoon midden op de weg rijden en gaven hem nauwelijks ruimte om te passeren, waardoor hij van de weg af moest om een botsing te vermijden. Bovendien was hij één keer in slaap gesukkeld en van de weg af geraakt. Toen was hij over het puin geschoten en had hij zijn auto met de grootste moeite over het zand terug op de weg gekregen. Om wakker te blijven had hij de radio aangezet, maar er was steeds meer ruis op de frequentie gekomen. Nu zat hij zonder bereik voor zijn telefoon of voor de radio. Alleen zijn gedachten hielden hem gezelschap.

Het waren hoopvolle gedachten. Hij dacht aan zijn bevrijding. Hij dacht aan de vrijheid om naar het vliegveld te rijden in de wetenschap dat hij zijn schuld zou hebben afbetaald en de bestanden zouden zijn gewist. Hij bedacht alvast wat hij tegen die klootzak van een Eddie Wroughton zou gaan zeggen.

De banden van de Mitsubishi wierpen de stofwolk achter hem op. Voor hem lagen her en der een paar grijze betonnen gebouwtjes. Hij minderde vaart. In de auto had hij, vechtend tegen de slaap, nog niet nagedacht over wat hij uit vrije wil over zichzelf had afgeroepen. Nu dacht hij daar wel aan. De gedachte ging door zijn hoofd toen hij behoedzaam langs het gebouw reed. De vlag hing slap tegen de vlaggenstok. Voor het politiebureautje zat een man in kaki uniform onderuitgezakt op een stoel toe te kijken hoe hij voorbijreed. Als de politieman beter had opgelet en uit zijn stoel was opgesprongen om hem te laten stoppen, had hij zich in allerlei bochten moeten wringen voor een geloofwaardig verhaal. Toen Bart het politiebureau was gepasseerd, kwam hij langs een benzinestation en een groepje lage gebouwen waar een heg met doornen omheen stond. De politieman had misschien niet goed opgelet, maar Bart deed dat wel. Hij had zijn raampje naar beneden gedraaid en de airconditioning stond uit: vanachter de heg hoorde hij het geblaat van schapen komen. De woestijn strekte zich voor hem uit. Waar was ze? Hij reed langs de laatste huizen. Een vrouw, van top tot teen in het zwart gehuld, en een kind zwaaiden enthousiast naar hem... Toen gingen de koplampen aan en viel het licht op de zijkant van de Mitsubishi.

Het was gekkenwerk.

Het licht kwam uit een greppel achter het laatste gebouw en scheen in zijn gezicht. Als die klootzak van een Eddie Wroughton zijn vaste of mobiele telefoon had opgenomen, zou het geen gekkenwerk geweest zijn. Maar hij had hem niet te pakken gekregen. Misschien had hij beter gewoon thuis kunnen blijven.

Hij zag de Land Rover met moeite uit de greppel te voorschijn komen. Zij zat achter het stuur. Naast haar zat een jongen. Ze reed langs hem. Haar wielen wierpen zand op en ze gebaarde hem dat hij haar moest volgen. Alsof hij verdomme haar knechtje was. Hij reed een kleine twee kilometer achter haar aan, tot het dorpje uit het zicht was. Toen stopte ze en zette ze de Land Rover aan de kant. Hij stopte achter haar. Ze opende haar portier en liep naar hem toe. Wat moest hij tegen haar zeggen? Hij herinnerde zich hoe haar ogen op het feestje hadden geschitterd, hoe haar ogen in zijn behandelkamer hadden gefonkeld. Daar was niets meer van over. Ze zag er afgetobd uit, haar gezicht was bleek en ze stond onvast op haar benen, alsof ze ieder moment van uitputting zou kunnen omvallen. Ze zat onder het zand; het zat in haar haren, op haar gezicht, in haar ooghoeken, op haar bloes en op haar broek. In gedachten vormde hij de woorden die hij tegen haar zou zeggen.

Ze leunde tegen zijn portier. 'Dank u voor uw komst. Heel hartelijk bedankt.'

Hij had een sarcastisch antwoord willen geven, maar zag de oprechte dankbaarheid in haar gezicht, in haar ogen die rood waren van de vermoeidheid, de spanning en het zand. O god, dat soort oprechtheid kende maar één oorzaak: de liefde. De wereld van Bart was zonder inmenging van de liefde al ingewikkeld genoeg... De man voor wie haar liefde brandde, had geluk.

Hij zei zakelijk: 'Goedemorgen, mevrouw Jenkins – het ziet ernaar uit dat u me een hoop moeilijkheden gaat bezorgen.'

'Waarschijnlijk wel, ja...'

Dit was weer zo'n moment waarop hij zich, als hij verstandig was geweest, had moeten omdraaien.

'Hebt u uw spullen meegenomen?'

'Ja... Ik wil niet vervelend zijn, maar wie is de geheimzinnige patiënt die bij een militaire operatie gewond is geraakt?'

'Dat weet ik niet. Echt, ik weet niet hoe hij heet, waar hij vandaan komt of waarnaartoe hij op weg is. Dat is de waarheid.'

Hij geloofde haar. Dit was het laatste moment waarop hij zich kon omdraaien. Aan het eind van de dag kon hij weer in Riyad terug zijn. Maar dat zou hij zichzelf niet hebben kunnen vergeven. Hij keek in haar gezicht. Het was allemaal waanzin. Barts leven was een verhaal van voortdurend in de val lopen en zich niet omdraaien.

'Goed, laten we dan maar gaan.'

Ze zei tegen hem dat hij haar moest volgen. Ze zei dat de bedoeïenenjongen die bij haar was, wist waar ze naartoe moesten. Ze strompelde terug naar de Land Rover.

Hij bleef vlak achter haar. Ze reed nog anderhalve kilometer over de onverharde weg en sloeg toen rechtsaf, naar het westen. Hij volgde haar de onverharde weg af; de wielen zakten weg in het zand. Nu het dwars door de woestijn ging, reed hij alleen in lage versnellingen. Het was de eerste keer van zijn leven dat hij door zand reed. Hij merkte dat de jongen, die vanuit de Land Rover naar hem had zitten kijken, de weg wees. Ze stopten vaak en dan zag het er niet naar uit dat de zandvlakte voor de Land Rover en de Mitsubishi herkenningspunten bood; de eindeloze okergele zandheuvels hadden geen enkele begroeiing en geen uitsteeksels. Bart zag niets wat hij zou kunnen herkennen of wat hij zich later zou kunnen herinneren. Als ze waren gestopt, bleven ze even staan en bogen ze vervolgens naar links of naar rechts af. Hij merkte dat de auto traag en moeizaam stuurde. Bart kende in Riyad niemand die de woestijn in was getrokken, zelfs niet als ze zo'n enorme terreinwagen hadden. Het natuurpark dat een paar kilometer buiten de stadsgrenzen lag, was mooi genoeg. De mensen die hij kende, hoefden maar over de geasfalteerde weg door de woestijn naar Jedda of Dammam te rijden en ze dachten al dat ze de zwaarste beproevingen hadden doorstaan. Op het geluid van de zwoegende motors van de Land Rover en de Mitsubishi na was het stil om hen heen. Hij zag niets levends. Nadat ze twee uur van de weg af waren en vijfenveertig kilometer hadden afgelegd, werd hij door angst bekropen. Hij kon niet meer terug: hij was zijn richtingsgevoel kwijt. Hij zou niet hebben geweten of hij in de richting van de veilige weg, parallel aan de weg of van de weg af reed... Dit was erger dan angst. Hij transpireerde hevig. Zijn gedachten namen een loopje met hem, dreven de spot met hem. Hij herinnerde zich een toneelstuk van vroeger, toen hij nog op school zat. Zijn vader en moeder zaten in het publiek. Het speelde zich af tijdens de Eerste Wereldoorlog, in een loopgraaf, en hij speelde de lafaard onder een groepje officieren die op een groot offensief zaten te wachten. De held vroeg zich mijmerend af of een worm die zich door de aarde voortbewoog, besefte of hij omhoog ging of juist naar beneden. Zijn vader had gezegd dat hij de rol van lafaard nooit zou hebben geaccepteerd. Hij klampte zich vast aan het spoor dat de banden van de Land Rover achterlieten. In zijn achteruitkijkspiegeltje zag hij dat het zand door de wind werd opgewaaid en de afdruk van de banden uitwiste. Hij rilde van angst.

Zijn zicht werd belemmerd door de stofwolk die de Land Rover opwierp, maar eerst leek het nog het meest op een naald. Aan het begin van het derde uur besefte Bart dat ze naar een zuil van steen reden, en dat de wind er een scherpe punt aan had gevormd.

Beth keek toe.

'Hij is volkomen van de wereld.'

De jongen zat achter Beth, op zijn hurken naast zijn vader, die een geweer losjes in zijn schoot hield.

'Ik denk dat ik nog net op tijd ben, maar ik kan niets beloven. Het is een wonder dat hij niet al een dag dood is. Hij moet buitengewoon veerkrachtig zijn.' De arts sprak alsof hem om commentaar was gevraagd. Hij had een naald in de onderarm gestoken en de zak, die door een slangetje met de naald in verbinding stond, bevestigd aan een van de touwen waaraan het zeildoek was opgehangen. Daarna boog hij zich over de beenwond. 'Laten we bij het begin beginnen. Hij mag vooral niet uitdrogen. Ik geef hem nu een intraveneus infuus, met een zoutoplossing. Hij heeft ontzettend veel bloed verloren. In het lichaam draait alles om vocht. Om het uitdrogen te compenseren, steelt het lichaam eerst uit de bloedvoorraad, dan uit de ruimten tussen de cellen in en ten slotte uit de ruimte ín de cellen. Als daar ook geen vocht meer in zit, sterf je door uitdroging. Het verbaast me dat hij nog onder ons is.'

Ze had het gevoel dat ze moest overgeven. De arts pakte de arm zonder infuus en kneep hard in de huid boven de vuile lap stof die als verband om zijn pols zat. Toen hij losliet, bleef de geknepen huid rechtop staan.

'De plek waar ik net in kneep, zou zijn ingezakt als hij genoeg vocht in zijn lichaam had gehad. Het blijft staan omdat daar geen vocht meer zit. Een oud trucje.'

Beth had het idee dat de arts zo praatte omdat hij bang was.

Hij pakte de lap stof die om de pols zat en wikkelde hem eraf. 'Het zal wel niet lukken om een steriele ruimte in te richten, maar we kunnen tenminste... Laten we om te beginnen deze smerige lap maar eens verwijderen.'

Beth zag de plastic armband. Ze had hem die nacht in het zand gezien en ze had geprobeerd te lezen wat erop stond. Zijn kracht had voorkomen dat ze daarin slaagde. Ze zag dat ook de arts er nu naar keek. Ze leunde naar voren en wist het gedrukte identiteitsnummer te onderscheiden. De foto was voor haar duidelijk genoeg. Naast de foto, onder het nummer en de ingevulde ruimte voor lengte en gewicht, onder de sekse, stond: 'Verstrekt door Delta'. Ze kokhalsde.

De arts draaide zich naar haar toe. 'Wist u hiervan?'

'Nee, dit wist ik niet, nee.'

'Weet u wat Delta is?'

'Ik geloof het wel.'

'U gelooft het wel? Kunt u niet beter dan geloven? Ik zal u een eindje op weg helpen. Delta is de naam van een kamp aan Guantánamo Bay, een kamp voor terroristen. Goeie god, waar ben ik in verzeild geraakt?'

'Ik wist het niet.'

De arts hapte naar adem, zoog een grote hoeveelheid lucht naar binnen. 'Voor de hulp aan deze man kan ik, en u ook, mevrouw Jenkins, naar het Gehaktplein worden gestuurd. Mag ik aannemen dat u niet zo dom bent dat u niet weet wat het Gehaktplein is?'

Er voer een rilling door haar heen – ze had zichzelf niet meer onder controle. 'Ik weet wat het Gehaktplein is.'

De arts sprak met vlakke stem verder, alsof hij het plein en de rituele publieke onthoofdingen na het vrijdagochtendgebed uit zijn hoofd had gezet. 'Ziet u, zijn tong en zijn mond zullen zeker uitgedroogd zijn. Dat is niet erg, want het infuus herstelt dat wel. Hij heeft bij de inslag van de raket een klap gehad, en door die klap is er een stoot adrenaline vrijgekomen die het proces van uitdrogen heeft versneld. Op het eerste gezicht heeft de klap een flinke hoofdwond en een ernstige hersenschudding veroorzaakt, maar daar zijn verder geen complicaties. De beenwond en het bloedverlies vormen een groter probleem. Een lichaam bevat zo'n vijf liter bloed, en ik schat dat...'

'Kunt u hem redden?'

'En ik schat dat hij ten minste één liter heeft verloren. Ik kan niets beloven. Hij heeft veel bloed verloren en het ziet ernaar uit dat het koudvuur zich snel verspreidt. Wilt u dat hij gered wordt?'

Ze keek naar de grond. Hij hield zijn ogen dicht en zijn ademhaling was een traag en moeizaam gevecht. De hoofdwond was een lange snee: hij liep onder zijn voorhoofd langs naar zijn rechteroor. De gids had het haar weggeknipt. Zodra ze bij de gewonde man waren aangekomen, had de arts haar vragen toegeblaft, die zij moest vertalen. Wat hadden ze voor hem gedaan? Hadden ze hem iets gegeven, en zo ja, wat? Hoe had de patiënt erop gereageerd? De gids had het haar met zijn mes weggesneden en toen een balsem op de wond gesmeerd. Hij had een mengsel van *murr* op de randen van de wond gesmeerd. Dat had Beth als 'mirre' vertaald, waarop de arts 'Commiphora molmol' had gemompeld en het oude bedoeïenengeneesmiddel niet had bekritiseerd. Ze zag hoe de inhoud van de eerste infuuszak regelmatig naar de arm druppelde. Er lag een lap over zijn schoot. De beenwond zat links, er zwermden vliegen omheen. De wond was korter dan de hoofdwond, maar breder en dieper, en het vlees eromheen was al zwart geworden. Beth vond niet dat hij er bedreigend uitzag. Hij zag er uitgeput uit en leek vredig uit te rusten. Ze kroop wat dichter naar hem toe en nam zijn hand in de hare.

De arts ging voor haar aan de kant, stond toen op en verwisselde de infuuszak. 'Ik kan pas aan zijn been beginnen als hij een beetje op krachten is gekomen. Zijn been is het zorgwekkendst. Misschien kan ik er over een uurtje aan beginnen.'

Wat wilde ze van hem? Alles. Hoe ver zou ze gaan om hem te helpen? Tot het gaatje, tot op het Gehaktplein. Wat wist ze van hem? Niets.

Ze zat op de grond en hield zijn hand vast. De vader en de zoon staarden naar haar, hun blikken lieten haar niet los. Een kameel duwde zijn kop tegen haar arm, concurreerde met haar om hem aan te mogen raken. De arts was nu bij zijn tassen en zakken neergeknield en controleerde de inhoud. Ze keek niet naar de beenwond, maar naar zijn gezicht. Zo liefdevol had Beth nog nooit de hand van een man vastgehouden. Het infuus werkte. Ze dacht aan een uitgedroogde bloem die water krijgt en weer overeind komt. Ze voelde dat zijn vingers in haar handen begonnen te bewegen. Hij begon sneller te ademen. De arts kwam dichterbij. De lippen bewogen. De arts boog zich over de man heen om te luisteren. De ogen gingen open. Beth zag dat de man zijn blik op de arts gericht hield en dat de arts zijn uiterste best deed om hem te verstaan.

De stem was zwak maar duidelijk. 'Kijk niet naar mijn gezicht, niet kijken.' De vingers in haar handen spanden zich. 'Kijk niet in mijn gezicht, kijk er nooit naar.' Hij zakte weer weg. 'Niet...'

Het duizelde haar. Ze hield zich vast aan de vingers, maar ze huiverde.

'Dat moest er nog bij komen,' zei de arts naast haar op klaaglijke toon. 'Hij is Engels – zo Engels als jij en ik. Hij sprak Engels zoals u en ik Engels spreken. Goed gedaan, hoor, mevrouw Jenkins – het wordt steeds mooier.'

'U kunt daar blijven staan tot u een ons weegt, maar zolang ik geen identificatie zie, komt u er niet in,' had Eric Perkins gezegd. Hij was achter de deur blijven staan en had de deur zo ver geopend als de veiligheidsketting toeliet. Zijn vrouw had over zijn schouder meegekeken. 'U kunt net zo lang voor de deur blijven staan als u wilt, maar als u me niet kunt laten zien wie u bent, laat ik u niet binnen.'

De gepensioneerde wiskundeleraar mocht dan klein en ineengeschrompeld zijn, en zijn kin mocht vol scheersneetjes zitten, hij was zo koppig en obstinaat als sommige mannen met de jaren kunnen worden. Hij was blijven staan alsof zijn voordeur het valhek van zijn kasteel was. Daarna had hij de deur voor hun neus dichtgegooid en was de regen tien minuten op hen neergedaald. Lovejoy had er een hekel aan zijn penning te moeten laten zien, maar ten slotte had hij opnieuw op de bel gedrukt en de identiteitskaart laten zien waarmee hij ook het hoofdkwartier van MI5 in Londen binnenkwam. De Amerikaan had de penning laten zien die ver weg, op Cuba, goed genoeg was om tot Camp Delta toegelaten te worden.

'Nou, dat was toch niet zo moeilijk?' had Eric Perkins gevraagd. Daarna had hij zich omgedraaid. 'Violet, schat, we hebben bezoek van de inlichtingendienst uit Londen en de geheime dienst van het Amerikaanse leger. Ze zijn drijfnat – wat overigens niet mijn schuld is – en zouden wel een kopje thee lusten. Een plakje cake gaat er ook wel in, schat.'

De ketting was van het slot gegaan. Hun jassen waren in de hal opgehangen en er waren oude kranten onder gelegd, om het tapijt te beschermen.

En nu zaten ze in de voorkamer.

Lovejoy dacht: misschien hadden we onze schoenen moeten uittrekken. De kamer was brandschoon. Perkins bracht de foto dicht bij zijn gezicht. Hij had geëist dat hij hem mocht vasthouden en betasten. Dietrich had de bovenkant van het hoofd en het hele lichaam met zijn handen afgedekt, maar de gepensioneerde onderwijzer was blijven aandringen.

Perkins grinnikte. Hij hield de foto vlak voor zijn ogen. Het identiteitsnummer van de gevangene stond onder aan de foto. Perkins grinnikte, tot hij in een hoestbui uitbarstte. Zijn ogen schitterden. 'Vroeger gaf ik wiskunde. In de kern van de zaak is wiskunde niets anders dan het oplossen van problemen. Ik heb zo het gevoel dat uw probleem, heren, is dat u niet weet wie dit is, en dat u graag wilt dat het probleem wordt opgelost.'

'Ik geloof niet dat we u een verklaring schuldig zijn, meneer,' zei Dietrich chagrijnig. 'We onderzoeken alleen maar wat de achtergrond van...'

De vrouw, Violet, verscheen met een dienblad in haar handen in de deuropening, maar haar man stak zijn hand op, alsof hij een ouderwetse verkeersagent was. 'Neem me niet kwalijk, schat, ik heb je tijd en energie verspild. Ze moeten er alweer vandoor. Ze vertrouwen me niet, schat.'

Lovejoys succesglimlach speelde om zijn lippen. Hij zei: 'Om verdere misverstanden uit de weg te ruimen, meneer Perkins – en ik wijs u erop dat wat ik nu zeg onder de *Official Secrets Act* valt – kan ik u vertellen dat deze man op Guantánamo Bay gevangen heeft gezeten omdat hij ervan werd verdacht in Afghanistan te hebben gevochten. Hij werd vrijgelaten omdat de autoriteiten tot de conclusie waren gekomen dat hij een onschuldige taxichauffeur uit het Afghaanse dorpje

Hera was. Toen hij van de luchtmachtbasis naar Kabul werd overgebracht, is hij ontsnapt. We weten niet wie hij is, maar we denken dat hij uit deze buurt komt. Als hij hier inderdaad vandaan komt, kan het bijna niet anders of hij heeft op het Adelaide Comprehensive gezeten. Meneer Perkins, we hebben uw hulp nodig.'

Bij ieder stukje vertrouwen dat hij kreeg toebedeeld, was zijn gezicht harder gaan glimmen. Uiteindelijk lachte hij met blozende wangen.

'Ik heb me vergist, Violet, ze blijven toch. Ze zijn op het nippertje van gedachten veranderd: ze hadden de boot bijna gemist. Vertelt u Violet maar of u suiker wilt, heren. Ik ken hem inderdaad.'

De thee werd ingeschonken en de cake ging rond.

'Niet dat hij goed in wiskunde was. Als ik hem moest beoordelen op zijn talent om te vermenigvuldigen, te delen, op te tellen en af te trekken, dan zou ik niet veel te vertellen hebben. Maar ik dwaal af. De meeste jongens in de klas uit mijn laatste lesjaar zijn nog net in staat om de winsten van de drugshandel op te tellen, of de dagen die ze in de jeugdgevangenis hebben gezeten af te trekken van het vonnis dat ze moeten uitzitten. Veel verder komen ze niet. Het Adelaide Comprehensive staat niet bekend om zijn successen, al heb ik er in mijn tijd wel een aantal mogen boeken. Deze knul heb ik tenminste iets kunnen bijbrengen: laten we het motivatie noemen. Ja, zelfs op het Adelaide Comprehensive kun je kleine overwinningen behalen.'

Hij hield op met praten. Hij riep naar de keuken om zijn vrouw voor de thee te bedanken. Lovejoy zag dat de Amerikaan ongeduldig begon te worden. De kop en schotel rammelden in zijn trillende handen en het schoteltje met de plak cake op zijn knie was onaangeroerd gebleven. Hij ving zijn blik: wacht nou even, man!

'Er was een jongen, een Aziatisch kind, dat werd gepest. Het jochie had twee problemen: hij stotterde en hij had een rijke vader: hij had altijd geld op zak. Jullie zullen wel iets hebben gezien van de buurt waaruit de kinderen van deze school komen. Het geld en het spraakgebrek maakten van deze leerling een voorspelbaar slachtoffer – zo gaat dat in de echte wereld. Ik wist jullie man over te halen om vriendschap met die Aziatische leerling te sluiten. Dat deed hij. Hij liet zich er zonder twijfel voor betalen, maar het pesten was verleden tijd. Met zijn motivatie lag het ingewikkelder. Hij koos instinctmatig voor de partij die in de minderheid was. Hij verzette zich tegen de meerderheid – volgens mij niet uit altruïsme, niet uit de behoefte de zwakken in de wrede wereld te beschermen, maar omdat hij ervan genoot tegen de stroom in te roeien. Begrijpt u wat ik bedoel? Krijgt u al een beeld van hem?'

'Alleen de contouren,' antwoordde Lovejoy droogjes.

'Het tweede voorval was nog interessanter. Onze toenmalige, zeergewaardeerde rector organiseerde, voordat hij naar de kalmere wereld van de onderwijsinspecties vluchtte, een voordrachtwedstrijd. Het idee van de rector was dat leerlingen op een podium ten overstaan van hun kompanen een voordracht zouden houden. De meeste jongens waren verbaal zeer zwak en kwamen niet veel verder dan het opeisen van hun rechten als ze op een vrijdagavond weer eens op het politiebureau waren beland. Maar het plan van de rector was erg goed. Ik werd met de organisatie belast. Werd het een fiasco? Nee. Waarom niet? Omdat deze jongen zijn medewerking toezegde. Weet u welke tekst ik voor hem uitzocht? Dat zal ik u vertellen. Ik was eerder die week bij een begrafenis in West Bromwich geweest, en daar werd voorgelezen uit de eerste brief van Paulus aan de Korinthiërs. Het was hoofdstuk vijftien, vanaf regel veertien. Kent u het, heren?'

Lovejoy kende het niet, maar hij zag dat de Amerikaan naast hem zijn lippen bewoog. Ze gingen gelijk op met de gereciteerde woorden.

'Hij stond op het podium, voor de leerlingen van de school, en het geroezemoes verstomde. Iedereen luisterde ademloos. "En zodra dit vergankelijke onvergankelijkheid heeft aangedaan, en dit sterfelijke onsterfelijkheid heeft aangedaan, zal het woord werkelijkheid worden, dat geschreven is: De dood is verzwolgen in de overwinning. Dood, waar is uw overwinning? Dood, waar is uw prikkel?" Hij droeg het voor, en hij droeg het heel mooi voor. Ziet u, door dit te doen, liet hij zien dat hij het aankon ergens alleen voor te staan. Dat had niets met het spirituele en bijzondere karakter van de tekst te maken. Hij hoefde alleen maar tegen de stroom in te roeien... Wilt u nog thee? Nog een plakje cake?'

Lovejoy schudde geduldig zijn hoofd, de Amerikaan volgde zijn voorbeeld.

'Ik mocht hem graag en hielp hem daarom, toen hij van school ging, aan een baantje bij een garage, Harrison's Auto Repair Unit, op het industrieterreintje achter de hoofdstraat. Ik weet niet hoe lang hij daar heeft gewerkt. Soms zie ik leerlingen aan wie ik les heb gegeven op straat rondhangen. Soms lees ik hun naam in de krant omdat ze zijn opgepakt of omdat vrijlating op borgtocht is geweigerd. Ik heb hem sinds de dag dat hij van school ging niet meer teruggezien. Hij verschilde van de anderen omdat hij onrustig, wanhopig en ontevreden was. Niets kon daar verandering in brengen; de kleine pogingen die ik deed, konden de symptomen nauwelijks verhullen. Ik moet er, gezien uw bezoek, wel van uitgaan dat hij een bedreiging voor de maatschappij vormt. Ik neem aan dat speciaal opgeleide mannen naar hem zoeken om hem te doden voor hij anderen kan doden. Dat stel ik niet ter discussie. Waar heeft hij zo leren haten? Waarschijnlijk in uw kamp in Guantánamo Bay, meneer de Amerikaan. Nee, ik ga niet met u in discussie, en ik moedig u niet aan dat wel te doen. Ik mocht de jongen graag. En als u me nu wilt verontschuldigen, mijn vrouw heeft een afspraak bij de tandarts.'

Hij stond op en keek nog één keer naar de foto. 'O ja, waar u voor bent gekomen – zijn naam. Ik veronderstel dat u hem gemakkelijker kunt vinden en doden als u zijn naam kent.'
De Amerikaan zei: 'Dan kunnen we hem gemakkelijker vinden en voorkomen dat hij onschuldige mensen vermoordt.'
'Natuurlijk, natuurlijk... Hij komt uit die wijk vlak bij de school, aan het kanaal. Misschien heb ik hem tekortgedaan, misschien is hij meer dan de jongen die ik heb geschetst.' Hij klemde zijn kaken op elkaar en balde zijn vuisten. 'Het is altijd leuk om te horen hoe het oudleerlingen vergaat. Hij heet Caleb Hunt.'

Caleb was zich er niet van bewust dat de derde zak met zoutoplossing door het slangetje en de naald in zijn arm druppelde.
'Dan horen ze mijn naam, of niet soms? De klootzakken zullen mijn naam horen. Ze zullen hem heel goed kunnen horen. Het zijn allemaal zombies, ze hebben niets – ze hebben een radio uit een BMW en ze hebben iets te drinken en te roken, ze hebben niets. Ze leven niet echt. Ik leef. Iedereen zal mijn naam horen.'
Caleb wist niet dat Beth hem met een bleek gezicht aanstaarde.
'Jongens, waar zijn jullie? Waar zijn jullie mee bezig? Ik ben iets anders gaan doen. Jullie leven en dan gaan jullie dood, en niemand zal weten wie jullie zijn, jullie stellen niets voor. Wat hebben jullie? Jullie hebben geen reet.'
Caleb wist niet dat Bart, terwijl hij lag te ijlen en het infuus hem nieuwe krachten gaf, de scalpels, tangen, klemmen, pincetten en wattenproppen klaarlegde en luisterde, en evenmin dat Beth op haar lip beet.
'Het is de grootste woestijn ter wereld, en er is geen plek op aarde waar het zo verschrikkelijk heet wordt. Ik loop er dwars doorheen. Ik loop op mijn blote voeten. Jullie zouden het er geen dag volhouden, zelfs geen halve dag. Ik loop erdoorheen omdat mijn familie op mij wacht... Dat is een echte familie. Ik hoor bij mijn familie.'
Bart vulde een naald met Lignocaine, het middel voor plaatselijke verdovingen.
'Als jullie mijn naam zullen horen, stelletje klootzakken, komt dat doordat ik heb uitgevoerd wat mijn familie van me heeft gevraagd. Alles wat...'
Caleb legde zijn ziel bloot, zijn ziel werd net zo kwetsbaar als zijn been.

Camp Delta, Guantánamo Bay

'Is dit hem?'
'Dit is al-Ateh, de taxichauffeur.'
'Zijn wij met hem bezig geweest?'

'Nee, de CIA heeft hem niet ondervraagd. De FBI wel, maar acht maanden geleden voor het laatst. Sindsdien heeft de DIA hem onder zijn hoede gehad. Dit zijn de opnames.'

Hij stond daar met zijn hoofd dociel voorovergebogen. Er stonden twee mannen voor hem die hij nooit eerder had gezien. Hij had geleerd niet te laten merken dat hij verstond wat er werd gezegd.

'Welke sukkel van de DIA heeft hem het laatst gehad?'

'Dietrich. Je kent Dietrich wel, Jed Dietrich.'

'Ja, die ken ik. Wat zegt hij ervan, Harry?'

'Hij zegt er helemaal niets van, hij is met vakantie. En hij kan er pas iets van zeggen als de vervaldatum is verstreken, áls deze zakkenwasser tenminste weggaat.'

De kettingen sneden in zijn polsen en zijn enkels. Hij staarde naar de vloer, concentreerde zich op zijn voeten en keek niet naar hen toen ze elkaar papieren toeschoven. De tolk die naast hem stond, was een Arabier. Uit het respect waarmee de tolk de twee Amerikanen benaderde, maakte Caleb op dat ze een hoge rang hadden.

'Het gaat om het quotum, dat is belangrijk. Twee oude kerels, een vent van middelbare leeftijd en een jonge man; dan hebben we het quotum van vier gehaald – maar ze moeten wel onschuldig zijn.'

'Er zijn er hier veel te veel onschuldig.'

'Ik weet het, Wallace. Probeer er niet aan te denken... Ga je vanavond naar de club? Er is een concert.'

'Van de fanfare van de mariniers, ja. Nee, dat zou ik echt voor geen goud willen missen... Goed, laten we deze vent even afhandelen.'

De tolk vertaalde. De man die Harry heette, zei tegen Caleb dat de Verenigde Staten van Amerika geen reden hadden wrok te koesteren tegen onschuldige mensen, dat de Verenigde Staten van Amerika de vrijheid van het individu respecteerden en dat de Verenigde Staten van Amerika alleen de schuldigen wilden vernietigen. De man die Wallace heette, vertelde hem dat hij naar huis mocht, naar Afghanistan, naar zijn gezin – en zweeg toen abrupt, alsof hij even was vergeten dat in een alinea in het dossier werd beschreven dat zijn gezin bij een bombardement was weggevaagd. Hij vervolgde met een verhaal over de kans een nieuw bestaan als taxichauffeur op te bouwen.

Harry vroeg, via de tolk: 'Ik hoop niet, jongeman, dat je, als je weer in Afghanistan bent, leugens over martelingen gaat verspreiden?'

Hij antwoordde gedwee. 'Nee, meneer. Ik ben u dankbaar.'

Wallace wilde weten of Caleb klachten had over de manier waarop hij was behandeld.

'Nee, meneer. Ik ben goed behandeld, meneer.'

Vervolgens zeiden ze, via de tolk: 'Jongeman, laat de kansen die je krijgt, niet onbenut... Draag je steentje bij aan de opbouw van een nieuw Afghanistan... Succes... Ja, succes.'

De handen van de bewakers lagen weer op zijn arm en de ketting werd weer om zijn middel bevestigd.

Hij hoorde dat Harry zei: 'Het zijn me wel een stelletje sukkels, hè? Hij heeft mazzel dat hij vrijkomt. Ik vrees dat er binnenkort een paar onthullingen over deze plek gedaan zullen worden.'

Hij werd weggevoerd door de deur. Wallace zei: 'Inderdaad – de discipline vertoont scheuren, het aantal zelfmoordpogingen neemt toe en er komt steeds meer verzet. Als de processen beginnen en ze nemen die executiekamer in gebruik, worden dat een heleboel onthullingen. Hoe laat begint dat optreden?'

Hij schuifelde weg, de kettingen om zijn enkels rinkelden.

Hij verachtte hen, hij had hen verslagen. Waar hij ook zou zijn, hij zou hen horen gillen. Als hij eenmaal tot zijn familie was teruggekeerd, zou hij hen van panische angst horen gillen.

'Ik ben bang dat ik je moet vragen me te helpen.'

'Dat is geen probleem.'

'Ik kan je het best eerst even uitleg geven over mijn instrumenten.'

'Goed.'

Bart liep weg van het lage tentzeil, en Beth volgde hem. Ze rekte zich uit en maakte zich breed. 'Wat moet ik weten?'

Hij floot tussen zijn tanden. 'Zullen we beginnen met wat ík zou moeten weten? Wanneer besefte u dat deze man een volleerd terrorist is, en daarbij een Brit? Kunnen we daar misschien beginnen?'

'Wat wilt u? Een bekentenis?'

'De waarheid zou helpen.'

'Wordt de behandeling die u hem geeft beïnvloed door wat ik weet en door wie hij is?'

'Dat bepaal ik, mevrouw Jenkins, niet u.'

Ze vertelde hem aarzelend wat haar naar deze nooit in kaart gebrachte uithoek van de grootste woestijn ter wereld had gebracht, en wat ze deze man verschuldigd was. Maar ík, dacht Bart, ben hem helemaal niets verschuldigd. 'Dat is alles. Gaat u er nu vandoor?'

Wat men ook van hem mocht denken, Bart was niet dom. Als hij ervandoor zou gaan, als hij naar het tentzeil terug zou gaan en zijn spullen zou pakken en in de Mitsubishi zou zetten, dan zou het geweer op de schoot van de oudere bedoeïen naar zijn schouder gaan en op hem worden gericht. Het oog achter het vizier zou schitteren van haat en hij zou het metalen geluid van het doorladen horen; hij zou sterven in het zand. Hij dacht aan al die mensen die hem het leven zuur hadden gemaakt en die over hem heen waren gelopen.

'Over een halfuurtje,' zei Bart, 'begin ik met zijn beenwond.'

'Ik vertrouw u.'

De hitte stortte zich vanuit de hemel over hem uit, het zweet stroomde over zijn lichaam en verzamelde zich tussen de vetrollen van zijn buik. 'Dat is maar goed ook, want je zult wel moeten.'

Gonsalves drukte op de bel.

Wroughton zag hem door het kijkgat en deed de deur open. Hij hield zijn hand voor zijn kruis.

Gonsalves liep naar binnen, liep vlak langs de zwarte vuilniszak, bleef er staan, zette zijn diplomatenkoffertje neer en wroette met de neus van zijn schoen in de met bloed bevlekte kleren op de vloer.

'Ik heb jouw mensen gebeld en die zeiden dat je griep had. Toen ik vroeg of een griep tegenwoordig geneest van de telefoon uit het stopcontact te trekken, hadden je mensen geen idee.'

Wroughton zei: 'Het leek me eenvoudiger te zeggen dat ik griep had dan te zeggen dat ik tegen een deur aan was gelopen.'

Hij had zich niet gewassen. De zwellingen en blauwe plekken op zijn lichaam, waarvan de grootste in zijn lies zat, vormden een bonte schakering van zwart, paars, blauw en geel. Het bloed rondom zijn neus en op zijn opengebarsten onderlip was opgedroogd. Hij liet zijn handen, die zijn verschrompelde kruis bedekten, zakken, want het leek nu niet van belang zedig te zijn.

'Het zou helpen, Eddie, als je me vertelde waar ik de afdruk van de deurknop kan vinden, want die zie ik niet. Had die deurknop soms een vrouw?'

'Ik verwacht geen bloemen en ik verwacht geen excuus – mijn vader heeft me altijd geleerd dat je nooit moet gaan uitleggen waarom je iets hebt gedaan en dat je nooit je excuus moet maken – maar ik verwacht wel mee te mogen doen.'

'Waar is je dienstmeisje?'

'Toen ze de deur voor me opendeed, heb ik haar meteen gezegd dat ze kon ophoepelen.'

'Ik zet wel even thee.'

Gonsalves liep naar de keuken, en Wroughton liet zich in zijn stoel zakken. De stem donderde boven het gerinkel van mokken en het open en dicht slaan van keukenkastjes uit. 'Ik neem aan dat ik je goed heb verstaan. Meedoen? Nou moet je even goed naar me luisteren. Jij bent de jongste medefirmant in onze onderneming. Als we je nodig hebben, gebruiken we je, en als we je niet nodig hebben, negeren we je. Heb je je soms het een en ander in je hoofd gehaald omdat Teresa pizza's voor je klaarmaakt en de kinderen je oom Eddie noemen? Dat had je beter niet kunnen doen. Het leven is hard. Jij bent een ontvanger, Eddie, je hebt niet veel te geven. Daarom mocht je niet meedoen. We zijn met een operatie in de Rub' al-Khali bezig, en het is topgeheim.'

'Ik dacht dat je me vertelde dat je daar "grotemensenspeelgoed" had.'

'Er liep een speciale operatie in de Rub' al-Khali en...'

'En ik heb jou verteld – over niet veel te geven gesproken – dat er een karavaan uit Oman was vertrokken en ik heb je verteld waar die naar op weg was.'

'... en we hadden onbemande Predators in de lucht die met Hellfires waren bewapend. En we hebben de Saudi's een loer gedraaid – om die reden moest de ware aard van de missie geheim blijven en kon jij niet meedoen. En...'

'Krijg de klere.'

'Zei die deurknop dat? We hebben twee aanvallen uitgevoerd en dat hebben we niet geheim weten te houden en nu worden we er door de Arabieren uit gegooid. We hebben anderhalve dag; daarna moeten de hoge omes gaan bepalen of we de onbemande vliegtuigen voortaan vanuit Jemen, Djibouti of Dohar laten opstijgen en op de koop toe nemen dat we het Saudische luchtruim schenden. Over anderhalve dag zijn we vertrokken.'

Gonsalves droeg het dienblad binnen, zette het neer, schonk de thee in en gaf Wroughton een beker.

Gonsalves nipte van zijn thee en pakte zijn diplomatenkoffertje. 'Wil je zien wat je met dat grotemensenspeelgoed kunt doen?'

'Denk maar niet dat ik je erom ga smeken, dat ik hier als een poedel sta te kwijlen.'

'En daarom hou ik ook zo veel van je, Eddie.' Gonsalves had een stapeltje foto's in zijn hand en spreidde ze rondom Eddies beker op de salontafel.

Hij kon er niets aan doen; hij voelde de adrenaline door zijn lichaam stromen.

Op drie kleurenfoto's van vijftien bij twintig centimeter waren zwart omrande kraters in het gele zand te zien. Dit was de natte droom van iedere geheim agent. In het midden van een van de foto's lag het lijk van een ineengezakte kameel. Dat was nog eens iets anders dan een onderschept e-mailtje of radiotelegrafisch verkeer dat door satellietschotels was opgevangen. Hij greep de cruciale foto, staarde ernaar en kon zijn ogen er niet van afhouden.

'Zeg, het zijn geen naakte meiden, Eddie – doe me een lol. Goed, voordat de eerste aanval plaatsheeft, zijn er drie mannen op reis. Ze worden door twee gidsen geleid. Er zijn ook nog drie kamelen die kisten dragen; er zouden Stingers in kunnen zitten, maar het zou ook iets anders kunnen zijn. En moet je dan vervolgens deze close-ups zien. Geiler zal het niet snel worden.'

Wroughton hield de drie foto's vast, vol ontzag voor de technologie die zo sterk kon uitvergroten dat je het beeld van zesenhalve kilometer hoogte nog goed kon herkennen.

'Die daar.' De vinger van Gonsalves wees naar de foto. 'We hebben hem weten te identificeren als Gibran al-Wafa, zevenentwintig, betrokken bij de aanslagen op de woningcomplexen in Tsjaad, Saudisch staatsburger.' De vinger gleed verder. 'Die daar heet Muhammad Sherif. Hij is negenenvijftig. Hij vocht in Afghanistan tegen de Russen en was bij Bin Laden toen die in Sudan in ballingschap was gegaan. Hij kwam met hem terug naar Kabul, maar vertrok weer voordat de aanval op Irak begon. Hij is een van de strategen van al-Qaeda. Hij heeft de Egyptische nationaliteit en is bij verstek ter dood veroordeeld.' De vinger bleef even boven de foto hangen. 'Deze hier hebben we niet gevonden. De computers hadden geen informatie over hem.'

Wroughton staarde naar de foto. Hij zag het lichaam van een jonge man die rechtop en met de kin omhoog op zijn kameel zat. Hij kneep zijn ogen samen om zijn gezicht goed te kunnen zien, maar de grove korrels maakten het beeld onscherp. Hij meende een wilskrachtige kin te onderscheiden, maar... 'Wat maakt het uit? Hij is toch dood?'

Gonsalves vertelde dat de sensor operator, op het moment dat de kamelen uit elkaar stoven, twee keer op specifieke doelwitten had gericht. Dat waren de Saudi en de Egyptenaar geweest.

'Dus ondanks al jullie mooie technologie hebben jullie hém gemist... En ik mag meedoen omdat jullie niet weten wie hij is. Waar of niet?'

'Goed samengevat, Eddie. Ik moet ervandoor.'

Gonsalves vertrok. Eddie Wroughton bleef met de foto's voor zijn neus in zijn stoel zitten en probeerde het gezicht te doorgronden.

Lizzy-Jo vloekte. George bracht zijn boodschap kort en bondig, zonder opsmuk. Zijn leven stond volledig in het teken van het onderhoud en alles wat daarbij kwam kijken. Onderhoud was een plicht, geen mogelijkheid. De Predator, *First Lady*, had het onderhoud meer dan ooit nodig. Het aantal vlieguren dat onder optimale omstandigheden maximaal gevlogen mocht worden, was overschreden, en de omstandigheden waren af en toe buitengewoon slecht geweest. Ze bleef aan de grond, daar was geen discussie over mogelijk, maar dat had hij die middag ervoor ook al gezegd. Ze was voor het noodzakelijke onderhoud op een goed uitgeruste hangar aangewezen, en de enige goed uitgeruste hangar die ze te zien zou krijgen, stond in Bagram. Hij liep het vluchtleidingscentrum uit en daalde met zware stappen het trappetje af, alsof hij ontdaan was door Lizzy-Jo's gevloek.

Marty zat naast haar en vloog *Carnival Girl* over de nieuwe vlakken. Ze hadden haar in de kleine uurtjes teruggevlogen en daarna nog even een hazenslaapje gedaan; ondertussen was de brandstoftank zo vol getankt dat de brandstof eruit was gespoten.

Carnival Girl, de oude ijzervreter die in Bosnië, Kosovo en Afghanistan had gevochten, was die middag om tien voor halfeen, met haar eerste doodshoofd met gekruiste knekels op de romp, voor haar laatste vlucht van Shaybah opgestegen. Het was niet haar fraaiste sprint over de startbaan geweest, maar dat kwam door de overvolle tank en het gewicht van de Hellfires onder haar vleugels.

De vlakken op de kaart lagen ten oosten van de onverharde weg.

Ze hadden zich voorgenomen haar het maximale aantal van twintig uur op kruissnelheid in de lucht te houden, op zesenhalve kilometer hoogte. Oscar Golf had er geen bezwaar tegen gemaakt. Aan het eind van de vlucht, de volgende dag, zouden ze nog een klein deel van de vlakken ten westen van de onverharde weg pakken. Ze waren nog niet bij de onverharde weg aangekomen, maar het zou fijn zijn als het zover was, even iets anders dan die vervloekte eindeloze zandvlakte.

Marty zat over zijn joystick heen gebogen. Ze had haar best gedaan hem een beetje op te vrolijken, maar hij zei alleen iets als het echt niet anders kon. Ze had hem weer een beetje tot leven willen brengen. Hij vloog *Carnival Girl* foutloos, maar op de automatische piloot.

Ze loog...

Lizzy-Jo zei: 'De laatste keer dat ik in New York was, zat ik in een café – ik was bij m'n moeder op bezoek geweest en zou voor de laatste stuiptrekkingen naar North Carolina teruggaan, maar ik had nog wat tijd over. Het café lag achter Fifth Avenue. Ik was alleen, en die man was ook alleen. Hij vroeg wat ik deed. Ik gaf hem niet bepaald een antwoord waar je een kerel mee versiert: ik zat in Afghanistan. Deed ik die rotzakken daar pijn? Hij stelde de vraag op een giftige toon. Ik zei dat ik mijn best deed en hij vertelde me waarom hij dat hoopte.'

Vanaf het appartement van haar moeder was ze regelrecht met een taxi naar het vliegveld gereden. Ze was van haar leven niet in een café achter Fifth Avenue geweest.

'Zijn partner werkte boven in de noordelijke toren. Het was een dag als alle dagen. Er leek niks mis te zijn met 11 september. Hij ging zelf niet naar zijn werk omdat hij een afspraak met zijn oogarts had. Hij zat in de wachtkamer; hij was de volgende die aan de beurt zou zijn. De tv stond aan. Zijn partner werkte boven de plek die door het vliegtuig van American Airlines werd getroffen. Hij zag het allemaal op de tv gebeuren. Hij kon het raam van de kamer naast de kamer van zijn partner zien. Ik luisterde.'

Ze sprak zonder emoties. Ze overdreef het niet. Ze keek naar haar scherm.

'Twintig minuten later ziet hij op de televisie hoe het vliegtuig van United Airlines zich in de zuidelijke toren boort. Hij vertelde me dat hij helemaal niet naar de zuidelijke toren keek, hij keek alleen naar de noordelijke toren en naar het raam van de kamer naast de kamer van zijn partner. Je weet wat hij zag – rook en vuur. Wil je ook weten wat hij zag gebeuren bij het raam vlak bij het kantoor van zijn partner? Ze springen. Mensen beginnen uit het raam te springen. Het vuur onder hen bereikt hen. Ze kunnen geen kant op en sommigen springen naar beneden. Hij ziet mensen van die verdieping uit het raam springen. Hij ziet minuscule figuurtjes vallen. Het is allemaal live op de tv. Sprong ook zijn partner naar beneden? Er zijn een heleboel mensen gesprongen. Op dat moment komt hij plotseling en nogal laat in beweging. Hij loopt naar de receptie en belt zijn partner. Er wordt niet opgenomen. Hij wil denken dat zijn partner is gesprongen, omdat je sneller dood bent als je over negentig verdiepingen met gespreide armen en benen naar beneden valt dan wanneer je afwacht tot het vuur je heeft bereikt – of het gebouw instort. Hij vertelde dat zijn partner de liefde van zijn leven was en dat hij denkt dat hij zijn partner van de negentigste verdieping naar beneden heeft zien springen... Dat is een verschrikkelijke manier om dood te gaan. Mensen die je op zo'n manier aan je eind helpen, zijn door en door slecht. Ik heb hem een drankje aangeboden, en ik heb tegen hem gezegd dat we er alles aan deden om de mensen die ervoor hadden gezorgd dat zijn partner moest springen, pijn te doen. Toen ben ik naar buiten gegaan, om mijn vliegtuig te halen.'

Ze zag, vanuit haar ooghoeken, tranen onder Marty's bril uit stromen en over zijn wangen lopen. Ze schaamde zich niet voor de mierzoete emotie van haar leugen, het hoge praatprogrammagehalte ervan. Ze schakelde over op een bitse toon. 'Hoe doet ze het?'

'Ze doet het prima,' zei hij met verstikte stem. '*Carnival Girl* vliegt schitterend. Ze is een kanjer.'

Caleb voelde zijn krachten terugkeren, maar de pijn was hels en golfde op en neer tussen zijn voet, zijn heupen en zijn buik. Als hij zijn arm optilde, stroomde de pijn door hem heen. Hij gebaarde Rashid naar hem toe te komen. Toen de gids vlak bij hem was en zijn oor dicht bij zijn mond had gebracht, fluisterde Caleb wat hij wilde hebben. Hij hoorde vage stemmen – van een man en van een vrouw – maar hij kon niet verstaan wat ze zeiden. De kamelen aan weerszijden van hem lagen te herkauwen. Tussen hen in was een tentzeil opgehangen dat ervoor zorgde dat hij in de schaduw lag. Hij hoorde een klap van metaal op metaal, hout dat werd versplinterd en piepende scharnieren. De handleiding werd naar hem toe gebracht.

De grijze bladzijden waren uitgedroogd en knisperden in zijn hand. De grote foto op de voorkant was verbleekt. Aan het eind van het slangetje dat boven hem bungelde, zat een naald die in zijn linkerarm was gestoken, vlak boven de plastic armband, die niet langer door de mouw van zijn kaftan werd bedekt. Hij probeerde overeind te komen en om zich heen te kijken, maar daar was hij te zwak voor.

De stem sprak in de oude taal. 'Doe dat niet, alstublieft, doe dat niet. Goed, laten we eerst even afspreken wat de regels zijn. Ik ben een in Engeland geboren arts, en ik ben hier op verzoek van uw vriendin, mevrouw Jenkins. Ik spreek geen Arabisch, maar dat hoeft ook niet: in de verwarde toestand die logischerwijs voortkwam uit de traumatische ervaring van uw verwondingen, sprak u Engels. U sloeg wartaal uit, meneer, ik begreep er niets van. Hebt u mij begrepen? Wat mij betreft, bent u niet minder Brits dan ik... Ik spreek u niet aan met "meneer" omdat ik zo veel respect voor u heb, maar omdat mevrouw Jenkins en ik niet weten hoe u heet, en dat ook niet hoeven te weten.'

Op de voorpagina van de handleiding stond: RAYTHEON ELEKTRONISCHE SYSTEMEN FIM-92 STINGER LUCHTVERDEDIGING VANAF DE GROND. De man doemde boven hem op.

Een pafferig, dik gezicht. Een bezweet overhemd en een vestje. Een broek die door een smalle riem werd opgehouden. Hij zag de man. De vrouw stond achter de man.

'Je had niet moeten komen,' zei Caleb zwakjes.

'Vergeet niet dat ik heb gezegd "Als dat ooit mogelijk is, zal ik je terugbetalen." Het was mogelijk. Ik heb een arts bij me die...'

'Die mijn gezicht heeft gezien.'

'Die je gaat helpen – wees niet zo ontzettend stom. Hij is arts, geen politieman.'

'Waarom ben je gekomen?' vroeg Caleb met raspende stem.

'De jongen is gestuurd om me te halen. Waarom?'

'Ik was je vergeten – je had mij ook moeten vergeten.'

Hij zag dat ze haar hoofd schudde, alsof ze met zichzelf worstelde. 'Het maakt niet uit waarom ik ben gekomen. Ik ben hier en hij is hier. Daar zul je het mee moeten doen.'

De arts zei: 'Dat is allemaal leuk en aardig, maar niet echt relevant. We moeten aan de slag, meneer. Als het nog langer duurt, maak ik uw been niet schoon, maar zet ik het af. Dus zegt u het maar: wilt u dat ik blijf, of hebt u liever dat ik opsodemieter?'

Caleb voelde dat er een glimlach op zijn gezicht verscheen en hij hoorde zijn fluisterende stem: 'Ik ben u erg dankbaar. Kijk niet naar mijn gezicht. Ik dank u voor uw komst. Verwijder mijn gezicht uit uw geheugen. Ik waardeer ten zeerste wat u voor mij doet.'

'Ik praat u door iedere fase van de operatie heen. Uw hoofdwond is schoon. U bent door een granaatscherf geraakt, maar onder uw hoofddoek. Met uw beenwond is het anders gesteld. Hij is vies en geïnfecteerd, en er begint zich gangreen in te ontwikkelen. Er zitten zandkorrels in de wond, en waarschijnlijk ook wat steentjes. Misschien zitten er stukjes van de granaat in, en stukjes stof van uw kaftan. Ik zal hem moeten schoonmaken. Al het vuil moet eruit worden gehaald. Ik ben van plan om hem met Cetrimide uit te spoelen en ik zal u met Lignocaine-injecties in de spier rondom de wond plaatselijk verdoven. De wond zit op een goede plek; te laag voor schade aan de zenuw en aan de kant van uw been waar geen slagaders lopen. Bovendien heeft de spier voorkomen dat het bot is versplinterd. Als ik de rand van de wond heb schoongemaakt, geef ik u antibiotica-injecties – ik heb Ampicillin bij me. Ik zie dat u iets te lezen hebt. Ik adviseer u het te gebruiken. Ondanks de Lignocaine zal het zeer pijnlijk zijn. Bent u er klaar voor?'

Het antwoord moest in Calebs ogen te lezen zijn geweest.
'Ik maak me niet zozeer zorgen om wie of wat u bent, meneer, als wel om dat vervloekte ding in de lucht dat ons zoekt en op ons jaagt. We hebben haar auto en mijn auto en niets om ze te camoufleren; reden genoeg om snel aan de slag te gaan. Zal ik beginnen?'
Caleb knikte. Hij tilde de handleiding op. De woorden dansten voor zijn ogen en hij voelde dat de eerste naald in zijn vlees werd gestoken.

17

Het gezicht boven Caleb was uitdrukkingsloos. Hij zag het boven de handleiding, die hij krampachtig vasthield. Hij probeerde te lezen. Hij dacht dat hij door te lezen kon ontsnappen aan de pijn en aan zijn afhankelijkheid van de arts – die nog erger was dan de pijn.

Hij las over de montage van het lanceermechanisme, de raket, de kolf, het IFF-identificatiesysteem en drukvaten met argongas. De woorden dansten voor zijn ogen, die troebel werden. Adaptief systeem om doelwit te zoeken, azimut bereik... het was hun wereld. Hun technologie, hun kennis, hun macht... Hij was een man die in loopgraven en greppels had gevochten, in grotten en holen die hij eigenhandig in de modder had uitgegraven, in kooien van een cellenblok. Hun technologie en kennis maakten hem klein, hun macht kon hem vermorzelen. Het gezicht zweefde boven hem en de pijn kwam uit alle zenuwen van zijn lichaam. Het enige wat hij nog kon doen, was vechten: vechten of sterven, vechten of vergeten worden. Zijn ogen stonden vol tranen, maar slaagden erin de kop te vangen: 'Trainingsprocedure'. Het waas voor zijn ogen verblindde hem en hij wendde zijn blik van de pagina af. Het laatste wat hij had gelezen, voordat de mist hem zijn gezichtsvermogen ontnam, was: 'Voordat de gebruiker gekwalificeerd is de Stinger af te vuren, zijn 136 instructie-uren vereist.' Zo veel uren had hij niet, een instructeur had hij niet en de kennis had hij niet. Hij keek op.

'Hoe heet u?'

'Samuel Bartholomew – ik zal niet beweren dat ik vrienden heb, maar kennissen noemen me Bart. Het duurt niet lang meer; Lignocaine werkt snel.'

'Hebt u zo lang naar mijn gezicht gekeken dat u het zich herinnert?'

Hij zag dat de arts even ineenkromp.

'Ik kan me gezichten nooit herinneren – ik weet niet wat er in dat boek staat, maar lees het nou maar.'

De vrouw zat achter de arts op haar hurken aan de rand van de schaduw en beet op haar lip. Hij begreep niet veel; waarom de arts was gekomen en waarom zij het belangrijk genoeg vond om de arts naar hem te brengen. Ze maakten geen deel van hem uit, geen van beiden.

'Kun je mijn ogen schoonvegen?'

Ze deed het.

Caleb las verder. Eerst moest je het wapen tegen je schouder zetten, vervolgens moest je de met argongas gevulde drukvaten in de kolf schuiven, dan moest de IFF-antenne worden uitgetrokken. Als het doelwit zichtbaar was, werd het met een AN-PPX-1-systeem gelokaliseerd. Als de IFF-schakelaar werd ingedrukt, richtte het zich op het doelwit. Druk de schakelaar van de aandrijfgenerator in en er stroomt 540 bar samengeperst argongas naar de IR-detector. Deed het er iets toe? Wat kon het hem schelen hoe hun technologie functioneerde. Het enige wat hem kon schelen was dat hij met dat ding een raket kon afschieten. Hij staarde opnieuw in het gezicht van de arts. 'Wat denkt u van mij?'

Hij zag dat er een glimlach om de mond van de arts verscheen.

De naald zweefde voor de derde keer door de lucht. Hij had alleen de handleiding. Als het vliegtuigje terugkwam – als het op hen joeg en hen had gevonden – en de jongen hoorde het, moest hij het wapen kunnen gebruiken en weten hoe de procedure die in de handleiding stond, moest worden uitgevoerd. Hij begon de kleine letters onder de kop te lezen – zet het systeem tegen de schouder, schuif de drukvaten in de kolf, trek de IFF-antenne uit, activeer de aandrijfgenerator en luister of het audiosignaal aangeeft dat het doelwit is gelokaliseerd. Zijn been begon gevoelloos te worden en de pijn nam af. Mollige witte vingers grepen de injectiespuit en lieten hem stil in de lucht hangen.

Achter de arts, de vrouw en de gids zag hij de jongen zitten, in zijn eentje en met weggedraaid hoofd. De jongen leek te luisteren: hij zat in kleermakerszit, zijn rug recht en zijn kin in de lucht. Als het vliegtuigje op hen joeg en hen vond, zou de jongen de eerste verdedigingslinie moeten vormen. Om zijn familie te bereiken had Caleb de jongen net zo hard nodig als de arts.

Caleb wist niet of het wapen het zou doen of dat de houdbaarheidsdatum was overschreden. Zijn familie wachtte op hem. Ze wachtten in een plat gebouw van grijs beton of in een grot. Hij meende mannen op zich af te zien komen. De mannen spreidden hun armen uit en hielden hem vast en omhelsden hem; zij gaven hem het welkom dat de kern van een familie vormt. Hij had het wel willen uitschreeuwen, om zijn familie te laten weten dat hij eraan kwam, maar hij had geen stem... Hij liep weg van de familie waarnaar hij had verlangd en waar hij deel van uitmaakte. Hij droeg een pak, een schoon overhemd en een das, en zijn schoenen waren gepoetst. Hij liep in een grote menigte. De mensen stroomden langs hem heen, en hij viel niemand op. Hij droeg een koffer, of een tas, of er hing een rugzak om zijn schouders. Hij smachtte naar de lof van zijn familie en hij hoopte vurig dat hij de angstkreten zou horen van de mensen die zijn familie haatten.

Hij las de pagina's en onthield wat er stond. De naald kwam weer naar beneden. De vrouw probeerde zijn hand vast te pakken, maar zijn handen lieten de handleiding niet los. Hij voelde de pijn van de naald.

Bart had de totale dosis van het verdovingsmiddel, verdeeld over drie injecties, nauwkeurig afgemeten: twintig milliliter met één procent Lignocaine per injectie.

Hij had hem zonder problemen kunnen doden.

Bart had het leven van de man, van wie hij het gezicht had gezien maar van wie hij de naam niet kende, kunnen beëindigen zoals je een dolle hond afmaakt. Hij had kunnen zeggen dat hij een onmens was, een gewelddadige extremist in wie de moordlust woedde. Hij stak de naald behoedzaam in de linkerkant van het vlees rondom de wond, daar waar het gangreen het verst was gevorderd. Een totale dosis van veertig milliliter met twee procent Lignocaine zou het dolle onmens hebben omgelegd. De hond zou verkrampen en dat zou het begin zijn van een onomkeerbare doodsstrijd. Maar dat had Bart niet gedaan. Hij had de hoeveelheid afgemeten die nodig was om de hond zijn pijn te besparen. Te veel mensen waren over hem heen gelopen. Hij was hun knecht niet. Hij vond het een knappe jongeman. Hij had iets, vond Bart, wat niet door de stoppels op zijn wangen, het verwarde haar boven zijn glanzende ogen en het vuil dat in zijn mondhoeken kleefde, kon worden gemaskeerd. De gedachte aan zijn zoon schoot door zijn hoofd. Zijn zoon hield van Ann, van zijn moeder. Zijn zoon zag de Saabdealer als zijn vader. Zijn zoon had hem, nadat de politie 's ochtends vroeg was binnengevallen, nooit meer aangekeken. Bart kon zijn handelingen rechtvaardigen.

Hij pakte het reinigingsmiddel Cetrimide, goot het in de wond en begon de wond met watten te deppen. 'Dit doet pijn. En de pijn wordt erger naarmate ik langer bezig ben. Ik kan je niet nog meer verdovingsmiddelen toedienen.'

Het hoofd achter de handleiding knikte. Hij verwachtte niet dat de man het zou gaan uitschreeuwen. Misschien zou hij de lucht tussen zijn tanden door naar binnen zuigen, misschien zou hij even onderdrukt naar adem snakken... Hij sneed in de kern van de wond, goot er meer Cetrimide in en depte de wond weer met watten. Daarna ging hij met het pincet op zoek naar de eerste zandkorrels en steentjes en haalde ze eruit. De hand van de vrouw lag op die van de man, maar zijn blik liet het papier niet los. Bart ging dieper. Hij sneed, depte en verwijderde het vuil. Hij zat op zijn knieën naast de patiënt en het zweet droop van hem af. Het was absurd dat de man het niet uitschreeuwde, maar hij had het verwacht. Ze hield zijn hand stevig vast. Bart had tegen haar kunnen zeggen dat ze nutteloos was, dat de man haar niet nodig had om zijn leed te verzachten. Hij vond rafels kleding die in de wond vastzaten. Hij haalde ze er een voor een uit en moest nog dieper snijden om er goed bij te kunnen. Iedere andere man die Bart kende, zou zijn flauwgevallen. Als hij dit zelf had moeten ondergaan, zou zijn hart waarschijnlijk zijn gestopt met kloppen...

Het maken van een debridement stamde nog uit de tijd van de veldslagen van Napoleon. De operaties werden toen uitgevoerd op soldaten die door de shock of met brandy waren verdoofd – anders kregen ze een stuk hout of een leren riem om op te bijten. Geen gekreun, geen naar binnen gezogen adem. Hij zocht naar meer katoenvezels, steentjes, zandkorrels, scherfjes van de granaat. Hij hoorde dat de pagina werd omgeslagen. Bart had in zijn leven niemand anders ontmoet die dit zonder te protesteren zou kunnen ondergaan. Bart had er rekening mee gehouden dat hij op de enkels van de man had moeten gaan zitten en dat de vrouw zijn ene arm en de bedoeïen zijn andere arm zou moeten vasthouden zodat hij niet zou kunnen tegenspartelen op het moment dat het scalpel door het vlees ging en hij met de pincet in de wond zocht. Maar het was niet nodig.

'U doet het goed,' mompelde hij. 'We zijn er bijna.' Hij was drijfnat van het zweet.

Toen begon hij aan het gangreen te werken. Het was geen leuk werk en het was geen verfijnd werk. Nog nooit had hij zo primitief geopereerd – niet tijdens zijn opleiding, niet in zijn praktijk in Torquay, zelfs niet in de dorpjes rondom Jenin. Hij liet zich leiden door wat hij zich herinnerde uit de boeken die hij lang geleden had bestudeerd, en door zijn instinct. Bart sneed in het vlees, haalde er dunne plakjes af en maakte dan een snelle zijwaartse beweging met het scalpel, zodat de bloederige massa eraf vloog en achter hem op de grond viel. De vrouw bloosde. Hij had niet goed opgelet en er was een stukje vlees op haar enkel gevallen. Toen ze het zag, kneep ze haar ogen tot spleetjes. Waarschijnlijk voelde ze de rotte nattigheid op haar huid. Hij sneed opnieuw. Er klonk nog steeds geen schreeuw, geen naar binnen gezogen adem, geen gekreun. Dicht bij de wond was het vlees zwart, daaromheen was het donker. Hij sneed laagje voor laagje weg. Hij bukte zich, haalde het lapje vlees van haar enkel en gooide het verder weg. Vliegen zoemden druk rond het vlees dat achter hem lag. Hij sneed tot hij rozerood vlees bereikte en de huid schoon was.

Toen hij klaar was, voelde hij zich doodmoe. 'Goed gedaan.'

Het antwoord werd tussen op elkaar geklemde kaken door gefluisterd: 'Ik heb niets gedaan.'

'Het is knap dat u niet om u heen bent gaan slaan.'

'Als ik dat had gedaan, zou het langer hebben geduurd en zou het voor mij pijnlijker en voor u lastiger zijn geweest.'

Bart deed wat hem was verboden: hij keek in het gezicht. Het was een puinhoop. De ogen waren opengesperd, er liepen diepe groeven door zijn voorhoofd en de spieren in zijn nek waren opgezet. Hij bedacht dat deze man, of hij nou een terrorist, een dolle hond of een vrijheidsstrijder was, in wat hij zich ook voornam zou slagen.

'Ik kan u geen Lignocaine meer geven, want als ik dat wel doe, sterft u. Ik ga de wond nu dichtnaaien, maar niet helemaal. Ik hecht zo dat de uiteinden van de wond naar elkaar toe worden getrokken, maar wel openblijven, want dan kan het pus naar buiten. Daarna geef ik u een injectie met antibiotica. Als de pijn vanavond ondraaglijk wordt, geef ik u een shot morfine.'

'Waarom leef ik nog?'

Bart grijnsde. 'Dat zou ik ook wel eens willen weten...'

Al Maz'an, een dorp op de bezette Westelijke Jordaanoever, in de buurt van Jenin

De helikopter vuurde de raket af. Hij was een keer over het dorp heen gescheerd en er even boven blijven rondcirkelen. Toen was hij stil blijven hangen en had hij geschoten. De vlam kwam als een streep achter de raket aan en stak helder af tegen de lucht. Toen hij het hoorde en zag gebeuren, had hij zijn auto afgesloten. Hij had toegekeken hoe de helikopter rondcirkelde en hij had geweten wat er stond te gebeuren. De vlam schoot naar de daken van het dorp.

Bart kon het doelwit niet zien, maar hij wist wat het was. De raket – en de tweede en derde die erop volgden – dook naar beneden, explodeerde, vernietigde en wierp een paddestoel van modder, stof en puin omhoog.

Hij rende. Het werd van hem verwacht dat hij zou rennen. Zijn dekmantel eiste van hem dat hij zou rennen.

Hij rende over het plein naar een brede straat, naar het medisch centrum in de tuin van de dorpsschool. Hij wist wat hij in de steeg tegenover de omgevallen telefoonpaal zou aantreffen. Dat de helikopter wegzwenkte zag hij niet, want hij keek niet op. Hij zou een rokend en brandend gat omgeven door puin aantreffen. Het gat zou er net zo uitzien als de zwarte leegte die overblijft na het wisselen van een kies. De raketten van de helikopter werden altijd met veel precisie afgevuurd. Er stroomde een mensenmenigte uit de steeg, het was net een horde wespen. Daar waar de menigte het dichtst was, stak een vuist met daarin een mobiele telefoon boven de hoofden uit. Het geschreeuw van de menigte bereikte hem. Hij zag haar... Tientallen handen hielden haar vast en graaiden naar haar. Ze onderging haar lot gelaten, ze verzette zich niet. Hij dacht dat ze in de dertig moest zijn, zeker niet ouder dan veertig. De handen hadden de sjaal van haar hoofd getrokken. Hij wist niet of ze een spion was die minder belang had dan hijzelf, of dat ze onschuldig was en alleen maar met haar mobiele telefoon had gebeld op het moment dat de helikopter boven het dorp begon rond te cirkelen. Spion of onschuldig, ze was gedoemd. De hysterie zou haar vermoorden. Hij wist niet of ze een echtgenote, of een moeder was. Ze werd door de menigte voortgestuwd en Bart werd weggeduwd, een deuropening in. Zij werd meegenomen naar het plein. Bart zag haar ogen. Ze was veroordeeld, maar haar ogen stonden vredig. Daar dankte hij God voor. Misschien dat de shock van de gevangenneming de angst had weggevaagd. In een fractie van een seconde kruiste haar blik die van hem; daarna verdween ze in het hart van de huilende menigte.

Hij liep verder.

Bij de omgevallen telefoonpaal sloeg Bart de steeg in. De tand die miste was een huis geweest. Er was een krater voor in de plaats gekomen en de twee verdiepingen van de aangrenzende huizen lagen open. De limoengroene Fiat was bedekt met een laag stof. Mannen groeven in de krater en zochten onder het puin. Hij hoorde het lage, wenende gekreun en wist dat ze hier geen dokter nodig hadden.

Er werden eerst twee kinderen onder het puin vandaan gehaald.

Daarna kwam het lijk van een vrouw te voorschijn.

Het lijk van een man werd met veel eerbied opgetild.

Hij zag het verstilde gezicht van de man die op de achterbank van de Fiat had gezeten. De foto stond boven aan de tweede pagina; hij was een van de meest gezochte voortvluchtigen. Nu lag er een kalklaag van het pleisterwerk van de binnenmuren op het gezicht, waardoor hij op een clown leek. Het stof lag er op als een masker. De dood had zijn gelaatstrekken niet verwrongen en hij was niet aan het gezicht gewond. Hij straalde kracht uit, en oprechtheid. Bart wendde zich af en drukte zijn hand tegen zijn keel om het braaksel tegen te houden.

Hij durfde niet over het plein terug te gaan. Hij had de moed niet om langs de steiger te lopen die tegen de gevel van het mooiste huis aan stond.

Een uur later gleed Bart uit zijn stoel.

Hij liet zich op de vloer van het betonnen gebouwtje vallen, en de koffie die hij in zijn hand had gehouden stroomde over de planken.

Hij huilde.

Joseph was de enige die hem zag.

Hij zat op zijn handen en knieën en zijn lichaam rilde van de huilbui. Hij hoorde de woorden van Joseph op hem neerdalen. 'Je hebt het goed gedaan. Voor ons ben je goud waard. Dankzij jouw moed is een moordenaar geliquideerd. Dankzij jou zullen vele levens gespaard blijven. Moet je horen, Bart, we betreuren de dood van de twee kinderen en de vrouw die ook in het huis waren. We betreuren ook dat de menigte een vrouw heeft gelyncht van wie ze dachten dat ze de gemeenschap had verraden. Maar die twee kinderen en twee vrouwen wegen op tegen de levens van vele anderen. Voor ons ben je een held. Op de Herzlberg in Jeruzalem staat het Yad Vashem-monument, waar wij de joodse slachtoffers en hun lijden herdenken. Op dat mo-

nument eren wij ook de buitenlanders die ons hebben geholpen te overleven. Ik kan je vertellen, Bart, dat jouw naam...'

'Bespaar me die godvergeten onzin,' snikte Bart. 'Ik ben hier weg. Ik heb het gehad.'

'Ik dank je voor alles wat je hebt gedaan.'

Toen hij thuiskwam, begon hij meteen te pakken. Eén koffer voor zijn kleren, zijn dokterstas, een kartonnen doos voor de kat en een plastic tas met blikjes kattenvoer. Hij schreef een briefje en hing het aan de deur: 'Mijn moeder is ernstig ziek. Ik ben naar Engeland teruggegaan. God behoede jullie. Jullie vriend, Samuel Bartholomew.' Hij was er met een leugen gekomen, hij had er met een leugen geleefd en hij vertrok er met een leugen. Hij was vertrokken voor de schemering over het dorp viel, en hij reed met tranen in zijn ogen. Twee patrouillewagens escorteerden hem onopvallend over de onverharde weg en de asfaltweg tot hij de controlepost was gepasseerd. De hele weg naar Tel Aviv zag hij het vredige, bestofte gezicht van de strijder die hij had gedood.

Het boek gleed uit zijn handen. Beth zag dat de pijn door hem heen golfde. Ze keek om zich heen. Het zou haar hebben geholpen als hij had gekermd, maar dat deed hij niet. Hij lag op zijn rug en snakte naar adem. De gids zat vanaf een afstandje naast de neergeknielde kamelen toe te kijken. Dichterbij lag de opengebroken kist waar de handleiding uit was gehaald. Zijn gezicht lag in de schaduw; ze kon zijn ogen en mond niet zien, en ze wist niet wat hij dacht. Maar ze betwijfelde of ze ooit zou weten wat hij dacht, zelfs als er een spotlicht op zijn gezicht stond. Verder weg zat de jongen, de rug kaarsrecht, bewegingloos.

Deed het er iets toe wat iemand dacht? Beth had als tiener en als volwassene nooit advies, raad of leiding nodig gehad. Ze kende zichzelf: het deerde haar niet als ze wegen bewandelde die haar op commentaar kwamen te staan of als de mensen in een dorp of stad haar gedrag afkeurden. Ze was een onafhankelijk persoon, en haar aangeboren koppigheid duldde geen kritiek. Ze zat naast een moordenaar die zijn ogen dicht had gedaan.

Ze kroop onder het zeildoek vandaan en liep naar het ronkende gesnurk.

Ze kwam bij de auto en rukte het portier open. De arts lag op zijn stoel, die zo ver mogelijk naar achteren was gezet. Zijn mond stond wijd open, er liep wat speeksel uit een hoek. Zijn overhemd plakte aan zijn lichaam en op zijn schoot lag de wikkel van een reep chocolade die hij niet met de anderen had gedeeld. Ze stompte tegen zijn arm. Hij snoof, er ging een schok door hem heen, hij was wakker.

'Jezus! Waarom doe je dat?'

'Hij heeft pijn,' zei Beth.

De arm veegde het zweet van zijn gezicht. 'Natuurlijk heeft hij pijn. Er zit een gigantisch gat in zijn been. Ik heb er ongelooflijk veel vlees uit gesneden, de wond is diep. Wat moet je anders verwachten dan pijn?'

'U had het over morfine.'

'Ik had het over morfine voor vanavond. Ik weet uit ervaring, mevrouw Jenkins, dat pijn zelden dodelijk is. Morfine is dat maar al te vaak wel.'

'Hij kermt niet,' zei ze, met een stem die trilde van ontzetting.

'De ervaring heeft me bovendien geleerd, mevrouw Jenkins, dat de reactie op pijn meestal meer over de patiënt dan over de verwonding zegt.'

'Ik begrijp niet wat u bedoelt.' Ze was onzeker, haar stem was kleintjes, haar blik naar beneden gericht.

Hij viel aan. 'Kostelijk – precies mijn lievelingsgerecht. U stelt me voor aan een slachtoffer van oorlogsgeweld dat ligt te ijlen en het over massamoord heeft. U zanikt dat ik zijn leven moet redden. Maar u weet niet wie hij is en u weet niet wat voor een chaos hij wil gaan veroorzaken. U weet eigenlijk alleen maar dat u een verlangen wilt bevredigen. Hebt u enig idee wat hij gaat doen als ik hem op de been heb geholpen en hij weer een beetje rond kan hobbelen? Dacht u soms dat hij u liefdevol zal kussen? Dacht u soms dat hij u om de hals zal vallen? Of zal hij van u weglopen alsof u niet bestaat?'

Ze trilde. 'Hoeveel morfine geeft u hem?'

Hij greep haar pols; ze voelde het glibberige vocht in zijn handpalm.

'Als het even kan niets. Als ik beslis dat hij moet slapen maar dat van de pijn niet kan, geef ik hem een injectie met tien tot twintig milligram.'

'Niet meer, ook niet als hij veel pijn heeft?'

'Het is een rekensommetje, mevrouw Jenkins, en het gaat erom dat de som klopt. Als ik hem te weinig geef, houdt hij pijn. Als ik hem te veel geef, krijgt hij moeite met ademhalen en stopt het myocardium, dat is de hartspier, met functioneren – dan gaat hij dood.'

'Ja.'

'Ik ben niet van plan hem een overdosis morfine te geven.'

'Nee.'

'Als u het niet erg vindt, zou ik nu verder willen slapen.'

Hij deed zijn ogen dicht en wendde zijn hoofd af. Zijn kin ging naar zijn borst en zijn mond zakte open. Ze liep weg, langs de jongen, die niet naar haar keek en geconcentreerd bleef. Ook zij keek omhoog, maar ze zag niets anders dan een helderblauwe lucht. Ze speurde hem af tot haar ogen van de felle zon begonnen te branden. De vader van de jongen kwam vanonder het dekzeil te voorschijn, maar keek haar niet aan. Ze besefte dat ze alleen stond. Ze schoof langs de kamelen en bukte zich om onder het dekzeil te kruipen. Hij zat rechtop en had de onderdelen en de handleiding op zijn schoot. Toen hij haar zag, gebaarde hij haar met zijn hand weg te gaan – alsof ze menselijk wrakhout was.

Hij had de handleiding en de onderdelen. Op zijn schoot lagen de loop, met een raket erin, en de drukvaten; hij zocht de gleuf waar ze in geschoven moesten worden. Naast hem, op de jutezak, lag de heuptas met het IFF-systeem, met een kabel waaraan een stekker zat die in een contactpunt in de kolf gestoken moest worden.

Hij overwon de pijn.

De wond scheidde vocht af, maar bloedde niet.

Hij had gezien hoe haar gezicht betrok van teleurstelling. Maar ze interesseerde hem niet. Hij zag niet waar ze liep of waar ze zat. Hij had haar niet nodig.

Toen Caleb wist hoe hij de stekker in de kolf moest steken, oefende hij de procedure die tot het afvuren van de raket moest leiden. Zijn ogen schoten heen en weer tussen de kolf en de handleiding.

Zijn vinger drukte de knop van de aandrijfgenerator in, zette de IFF-schakelaar om en ging naar de trekker. Hij las dat de raket na het overhalen van de trekker binnen twee seconden werd gelanceerd. Hij stelde zich het moment voor waarop de raket de loop zou verlaten, de vuurstraal, de ruk aan zijn schouder, de kracht waarmee de raket de lucht in zou schieten, jagend op zijn doelwit.

Steeds opnieuw herhaalde Caleb de voorbereiding van het afvuren van de raket. Hij had de pijn onder controle, zijn vingers trilden niet. Zonder de raket zou hij zijn familie niet bereiken... Maar hij wist niet hoe de geoliede onderdelen van de lanceerinrichting de tand des tijds hadden doorstaan.

Hij had maar één doel, en dat was zijn familie bereiken. Alleen om die reden was hij in leven gebleven.

De koerier was gekomen en weer vertrokken. De man die de wacht hield, lag achter de rotsen voor de ingang van de grot en speurde de uitgestrekte woestijn af. De koerier had de grot vlak na het ochtendgebed bereikt en was kort voor het middaggebed weer weggegaan. Hij had een verzegeld, in lood gehuld vaatje ter grootte van een emmer bij zich gehad en was vertrokken met zorgvuldig opgerolde vloeitjes die in een minuscuul handschrift waren beschreven.

Het zand voor de man die de wacht hield, trilde in de hitte, maar hij tuurde door zijn wimpers en keek naar hen uit.

De mannen waren met knipperende ogen uit de grot gekomen voor het middaggebed. Een van hen had op een kompas gekeken, zodat ze precies hadden geweten waar Mekka lag en ze niet hadden hoeven schatten. Ze hadden gebeden en zich weer in hun donkere schuilhoek teruggetrokken.

De man die de wacht hield, had de koerier naar binnen zien gaan en had gezien dat hij weer naar buiten kwam en de uitgestrekte zandvlakte in was getrokken. Hij had niet gebeden. Hij was tussen de rotsen verborgen blijven zitten, het geweer in zijn hand en het machinegeweer met de kogelriem vlak bij zijn knie. Tijdens het gebed had een arend hoog boven de steile rotswand met de grot rondgecirkeld. De man die de wacht hield, zocht naar een teken dat op hun komst wees. Zijn ogen brandden.

Als ze overdag kwamen, zou hij ze lang van tevoren zien aankomen. Dan zou hij een stip zien bewegen en zouden zich langzaam maar zeker de contouren van een karavaan aftekenen. Als ze in het donker kwamen, zou hij hen op drie of vier kilometer afstand kunnen zien met de Russische nachtkijker die aan een koord om zijn nek hing. Ze waren laat.

Ze hadden al vier dagen vertraging.

Maar vier dagen waren niet belangrijk voor de man die de wacht hield en de mannen in de grot. De oorlog was eindeloos. Hij twijfelde niet of ze kwamen, maar hij hoopte vurig dat ze zouden arriveren tijdens de lange uren waarin hij de wacht hield, en niet als hij was afgelost. Zijn ogen speurden over het zand en er dansten kleine beelden voor zijn ogen, kleine hallucinaties; maar de karavaan zag hij niet. Hun belang kon worden afgemeten aan de beproeving die ze moesten doorstaan, aan het feit dat ze voor hun veiligheid en om geheimhouding te waarborgen door het Lege Kwartier moesten trekken. Hij wilde de eerste zijn die hen zou begroeten en verwelkomen.

Hij keek naar hen uit zoals hij alle vier de dagen die ze vertraagd waren, naar hen had uitgekeken. Hij zocht in de uitgestrekte woestijn naar de karavaan. Maar hij zag alleen het zand en de zandduinen, en hij hoorde alleen de stilte... Ze zouden komen, daarvan was hij overtuigd. Hun belang in de oorlog zonder einde was zo groot dat ze niet mochten falen in het voltooien van hun tocht... Toen hij diep in de grot had uitgerust, had hij gehoord dat de belangrijkste man de koffer zou dragen; en de koffer zou zijn gevuld met de inhoud van het vaatje dat de koerier die ochtend had gebracht. Die man wilde hij graag begroeten en verwelkomen.

Billy Boy zei: 'Hij was oké toen de baas hem net had aangenomen. Toen was hij oké, maar daarna begon hij te veranderen. Daarna was hij klote. Toen hij begon te veranderen, had hij plotseling geen tijd meer voor ons. Verwacht niet van mij dat ik ervan wakker lig als Caleb Hunt in de problemen zit.'

Jed stond een halve meter achter Lovejoy en liet de woorden op zich inwerken. Lovejoy had in de Volvo uiteengezet wat zijn manier van werken was: hij begon onderaan en werkte vandaaruit omhoog. Dat verklaarde waarom ze niet bij de familie op de stoep stonden om daar vragen te stellen, maar in de werkplaats van een groezelige garage waren. Rechts van de garage, die in een voormalig industriecomplex was ondergebracht, stond een vervallen gasfabriek. Aan de linkerkant had Jed een kerkje zien staan dat ooit waarschijnlijk alleraardigst was geweest; nu waren de ramen afgedekt door triplex dat met graffiti was bespoten. Deze hele buurt ruikt naar mislukking, dacht Jed. Maar Caleb Hunt begon een gezicht te krijgen – en met hem de taxichauffeur, Fawzi al-Ateh, die in de verhoorruimte van Camp Delta tegenover hem aan tafel had gezeten en die hem had genaaid.

Vinnie zei: 'Toen hij hier begon, hebben we hem geholpen. Hij wist nog niet wat het verschil tussen een carburateur en een koppelingsplaat was, dus hebben we hem in bescherming genomen en hem als een van ons behandeld. Hij leerde snel en hij was goed, maar plotseling werd hij verbitterd. Het leek alsof we van de ene op de andere dag niet goed genoeg meer voor hem waren.'

De monteurs kwamen om de beurt te voorschijn, de een vanonder een auto, de ander vanuit de werkkuil. Hij had het gevoel dat wat ze zeiden oprecht was. Ze leken het niet goed te kunnen bevatten en het zelfs een beetje te betreuren. Het was alsof ze zich allemaal afgewezen voelden en daar nog steeds de littekens van droegen. Ieder van hen werd naar voren geroepen en sjokte dan een beetje verlegen naar hen toe om te vertellen over de man die Camp Delta's beste mensen, en hemzelf, had besodemieterd. Het viel Jed zwaar ernaar te luisteren.

Wayne zei: 'Op het laatst, op de dag dat hij vertrok, zei hij tegen ons dat het werk, de baas én wij hem verveelden. Ik had mijn boterhammen met hem gedeeld, begrijpt u, en mijn handdoek, ik had verdomme alles wat ik had met hem gedeeld. Maar plotseling scheet hij op ons – we waren niet goed genoeg voor hem. Hij zei dat wij middelmatige figuren waren en hij niet, en hij lachte er niet bij, maar zei het op een arrogante toon.'

Ze liepen naar het kantoortje van de garage. Er werden mappen en kladblaadjes van twee stoelen gehaald, zodat ze konden zitten. Hij herinnerde zich de dociele, nederige jongeman met de lichte huid (maar zo veel Afghanen hadden een lichte huid) die taxichauffeur was geweest. Hij kon nauwelijks geloven dat de man ondanks de druk die er in Camp Delta op hem was uitgeoefend, had weten te volharden in zijn leugen. Jed had nog nooit eerder mensen in het veld ondervraagd: hij had zijn hele leven achter het bureau doorgebracht, met een verdachte of een computerscherm voor zich. Hij had bewondering voor de rustige toon waarop Lovejoy sprak. Die man kreeg mensen aan de praat en onderbrak hen nooit. Er begon een fluitketel te fluiten; er werden mokken met oploskoffie uitgedeeld, er werd water in gegoten en melk bij geschonken. Jed wist dat de contouren nu ook karaktertrekken zouden krijgen.

De baas zei: 'Ik gaf hem een kans omdat meneer Perkins dat van me vroeg. Perkins heeft mij en mijn vrouw nog lesgegeven, en mijn dochter ook. Perkins heeft ervoor gezorgd dat hij een kans kreeg. Je begint onder aan de ladder, maar het is een begin. Als een knul wil werken en leergierig is, krijgt hij bij mij een heel goede leerschool. Ik betaal hem niet veel, maar een begin is een begin en een goed opgeleide monteur vindt altijd een baan. Hij heeft tweeënhalf jaar lang eersteklas werk afgeleverd. Op het laatst gaf ik hem mijn beste klanten voor servicebeurten en APK's en hij werkte vierentwintig uur per dag... Tussen ons gezegd en gezwegen, ik wilde hem de leiding over de andere jongens gaan geven. Daar had hij de capaciteiten voor, hij was een leider. Hij nam verantwoordelijkheid en leek daar plezier in te hebben. Hij ging ook goed met de klanten om. Ze mochten hem omdat hij er niet omheen draaide – u weet wel: "Uw motor is een wrak, meneer. We kunnen hem natuurlijk wel repareren, maar het is weggegooid geld," of "Nee, na het weekend is hij af, meneer – ik werk zaterdag en zondag door." Mensen begonnen speciaal naar hem te vragen. Of er nou een motor uit elkaar gehaald moest worden of een spatbord moest worden uitgedeukt, mensen zeiden: "Ik wil graag dat Caleb het doet." Toen ging het plotseling mis. Er doken twee jongens op die altijd om hem heen hingen. In het begin wachtten ze buiten op hem, maar daarna kwamen ze binnen en praatten ze met elkaar terwijl hij aan het werk was. Ik had moeten zeggen dat ze moesten opdonderen, maar dat heb ik niet gedaan – ik denk dat ik bang was dat Caleb dan zelf ook weg zou gaan. Maar daar had ik me niet druk om moeten maken, want uiteindelijk ging hij evengoed. Het waren Pakistaanse jongens. Begrijp me niet verkeerd. Ik ben geen racist – daar heb je er hier genoeg van, maar ik ben er geen. Ze beïnvloedden hem. Op het laatst gooide hij zijn gereedschap neer zodra ze binnenkwamen, dan liep hij gewoon weg. Het maakte niet uit waar hij mee bezig was. Hij werkte nooit meer in het weekend en was vaak de halve vrijdag weg. Op een dinsdag kwamen ze voor hem. Ik was toch al van plan om hem die avond te ontslaan – als het niet om die oude Perkins was geweest, had ik dat al een maand eerder gedaan. Ze kwamen laat in de ochtend binnen. Hij liep weg van de auto waaraan hij werkte en veegde zijn handen schoon. We hadden het verschrikkelijk druk, maar hij zei tegen me, alsof mijn problemen er niets toe deden, dat hij een paar weken weg zou zijn. Ik antwoordde hem dat hij ook wel een paar maanden of een paar jaar kon gaan, omdat hij, als hij terugkwam, zijn baan toch kwijt zou zijn. De Pakistani stonden me allebei uit te lachen, maar Caleb niet. Ik draaide hem mijn rug toe en liep naar mijn kantoortje. Hij volgde me. Niemand anders zag het. Hij had een moersleutel in zijn hand en ik zag dat zijn vingers wit waren. God is mijn getuige, ik dacht dat hij me te lijf wilde gaan, ik was ervan overtuigd dat hij over de rooie was. Toen legde hij de moersleutel neer. Weet u wat het probleem was? Ik had hem gezegd dat hij was ontslagen. Hij had het niet voor het zeggen, en daar kon hij niet tegen. Toen hij die moersleutel nog in zijn hand had, zag ik in zijn ogen dat hij me had kunnen vermoorden en naar buiten had kunnen lopen alsof er niets aan de hand was... Ik weet niet waarom u naar Caleb Hunt komt vragen, en ik denk dat u me dat ook niet zult vertellen als ik u ernaar vraag. Nee, natuurlijk niet... O ja, die jongens die hem kwamen opzoeken, heetten Farooq en Amin. De vader van Farooq heeft een restaurant. Wat Amin doet weet ik niet. Er zijn niet zo veel blanke jongens die met Aziaten omgaan, snapt u, maar ze komen allemaal uit dezelfde straat. En als u me nu wilt excuseren, heren, ik moet de zaak runnen.'

Ze liepen naar buiten, waar de lucht en de vuile oude bakstenen in elkaar leken over te vloeien.

'Dit was vroeger het centrum van de Engelse metaalindustrie,' zei Lovejoy.

'Wat weten we?'

'En het is allemaal verdwenen, de hele metaalindustrie. Verderop, aan het eind van de straat, zijn de ankerkettingen van de Titanic gemaakt... Wat we weten? Genoeg om van wakker te liggen.'

'Lang wakker te liggen?'

'Leiderschap en trots, gewelddadig en ijdel, betrokken en moedig – is dat niet genoeg voor een slapeloze nacht? Laten we gaan, ik heb honger.'

Ze liepen met stevige passen naar de auto, maar Jed was er nog niet over uit. 'Ik zie hem nog zo in mijn kamer zitten, alsof het gisteren was.'

'Maar daar zit hij nu niet meer, of wel soms? We zijn hem kwijtgeraakt en hij moet gedood worden. Hij zit niet in je kamer. Hou je van een curry?'

Marty vloog over de kaartvlakken. De kaart op het werkblad lag tussen zijn joystick en haar bedieningspaneel in. Iedere keer dat ze een vlak hadden bestreken, boog ze zich met de stift in haar hand voorover en zette ze er een zwart kruis in. In Bagram zaten jongens die mijnen ruimden. De kaartvlakken die zij gebruikten, besloegen geen vierkante kilometer, maar tien vierkante meter. Ook zij zetten, als ze dachten dat een sectie mijnenvrij was, een kruis. Maar de jongens zeiden dat je zo'n sectie niet voor een picknick moest gebruiken, want ze wisten nooit helemaal zeker of ze er niet een over het hoofd hadden gezien. Zo was het ook met de vlakken op hun kaart: ze konden een doelwit hebben gemist en verder zijn gevlogen. Onder de nieuwe rij zwarte kruisen stonden vier rode uitroeptekens in twee vlakken – elk uitroepteken gaf aan waar een Hellfire was ingeslagen. Hij nam zich voor om *Carnival Girl*, voordat hij haar aan het eind van de volgende ochtend voor de laatste keer terug zou brengen, nog één keer over de uitroeptekens te laten vliegen. Dan kon hij zijn geheugen opfrissen en een laatste blik op de kraters werpen voordat ze in het grote transportvliegtuig zouden stappen.

Het was prima weer om te vliegen; er was maar één probleem, en dat was dat er een thermiek van het zand opsteeg, waardoor *Carnival Girl* een beetje traag op de commando's reageerde. Hij had geleerd, en dat zou hij ook vertellen als hij in Bagram verslag zou uitbrengen, dat de hitte op de grond funest was voor de beelden van de infraroodcamera, maar dat de camera die de livebeelden uitzond acceptabel beeldmateriaal verstuurde waar ze goed mee uit de voeten kon... Ze waren alleen.

Eindelijk was Langley eens niet in de buurt. Twee uur geleden had Oscar Golf zich gemeld met de boodschap dat hij een douche nam en iets ging eten. Of ze het in hun eentje aankonden. Marty had Lizzy-Jo zien glimlachen en gehoord dat ze haar keel schraapte. Ja, ze redden het wel in hun eentje.

Misschien gleed Marty's hand weg, misschien lag er zweet op de joystick. Misschien had hij een lamme hand gekregen. Het beeld van *Carnival Girl* maakte een ruk, hij vloekte en het beeld schoot naar beneden.

'Gaat het?'

'Prima.'

'Ik bedoel of het echt gaat?'

'Het gaat echt prima.'

'Serieus?'

'Het gaat prima, ik voel me kiplekker, ik ben je dankbaar – ik kan niet anders zeggen.'

Ze stak haar arm uit, legde haar hand op die van hem en drukte haar nagels in de aders op de rug van zijn hand. Hij maakte een ongecontroleerde beweging met de joystick en *Carnival Girl* dook nog tweehonderd voet. Lizzy-Jo giechelde als een meisje en Marty voelde dat hij van oor tot oor glimlachte. Hij was dankbaar omdat ze hem op zijn sodemieter had gegeven, en flink ook. Hij was haar zijn dank verschuldigd. Het was iets tussen hen. Hij wist zeker dat zij nooit verder zou vertellen dat hij een morele inzinking had gehad nadat hij achter de oude man aan was gevlogen. En hij zou nooit vertellen dat ze naar zijn tent was gekomen en op zijn veldbed met hem had gevreeën. Hij zou naar Bagram gaan en de kisten zouden uit het transportvliegtuig worden geladen en worden uitgepakt, en de technici en het grondpersoneel zouden eromheen komen staan en ze zouden de doodshoofden met gekruiste knekels op *First Lady* en *Carnival Girl* bewonderen. En zijn teamleden en de technici zouden het verhaal van de dood en de vernietiging van de al-Qaeda-mannen in de Rub' al-Khali vertellen. Misschien zou hij hen, daar in Bagram, wel vertellen dat de vliegomstandigheden niet bepaald goed waren geweest.

Loom, dat was hoe ze vloog. *Carnival Girl* klom wel in reactie op het commando dat hij met zijn joystick gaf, maar zonder enthousiasme. Naast hem zat Lizzy-Jo weer ontspannen met haar bloes open, alsof ze wist dat hij over zijn depressie heen was. Maar hij lette niet meer op haar, hij keek voornamelijk naar het scherm boven de joystick. Als hij iets in het Zand had gezien, zou zij hem hebben gewaarschuwd en erop hebben ingezoomd, en hij zou er achtjes boven zijn gaan vliegen. Maar ze waarschuwde hem niet. Het enige wat ze zagen waren de pure vormen van de zandduinen die door de wind waren gevormd en de leegte, de ultieme leegte. Een paar uur eerder, toen Oscar Golf was gaan douchen en eten, had ze hem gevraagd of hij een pilletje nodig had om overeind te blijven tot hij *Carnival Girl* de volgende middag zou hebben teruggebracht. Maar hij had geen pilletje gewild, hij zou het wel volhouden.

Misschien, dacht hij, zetten ze *Carnival Girl* wel in een museum, want ze gaat al een tijdje mee en begint ouderwets te worden. Haar gebruiksduur was verstreken, dus ze konden eruit halen wat nog van waarde was en de buitenkant tentoonstellen. Er zouden kaarten van Kosovo, Afghanistan en Saudi-Arabië bij moeten hangen en schoolkinderen zouden er met hun leraren omheen komen staan. De kinderen zouden zich verdringen bij de voorkant van de romp, bij het doodshoofd met de gekruiste knekels eronder. En de leraar zou vertellen over de man en de vrouw die de Verenigde Staten van Amerika hadden verdedigd, en over de jacht op de vijanden van het land. Hij droomde...

'Hé, vliegen we nog of hoe zit dat?'

Hij keek naar het scherm, zag dat ze hoogte verloren en bracht het vliegtuig weer op koers. Hij grijnsde. 'Sorry.'

'Je gaat nou toch niet de slome duikelaar uithangen? Ik kan je vertellen dat we tot het laatste uur, de laatste minuut doorvliegen. We houden haar de hele nacht en de hele ochtend in de lucht. We vliegen tot de laatste druppel brandstof op is. Zo staan de zaken ervoor. Hoe je het ook wendt of keert, er is altijd een volgend leeg vlak, en volgens de wet van Murphy gebeurt het in dat volgende lege vlak. We zitten hier tot het eind toe aan vast.'

'Begrepen.'

Hij dacht aan de man met wie ze wat had gedronken in de bar achter Fifth Avenue, en aan de telefoon, boven in de noordelijke Twin Tower, die niet werd opgenomen. Hij dacht aan mensen die naar beneden waren gesprongen, aan de lichamen die leken te zweven maar naar beneden vielen. Hij maakte zijn hoofd leeg en vloog *Carnival Girl* naar het volgende kaartvlak. Als de dag ten einde liep, zouden ze de vlakken bereiken die tegen de op de kaart gemarkeerde onverharde weg aan lagen. Die nacht zouden ze over de vlakken ten oosten van die weg heen vliegen, en als de zon opkwam, zouden ze over de vlakken aan de andere kant vliegen. Dan hadden ze nog net genoeg tijd voor het stuk ten westen van het spoor en de laatste rij vlakken in de woestijn; daarna zouden ze haar laten terugkeren.

En de Predator stroopte het Zand af, ver weg, maar onder zijn controle.

Hij had een uur op de parkeerplaats gewacht, maar de klootzak was niet komen opdagen. Het was voor het eerst dat die gluiperd van een Bartholomew hem had laten zitten. Hij had een uur in zijn auto zitten wachten, in de verste hoek van de parkeerplaats, maar het was vruchteloos geweest.

Daarna was hij naar Barts praktijk gereden. Hij was door de lege wachtkamer gestruind en had aan de receptioniste gevraagd waar Bart was. Zij had hem verteld dat er de vorige ochtend een boodschap op het antwoordapparaat had gestaan waarin hij zei dat ze alle afspraken voor de komende drie dagen moest afzeggen; ze wist niet waar hij was. Ze had naar de littekens op zijn gezicht gestaard en hem verteld dat ze een afspraak voor over drie dagen kon maken, maar dat ze hem, als zijn klachten spoed vereisten, ook de naam van een andere arts kon geven. Hij was weer naar buiten gestormd. Bartholomew was nog nooit eerder onaangekondigd de stad uit gegaan.

Eddie Wroughton stond met zijn vinger aan de bel op het stoepje voor de voordeur van de villa. De carport was leeg. Het dienstmeisje deed open.

Hij wurmde zich langs haar heen. Een kat, overduidelijk een zwerfdier, bleef onverzettelijk in het midden van de gang staan, zette zijn rug op en siste uitdagend. Hij schopte ernaar, maar miste.

Waar zat hij? Het dienstmeisje keek hem al net zo vijandig aan als de kat en haalde toen haar schouders op. Ze wist het niet.

Hij was getraind om een kamer, een huis te doorzoeken. Het dienstmeisje volgde hem, maar keek niet wat hij deed – ze staarde alleen maar naar zijn gezicht.

'Heb ik soms iets van je aan?' snauwde Wroughton.

Ze maakte dat ze wegkwam, vluchtte naar de keuken.

In gedachten maakte hij een inventaris op; niet van wat hij vond, maar van wat ontbrak.

Bartholomews dokterstas – weg. Het medicijnkastje in de slaapkamer – de onderste plank was halfleeg. De kast in de zijkamer – het operatiesetje was verdwenen en de pakken met watten en verband lagen door elkaar alsof er inderhaast een aantal tussenuit was gegrist. Hij liep over de verraderlijk gladde keukenvloer die juist door het dienstmeisje was gedweild naar de bijkeuken. Hij herinnerde zich van de enige keer die hij daarvoor in de villa was geweest, dat Bartholomew zijn water- en benzinevoorraad daar bewaarde. Er stond geen water en ook geen jerrycan met benzine.

Wroughton beende terug naar de woonkamer, waar de kat zich in een stoel had verschanst. Hij pakte de telefoon en belde de dienst die het nummer van het laatst binnengekomen telefoongesprek geeft. Het antwoord kwam in het Arabisch en hij wilde de cijfers al in het notitieboekje naast de telefoon noteren toen hij zich bedacht en het op de rug van zijn hand schreef, rondom de ontvelde plek waarop inmiddels een korstje groeide. Daarna scheurde hij het bovenste vel papier uit het notitieboekje en stopte hij het in het borstzakje van zijn linnen pak.

Hij belde naar zijn kamer in de ambassade, instrueerde zijn assistente en gaf haar het telefoonnummer. Waar was dat telefoontje vandaan gekomen?

Wroughton keek om zich heen en zag hoe karig het leven van Bartholomew was. Niets in het huis was van persoonlijke aard. Het hele interieur was gehuurd, alsof zijn persoonlijkheid tot op de wortel was vernietigd. Hoe kon het ook anders? De impact van het besef dat hij zijn mobiele telefoon had uitgezet, de stekker uit zijn huistelefoon had getrokken en naakt in zijn woonkamer met zijn eigen gehuurde interieur had gezeten, deed nauwelijks onder voor de impact van de klappen en trappen van de landbouwspecialist.

Op weg de woonkamer uit liep hij langs de canapé naast de deur. Hij pakte een kussentje en smeet het naar de stoel waarin de kat zat. Het kussentje belandde in de stoel, maar de kat was al weg.

Wroughton smeet de voordeur achter zich dicht.

Hij vroeg, in de taal van zijn nieuwe leven: 'Hoe lang?' De duisternis nestelde zich onder het tentzeil. Hij kon het gezicht van de arts ternauwernood onderscheiden.

De stem uit de donkere mond klonk kordaat. 'Laten we elkaar niet voor de gek houden. Jij spreekt het Engels van Hare Majesteit de Koningin net zo goed als ik. Ik heb geen idee wat je me net hebt gevraagd. Gezien de conditie waarin je verkeert, stel ik voor dat je, als je mijn hulp nog langer wilt, een eind maakt aan die poppenkast. Je bent Engelsman – als je antwoord wilt, zul je Engels moeten spreken. Probeer het nog maar een keer.'

Caleb trilde. De arts zat op de handleiding en drukte de raketwerper met zijn dijbeen tegen Calebs goede been. Hij herinnerde zich dat hij voor het laatst Engels had gesproken toen hij in de taxi had gezeten en op weg was geweest naar de bruiloft. In de stoffige straten van Landi Khotal had hij, vastgeklemd tussen zijn vrienden, nerveus, Engels gesproken – sindsdien niet meer.

Alsof hij een nieuwe weg insloeg, sprak hij zacht en aarzelend: 'Hoe lang duurt het nog voordat ik op kan staan?'

'Dat is beter. Zo moeilijk was het toch niet? Toen je extreem veel pijn had, sprak je ook Engels. Hoe lang? Dat is afhankelijk van wat je wilt gaan doen. Als je van die stinkende, onhygiënische zakken af wilt om te pissen omdat je via het infuus vier zakken zoutoplossing binnen hebt gekregen, moet je dat wel voor elkaar kunnen krijgen. Ik ben ervan overtuigd dat mevrouw Jenkins je daar met alle liefde bij zal ondersteunen.'

'Hoe lang duurt het nog voordat ik verder kan reizen?'

'Als je de auto van mevrouw Jenkins gebruikt, wat mij betreft meteen na het pissen.'

'Per kameel?'

'Nog steeds op zoek naar avontuur? Ik denk dat ik het wel zo kan regelen dat je morgenochtend weer rond kunt hobbelen. Als het echt moet, en je hebt goed geslapen, kun je tegen zonsopgang op de kameel klimmen en op weg gaan – ja, morgenochtend... Heb je veel pijn?'

'De pijn aanvaard ik.'

'Ik kan je morfine geven.'

'Nee. Wat heb ik gezegd?'

'Als je morgen kameel wilt kunnen rijden, kan ik je het best een injectie met Ampicillin geven. Dat is een antibioticum. Dan geef ik je tegen middernacht een tweede injectie en tegen zonsopgang, als je op weg gaat, een derde. Ik geef je bovendien de overgebleven injectienaalden mee; daar moet je jezelf de komende drie dagen nog vier keer per dag mee injecteren.'

'Wat heb ik gezegd?'

'Tegen die tijd is je arm een speldenkussen en kun je ze beter oraal innemen. Ook dan neem je vier keer per dag vijfhonderd milligram.'

'Hebt u mijn gezicht gezien?'

'Als ik over je heen gebogen sta om het vuil uit je been te schrapen, is dat moeilijk te vermijden, jongeman. Dan is het moeilijk om je gezicht niet te zien of niet te horen wat je zegt. Goed, ik ga je je eerste injectie geven.'

Zijn arm werd opgetild en de vingers hielden hem net onder de plastic armband bij zijn pols. Hij voelde het koele vochtige watje, zag de beweging en voelde de prik van de naald.

De naald werd teruggetrokken. Hij hoorde de man kreunen toen hij moeizaam overeind kwam.

'Je moet slapen. Om twaalf uur geef ik je weer een prik, maar je moet gewoon doorslapen. Droom zacht, vriend zonder naam.'

Caleb hoorde zijn voeten over het zand slepen toen hij wegliep. Hij zou niet gaan slapen en hij zou niet dromen. Hij wist niet wat hij had gezegd, maar hij wist wel dat de arts zijn gezicht had gezien. Hij bewoog, en de pijn golfde door zijn been. Hij herinnerde zich de mensen die zijn gezicht hadden gezien, en ze waren allemaal dood. Zijn gezicht zien was sterven. Hij herinnerde zich de oude man die hem met de ezel naar de opiumsmokkelaars had gebracht. Die oude man was blind geweest en had zijn gezicht niet gezien, en hij hoopte dat de levenloze ogen de oude man hadden gered.

Als je zijn gezicht had gezien, was je gedoemd te sterven. De arts had zijn gezicht gezien.

Caleb rilde, en de pijn teisterde hem. Ook de vrouw had zijn gezicht gezien.

18

De laatste dag was nog maar net aangebroken toen Caleb wakker werd gemaakt: iemand tilde zijn arm op en bevochtigde zijn huid met een watje. Hij had onrustig geslapen. Instinctmatig weerde hij de hand op zijn pols af en probeerde hij zich los te maken uit de greep.

'Rustig aan, jongeman. Vecht niet tegen me.'

De stem van de dokter klonk zacht in zijn oor. De naald werd in zijn arm gestoken. Hij keek op en zag de contouren van het gezicht, met daarboven het donkere tentzeil.

'Heb je lang geslapen?'

Caleb knikte.

'Mooi zo. Het is gek, maar van slaap genees je beter dan van welk medicijn ook. Het is goed dat je hebt geslapen. Je moet nu verder slapen.'

De naald werd teruggetrokken. Zijn arm werd voorzichtig neergelegd. Hij herinnerde zich wat hij had bedacht voordat hij door de slaap was overmand.

'Waarom helpt u mij?'

De gestalte torende boven hem uit. 'Je vervalt in herhaling, jongeman. Je wilt mij niet vertellen hoe je heet en ik wil jou niet belasten met de reden van mijn handelen. Je krijgt je volgende injectie bij zonsopkomst. Ga slapen.'

Caleb kwam overeind. Hij probeerde op zijn ellebogen te steunen en zijn rug op te richten. 'Dat is niet goed genoeg.'

'Het is niet goed genoeg dat ik je naam niet ken, dat ik niet weet waar je vandaan komt of naartoe gaat en dat ik niet weet wat je van plan bent te doen als je je bestemming hebt bereikt. Ga mij niet vertellen wat wel en wat niet goed genoeg is, jongeman.'

Hij vertrok. Caleb zakte terug. De raketwerper lag tegen zijn been aan. Toen hij had geslapen, was hij vergeten dat hij daar lag, was hij vergeten dat hij pijn in zijn been had en was hij vergeten dat je, als je zijn gezicht had gezien, gedoemd was te sterven.

De vriendelijkheid van de arts en de toewijding van de vrouw die hem hulp had gebracht, wogen niet op tegen de belangen van en zijn verplichtingen tegenover zijn familie. Het zou zwak zijn om hen niet te doden. Hij lag op zijn rug onder het tentzeil, zijn been klopte en zijn hart bonsde van de injectie met antibioticum. De arts en de vrouw stelden vergeleken bij het belang van de familie niets voor – ze hadden zijn gezicht gezien, ze waren gedoemd te sterven. Ze stonden tussen hem en zijn plicht in. Zijn hand gleed over de rand van de zakken die zijn bed vormden en deed een greep in het zand. Hij hield zijn hand boven zijn borst en liet het zand tussen zijn vingers door lopen. Er viel zand op hem: niet één, maar duizend zandkorrels. Hij werd doorgegeven door een grote menigte, die niet uit één, maar uit duizend personen bestond. De vriendelijke arts en de toegewijde vrouw bevonden zich in die menigte. Hij kon ook niet kieskeurig zijn op het moment dat hij met zijn koffer, tas of rugzak tussen de mensen door liep. Op dat moment kon hij evenmin zeggen dat de een zijn vijand was en de ander niet – hij kon geen uitzondering maken voor de arts en de vrouw. Als hij dat wel deed, zou hij zijn familie verraden en zou hij zwak zijn.

Die ochtend zou de arts hem de kracht hebben gegeven om op te staan en zou de vrouw hem ondersteunen bij zijn eerste moeizame passen. Hij zou net zo onzeker lopen als in de dagen dat zijn enkels, in Camp Delta, geketend waren. Hij zou naar de gids lopen, het geweer pakken en doen wat hij moest doen. Hij zou de doden – Hosni, Fahd en Tommy – laten zien dat hij niet zwak was.

Hij zakte weer terug in de slaap.

Hij had vrede, want zijn krachten hadden hem niet verlaten. Hij voelde geen schaamte, want hij zou de man die hij vroeger was geweest niet herkennen. Hij behoorde zijn familie toe.

'Vertel over hem.' Het was geen verzoek van Lovejoy, maar een bevel.

Ze zaten aan de tafel naast die waaraan Lovejoy en de Amerikaan hadden gegeten. Farooqs vader had hun bestelling opgenomen, Farooq had hen bediend. Ze hadden langzaam gegeten en getreuzeld met hun koffie, tot het restaurant was leeggelopen en de vader, de zoon en de andere serveerders de tafels hadden schoongeveegd en de stoelen tegen de tafels hadden gezet. Ze werden omringd door schaduwen en alleen hun tafellaken, de koffiekopjes en de lege glazen waren nog verlicht. Lovejoy kon heel beleefd zijn, maar hij kon het ook hard spelen. Toen de laatste klanten hadden betaald en in de natte nacht waren verdwenen, had Lovejoy zijn hand in de lucht gestoken en aanmatigend met zijn vingers geknipt. De vader was naar hem toe gerend en Lovejoy had tegen hem gezegd: 'We kunnen dit hier afhandelen, maar we kunnen hen, op grond van op de antiterrorismewetgeving, ook naar het bureau brengen. Als we het hier doen, houden we het gezellig. Als we ze meenemen, slapen ze eerst een nachtje in de cel. Ik wil uw zoon en zijn vriend Amin spreken. Als u gaat dreigen dat u er een advocaat bij wilt hebben, gaan we onmiddellijk naar het politiebureau. We doen het op de ongecompliceerde of op de lastige manier... En mijn collega en ik willen graag nog een kopje koffie. Dank u.' Iemand ging de vriend halen, die eruitzag alsof hij van zijn bed was gelicht.

De jonge mannen, Farooq en Amin, hadden gehuiverd toen ze aan de tafel naast hen waren komen zitten. De vader was zo'n beetje rondom het licht blijven hangen, tot Lovejoy hem had gebaard weg te gaan. Hij speelde het hard. Hij was bot, tegen het onbeschofte aan, want voor die tactiek had hij gekozen. Hij hoorde het zwakke geluid dat het cassettebandje onder het tafellaken op de knie van de Amerikaan maakte op het moment dat het de andere kant op begon te draaien. De arm van zijn kompaan lag ogenschijnlijk nonchalant op het tafellaken, dicht bij de plek waar de jonge mannen zaten. De microfoon zat waarschijnlijk in zijn manchetknoop.

Lovejoy zei: 'Ik wil alleen de waarheid horen. Als jullie liegen, gaan jullie de cel in. Als jullie eerlijk zijn, slapen jullie vanavond in jullie eigen bed – nadat ik met jullie klaar ben, natuurlijk... Amin, ik begin met jou. Vertel me over Caleb Hunt, vertel hoe hij was voordat hij naar Pakistan ging. Vertel me alles wat je weet.'

Hij antwoordde aarzelend, angstig.

Lovejoy kreeg te horen dat de wijk was gebouwd ter gelegenheid van het vijftigjarig jubileum van het koningschap van koningin Victoria. Inmiddels werden tien straten van die wijk volledig door Aziaten bevolkt, maar er was nog één straat waar vier blanke gezinnen in de rijtjeshuizen woonden. Die blanke kinderen waren samen met de Aziatische kinderen naar de lagere school gelopen en daarna samen met hen naar het Adelaide Comprehensive gegaan.

'Caleb was onze vriend. We hadden geen andere blanke vrienden, hij was de enige. Maar hij had ook geen blanke vrienden – wij waren zijn vrienden. Farooq werd gepest, Caleb kwam voor hem op. Het deed er niet toe welke huidskleur je had. De meeste blanke kinderen op het Adelaide Comprehensive hadden geen Aziatische vrienden. Wij waren op onszelf, maar Caleb hoorde bij ons.'

Lovejoy had het gevoel dat hij laagje voor laagje afpelde.

'We liepen wel te rotzooien, maar het stelde niet veel voor,' zei Amin. 'We veroorzaakten wel wat problemen – we spoten graffiti op de muren, stalen wel eens een autoradio en er werd wel eens geknokt – maar hij hoorde bij ons, niet bij die klote skinheads. We deden alles samen. Ja, we lummelden wat rond, we trapten lol – het ging niet echt ver. We kwamen nooit bij hem thuis. Dat wilde hij niet, of zijn moeder wilde het niet, maar we gingen altijd naar ons huis. Toen we van school gingen, werd het anders.'

Lovejoy drong aan: wat werd er anders?

'Ik ging weer naar school, ik moest hogere cijfers halen om rechten te kunnen studeren. Farooq ging hier voor zijn vader werken en Caleb begon in de garage. Het begon na een jaar. Ik had de cijfers die ik moest hebben en wachtte tot ik aan mijn rechtenstudie kon beginnen. We zagen elkaar weer regelmatig, maar we waren ouder geworden, beseften beter wat er aan de hand was. Ik bedoel, we gingen naar de moskee, en soms werd daar door imams van buitenaf gepredikt. Die vertelden over Afghanistan, Tsjetsjenië en alle andere islamitische landen waar tegen de onderdrukking wordt gevochten. Caleb begon op vrijdag vrij te nemen. Hij was geen moslim, nee, maar als we naar de moskee van Birmingham gingen, waar ze hem niet kenden, dan hoefde hij alleen maar achter ons aan te lopen en zich zoals wij te gedragen en te luisteren. We waren echt veranderd, begrijpt u? Toen we jong waren, Farooq en ik, rebelleerden we tegen het geloof. We rookten, dronken alcohol en stalen wel eens iets. Maar daar waren we mee opgehouden. Hij deed met ons mee, hij gedroeg zich net zoals wij. Wij waren zijn enige vrienden, en het leek alsof wij zijn familie waren, in plaats van zijn moeder. We brachten de avonden samen door, en als er in Birmingham een imam sprak, haalden we hem op van zijn werk en reden we er met de auto van Farooq naartoe. We hoorden over de oorlog in Afghanistan en zagen er videobeelden van. Daarna zagen we video's van Tsjetsjenië en van wat de Russen daar met de moslims doen. Alstublieft, geloof me, Farooq en ik luisterden alleen maar, we probeerden betere moslims te worden en ons geloof te versterken – maar als Caleb de moskee uit kwam, was hij volkomen opgefokt. Hij was vooral opgefokt als hij een video met gevechten had gezien.'

Lovejoy kreeg het gevoel dat hij, naarmate er meer laagjes werden afgepeld, in de buurt van de onderhuidse rode massa met het gif begon te komen.

'Caleb zei vaak dat hij zich kapot verveelde en dat vechten spannend was. Ja, we hadden het er wel eens over, maar we namen het niet serieus. Hij haatte het hier, dat zei hij tegen ons. Hij had hier geen verleden en hij had hier geen toekomst. Het gebeurde uiteindelijk allemaal heel snel. We hadden de imam over Afghanistan horen spreken, over het tekort aan strijders daar. Een aantal jongens stond aan het eind van die toespraak op en liep naar voren. Wij kenden die jongens niet. Na de dienst zei Caleb dat zij de gelukkigen waren, omdat zij iets zouden meemaken wat opwindend was. Ik dacht daar niet verder over na. Een paar dagen later ontving mijn vader de uitnodiging voor de bruiloft. Daar hebben we het met elkaar over gehad, we hebben Caleb verteld dat we ernaartoe gingen. Hij reageerde nogal beteuterd, alsof we hem buitensloten. We spraken over de stad waar we naartoe zouden gaan, over de bergen en de ruige streek... En Farooq zei dat hij natuurlijk mee zou mogen gaan – waarom niet? Farooq grapte nog dat hij dan mooi onze koffers zou kunnen dragen. We zouden over twee weken vertrekken. Hij wilde echt heel graag mee.'

Lovejoy zei: 'Dank je, Amin. Ga verder, Farooq. En vertel de waarheid.'

'Ik had hem nog nooit zo blij gezien. De eerste dag droeg hij zijn eigen kleren nog, maar de volgende dag leende hij die van ons – mijn lange shirt en Amins broek. Hij liep graag met ons over de marktjes van Landi Khotal. De chaos daar. Het is er lawaaierig, het is er vuil en het stinkt er, maar Caleb vond het fantastisch. Mensen wisten wie hij was. Mijn familie wist dat hij geen moslim was, en hij was blank, maar dat maakte niet uit, want hij was niet echt blank. Hij ging op in de omgeving, hij smolt ermee samen. Het mooiste aan hem was zijn bescheidenheid. Hij zei dat we geluk hadden, meer dan we beseften, dat we zo'n familie hadden. Hij at mee met onze familie, hij at alles wat er voor hem neer werd gezet, en hij deed zijn best woorden te leren waarmee hij zijn dankbaarheid kon uiten. Ik had hem nog nooit zo veel zien glimlachen, ik had hem nog nooit zo gelukkig gezien. Maar het einde was in zicht.'

'Zouden jullie na de bruiloft meteen naar huis, terug naar hier, vliegen?'

'We zouden de dag na de bruiloft met de bus naar Islamabad gaan; diezelfde avond vertrok ons vliegtuig. Op de bruiloft was hij ingetogen. Hij droeg een pak en een schoon overhemd met een stropdas; het leek wel alsof hij wilde laten zien dat hij weer terug moest. In de taxi naar de bruiloft praatten we met elkaar, maar Caleb zei niet veel – dat weet ik nog goed. Op de bruiloft, in de kring van onze familie, wisten alle mannen dat Caleb een vreemdeling was. Hij mocht dan van harte welkom zijn, hij behoorde niet tot de familie. In het begin zag ik het niet, de belangstelling voor hem. Ik had het pas door toen hij werd geroepen...'

'Hij was in de gaten gehouden, hij werd ertussenuit gepikt,' zei Lovejoy.

'Een deel van de familie komt van de andere kant van de grens, uit Jalalabad in Afghanistan. Inmiddels denken Amin en ik dat het de dag voor de bruiloft al in Jalalabad bekend was dat Caleb zich in Landi Khotal bevond. Een man keek naar hem. Ik ben die man nooit vergeten. Aan het eind van het bruiloftsfeest liet de man Caleb bij zich brengen. We denken dat hij al was uitverkoren, maar hij werd op de proef gesteld. Het gaat er ruig aan toe, daar in de grensstreek, er zijn daar veel wapens en strijders... Ik kan u vertellen, meneer, dat ik graag naar een moskee in Birmingham ga om daar naar een imam te luisteren. Maar ik zou nooit bereid zijn om de bergen in te trekken en te gaan vechten. Caleb moest met een geweer schieten en daarna een heuvel beklimmen terwijl er met scherp op hem werd geschoten; de struiken en rotsen waren de enige dekking die hij had. Hij had goed geschoten en bereikte de heuveltop – maar hij was al uitverkoren. De test bevestigde zijn verkiezing. Het was het besluit van de man die hem bij zich had geroepen. Wij kregen te horen wat we moesten zeggen.'

'Wat kregen jullie te horen?'

'We moesten naar huis gaan, naar onze jubileumwijk, en zeggen dat Caleb had besloten door te reizen. Hij zou naar Thailand zijn gegaan, en daarna verder zijn getrokken naar Australië. Dat moesten we zeggen. Hij had de beproeving doorstaan, hij was uitverkoren. Hij was bij de man. Zijn pak werd hem afgenomen, net als zijn schoenen en zijn overhemd. Hij kreeg het gewaad dat stamleden dragen, en zijn kleren en schoenen werden in het vuur gegooid. Ik zag ze branden en ik zag het gezicht van Caleb in het licht van de vlammen. Het straalde van een blijdschap die ik nog niet eerder had gezien. Kort daarna vertrok hij. Hij vertrok op de laadbak van een pick-up en zwaaide niet meer, hij draaide zich niet meer naar ons om. Wij gingen de volgende dag met de bus naar het vliegveld. Dat is alles wat ik u kan vertellen.'

'Wie was de man die hem had uitgekozen?'

'Een wrede man, een man die angstaanjagend was.'

'Waarom was hij angstaanjagend?'

Amin beantwoordde Lovejoys vraag. 'Zijn gedrag en zijn uiterlijk waren angstaanjagend.'

Het was nu op één maand na vier jaar geleden, maar Lovejoy zag dat ze net als op die dag door angst werden bevangen. 'Vertel.'

'Toen Caleb die heuvel op rende en achter de bosjes en rotsen dekking zocht, schoot de man niet alleen in de lucht. Hij mikte echt. Hij probeerde Caleb te raken. Hij probeerde Caleb dood te schieten. Hij kwam uit Tsjetsjenië, hij had een ooglapje en een stalen klauw, hij was een beest. Hij heeft ons onze vriend afgenomen.'

Lovejoy had gezien dat de Amerikaan, aan de andere kant van het tafeltje, was verstijfd.

De Amerikaan zei: 'Dank u, heren. Ik denk dat we genoeg weten.'

Lovejoy betaalde, gaf een redelijke maar niet overdreven fooi en stak de rekening in zijn zak. Ze verlieten het donkere restaurant en liepen de regenachtige nacht in. Ze staken zonder zich te haasten de straat over, naar de plek waar de Volvo stond. Dietrich vertelde Lovejoy dat er een verband was. Veel gevangenen in Camp X-Ray en Camp Delta hadden over de Tsjetsjeen gesproken. De man was te herkennen aan het ooglapje en de kunsthand. Amerikaanse troepen van de tiende bergdivisie hadden hem gedood in een hinderlaag. Hij was gestorven toen hij in een taxi zat die door de rebellen was gevorderd. Die taxi werd bestuurd door Fawzi al-Ateh, en die was vlak daarvoor vrijgelaten uit Guantánamo Bay.

'De mannen die bij de Tsjetsjeen hoorden, en zeker mannen die door de Tsjetsjeen zelf waren uitgekozen, maakten deel uit van de elite,' zei Dietrich. 'Jezus, man, begrijp je wat dat inhoudt? Dit is een regelrechte ramp.'

Het was iets na enen, op de ochtend van een nieuwe dag. Lovejoy belde het hoofdkwartier met zijn mobiele telefoon waar een cryptofoon op was aangesloten. Hij sprak met de controlekamer. Hij was een oude rot, een veteraan van de geheime dienst, maar toen hij verslag deed van hun bevindingen, had hij moeite de trilling in zijn stem te onderdrukken. Even was hij opgewonden geweest; daarna had de opwinding plaatsgemaakt voor een bezorgdheid die aan hem knaagde en hem beklemde. Ze waren een voortvluchtige op het spoor zonder te weten waar dat spoor lag of naartoe zou leiden.

'Gaat dit je een eervolle vermelding opleveren?' vroeg Dietrich.

'Dat denk ik niet – eerder oneervol ontslag. Mijn ervaring is dat maar weinig superieuren een boodschapper met slecht nieuws weten te waarderen, en slechter nieuws dan dit heb ik nog nooit gehad. Maar daar kom je – en ik zeg dit vol vertrouwen, Jed – zelf waarschijnlijk snel genoeg achter.'

In het holst van de nacht werd vanuit het hoofdkwartier van de MI5, aan de noordkant van de Theems, een elektronisch bericht naar de zuidoever verstuurd; daar stond het hoofdkwartier van de zusterorganisatie, de inlichtingendienst van defensie.

De officier die nachtdienst had, kauwde zijn broodje weg, nam een slok koffie en belde naar het huis van de onderdirecteur. Hij belde de onderdirecteur wakker en grijnsde boosaardig toen hij zijn slaperige gestamel hoorde. Nu ben je misschien nog slaperig, ouwe zak, dacht hij, maar over vijf seconden ben je zo wakker als een tien jaar oud ventje met een driftbui. Hij wist dat alle onderdirecteuren een hekel hadden aan een donderslag bij heldere hemel, al ging die vergelijking in dit geval niet op, want de hemel boven Londen was zwaar bewolkt en de regen kwam met bakken uit de lucht.

Het bericht vermeldde de naam, de geschiedenis en achtergrond van Caleb Hunt.

Bart baadde in het zweet, maar hij werd niet wakker, hij kon niet uit de droom wegkomen. Hij lag voor in de Mitsubishi op de stoelen uitgestrekt en rolde onrustig heen en weer. Hij smeekte – hij smeekte om een ontsnapping. Zelfs de klap waarmee zijn kin tegen het stuur aan sloeg was niet voldoende om hem uit zijn slaap en zijn droom te wekken.

Geneesheer Samuel Algernon Laker Bartholomew was door zijn ambassade in de steek gelaten en door Eddie Wroughton vergeten. Hij werd door het achterportier het zwarte busje in getild. Zijn blaas liep leeg en zijn sluitspier ontspande zich. Zijn handen waren achter zijn rug gebonden en vlak voordat het achterportier werd geopend, kreeg hij een blinddoek voor. Maar de blinddoek zakte naar beneden en de duisternis van het busje maakte plaats voor fel zonlicht. Hij struikelde, maar handen hielden hem overeind en hij viel niet. Het gemompel uit vele kelen stortte zich over hem uit zoals de golven zich op de kiezelstranden van Torquay wierpen. Hij droeg een gevangeniskaftan – geen broek van het postorderbedrijf waar hij zijn werkkleren meestal bestelde, en ook geen overhemd van hetzelfde merk, dat altijd door zijn dienstmeisje werd gesteven en gestreken. De wind die de stemmen meevoerde, trok de gevangeniskaftan strak om zijn lichaam. Er was niemand die voor hem pleitte, hij had geen vrienden. Waar zijn gezicht niet door de blinddoek werd bedekt, schroeide de hitte zijn huid. Hij deed een tiental stappen. Zijn sandalen sleepten over de grond, maar hij werd overeind gehouden. Toen lieten ze hem stilstaan en drukten handen hem naar beneden. Ze lieten hem niet op zijn buik liggen, maar neerknielen. Zijn knieën stonden onder spanning van het gewicht van zijn lichaam. De stemmen zwegen en hij hoorde de stilte.

De droom gleed terug in de tijd, maar Bart werd niet wakker.

De vertrekhal van het vliegveld van Riyad. Hij stond in de rij. Om hem heen stonden gezinnen: mopperende, klagende volwassenen en mokkende, jammerende kinderen. Hij schuifelde langzaam maar zeker in de richting van de balie en schoof de tas die voor hem op de grond stond met zijn voet voor zich uit. De vlucht zonder tussenstop was volgeboekt; daarom stond Bart in de rij voor de KLM-vlucht naar Amsterdam. Hij dacht alleen maar aan ontsnappen, en de trage voortgang in de rij voedde zijn angst en ongeduld. De vrouw die voor hem stond, was door een leven lang slepen met boodschappentassen kromgegroeid. Ze probeerde hem wijs te maken dat haar personeel had staan huilen voordat ze naar het vliegveld was vertrokken, maar hij negeerde haar. Hij kwam zó langzaam dichter bij de balie, dat het nauwelijks was waar te nemen. Achter de balie lag de gate en daarachter was de verbindingsslurf die naar de deur van het vliegtuig leidde. Hij transpireerde, was niet in staat zijn groeiende angst te verbergen... Hij was bijna opgelucht toen de mannen achter hem kwamen staan. Een van hen vroeg hem met een nasale stem, in Engels met een accent, hoe hij heette. Zijn tas werd opgetild en hij werd bij zijn armen vastgepakt. Hij werd uit de rij gehaald en meegenomen. Zijn ontsnapping was mislukt.

De droom was genadeloos.

Hij kromp ineen. Hij hoorde vanachter een stalen deur voeten over het beton van de gang schuifelen. De laagstaande zon wierp haar licht door de tralies voor het raam de cel in. Ze kwamen altijd vroeg in de avond. Als de zon onderging, begon de afranseling. Dit keer waren ze laat. Het gegil van andere gevangenen penetreerde zijn hoofd. Twee dagen eerder, toen hij naar de verhoorkamer werd gebracht, had hij door een open deur gezien dat een man aan zijn polsen en enkels aan een stok was opgehangen – als een varken aan het spit. Terwijl hij verder was geschuifeld door de gang, had hij de man horen gillen. Toen ging Barts deur open en werd hij meegevoerd door de gang. Maar ze gingen niet naar de verhoorkamer: hij kwam in een helverlichte ruimte met gemakkelijke stoelen en een glanzend bureau. Daar zat die klootzak van een Eddie Wroughton. 'Je hebt bekend, we kunnen niets meer doen, je hebt hun alles verteld. Je bent de woestijn in gegaan. Je hebt je billen gebrand, en wij kunnen niet verhelpen dat je nu op de blaren moet zitten. Het proces zal in een gesloten zitting plaatshebben, ze zullen je berechten en veroordelen. We kunnen je niet meer helpen. Probeer, als het eind daar is, je goed te houden. Hou je hoofd omhoog, probeer waardig te gaan... Het is snel voorbij. Ik begrijp niet, Bart, waarom je zo ongelooflijk stom moest doen.' Hij werd teruggebracht naar zijn cel en luisterde naar het gillen en schreeuwen van anderen. De droom vormde een cirkel: van het plein naar de hal op het vliegveld, van het vliegveld naar de cel, van de cel naar het plein, en zo verder.

Hij was in de stilte neergeknield. Hij stelde zich voor dat de adem in duizenden kelen vol verwachting was gestokt. Hij rook het verse zaagsel. Het was net alsof hij de machine kon zien die het hout versnipperde en het zaagsel in de zak blies. Hij zag de zak niet, maar hij had de geur van zaagsel in zijn neus. Hij maakte zich klein. Hij voelde de zon en een zacht briesje op de huid van zijn nek. Hij probeerde de ruimte tussen de achterkant van zijn hoofd en het begin van zijn schouders zo klein mogelijk te maken, zodat de beul geen plek zou hebben om zijn zwaard neer te laten komen. Hij begroef zijn nek tussen zijn schouders. Hij had die nacht niet geslapen. De zon was opgekomen na een wachten waar geen eind aan kwam. Voordat hij naar het zwarte busje werd gebracht, werd zijn gevangeniskaftan uitgetrokken en kreeg hij een gewaad aan dat stijf stond van het vele wassen maar desondanks onder de vlekken zat. Hij had de achterkant van zijn hoofd tegen zijn schouders aan gedrukt, er was geen doelwit voor de beul. Plotseling voelde hij een speldenprik onder aan zijn ruggengraat, bij zijn staartbeen. De prik veroorzaakte een scherpe pijnscheut. Het was een trucje van de beul: hij had met de punt van het zwaard in zijn onderrug geprikt. Bart kon het niet helpen, hij schoot naar voren en zijn nek kwam vrij.

De droom was afgelopen.

Hij lag niet langer op de stoelen van de Mitsubishi, maar op de vloer. Zijn gezicht was tegen het gas- en het rempedaal aan gedrukt.

Boven zijn hoofd zag hij de sleutels in het contact; het chroom schitterde in het maanlicht.

Bart had zich natuurlijk overeind kunnen hijsen. Hij had op zijn stoel kunnen gaan zitten, het zweet van zijn gezicht en uit zijn ogen kunnen wissen en in een en dezelfde beweging het contactsleuteltje kunnen omdraaien. Dan had hij weg kunnen rijden, het zand in. Dan zou hij moeten hopen dat hij de onverharde weg kon vinden. Als dat lukte, zou hij laat in de middag terug in Riyad kunnen zijn. Waarschijnlijk zou hij daar de telefoon pakken en zeggen: 'Meneer Wroughton, u spreekt met Bart. Ik heb een werkelijk zeer bijzonder verhaal voor u. Waar kunnen we elkaar ontmoeten, en hoe laat?' Hij zou zichzelf moeten redden.

'Bekijk het maar,' mompelde Bart. 'Bekijken jullie het allemaal maar. Ik hoop dat hij, wie hij ook mag zijn en wat hij ook van plan mag zijn, jullie te grazen neemt.'

Hij keek op zijn horloge. Hij kon nog drie uur slapen voordat hij de volgende injectie moest geven.

Hij had de droom verdrongen. Hij sliep.

Het was een risico, maar hij had geen keuze.

Caleb schoof de drukvaten in de kolf en drukte de IFF-schakelaar in, zoals de handleiding voorschreef. Het was donker, hij kon niets zien, alleen voelen en horen. Volgens de handleiding – die hij had gelezen en uit zijn hoofd had geleerd – stroomde er nu 540 bar samengeperst argongas naar de IR-detector... Hij hoefde zich het technologische taalgebruik niet te herinneren, hij moest luisteren en kijken. Het geloei zwol aan, maar het rode lampje knipperde. Hij had in de handleiding gelezen dat het knipperende lampje aangaf dat de batterij bijna leeg was. Als de batterij helemaal op was, zou het lampje onafgebroken branden. De handleiding adviseerde de batterij te vervangen op het moment dat het rode lampje begon te knipperen, en alleen in buitengewone gevechtssituaties nog te proberen de Stinger op een vijandelijk doelwit af te schieten. Caleb schoof de schakelaar terug. Het alarm ging uit en het rode lichtje hield op met knipperen. Misschien had hij bij deze test de laatste energie in de batterij gebruikt en was de laatste kans om te vuren verloren gegaan.

Hij liet zich achteroverzakken. De raketwerper rustte tegen zijn lichaam.

Ze waren afhankelijk van de jongen, van het gehoor van Ghaffur. Als het oog van de Predator zich boven hun hoofd bevond, zou hij er zonder het gehoor van Ghaffur niet in slagen de laatste etappe van de reis naar zijn familie af te leggen.

Hij had graag willen weten of de raket zou worden afgevuurd, of de raket uit de loop zou schieten, of de raket op zoek zou gaan naar het doelwit.

Caleb lag op zijn rug. De inspanning die hij had moeten leveren om de Stinger tegen zijn schouder te zetten, had de kloppende pijn in zijn been teruggebracht.

Hij rustte, weer ontspannen. Zijn onrust was niet veroorzaakt doordat hij, als het licht werd, zou opstaan om naar de gids te hinken en het geweer te pakken; hij was onrustig geweest omdat hij zich had afgevraagd of de batterij van de Stinger het nog deed.

Carnival Girl vloog boven de onverharde weg, die van noord naar zuid liep. Vanuit de vlakken op de kaart bezien, zou ze vanaf Al Ubayiah naar het noordelijkste puntje vliegen en vanaf daar naar beneden gaan, via Bir Faysal en At Turayqa naar Qalamat Khawr al Juhaysh in het zuiden.

Ze hadden een vrachtwagen ontdekt, daarom waren ze allebei klaarwakker. Marty liet *Carnival Girl* zo langzaam mogelijk vliegen, waardoor ze dezelfde snelheid als de vrachtwagen met de oplegger had. Het live-infraroodbeeld bracht de vrachtwagen als een heldere, donkere vorm in beeld. Ze hadden op het punt gestaan in slaap te sukkelen en ze hadden meer cafeïne nodig gehad om overeind te blijven, maar de vrachtwagen voorkwam dat ze verslapten. Het was niet de eerste vrachtwagen die ze over de onverharde weg zagen rijden, maar alle andere waren van het zuiden naar het noorden gereden, waarmee een min of meer rechte lijn door het midden van de kaartvlakken werd getrokken. Wat zou er in de vrachtwagen met de trailer zitten?

Marty zei: 'Volgens mij is het een koelwagen en zit hij vol limonade.'

'Ik wou dat het waar was.'

'Of hij heeft Big Macs bij zich, en Franse frietjes met ketchup.'

'Sukkel.'

Marty zei: 'Goed, ik probeer het nog één keer: hij vervoert ventilatoren en airconditioningsystemen.'

'Ik zal je vertellen wat hij vervoert,' grinnikte Lizzy-Jo. 'Zand. Er ligt hier nog niet genoeg en daarom halen ze meer zand uit het noorden. Denk je niet?'

Om de schermen beter te kunnen zien, was het licht in het vluchtleidingscentrum gedempt. Daardoor zagen ze George niet binnenkomen. Ze lachten allebei: Lizzy-Jo vond dat ze wel wat afleiding konden gebruiken, dat zou hen helpen wakker te blijven en hun werk te blijven doen.

George zei: 'Jullie hebben bezoek.'

Hij vertelde hun waarover het ging en het lachen verging hen onmiddellijk. Lizzy-Jo kwam met een ruk overeind, hoorde het verhaal aan en belde naar Langley. Oscar Golf zat achter de microfoon. George had een te lage rang om het tegen de bezoeker op te kunnen nemen. Marty vloog *Carnival Girl*. Lizzy-Jo zei dat zij de bezoeker wel te woord wilde staan, maar dan moest Oscar Golf de taken van de sensor operator via de satellietverbinding overnemen. Fluitje van een cent. Oscar Golf zei tegen haar dat ze de bewaker die bij het buitenste hek stond mee moest nemen.

'Wees voorzichtig, Lizzy-Jo. Laat het niet uit de hand lopen, maar geef geen millimeter toe.'

'Begrepen, Oscar Golf. Over en uit.'

Ze nam een teug uit de fles water, deed een paar knoopjes van haar bloes dicht en liep achter George aan, de trap af, de nacht in. George was met *First Lady* bezig geweest. De vleugels lagen eraf, de motor was uit elkaar gehaald en de cameraonderdelen waren eraf gehaald. Tegen de tijd dat de zon opkwam, zou *First Lady* in haar kist gezet kunnen worden. Het transportvliegtuig werd om 10.00 uur verwacht en moest om 12.10 uur vertrekken; om *Carnival Girl* op tijd in het vliegtuig te krijgen, moest haar zustervliegtuig in haar kist liggen voordat *Carnival Girl* terug zou zijn. De mensen die voor George werkten, zwermden rondom *First Lady.* George bracht haar naar de wapenmeester en liep terug. De wapenmeester had een geweer met een korte, maar dikke loop aan een band op zijn rug hangen. Hij hield één hand achter zijn rug, op het geweer.

De wapenmeester wees naar het hek dat met prikkeldraad was afgezet en gaf Lizzy-Jo zijn nachtkijker. De verrekijker lag zwaar in haar hand en het duurde even voordat ze hem scherp had gesteld. Tweehonderd meter achter de poort in het hek stond een Mercedes, en bij het portier van de bijrijder stond een stoel. Op de stoel zat een Arabier. Hij was van middelbare leeftijd, had een streng, mager gezicht en een kort snorretje. Hij droeg een donker buitengewaad, met daaronder een kaftan die zo helderwit was dat hij haar bijna verblindde. Zijn hoofddoek werd met een geweven koord op zijn plaats gehouden en om zijn nek hing een band met een verrekijker. De achterportieren van de Mercedes waren open; drie mannen stonden vlak bij de auto. Ze gaf de nachtkijker terug aan de wapenmeester.

'Zouden ze gewapend zijn?'

'Ja, mevrouw, er liggen wapens op de achterbank, binnen handbereik.'

'Wat heb jij voor wapen?'

'Een M4A1. Dat is een wapen voor kleine afstanden. Er zit een M203 granaatwerper op. En ik heb een...'

'Jezus, wat ben jij van plan?'

'Dat ligt aan hen, mevrouw.'

'En waar wilde je gaan staan?'

'Ik sta vlak achter u, mevrouw.'

'Als je het niet erg vindt, heb ik liever dat je op een meter rechts of links van me blijft. Ik sta dat wapen niet graag in de weg,' zei Lizzy-Jo droogjes.

De wapenmeester deed de slagboom voor haar omhoog. Ze liepen naar voren. Lizzy-Jo was een sensor operator, geen diplomaat, geen onderhandelaar, geen soldaat. Ze voelde de koele nachtlucht en een zuchtje wind op haar blote dijen, scheenbenen, armen en gezicht. Toen de man hen zag naderen, stond hij op. De kerels die bij hem waren, gingen wat dichter bij de open portieren staan. Lizzy-Jo hoorde, boven het geluid van haar voetstappen, het zachte klikken van geolied metaal achter zich; ze wist dat het wapen van de wapenmeester schietklaar was. De Arabier verwijderde zich een klein stukje van zijn stoel en gebaarde Lizzy-Jo te gaan zitten.

'Nee, dank u.'

'Wilt u water?'

'Nee, dank u. Maar ik wil wel graag weten waarom u ons om zeventien minuten over drie in de ochtend met een verrekijker in de gaten houdt.'

'U zou de knoopjes van uw bloes dicht moeten doen. Als u zich niet voldoende bedekt, kunt u, bij de lagere nachttemperatuur, gemakkelijk kouvatten. Ik ben een prins van het koninkrijk. Ik ben de adjunct-gouverneur van deze provincie. Sinds u hier bent gearriveerd, kom ik iedere keer dat ik Shaybah bezoek kijken wat jullie hier uitvoeren. Tot vandaag deed ik dat op afstand. Ik heb een vraag voor u: waarom vliegt u om zeventien minuten over drie in de ochtend?'

Ze zei, werktuiglijk: 'We brengen het gebied in kaart en evalueren de vliegprestaties boven de woestijn. Daar hebben we toestemming voor.'

Ze hoorde de hoon in zijn stem. 'En daar hebben jullie een militair toestel voor nodig?'

Lizzy-Jo leek wel het antwoordapparaat van een bedrijf. 'De General Atomics MQ-1 Predator kan zowel voor militaire als voor civiele doeleinden worden ingezet.'

'En moet dat vliegtuig met raketten worden uitgerust om kaarten te kunnen maken en de prestaties te kunnen beoordelen? Daar heeft het koninkrijk geen toestemming voor gegeven.'

In de duisternis kon hij waarschijnlijk niet zien dat ze schrok. 'Ik denk dat u de extra brandstoftanks onder de vleugels abusievelijk voor raketten hebt aangezien.'

'Toen jullie hier arriveerden, droeg de romp van jullie vliegtuigen geen enkel teken. Maar nu staat er op de romp van het gedemonteerde vliegtuig een doodshoofd met gekruiste knekels. Ooit was dat het symbool van de piraat, nu is het een waarschuwing voor gevaar of dood. Ik vraag u, waarom zou een vliegtuig dat een gebied in kaart brengt en waarvan de prestaties worden geëvalueerd, zulke symbolen dragen?'

'Ik verwijs u naar onze ambassade in Riyad, meneer.'

'Natuurlijk.'

'Meneer, ik ben ervan overtuigd dat al uw vragen, tijdens kantoortijden, beantwoord kunnen worden. Trouwens, we zijn over negen uur vertrokken.'

'En, zijn jullie er dan in geslaagd de kaarten en de evaluaties van de prestaties te voltooien?'

'Nee, meneer,' antwoordde Lizzy-Jo. Ze wist dat ze zich zou moeten inhouden, maar dat lukte haar niet meer. 'We hebben ons werk niet kunnen afmaken, omdat de een of andere zakkenwasser zijn neus in onze zaken heeft gestoken en de boel voor ons heeft verpest.'

Hij staarde haar aan. Ze hoorde dat hij de lucht tussen zijn tanden door naar binnen zoog. In de duisternis leek zijn lichaam te trillen.

De woorden klonken ijzig. 'Misschien bent u van de luchtmacht, misschien bent u van de DIA, misschien bent u van de CIA. Misschien hebt u nooit geleerd zich correct en beschaafd te kleden en is u nooit geleerd wat de deugd van waarheid en de waarde van bescheidenheid zijn. Maar u bent Amerikaan – hoe kon het ook anders? U liegt tegen ons omdat u ons niet vertrouwt. U bent onbescheiden omdat u denkt dat u superieur aan ons bent. Als u over negen uur bent weggestuurd, kunt u de volgende boodschap met u meenemen. Wij strijden tegen het terrorisme. Al-Qaeda is onze vijand. Wij leggen de extremisten van Bin Laden niet in de watten. Als u ons had vertrouwd en met ons had samengewerkt, had u uw missie kunnen voltooien. Maar uw arrogantie sluit die mogelijkheid uit. Uw arrogantie is de oorzaak van de haat en de minachting die u ten deel valt en de reden waarom uw geld geen liefde of respect kan kopen. Neem die boodschap met u mee naar huis.'

Ze beet zich op de lippen. Iedereen die Lizzy-Jo een beetje kende – die haar in New York of op de basis van Bagram had meegemaakt – zou niet hebben kunnen geloven dat ze hem niet van repliek diende. Maar ze draaide zich op haar hakken om. Ze liep langs de wapenmeester en bleef doorlopen. Ze liep langs George en zijn team, die de motor van *First Lady* in de kist probeerden te krijgen. Ze liep langs haar tent, die was opgevouwen, en langs haar bezittingen, die op stapeltjes lagen. Ze liep langs Marty's tent en langs de kisten met Hellfires die ze nu niet meer nodig zouden hebben. Alleen het vluchtleidingscentrum en de trailer met de satellietschotel waren nog niet afgebroken, omdat *Carnival Girl* nog in de lucht was. Ze beklom het trappetje.

Ze plofte naast Marty neer en belde Oscar Golf. 'Met Lizzy-Jo. Het was een nieuwsgierig provinciaaltje, stelde niets voor. Ik neem het weer over, maar bedankt voor de hulp.'

Marty zei, glimlachend: 'Die vrachtwagen begon me te vervelen. Hij vervoerde geen zand. Ik denk dat het pretzels waren.'

Ze snauwde: 'Kijk jij nou maar naar je scherm – en blijf kijken tot we klaar zijn.'

Het was alsof hij een muur van informatie bouwde. Als Eddie Wroughton iets van zijn inlichtingen probeerde te snappen, stelde hij zich altijd voor dat hij een muur van gekleurde stenen bouwde. Hij zat in kleermakerszit op de grond. Hij had het tapijt opzijgeschoven om voor een egaal oppervlak te zorgen en de vellen papier voor zich uitgespreid. Met zijn markeerstiften omrandde hij ieder vel papier: rood, groen, wit, blauw, geel.

Hij begon de muur te bouwen.

Op de rode steen stond het nummer van de telefoon waarmee naar Bartholomews huis was gebeld. Het netnummer gaf aan dat hij vanuit het uiterste zuidoosten van het koninkrijk was gebeld. Wroughtons onvolprezen assistente had uitgevonden dat het telefoonnummer op naam van Bethany Jenkins stond. Hij herinnerde zich haar van een feestje – een lange, gespierde vrouw met een bruin gezicht, het toonbeeld van gezondheid – en van een toevallige ontmoeting op de ambassade. Ze had iets met meteorieten en de olieraffinaderij van Shaybah te maken. Ze had Bartholomew laat op de avond gebeld, en daarna was hij vertrokken en in rook opgegaan.

Hij had fijne zandkorrels over het velletje papier met de afdrukken uit Bartholomews notitieboekje gestrooid. Het was wat je noemt een standaardprocedure: hij had het als rekruut geleerd en het procédé had het raffinement van de pen met onzichtbare inkt, maar het hoorde nog steeds tot de lesstof van de basisopleiding. De woorden werden zichtbaar nadat hij de zandkorrels van de afdruk had geveegd. *Militaire operatie... raketaanval... hoofd- en beenwond... Snelweg 513. Route 10. Harad, zuid. Naar Bir Faysal (benzinestation).* Dat was de groene steen.

De witte steen was Shaybah: de mensen van Gonsalves vlogen vanaf Shaybah met onbemande Predators die met twee Hellfire-raketten onder de vleugels waren uitgerust.

De blauwe steen maakte de muur hoger. Wroughton reikte achter zich om de foto's te pakken die met de camera onder de Predator waren gemaakt. Hij bestudeerde de twee mannen die dood waren en de man over wiens lot onzekerheid bestond. Om hem goed te kunnen zien, gebruikte hij zijn vergrootglas. Hij had hem ook op de computer kunnen inscannen en vervolgens kunnen uitvergroten, maar hij gaf de voorkeur aan het oude, vertrouwde werk. Hij keek naar de jonge man. Hij zat rechtop, het hoofd in de lucht. Door het vergrootglas meende hij een wilskrachtige kin te kunnen zien. Hij legde de foto's op het blauwe vel.

Twee plus twee was geen vijf. Een officier van de inlichtingendienst kon geen grotere zonde begaan dan dat hij overhaaste conclusies trok. Conclusies moeten net als huizen goed gefundeerd zijn, zei zijn vader altijd. Hij wist het volgende: Bethany Jenkins had vanuit Shaybah naar Samuel Bartholomew gebeld. De CIA voerde vanuit Shaybah een operatie uit: ze zochten doelwitten die vernietigd moesten worden en het was onduidelijk hoe het met een van die doelwitten gesteld was. Bartholomew was midden in de nacht met extra brandstof en een voorraad medicijnen afgereisd nadat hij had gehoord dat iemand bij een 'militaire operatie' gewond was geraakt. Dat de vrouw, Jenkins, zo dom was, verbaasde hem. Maar hij begon zich ook schuldig te voelen. Hij werd eraan herinnerd door het jeuken van de korstjes op zijn gezicht en op andere plekken van zijn lichaam... de stekker uit de ene telefoon, de andere telefoon uitgeschakeld. Maar Bartholomew had een bericht op het antwoordapparaat kunnen achterlaten. Zijn kin zakte op zijn borst. Waarom had hij geen boodschap ingesproken?

Er werd geklopt.

Wroughton riep nors: 'Binnen!'

Zijn assistente had, als ze zich in zijn aanwezigheid bevond, altijd last van een zenuwtrekje, alsof ze ieder moment een reprimande verwachtte. Wroughton wist niet dat ze er nog was. Het was vijf voor halfvijf in de ochtend. Waar staarde ze zo naar? Ze staarde nergens naar. Had ze nooit eerder iemand gezien die schaafwonden had omdat hij tegen een deur aan was gelopen? Ze had geen schaafwonden gezien. Wat wilde ze dan? Ze had gedacht dat meneer Wroughton misschien behoefte had aan een kop koffie en een broodje warm vlees – en ze zette de mok en het bordje op de tafel voor hem neer.

Wroughton mompelde een onvriendelijk bedankje en zij zei voorzichtig: 'O ja, en dit kwam net binnen – het is een algemene berichtgeving, aan alle posten. Waarschijnlijk is het niet de moeite waard dat u er nu meteen naar kijkt, maar...'

'Ik weet niet of je het doorhebt, maar ik probeer te werken.'

Ze legde een paar vellen papier en foto's bij de mok en het bordje op de tafel en vluchtte de kamer uit.

Wroughton kroop op handen en voeten naar de tafel. Hij tilde de beker op, slurpte er wat koffie uit, pakte het bord en nam een wilde hap van het broodje. Toen hij het bordje terug wilde zetten, verschoof hij een aantal foto's en de papieren, die op de grond vielen. Hij begon te lezen.

Caleb Hunt, vierentwintig jaar. Beschrijving: etnisch Kaukasisch, maar vale huidskleur. Geen opvallende gezichtskenmerken. Daarna volgden zijn lengte, zijn gewicht, zijn adres, *Albert Parade 20*, de naam van het stadje waarin hij was opgegroeid en dat tussen de buitenwijken van Birmingham en Wolverhampton zat ingeklemd, en het adres van de garage waar hij leerling-monteur was geweest. Gerekruteerd: *Landi Khotal, North West Frontier, Pakistan, april 2000, door gerenommeerde scout van al-Qaeda.* Arrestatie: *In december 2001 door het Amerikaanse leger gevangengenomen, bij een hinderlaag ten zuiden van Kabul.* Misleiding: *Deed zich voor als Fawzi al-Ateh, taxichauffeur.* Gevangenschap: *Vastgehouden in Camp X-Ray en Camp Delta op Guantánamo Bay, onder de noemer 'illegaal strijder'. Ontslag uit gevangenschap in kader van vrijlating gevangenen die niet bij terroristische activiteiten betrokken zijn geweest. Teruggestuurd naar Afghanistan.* Ontsnapping: *Sloeg op de vlucht tijdens sanitaire stop, op weg van Bagram naar Kabul voor afwikkeling van procedures Afghaanse inlichtingendienst. Werd niet opnieuw gearresteerd.* Status: *Extreem gevaarlijk, buitengewoon professioneel en zeer gedreven.*

Zijn succesvolle misleiding van de ondervragers op Guantánamo kenschetst hem als... Zijn lach daverde door de kamer en verbrak de nachtelijke stilte. *Meer bijzonderheden volgen.* Hij schoof de papieren over de vloer van zich af en keek weer naar de stenen van zijn muur. Zijn blik viel op de bovenste foto.

Wroughton zoog de lucht diep in zijn longen.

Het was een groepsfoto van een klas met schoolverlaters, en rondom een van de gezichten was een cirkel getrokken. De onderste foto was een compilatie van een gevangene: een foto van voren, een foto van het linkerprofiel en een foto van het rechterprofiel.

Hij spreidde de papieren, die van Vauxhall Bridge Cross kwamen, op het geelomrande vel en legde de foto's ernaast. De foto van de voortvluchtige die ze waren kwijtgeraakt, was genomen voordat de Predator zijn aanval had uitgevoerd. Hij leek niet op de foto van de nederige, geïntimideerde gevangene van Guantánamo Bay. Wroughton staarde naar de schoolfoto – de jongen was groter dan zijn leeftijdsgenoten en stond kaarsrecht. Hij had het gezicht van iemand die nergens bij hoort, die rusteloos is, dacht Wroughton, en de ogen keken door hem heen, naar verre horizonten. En daar was Caleb Hunt nu waarschijnlijk ook, in de wildernis van de Rub' al-Khali. Hij was gewond en Samuel Bartholomew was zo stom geweest zich over te laten halen om hem te gaan verzorgen. Hij liep naar de deur en stak zijn hoofd om de hoek. 'Bedankt voor de koffie en het broodje. Ik vind het heel fijn dat je de hele nacht hebt willen doorwerken.'

Het was voor het eerst sinds maanden dat hij iets fatsoenlijks tegen haar zei, en hij zag dat haar mond van verbazing openviel.

Toen hij weer op de vloer zat en naar de foto's en papieren keek, besefte hij dat er, te midden van alle zekerheden, één ding was dat hij niet begreep. Hoe was zij erbij betrokken geraakt? Wat deed Bethany Jenkins, iemand met kwaliteiten, stijl, geld en een goede opleiding, midden in de woestijn, bij die man? Waarom... Toen begreep hij het.

'Omdat u, mevrouw Jenkins, ontzettend naïef en egocentrisch bent, en het leven volkomen aan u voorbijgaat.' De foto's, computeruitdraaien en fictieve stenen waren getuige van Wroughtons woorden. 'U sneed uzelf van de echte wereld af. U luisterde niet naar de radio, keek niet naar de satelliettelevisie en las geen kranten, maar wroette in het zand, op zoek naar meteorieten. U maakte zich niet druk om de aanslagen op New York, Bali en Nairobi, en evenmin om de honderden aanslagen in de rest van de wereld. U trok zich niets aan van de rijen doodskisten of van de huilende geliefden van slachtoffers. U wist niets van de haat, omdat u niet openstond voor iets wat buiten uw eigenbelang viel. Er zal heel wat moeten gebeuren voordat u hieruit kunt ontsnappen, mevrouw Jenkins. Als u niet heel slim bent, veel slimmer dan u ooit bent geweest, dan kost dit u uw leven. En u kunt wel mensen om hulp roepen, maar er zal niemand zijn om u te hulp te schieten.'

Ze zag hem door een glazen ruit. Ze droomde. Ze waren samen; ze reed naast hem, ze schommelde heen en weer op de bult van de kameel en de leegte van de woestijn strekte zich voor haar uit. Ze voelde de hitte niet, ze voelde niet hoe droog haar keel was en ze voelde niet dat ze uitgeput was. Ze voelde alleen hoe gelukkig ze was omdat ze samen met hem op zo'n mooie plek reed, omdat ze vrij was, omdat het haar toekomst en zijn toekomst was.

Er werd een schot gelost. Ze hoorde de knal van het geweer en daarna het breken van het glas.

Ze zag zichzelf niet meer helder, en hem zag ze helemaal niet meer.

De stem bij haar oor verving de nagalm van het schot.

Beth werd wakker en knipperde in de duisternis met haar ogen.

De jongen had zich over haar heen gebogen. Zijn gezicht vormde een silhouet tegen de maan.

'Alstublieft, mevrouw Jenkins, maak geen geluid.'

'Wat... wat?' Ze lag met een deken om zich heen gewikkeld op het zand, vlak bij een van de wielen van de Land Rover.

'Mijn vader zegt...'

'Wat zegt je vader?'

'Mijn vader zegt dat u beter weg kunt gaan.'

'Weggaan?' stamelde Beth. 'Weggaan? Waarnaartoe?'

'Mijn vader zegt dat u weg moet gaan, vertrekken, wegrijden.'

'Ja, morgenochtend. Eerst meer injecties. Als hij op zijn benen kan staan en kan rijden als hij vertrekt...'

'Ga, zegt mijn vader, ga nu onmiddellijk.'

'Ik heb een belofte gedaan,' zei Beth eenvoudig. 'Ik heb hem mijn woord gegeven. Ik kan mijn woord niet breken.'

'Mijn vader zegt dat u beter kunt vertrekken.'

De jongen glipte weg. Ze hoorde het tuig van de kamelen, ze hoorde hun eindeloze herkauwen en het gesnurk van Bart. Ze voelde zich klein, ze was bang en ze wist dat ze zich ernstig had vergaloppeerd. Ze had haar woord gegeven, ze had een belofte gedaan.

Ze zou niet meer slapen, niet meer dromen... Ze zou niet meer gelukkig zijn, er zou geen mooie plek zijn. De eenvoud van de liefde was weggerukt.

Beth draaide zich om onder haar deken, vloekte, ging op haar buik liggen, vloekte opnieuw en sloeg met haar vuist in het zand.

Hij sliep. Hij hoorde niets en zag niets. Het grote lichaam van de Beautiful One was vlak bij hem en waakte over zijn slaap.

Caleb sliep omdat hij de pijn had verslagen. Het eerste licht van de dageraad viel over de woestijn, en hij sliep nog steeds.

19

'Heb je morfine nodig?'

'Nee.'

Hij had hem de injectie in zijn arm gegeven. Caleb had op zijn rug gelegen. De arts had zijn beenwond onderzocht en het verband weer aangebracht.

'Ik kan je de morfine zowel intraveneus als oraal toedienen, tegen de pijn.'

'Ik wil geen morfine.'

'We leven in een vrije wereld.' De arts glimlachte bitter. 'Graag of niet.'

Hij wilde geen morfine omdat hij dacht dat zijn geest erdoor vertroebeld zou raken. Vroeger, in de oude wereld die hij probeerde te vergeten (maar die steeds vaker terugkeerde, zich in hem nestelde en hem lastigviel), waren er heroïneverslaafden geweest. Die sjokten 's zomers over het jaagpad langs het kanaal naar de spoorbrug, waarover de rails van Birmingham naar Wolverhampton liepen. Ze verzamelden zich in de duisternis tussen de bogen van de brug en injecteerden zichzelf. Om hun verslaving te kunnen voeden, pleegden ze diefstal, beroofden ze mensen en braken ze in. Als hij naar school, naar de garage of naar de moskee ging, zag hij hen met bleke gezichten voortschuifelen, de verloren zielen. Hij moest de situatie meester blijven, die dag meer dan ooit.

De arts torende boven hem uit. Hij wreef zich in de ogen, alsof de vermoeidheid hem te veel werd. Caleb had geslapen. Het zweet liep over het voorhoofd en door de stoppelbaard van de arts. De arts had hem gered, maar hij had zijn gezicht gezien.

'Ik moet zeggen dat het er goed uitziet.'

Het licht van de opkomende zon drong onder het tentzeil door. De kamelen, die onrustig waren geworden, draaiden rond en trokken steeds meer aan het zeil. Nog een uur en hij, Rashid en Ghaffur zouden vertrekken; ze zouden de touwen waarmee de poten van de kamelen waren vastgebonden, losmaken en de kamelen zouden geladen worden en ze zouden op pad gaan. Morfine zou zijn geest vertroebelen op een moment waarop hij helder moest zijn.

'De wond is schoon en het ziet er niet naar uit dat hij is ontstoken. Er komt, zoals verwacht, wondvocht uit, maar geen pus. Je moet gaan nadenken over de vraag hoe je het vanaf nu wilt aanpakken.'

Alleen het oog in de lucht zou de auto's kunnen vinden, en dan nog moesten ze geluk hebben. Het zou weken, maanden of een jaar kunnen duren. Als het tijdens die weken of maanden zou gaan stormen, zouden de contouren van de duinen veranderen en zouden de auto's, evenals de lijken, onder het zand verdwijnen.

'De behandeling die ik je heb gegeven, volstaat niet. Met een schoon verband eromheen kun je wel drie of vier dagen vooruit, maar daarna zal de wond, als hij nog steeds niet geïnfecteerd is, moeten worden gehecht. Ik zal eerlijk tegen je zijn. De snelheid waarmee je van het trauma en de uitdroging herstelt, heeft me verbaasd. Of je hebt het goed gedaan, óf je hebt geluk gehad. Maar voor die hechtingen heb je echt een arts nodig.'

Hij zou de lichamen niet begraven. Hij zou ze achterlaten, ze zouden in de zon rotten en ontbinden en de kleren zouden vergaan. Het vlees zou van de botten schroeien, maar de eerste de beste storm zou hen begraven. Hij zou zijn krachten sparen.

'Ik geef je een paar extra verbanden en acht injecties met Ampicillin, dat volstaat voor vijf dagen. Ik geef je ook nog Ampicillintabletten, die kun je gewoon slikken. Met twintig pillen moet je nog vijf dagen op de been kunnen blijven: over een week heb je een fatsoenlijke behandeling nodig. Ik stop er ook wat morfine bij, en nog twee injecties met het verdovingsmiddel Lignocaine, voor het geval je de wond met een zakmes moet schoonmaken – wat ik niet verwacht. Verder kan ik niet veel voor je betekenen, maar ik heb gedaan wat ik kon.'

'Waarom?' vroeg Caleb.

De arts grinnikte en haalde toen de glimlach van zijn gezicht. 'Ik denk dat we het daar niet over hoeven te hebben. Ik zorg dat alles is ingepakt en het allemaal klaarligt. Maak geen onverhoedse bewegingen, lever geen zware inspanningen en loop niet zonder ondersteuning. En als je op een van die vervloekte beesten rijdt, hou het tempo dan laag. Je bent een kwetsbare bloem, mijn vriend.'

Hij keek toe hoe de arts wegliep. Toen de arts had geweigerd zijn vraag te beantwoorden, was er een huivering van woede door hem heen gegaan – niet meer dan een huivering. Het was niet belangrijk. Hij steunde op zijn ellebogen, duwde zich omhoog en keek onder het tentzeil door. Hij zag dat de arts naar zijn auto liep. De vrouw zat tegen het wiel van de Land Rover die hij met veel moeite uit het zand had vrijgemaakt. Ze had haar knieën tot haar borst opgetrokken en haar hoofd rustte op haar knieën. Achter de gids, die op zijn hurken zat en het geweer op zijn schoot had liggen, stond de jongen met zijn bewegingloze hoofd te luisteren. Hij streelde de harige huid boven de neus van de Beautiful One en de kameel snuffelde aan zijn arm. Hij slaagde erin de teugels te pakken en trok zich eraan op. De pijn schoot door hem heen. Hij stond. Zijn hoofd leunde tegen het tentzeil en hij gebruikte de raketwerper als kruk. Zijn hand steunde op de kolf.

Hij schuifelde onder het tentzeil uit en liep stapje voor stapje naar de gids.

Camp Delta, Guantánamo Bay

Ze zaten in de bus. Ze waren geblinddoekt en er zaten kettingen om hun polsen, enkels en middel. Door de ramen hoorde hij de stemmen van de bewakers, het hameren van bouwvakkers en het ronddraaien van cementmolens. De zon brandde op het dak van de bus. Minuten verstreken. Misschien kwamen ze uit de schaduw van een boom of een gebouw, maar de bewakers naderden de bus en Caleb kon horen wat ze zeiden. Het was een lijzig, sloom gesprek.

'Als het aan mij lag, kwam er niet één gevangene vrij. Ik zou ze allemaal hier houden, hier, voor de barak.'

'Ik heb gehoord dat ze over drie weken met de processen kunnen beginnen.'

'Wat doen we: hangen we ze op, geven we ze een injectie of braden we ze?'

'Dat is allemaal nog veel te goed voor die klootzakken.'

'Als ze eenmaal vrij zijn, kun je niet meer terug, dan is het definitief... Ik bedoel, wie bepaalt nou eigenlijk dat die eikels onschuldig zijn en naar huis mogen?'

'Dat bepalen de hoge omes, en zoals gebruikelijk zal het deze keer ook wel weer een slag in de lucht zijn.'

De motor werd gestart en hij kon de stemmen niet meer horen. Er zongen vogels en er waaide wat zilte lucht door de openstaande deur naar binnen. Hij hoorde de hekken voor hen opengaan en met een schurend geluid weer achter hen dichtgaan. Op zijn knieën lag een plastic zakje, met de groeten van het Amerikaanse leger in Guantánamo. Er zaten schoon ondergoed, schone sokken, een stuk zeep, een tandenborstel en een kleine tube tandpasta in. Hij wist niet dat er naast het hek dat nu dichtging een groot bord hing met de tekst HONOUR BOUND TO DEFEND FREEDOM. *Ze reden naar de veerboot, werden overgezet en reden naar het vliegveld aan de lange kant van de baai. Het enige wat hij van hen wilde houden was de plastic armband die hem zijn naam had gegeven, Fawzi al-Ateh. De bus reed langs nieuwe controleposten en nieuwe bewakers, en Caleb legde het plastic zakje op de vloer van de bus en schoof het onder zijn stoel. Het enige wat hij van hen wilde, was dat ze zouden lijden, door zijn hand.*

De vlieg kwam terug en ging op haar lip zitten. Beth sloeg er wild naar. Toen zag ze hem.

Hij wankelde, steunend op zijn wapen, onder het dekzeil uit en liep met onzekere passen over het zand. Zijn kaftan was tot zijn middel opgeschort en de zon viel op het wit van het nieuwe verband. Zijn schaduw viel ver voor hem uit. Het zoontje van de gids was midden in de nacht naar haar toe gekomen en had tegen haar gezegd dat ze moest vertrekken. Ze had hem gezegd dat ze die verdomde belofte had gedaan, maar ze had natuurlijk onmiddellijk naar de snurkende, woelende Bartholomew moeten lopen en hem moeten vertellen of liever nog bevelen een flinke dosis klaar te maken en de droom uit de weg te ruimen. Maar daar had ze de moed niet voor gehad. Hij bereikte de gids.

Vanaf die afstand kon Beth niet verstaan wat ze tegen elkaar zeiden. Ze kneep haar ogen samen om beter te kunnen kijken. Ze meende te zien dat ze helemaal niet met elkaar spraken. Hij leunde met zijn gewicht op het wapen dat hem ondersteunde, stak zijn hand uit naar de schoot van de gids en pakte het geweer. De gids protesteerde niet en deed geen poging het geweer bij zich te houden. Hij stond over de gids heen gebogen, met het wapen als kruk, en hield het geweer met beide handen vast. Ze hoorde het klikken van metaal toen hij de haan spande.

Hij hield het geweer in zijn ene hand en draaide zich om. Zijn gewicht rustte op de loop van het wapen. Hij keek in haar richting en kwam in beweging. Zij leunde tegen de band van de Land Rover en zag hem naderen. Zijn gezicht was verwrongen. De aders in zijn nek waren opgezet, door zijn voorhoofd liepen diepe lijnen en zijn ogen waren bijna helemaal dicht, alsof dat de pijn zou tegenhouden. Ze zag druppels bloed op de plek waar hij op zijn lip beet. Hij kwam naar haar toe, zijn blote voeten sleepten door het zand. De gids verroerde zich niet en ze kon niet aan hem zien wat hij dacht. Verder weg zat het jongetje op de top van een lage duin. Ze duwde haar rug tegen de band, maar die gaf niet mee. Toen besefte ze het. Hij liep niet naar haar toe. Hij maakte een bocht om haar heen.

Beth draaide haar hoofd met een ruk om.

De achterkant van de Mitsubishi bevond zich iets voorbij de motorkap van de Land Rover. Bart stond met zijn rug naar hem toe en zag hem niet aankomen. Hij stopte injectienaalden, rollen verband en flesjes met pillen in een plastic tas. Hij wist niet dat iemand het op hem had gemunt.

Het geweer werd naar voren gericht. Beth zag hoe de loop heen en weer zwaaide, alsof hij door de wind werd gegrepen.

Bart had een kleine koeltas, die hij openritste. Hij legde de plastic tas erin. Hij stak zijn arm in de achterbak van de Mitsubishi en haalde er een fles water uit. Hij veegde met een zakdoek het zweet van zijn gezicht en zette de fles aan zijn mond.

Het geweer kwam omhoog. De loop leek te beven. Ze had het gevoel dat hij zich tot het uiterste moest inspannen om hem recht te houden en te richten. Hij stond een meter of twaalf achter Bart.

Beth slaakte een kreet. Ze riep geen waarschuwing, ze slaakte een angstkreet die de stilte verscheurde.

Bart veerde op, staarde haar geschrokken aan en zag hetzelfde als zij: hij fixeerde zijn blik op de loop van het geweer en leek toen in elkaar te schrompelen.

Ze hoorde Barts stem. 'Dat is nergens voor nodig, mijn vriend. Het is beslist niet nodig dat je je zorgen om me maakt. Ben je bang dat ik je verraad? Nee, nee. Dacht je dat ik een strijder zou aangeven? Nee, daar heb ik geen goede ervaringen mee. Oké, ik heb je gezicht gezien – maar dat maakt niet uit. Ik heb vannacht een beslissing genomen. Ik zou nog liever sterven dan dat ik nog een strijder aangeef. Dat heb ik lang geleden wel gedaan... Ik ben je dankbaar. Het is belangrijk voor me geweest dat ik hiernaartoe ben gekomen om jou weer op de been te krijgen. Het is alsof ik ketens van me af heb geworpen. Ik bedoel dat...'

Ze zag dat de loop van het geweer op één punt gericht bleef. Ze trok zich op aan de band. Ze zag dat de vinger van de beugel naar de trekker gleed. Ze ademde diep in en trok een sprint.

Beth zag vanuit haar ooghoeken dat hij zijn hoofd optilde. Haar laarzen schopten het zand omhoog en ze rende struikelend naar Bart.

Er was een fractie van een seconde twijfel op zijn gezicht te zien.

Hij liet het geweer zakken.

Beth bereikte Bart. Ze ging hijgend voor hem staan, ze voelde zijn borstkas tegen haar rug. Ze vormde een schild voor hem.

'Dat had je niet hoeven doen,' zei Bart met trillende stem in haar oor.

'Jawel.'

De beelden in Beths hoofd tuimelden over elkaar heen. Zijn macht over de mannen die haar hadden willen doden, het zweet dat tijdens het graven van zijn lichaam droop, de manier waarop hij van bezorgdheid en geduld zijn voorhoofd had gefronst toen hij de motor uit elkaar haalde, zijn vreedzame slaap naast haar in het zand, de sterren en de maan boven hen... De loop kwam weer omhoog. Hij richtte. Ze keek in zijn gezicht en zocht naar passie, naar afkeer, naar waanzin. Het enige wat ze zag was een vreemde kalmte. Ze zag de leegte van de dood in zijn ogen, alsof het licht in hem gedoofd was.

'Ik heb je gezicht gezien. Ik zal het me herinneren. Wees een held, wees een moordenaar. Dat wil je toch? Weet je wat je zei voordat het infuus begon te werken? Ik zal het je vertellen: "Ze zullen mijn naam horen, ze zullen mijn naam kennen... Iedereen zal weten wie ik ben... Als jullie mijn naam horen, stelletje klootzakken, komt dat doordat ik heb uitgevoerd wat mijn familie van me heeft gevraagd." Jouw familie heeft een beest van je gemaakt. Je bent een ordinair stuk Brits tuig en dat zul je altijd blijven – en je bent nog ijdel ook... Ik heb je gezicht gezien, en ik zal het niet vergeten.'

Ze staarde in de loop van het geweer en ze wist het. Hij keek haar door het vizier aan. Ze keek terug zonder met haar ogen te knipperen. De vinger lag op de trekker.

Ze had hem niet zien komen. Het ene moment keek ze in de loop van het geweer, het andere moment stond de jongen voor haar. De jongen beschermde haar.

Ze voelde zijn enigszins pezige lichaam tegen haar buik; in haar rug voelde ze Bart. Kon hij schieten? Het jongetje had zijn leven in de woestijn gewaagd om hem te redden. De jongen had haar opgespoord om hem te kunnen redden. Ze zag, over het hoofd van de jongen heen, dat zijn gezicht door pijn werd verwrongen, en die pijn werd niet door de wond veroorzaakt. De zon scheen op de armband om zijn pols, en ze bedacht dat hij niet zwakker was geworden toen ze hem de armband om hadden gedaan. Maar nu wel. Vanuit haar ooghoeken zag ze meer beweging. De vader van de jongen liep langs de langgerekte schaduw, langs hem, zonder hem aan te kijken, langs de loop van het geweer. De vader van de jongen spuugde in het zand, draaide zich om en bleef voor zijn zoon staan. Beth wist dat hij niet zou schieten. Ze vormden, lijf aan lijf, een slordige rij, en keken hem aan.

Ze daagde hem niet opnieuw uit; dat was nergens voor nodig.

Op dat moment zag Beth hoe kwetsbaar en eenzaam hij was, en...

Met de korte bewegingen van een getrainde man stak hij het geweer in de lucht en haalde hij de kogel eruit. Het geratel van het mechanisme was hoorbaar. De glanzende kogel viel uit het geweer en hij haalde zijn vinger van de trekker. Met een klik werd de veiligheidspal vergrendeld. De man stak het geweer voor zich uit; de gids deed een stuk of twaalf passen en pakte het aan. Ze vroeg zich af of hij gebroken was – of ze hem had geïsoleerd, of ze hem had gedood.

Hij liep van hen weg, steunend op zijn wapen, vechtend om op de been te blijven.

Bart zei zacht achter haar: 'Hoe wil hij ervoor zorgen dat iedereen zijn naam kent, hoe wil hij een halve stad uitroeien als hij ons niet eens uit de weg kan ruimen?'

De gids liep naar de onrustige kamelen en knielde neer om de touwen om hun poten los te maken. De jongen klom terug naar de top van de heuvel en hervatte zijn wacht. Beth greep Bart vast en hield de dikke, zweterige man in haar armen. Ze voelde hoe hij beefde.

'Ik neem de schuld niet op me. Vergeet het maar. Ik had alles voor hem over, maar hij deugde niet. Eén snelle wip – sorry, hoor – en je zit er de rest van je leven mee opgescheept. Ik had net zo goed een molensteen om mijn nek kunnen hangen. Wilt u het hele verhaal horen?'

Jed Dietrich zag het als een privilege dat hij een masterclass bij Michael Lovejoy mocht volgen. Hij wist dat de vrouw drieënveertig was, maar ze zag er zeker vijftien jaar ouder uit.

'Nou, je moet je voorstellen... Ik werkte met Lucy Winthrop en Di Mackie bij een verpakkingsbedrijf, we waren alle drie achttien. Het was vrijdagavond. Het is al vijfentwintig jaar geleden, maar ik herinner het me als de dag van gisteren – dat kan ook niet anders, want die avond heeft m'n leven verpest. We zaten in de Crown and Anchor, een café in Wolverhampton – tegenwoordig is het een parkeerplaats. Het was een warme zomeravond en we hadden te veel gedronken. Drie jongens... Het waren Italianen, die jongens wisten je in te palmen. Ze waren in Wolverhampton om een nieuwe drukpers te installeren of zoiets. Het was sluitingstijd, we werden eruit gegooid. Jezus, het leek wel alsof ze honderd handen hadden, alle drie. We belandden in een steegje, en hij neemt me, staand tegen de muur. Ik sta in het midden. We gaan er alle drie stevig tegenaan – en we zijn bezopen. De mijne noemde zichzelf Pier-Luigi, hij kwam uit Sicilië. Verder weet ik niet veel van hem. O ja: hij was groot geschapen, het deed pijn. Zij deden hun rits dicht, wij deden ons slipje aan – wij gingen naar huis, zij gingen terug naar waar ze vandaan waren gekomen... Met Di is niets aan de hand, en met Lucy ook niet, maar ik ben het haasje. Het probleem is, ik kom er te laat achter om er nog iets aan te kunnen doen. Mijn vader heeft nog geprobeerd hem op te sporen, maar het was onbegonnen werk. We noemden hem Caleb – vraag me niet waarom, het was de keuze van mijn vader. Vijf jaar later verhuisden mijn vader en moeder naar het zuiden. Ze hadden een bungalow gekocht, maar de waarheid was dat ze ons kwijt wilden. Dus zat ik in m'n eentje met die kleine etterbak opgescheept. Ze haatten hem, ze zeiden dat hij hun leven had verpest. Ze zijn nu dood, allebei. We zijn niet naar hun begrafenis gegaan. Ze hadden niet gewild dat we erbij waren, geen van tweeën. Als baby en als kind was hij donker, hij was anders dan de rest.'

Ze hadden al eerder aan de deur gestaan. Lovejoy had aangeklopt en ze had opengedaan in haar ochtendjas. Wat was hij charmant en vriendelijk geweest! In de gang had hij een opmerking over het behang gemaakt: 'Wat een leuk patroon, mevrouw Hunt, een heel goede keuze.' En ongemerkt was hij de keuken in gelopen. Hij leek het volle aanrecht en het bord van de vorige avond niet te zien, hij richtte zijn aandacht op een halfvergane plant in een potje. 'Dat heb ik altijd leuke plantjes gevonden, mevrouw Hunt. Ik kan zelfs wel zeggen dat het mijn lievelingsplant is.' Daarna had hij de ketel op het vuur gezet.

'Ik had geluk dat ik dit huis vond. Een vriend van mijn vader werkte in het stadhuis, op de afdeling Huisvesting. Dat was de prijs die mijn vader voor zijn vertrek naar het zuiden betaalde. Mijn vader zorgde ervoor dat mijn aanvraag boven op de stapel belandde, toen kon hij zijn handen van me aftrekken, toen kon hij weg. We zitten hier op een eiland, er zitten alleen maar Aziaten om ons heen. Ik klaag niet – dat zouden er genoeg doen, maar ik niet. Het zijn goede mensen, goede buren. Caleb had alleen Aziatische vrienden, dat was onvermijdelijk. Hij begon mij te verwijten dat ik niet Aziatisch was en dat ik geen familie had zoals zijn vrienden. Maar ik neem de schuld niet op me. Het is niemands schuld.'

En Lovejoy zei rustig en met de glimlach die altijd succesvol was: 'Mevrouw Hunt, zo te zien bent u een vrouw die goed op haar figuur let. Wat denkt u, neemt u suiker als ik het ook doe?' Lovejoy schonk de thee in de kopjes die hij uit de kast had gehaald en mevrouw Hunt begon bijna te spinnen. Dietrich besefte dat de vrouw geen flauw idee had van de storm die op het punt stond haar armoedige, vochtige huisje te treffen. Lovejoy zou het haar zeker niet vertellen: zonder er te veel aandacht op te vestigen, hadden ze te horen gekregen dat de kamer boven niet was leeggeruimd en zelfs niet was schoongemaakt vanaf de dag dat die 'kleine etter' was vertrokken. Die kamer zou het oog van de storm worden, maar niet voordat Lovejoy klaar was.

'Ik zal u vertellen wie ik het nog het meest kwalijk neem... die Perkins, van school. Die heeft te veel drukte over Caleb gemaakt, hij liet hem dingen doen die niet normaal voor hem waren. Spreken voor de klas, speciaal zijn, hij pikte hem ertussenuit. Op een gegeven moment was niets meer goed genoeg voor Caleb. Ik was een stuk vuil. Hij had geen enkel respect voor mij, zijn moeder. Hij had geen enkel respect voor de mensen op zijn werk. Hij droomde altijd van dingen die hij niet kon krijgen. Waarom had hij geen familie zoals Amin en Farooq? Waarom hoorde hij nergens bij? Hij wilde alleen bij die Aziaten zijn – hij had zelfs geen leuk vriendinnetje. Hij had Tracey Moore kunnen krijgen, of Debbi Binns. Maar meisjes joegen hem de stuipen op het lijf; hij liep in een grote boog om ze heen. Toen kreeg hij dat aanbod. En hij begon te zeuren om dat geld, en maar zeuren om dat geld. Ik heb hem nooit meer teruggezien, en mijn geld natuurlijk ook niet.'

Dietrich keek door het keukenraam naar buiten – zo te zien was het raam dat jaar nog niet gelapt – en zag de rotzooi in de tuin. Tegen het muurtje achter in de tuin lag een wasmachine op zijn kant. Achter het muurtje liep een pad; hij had op de kaart gezien dat het pad aan het kanaal grensde. Een paar jongens slenterden verveeld over het pad en hij zag een kromme oude man met een terriër die aan zijn riem trok. De oude man ging aan de kant om de jongens langs te laten. Hij kon zich heel goed voorstellen dat iemand van deze plek weg wilde. Lovejoy had hem die ochtend, op weg naar de voordeur van mevrouw Hunt, de buurt laten zien: kleine straatjes, kleine rijtjeshuizen, kleine kruidenierswinkeltjes en overal kleine, felgekleurde kastjes van bewakingssystemen. De enige gebouwen van formaat in de wijk waren de nieuwe moskee en het nieuwe islamitische buurtcentrum. Het was een getto, geen plek waar Caleb Hunt thuishoorde. Jed begreep maar al te goed waarom Caleb Hunt daar niet had gekregen wat hij nodig had gehad. Dit was een heel ander verhaal dan de smetteloze verhoorkamers in Camp Delta, waar hij zijn vijanden tegemoet trad – hier leerde hij meer dan daar.

'Ze kwamen bij me langs, Farooq en Amin. Ze waren niet eerlijk tegen me, maar ze bleven bij hun verhaal – Caleb was op reis gegaan. Ze zeiden dat ik nog wel van hem zou horen, maar nu was hij op reis. Hij was al volwassen, ik ging verder met mijn eigen leven. Ik heb twee ansichtkaarten gekregen: een na twee maanden, de andere een paar maanden later. Op de eerste stond het operahuis van Sydney, op de tweede een grote rots. Het is nu meer dan drieënhalf jaar geleden dat ik de laatste heb ontvangen. Niets op mijn verjaardag, niets met kerst. Ik denk dat hij me is vergeten.'

Er liepen tranen over haar doorgroefde, vroeg oude wangen. Ze keek op, langs Dietrich, naar Lovejoy.

'Voor wie zei u ook al weer te werken?'

'Dat heb ik u niet verteld.' Lovejoy stond op. 'Dank u wel voor de thee, mevrouw Hunt.'

Ze gingen door de voordeur naar buiten en liepen weg over de stoep.

Er stonden twee grote bestelwagens met getint glas in het straatje geparkeerd: aan beide uiteinden een. Ze passeerden de bestelwagen aan het begin en Lovejoy bonsde met de palm van zijn hand op de ruit. Ze vervolgden hun weg en sloegen de hoek om, waar de Volvo stond. Lovejoy was er de man niet naar om lang bij de nare kanten van zijn werk stil te blijven staan. Tegen de tijd dat zij goed en wel naar het zuiden reden, zouden de rechercheurs uit de bestelwagens springen, het rijtjeshuis binnendringen en het, op zoek naar bewijzen van de motieven en het reilen en zeilen van Caleb Hunt, van onder tot boven overhoop halen. Niet dat Dietrich vond dat er nog iets bewezen moest worden.

Ze kwamen bij de auto.

Lovejoy vroeg bits: 'Tevreden? Houden we het voor gezien?'

Dietrich antwoordde: 'Laten we dat maar doen. Al ben ik niet echt tevreden.'

'De ansichtkaarten?'

'Ja. Die kaarten bewijzen dat ze van het begin af aan van plan waren om hem voor infiltratiedoeleinden te gebruiken en daarom meteen al voor een dekmantel zorgden. Ze beseften dat ze eersteklas materiaal in handen hadden. We hebben goed werk geleverd, maar ik sta niet te juichen en heb niet het idee dat we iets te vieren hebben. Dat zal wel komen omdat ik denk dat ik hem ken.'

'In dat geval zet ik je op de avondvlucht. Mijn kleindochter is vandaag jarig, en als het even kan, pak ik de staart van het feestje mee – dat zal Mercy deugd doen. Naar mijn mening is er bij ons werk zelden reden tot juichen... Dat is om de een of andere reden nooit helemaal gepast.'

Ze reden weg, de wijk uit, het kanaal over. De plaats die het verleden, het heden en de toekomst van Caleb Hunt vorm had gegeven, verdween achter hen.

Hij had het dossier onder zijn arm. Op het dossier stond de naam.

'Ik wil de heer Gonsalves aan de lijn, en wel onmiddellijk – alstublieft.'

De marinier die de wacht hield en de man die achter de balie zat, staarden naar de littekens op het gezicht van Eddie Wroughton.

'Zeg maar tegen hem dat ik over informatie beschik waar hij zijn rechterbal voor overheeft. Ik verzeker jullie dat ik jullie levend laat villen als jullie niet doen wat ik zeg. Dus als jullie het leven nog niet moe zijn, zou ik een beetje opschieten.'

Er werd gebeld. De man achter de balie mompelde in de telefoon terwijl hij Wroughton strak en met een hatelijke blik aanstaarde. Er zou snel iemand naar hem toe komen. Wilde hij misschien zitten?

Hij ijsbeerde en hield het dossier tegen zijn borst geklemd.

De jonge man kwam de trap af, liep langs de beveiligingspoort en beende op hem af. 'Het spijt me, meneer Wroughton, maar de heer Gonsalves is in vergadering. Hij heeft me gevraagd uw boodschap aan te nemen.'

Wroughton zag de opgekrulde lip, de hoonlach.

'Breng me onmiddellijk naar Gonsalves, of hij krijgt dit nooit van zijn leven te zien.' Wroughton hield het dossier theatraal onder de bril van de jonge man.

'Wacht u hier.'

Hij zwaaide uitdagend met het dossier. Achter de balie werd de hoorn van de telefoon genomen.

'Sorry, jongens... Daar rechtsonder in het scherm, wat was dat? We hebben het gemist.'

De serene stem van Oscar Golf verbrak de stilte in hun koptelefoon; Langley bemoeide zich ermee.

'Nee, nu zie ik het niet meer. We zijn eroverheen gevlogen... Hebben jullie iets gezien? Rechtsonder in het scherm, vier, vijf seconden geleden.'

Ze hadden al bijna twee uur niets meer van Oscar Golf gehoord. Marty verstijfde. Hij had het gevoel dat hij in de gaten werd gehouden, werd beoordeeld, werd bespioneerd. Hij zag de mond van Lizzy-Jo bewegen; ze vloekte binnensmonds.

'Volgens onze berekeningen hebben jullie nog veertien minuten over. Laten we die tijd gebruiken om terug te gaan en nog een keer over dit vlak te vliegen, jongens. Wat denken jullie ervan?'

Hij keek naar Lizzy-Jo. Ze had haar tong uitgestoken, als een kind tegen een volwassene. Daarna bracht ze haar wijsvinger naar haar lippen – geen goed moment voor ruzie.

'Ik laat haar teruggaan. We doen het over.'

Het was niet verstandig om met Oscar Golf te bakkeleien. Híj zat ontspannen op een draaistoel in een verduisterde kamer in Langley. Waarschijnlijk had hij hulp van zes paar ogen. Marty grijnsde naar Lizzy-Jo, en zij haalde haar schouders op. Hij had niets gezien, rechtsonder in het scherm, en zij ook niet, en... Hij hoorde een donderend geraas door zijn koptelefoon heen komen. Het kwam van buiten de deur, die openstond. Vanaf de plek waar hij zat, kon hij niet door het raam van het vluchtleidingscentrum kijken, en de deur zat in de verkeerde hoek. Lizzy-Jo boog zich naar hem toe, trok de koptelefoon van zijn oor en fluisterde dat het transportvliegtuig – hun vogel naar de vrijheid – was geland.

'Oscar Golf, ik ga een achtje vliegen; laten we hopen dat we vinden wat u hebt gezien.'

'Fijn, bedankt. Oscar Golf, over en uit.'

Er was van linksboven tot rechtsonder niets dan zand op het scherm te zien. Rood zand en geel zand, okerkleurig en goudkleurig zand, zandheuvels, zandbergen en zandvlaktes. De onverharde weg was niet meer in beeld, die lag te ver ten oosten van het vlak waar ze daarvoor overheen waren gevlogen. Marty was doodop. De vorige dag, bij het begin van de laatste vlucht en voordat hij door vermoeidheid werd overmand, zou een verzoek om terug te gaan en nog een keer te kijken hem woedend hebben gemaakt. Hij liet *Carnival Girl* hellen en terugzwenken voordat ze te ver naar bakboord zou doorschieten. Er waaide een stofwolk het vluchtleidingscentrum binnen; Lizzy-Jo hoefde hem niet te vertellen dat het transportvliegtuig over de landingsbaan was getaxied en het stoffige terrein achter het hek rondom het militaire complex naderde. Het stof vulde het vluchtleidingscentrum, daalde neer op zijn hoofd en schouders en vormde een laagje op de kaart met de vlakken. Lizzy-Jo hoestte. Hij hoorde dat ze slikte. Toen pakte ze zijn hand.

'Marty, zie je dat? Wat is dat in godsnaam?'

Wroughton werd het rijk van Gonsalves binnengeleid.

Alle bureaus waren verlaten. De schermen in de open ruimte stonden aan, maar er zat niemand achter. Hij kwam langs een vergaderkamer en zag door de open deur dat er overal diplomatenkoffertjes stonden en dat de dossiers open lagen.

Wroughton werd naar de controlekamer gebracht. Hij liep naar binnen en zag, achter een haag van schouders en achterhoofden, een rij schermen. Gonsalves droeg een hemeltergend fluorescerend shirt.

Hij zei: 'Ik heb een klapper gemaakt, Juan, en ik deel hem met jou.'

Het had een glorieus moment voor Eddie Wroughton moeten

zijn. Hij hield het dossier omhoog in de koningskamer van het rijk en stond op het punt op te scheppen over wat hij voor elkaar had gekregen. Maar hij kreeg geen enkele respons; Gonsalves draaide zich zelfs niet naar hem om en gebaarde alleen maar dat hij zijn mond moest houden. Hij keek naar het scherm waar iedereen naar keek en hoorde de metaalachtige stem, die van ver uit de luidsprekers kwam.

'Heel goed, Marty, bedankt dat je ons er nog even overheen hebt laten gaan. Je hebt nog elf vliegminuten... Lizzy-Jo, zou je willen inzoomen, zo ver mogelijk, alsjeblieft? Ik geloof dat we ons doelwit hebben... Goed gevlogen, jongens. Oscar Golf, over en uit.'

Bart haalde de koelbox uit de achterbak van de Mitsubishi en liep er met stevige, vastberaden stappen mee weg. De benzinetank zat vol en hij had de lege jerrycans in de achterbak gegooid.

Hij was bijna teleurgesteld in de jonge man. *Hoe wil hij ervoor zorgen dat iedereen zijn naam kent? Hoe moet hij een halve stad uitroeien als hij ons niet eens uit de weg kan ruimen?* Niet dat hij liever had gehad dat hij dood was geweest, dat zijn hersenstam was weggeschoten en zijn ruggenmerg, longen en hart door kogels uit het semi-automatische geweer waren geperforeerd, dat zijn bloed zou stollen in het zand en met horden vliegen zou worden bedekt. Maar hij besefte de omvang van het falen van de man, en dat liet een zweem van droefenis bij hem achter... De twee mannen in het dorp die door Bart waren verraden, zouden hem, als ze de kans hadden gehad, wel dood hebben geschoten. Die zouden niet hebben gefaald. Rechts van hem zag hij dat de gids en de jongen hun kamelen hadden opgeladen. Hij wist niet zeker welk leven de balans had doen doorslaan, aan wie hij zijn leven had te danken. Hij liep naar de jonge man die de raketwerper op zijn schouder hield en besluiteloos bij zijn kameel stond, alsof hij verwachtte dat hij hulp zou krijgen bij het opstijgen.

Hij zette de koelbox met de medicijnen, injectienaalden en verbandrollen voor hem neer en keek hem aan.

'Kan ik je betalen?'

Bart schudde zijn hoofd. Hij zag het begin van een glimlach op het gezicht, wat het een charme gaf die hem eerder niet was opgevallen. De pijn die zijn gezicht tot een grimas had verwrongen, was verdwenen. Bart schudde zijn hoofd krachtig, alsof de jonge man hem had beledigd door over geld te beginnen. Hij zag de wilskrachtige kin en de fijn gevormde neus, en de schittering in zijn ogen leek te zijn teruggekeerd. Bart zag in dat korte moment een beeld van wildernis, vrijheid, verhevenheid. Je bent de weg kwijt, ouwe jongen, dacht hij. Je bent de weg kwijt en heel dom geweest. Die klootzak had je moeten afmaken... Dat had mevrouwtje Bethany maar al te goed gezien.

Hij draaide zich om. Zijn blik gleed over het zoontje van de gids. Hij zag dat die zich een paar passen van zijn vader had verwijderd en dat er een diepe frons door de jonge huid van zijn voorhoofd liep.

Toen viel zijn blik op haar. Ze kwam naar hem toe, haar laarzen schopten het zand in de lucht, zo driftig waren haar passen. Ze zag er allesbehalve vriendelijk uit; haar mond was samengetrokken van ingehouden woede. Ze bleef voor hem staan, blokkeerde de weg. 'Je had hem kunnen afmaken.'

Hij glimlachte schaapachtig en haalde zijn schouders op.

'Hij zou er niets van gemerkt hebben. Je had hem gewoon een flinke shot morfine kunnen geven.'

Maar dat had hij niet gedaan. Hij had hem opgelapt, hij had hem weer op de been geholpen – en hij had in de loop van zijn geweer gekeken.

'Waarom heb je het niet gedaan?'

Hij snauwde tegen haar: 'Mevrouw Jenkins, wees zo verstandig u niet in de gedachten van een man te verdiepen, ze niet te willen onderzoeken en te begrijpen. Het zou er wel eens toe kunnen leiden dat u uw mooie hoofdje tussen uw knieën buigt om over uw nek te gaan.'

'Dat is gewoon zielig.'

'Dat is wat ervan komt, en...'

De kreet klonk schril en klaaglijk over het zand, en deed hem als aan de grond genageld staan. Hij zag dat de jongen één hand aan zijn oor had gezet en met de andere naar boven wees. Bart keek naar de helderblauwe hemel, maar hij zag niets. Hij hoorde ook niets. De jongen schreeuwde zijn waarschuwing.

Bart stamelde: 'Wat zegt hij, waar heeft... hij... het over?'

'Het vliegtuig, daar, boven... We moeten ons verspreiden... Zoek dekking!'

De armen van de gids zwaaiden door de lucht. Rechts, links, voor hem, achter hem. De jongen en de gids zetten het op een lopen, en ook zij rende ineengedoken naar het open zand. De kamelen raakten in paniek, op een na. De man die zijn patiënt was, knielde naast die kameel en hield zich vast aan de teugels. De raketwerper lag op zijn schouder. Bart was alleen. Hij keek nog één keer naar boven, in de felle zon. Hij knipperde met zijn ogen, maar het licht verblindde hem. Hij was alleen en hij liep struikelend, op de tast, naar zijn auto. Hij had geen dekking. Hij had het gevoel dat hij zichzelf op groteske wijze zag uitvergroot, dat een oog hoog in de lucht hen gevangenhield. Hij strompelde naar zijn auto en gooide het portier open.

Hij vond het sleuteltje op de tast, draaide het om en trapte eerst de koppeling en daarna het gaspedaal in. Hij slaakte een angstkreet. Hij voelde de kracht van de motor voor hem. De wielen draaiden rond, jankten, vonden grip. Hij had geen idee of hij met zijn neus naar de onverharde weg toe stond of dat hij ervan weg reed. Hij dacht er niet over na of hij, door door de woestijn te scheuren, aan het oog van het vliegtuig kon ontsnappen. Hij keek niet naar de kilometerteller – had hij dat wel gedaan, dan had hij kunnen zien dat hij niet harder dan veertig kilometer per uur reed. Op stevig zand won hij snelheid; op ruller zand ging hij minder snel. Zijn ogen waren vertroebeld door zweet en het felle zonlicht weerkaatste op de motorkap van de Mitsubishi. Hij zag niet waar hij reed of wat er voor hem was. Hij klampte zich vast aan het stuur en rukte aan de versnellingspook. Hij keek niet achterom, keek niet in zijn achteruitkijkspiegeltje naar de zandwolk achter hem, dacht er niet aan dat hij een prachtig doelwit vormde voor het oog hoog in de lucht.

Hij had geen flauw benul van afstand... Misschien had hij twee kilometer afgelegd... Hij kwam in rul zand terecht. Het was geen muur of barrière; hij zakte gewoon langzaam weg. De motor maakte toeren en jankte, en de naald van de kilometerteller zakte van veertig naar dertig, naar tien, naar vijf... Hij verloor steeds meer vaart, trapte op het gaspedaal, trok aan het stuur, schakelde terug, trapte opnieuw op het gaspedaal... De wielen zakten weg in het rulle zand.

Wat moest hij doen? Bart wist het niet.

Hij wist niet of hij uit de auto moest kruipen en het in de brandende hitte op een lopen moest zetten of dat hij de auto in zijn achteruit moest zetten. Hij wist niet of hij uit moest stappen of terug moest gaan of zijn schep moest pakken om zich uit te graven.

'Hij zit vast in het zand. Neem hem te grazen, jongens. Neem alle tijd die je wilt, en pak hem. Oscar Golf, over en uit.'

Het zag eruit als op de kust aangespoeld wrakhout. Marty liet het vliegtuig in steeds kleinere achtjes boven de vluchtende auto vliegen. Hij had geen idee hoe ze zich daarbeneden op het zand plotseling van de Predator bewust waren geworden; *Carnival Girl* vloog op grote hoogte, met geringe snelheid. Op het scherm waren twee auto's, een aantal kamelen en mensen te zien geweest. Het groepje was uiteengestoven. Hij had zich op het vliegen geconcentreerd, niet op details. Lizzy-Jo had de close-up pas scherpgesteld op het moment dat de stofwolk achter de auto opstoof. De auto was, vanzelfsprekend, het doelwit. Het was het soort doelwit waar ze als rekruut in Nellis altijd op hadden getraind; traag en goed zichtbaar. Het was eenvoudig – bijna te eenvoudig. De auto kwam tot stilstand. Hij vroeg zich af of de bestuurder zou uitstappen en het op een lopen zou zetten. Hij hoopte eigenlijk dat die kerel dat zou doen. In zijn auto was hij geïsoleerd en kon hij geen kant op.

'Hoe lang hebben we nog?'

Ze zei dat ze er nog vier minuten boven konden blijven vliegen.

'Hoe wil je dat ik erop aanvlieg?'

Ze wilde hem er vanaf de bestuurderskant op af laten komen, ze zei dat ze de Hellfire door het portier van de bestuurder heen zou jagen.

Marty dacht niet aan opa's – niet aan zijn eigen opa, met wie hij nog op eenden had gejaagd, en niet aan de oude man die op de bult van de kameel had gelegen. Hij had de man die naar zijn auto rende niet op het scherm gezien. Hij had geen gezicht gezien en had ook geen behoefte zich voor te stellen waar de man aan dacht... Hij had een doelwit.

Na de laatste lus in het achtje kwam hij uit bij de passagierskant van de auto. Hij liet het vliegtuig overhellen. De punt van de vleugel dook naar beneden en ze maakte nog een halve cirkel, zodat het vliegtuig in stelling werd gebracht en de raket op het portier van de bestuurder kon worden afgeschoten. Hij begreep niet waarom de man niet wegrende.

Hij hoorde dat Lizzy-Jo zichzelf de controlevragen stelde en er de antwoorden op gaf; de raket kon gelanceerd worden.

Marty liet *Carnival Girl* weer horizontaal vliegen. Het camerabeeld viel precies op het portier van de bestuurder. Het was alsof ze als een valk boven de prooi hing voor ze naar beneden zou duiken. Naast hem fluisterde Lizzy-Jo het commando; vervolgens drukte haar vinger de knop in. Het scherm schudde heen en weer alsof *Carnival Girl* een klap kreeg van de turbulentie. Marty klemde zijn vuist om de joystick en keek toe hoe de vlam wegschoot. De vuurbal dook naar beneden, als een valk.

In de seconden voor de Hellfire insloeg, zei Marty: 'Laten we gaan bekijken wat er van de rest over is. Daarna brengen we haar terug.'

'Ja, laten we haar thuisbrengen.'

'We mogen trots op haar zijn.'

'Ze is een fantastische meid – ze heeft het verdiend naar huis te gaan.'

De raket sloeg in in het portier van de bestuurder. Eerst was er een steekvlam, daarna rook en daarna een wolk van puin en stof die het doelwit aan het oog onttrok.

Om Wroughton heen klonken kreten van opwinding. Hij had hun kunnen vertellen dat hun doelwit niet Caleb Hunt, de terrorist, of avonturier, of strijder was geweest. Hij had kunnen vertellen dat het de auto van een armzalige arts was, dat de bestuurder meelijwekkend en ongevaarlijk was. De medewerkers van Gonsalves schreeuwden en gilden en klapten in hun handen. Ze sloegen elkaar op de schouder en omhelsden elkaar. Ze vierden de dood van Samuel Bartholomew, roddelaar en spion, alsof het carnaval was begonnen. Hij besefte maar al te goed dat Bart, zijn marionet, hem zou hebben gebeld als hij de stekker van zijn telefoon niet uit het contact had getrokken en hij zijn mobiele telefoon niet had uitgeschakeld. Hij hield het dossier in zijn hand en het lawaai van de overwinning weerkaatste tegen het lage plafond van de controlekamer. Wroughton wist dat niemand hem zou horen.

Hij fluisterde, zonder dat iemand op hem lette: 'Jullie hebben een nul vermoord, stelletje idioten! Jullie hebben het verkeerde doelwit uitgekozen.'

De vuurvlam die bij de lancering van de Hellfire was vrijgekomen, gaf Caleb een punt om op te mikken.

Hij stond, hij was alleen. De Beautiful One was weggerend, net als de andere kamelen. In de verte stak de rookwolk helder tegen het zand en de hemel af. Hij wist niet waar de gids en zijn zoon Ghaffur waren en hij wist niet waar zij was. Hij zocht ook niet naar hen. Hij concentreerde zich op het punt in de uitgestrekte blauwe lucht waar de vlam vandaan was gekomen.

Hij deed wat de handleiding hem had geleerd.

De antenne op de mond van de loop was uitgetrokken. De dop die de loop afsloot, was verwijderd en lag aan zijn blote, door het zand ruw geworden voeten. Hij had de loop opgetild en de riem om zijn middel bevestigd. Zijn vinger had de schakelaar van de aandrijfgenerator ingedrukt. Caleb deed alles wat in de handleiding stond, zonder de 136 instructie-uren die er volgens de handleiding voor nodig waren. Hij hoorde het piepen van het audiosignaal en moest zich tot het uiterste inspannen om niet onder het gewicht van de raketwerper te bezwijken. Uiteindelijk lukte het hem zich schrap te zetten, zodat beide benen een even grote druk verwerkten: hij stond daar zonder ondersteuning, zonder kruk. Hij voelde de pijn in zijn been kloppen, de wond lag open en was nog niet gehecht. Hij haalde de trekker over. In de handleiding stond dat het na het overhalen van de trekker 1,7 seconde duurde voordat de raket werd gelanceerd. Toen kwam de raket uit de loop; het zand achter hem werd door vuur geblakerd. Hij zag hoe de raket zich onhandig uit de loop worstelde en vreesde even dat hij voor zijn neus op de grond zou vallen. Maar zoals in de handleiding was beschreven, werden de staartvinnen opengevouwen en viel de aandrijfmotor eraf. Er kwam een nieuwe steekvlam bij het aanslaan van de motor die in de tweede fase voor de aandrijving moest zorgen – toen was hij weg.

Hij zonk op zijn knieën. Het zand achter hem was geblakerd door het uitgestoten vuur en de rook van het ontstekingsmechanisme; er kwam een scherpe stank van af. Als hij zich niet met de loop van de raketwerper had kunnen ondersteunen, zou hij omgevallen zijn.

De raket was razendsnel boven de lage horizon uit geschoten. Hij keek naar de vuurbal die van hem weg raasde en zag hem kleiner worden en in de blauwe hemel verdwijnen.

Hij was afhankelijk van hún technologie, hún elektronica, hún toverkracht en toverkunst.

De raket was vrij, buiten zijn controle. Hij slingerde twee keer heen en weer, alsof hij zijn doelwit uit het oog was verloren en probeerde terug te vinden. Beide keren hervond hij zijn rechte lijn. Caleb probeerde met samengeknepen ogen te zien wat er vlak bij de zon aan het eind van zijn vlucht was, maar hij zag niets. Hij had geen idee waar de bestuurders van het onbemande vliegtuig zaten, maar hij kon zich zo voorstellen dat de paniek daar toenam en dat ze het vliegtuig lieten duiken of juist stijgen of zwenken, om te proberen de snel naderende vuurbal kwijt te raken. De klap kwam onverwacht. De raket schoot door de lucht en maakte plotseling een scherpe bocht, alsof de laatste coördinaten te laat doorkwamen. Toen volgde er, vlak bij de zon, op de plek waar hij niet naar kon kijken zonder dat zijn ogen ervan gingen branden, een flits die klein tegen het felle zonlicht afstak.

Het was geen voltreffer. Er was geen explosie. Er was een kleine flits; daarna schoot de vuurbal door, vloog hoger en barstte uit elkaar.

Caleb bleef nog een hele tijd omhoogkijken. Hij keek tot de tranen in zijn ogen stonden en hij met zijn ogen begon te knipperen. Hij kon niet langer naar een plek zo dicht bij de zon kijken. De hitte brandde op hem neer en de vliegen zwermden om het verband om zijn been. De pijn golfde door hem heen. Hij was alleen. Hij zag een stipje naar beneden vallen en dacht dat hij een kind hoorde zingen.

Het was haar zwanenzang. Het uiteinde van haar linkervleugel was geraakt; er zat een groot, destabiliserend gat in.

De Predator, helder wit van staart tot neus en van bakboordvleugel tot stuurboordvleugel, kwam in een spin naar beneden.

Er was geen controle meer. Haar dood was onvermijdelijk. Ze viel, de wind suisde langs haar vleugels – en toen spatte ze op het zand in brokstukken uit elkaar en werd het vuur een brandstapel.

Als hij iets had gezegd, zou iemand hem een klap hebben gegeven. Ze keken met z'n allen toe hoe de Predator neerstortte. Als hij iets had gezegd, als hij erop had gewezen dat hij had gewaarschuwd voor de kisten die de kamelen droegen, dan zouden ze hem een oplawaai hebben verkocht. Het was zo stil dat het leek alsof iedereen de adem inhield. Het beeld op het scherm was weggevallen. Ze waren nog steeds luidruchtig feest aan het vieren, zonder schaamte en zonder ook maar een moment aan het verbrande lichaam in de auto te denken. Toen was de camera over het zand gegleden en hadden ze beneden in de diepte een lichtflits gezien. In het begin hadden er wat verontruste kreten geklonken: 'Hé, wat is dat... Wat krijgen we nou?' De stem van de man die uit de luidsprekers klonk en die Oscar Golf werd genoemd, was kalm gebleven. Een vrouwenstem had zich bij de stem van Oscar Golf gevoegd, vlak en monotoon, alsof het om een oefening ging en de instructeurs een probleem hadden gecreëerd. Het vliegtuig was plotseling uitgeweken en had een paar wilde manoeuvres gemaakt, maar de vuurbal, die door de camera werd gefilmd, was steeds dichterbij gekomen. En toen was ze neergestort, in een spiraal.

De camera gaf het waanzinnige beeld van het geelrode zand waar ze op af snelde. De stem van Oscar Golf was verdwenen, de verbinding halverwege een zin verbroken – er was een schakelaar omgezet. Wie wilde er ook getuige zijn van zo'n fiasco? Ach, het was maar een stuk metaal, gemaakt in een fabriek – niet de dood van een vriend. Het publiek stond er verslagen bij, en Gonsalves, die dat afschuwelijke shirt aanhad, kwam naar hem toe en gaf hem een stomp tegen zijn borst. Wroughton sloeg het dossier open en hield de foto's van Caleb Hunt onder zijn neus: Caleb als schooljongen, Caleb als gevangene in Camp Delta, Caleb als voortvluchtige in de Rub' al-Khali.

'Dat is de man die je te pakken had moeten nemen. Hém had je moeten hebben,' grinnikte Wroughton.

'Wat is dat toch met jullie? Waarom zijn jullie toch zo arrogant? Hou je soms bij hoeveel punten je hebt gescoord?'

Ze barstten in lachen uit, sloegen elkaar op de schouder en omarmden elkaar lachend, alsof het niet uitmaakte dat ze in een rouwkamer stonden. Ze lachten tot het pijn deed... en pijn deed het, want ze hadden een belangrijk doelwit gemist.

Hij keek niet meer naar haar om.

Het laatste wat hij van haar zag, was dat ze met haar kin op haar borst in het zand van een duin zat.

Als hij naar haar toe was gegaan – gedesoriënteerd, sprakeloos en verdoofd door het geweld van de lancering – zou hij niet hebben geweten wat hij tegen haar zou moeten zeggen.

De gids, noch de jongen, Ghaffur, had hem geholpen bij het bestijgen van het zadel op de bult van de Beautiful One. Hij was de pijn voorbij. Hij had gevochten om zich in het zadel te hijsen en daarna zijn been over de bult heen te zwaaien.

Zij liepen voor hem en zij was achter hem. Op twee plekken achter haar kringelden de laatste rookpluimen omhoog. Caleb keek niet meer om, zwaaide niet, schreeuwde zelfs op het laatste moment waarop zijn stem haar nog had kunnen bereiken geen vaarwel.

Hij reed weg; hij volgde de gids en de jongen door het zand dat zich tot aan de horizon uitstrekte. En het enige wat telde, was dat hij nu vlak bij zijn familie, bij hun liefde was.

20

Ze was gaan staan. Haar hand beschermde haar ogen tegen de zon. Drie stippen ter grootte van een mier verwijderden zich van haar. Het zou niet lang meer duren voor de woestijn hen had opgeslokt.

Ze keek toe hoe ze uit het zicht verdwenen, werden opgeslokt door de nevels in de verte.

Er kwam geen rook meer van de getroffen auto en het neergehaalde vliegtuig. Ook haar droom over hem was neergehaald. Ze was blij dat hij niets meer tegen haar had gezegd; toen hij vertrok, was er geen contact tussen hen geweest. Ze had zijn stem niet willen horen en zijn gezicht niet willen zien: ze was bang geweest dat ze dan haar beslissing zou hebben herzien. Hij had niet omgekeken – het leek wel alsof hij was vergeten dat hij in haar leven was gekomen, dat hij een nacht bij haar was geweest.

Ze liep naar haar Land Rover. De stilte, de schoonheid en de leegte van de woestijn overspoelden haar. Er lagen twee handdoeken, een extra bloes en een felrode deken in haar auto. Die deken had ze meegenomen omdat ze had gedacht dat ze hem tijdens de koude nacht nodig zou hebben, maar ze had hem niet gebruikt. Ze haalde de spullen uit de Land Rover en bracht ze naar de duin vanwaar ze naar hen had gekeken.

De nevel om hen heen was dikker geworden.

Ze maakte een pijl die hem en de minuscule stippen naast hem nawees. Er was geen wind. Het zand bewoog niet.

Ze legde de deken zo neer dat hij een punt vormde, scharlakenrood in zand. Aan weerszijden legde ze de handdoeken, om de punt langer te maken. Hij was in de nevel verdwenen, erdoor opgeslokt, maar zij gaf aan waar hij naartoe ging. Ze rolde de bloes op en legde die achter de punt in het zand, als om hem scherper te maken.

Ze gaf hem aan.

Beth zou zijn stem nooit meer horen, hem nooit meer zien, hem nooit meer voelen. Ze verraadde hem niet voor het hogere belang van de mensheid; ze verraadde hem uit persoonlijke wraakgevoelens. Er zouden vliegtuigen komen, of helikopters, en die zouden haar pijl zien. Ze zouden op hem blijven jagen tot ze hem hadden vermoord... De liefde was dood.

Ze dacht even na, trok haar bloes uit en stelde haar witte huid bloot aan de brandende zon. Ze rolde de bloes op en gebruikte hem om de pijl nog duidelijker te maken.

Ze daalde de duin af en liet de pijl achter. Ze liep langs de achtergelaten raketwerper, de lege kist en de handleiding. Ze zag de colonne insecten snippertjes vlees van zijn wond afvoeren. Ze stapte in de Land Rover, sloeg een doek om haar schouders en startte de motor.

De zon brandde op hem neer en de pijn golfde door zijn lichaam. Af en toe deed hij zijn ogen dicht en soms zag hij niets anders dan de teugels in zijn hand en de vacht in de nek van de Beautiful One. De hitte was genadeloos. Caleb had geen idee hoe lang hij al in zijn eentje reed.

Hij stopte, trok aan de teugel en fluisterde tegen de Beautiful One wat hij de jongen had horen zeggen. Ze hadden vóór hem gereden, maar hij zag hen niet meer. Hij keek rechts en links van hem, en hij zag de uitgestrektheid van het zand en de glooiende zandheuvels. Hij hapte naar lucht en spande zich tot het uiterste in om zich verder om te draaien, zodat hij achter zich kon kijken.

Hun kamelen waren neergeknield. Ze stonden voor de kamelen. De vader had zijn arm om de schouders van de zoon geslagen. Caleb wist niet of de gids zijn zoon wilde beschermen of troosten. Hij kon hen niet goed zien, de vermoeidheid en de pijn manipuleerden zijn gezichtsvermogen.

Hij besefte wat ze van plan waren.

Hij zou verder zijn gereden, wegdrijvend in dromen en fantasieën, verbrand door de zon, meer dood dan levend, en hij zou niet hebben gemerkt dat ze hem hadden verlaten. Ze waren nu nog geen honderd meter van hem verwijderd. Nog een uur en hij had hen niet meer kunnen zien.

Hij besefte dat ze van hem af wilden.

'Ik heb jullie nodig,' schreeuwde hij.

Ze zouden naar hun dorp terugkeren. De gids zou een verhaal verzinnen. De jongen zou nog liever sterven in de woestijn dan dat hij zijn vader zou verraden. In het dorp zouden ze vertellen dat het oog in de lucht veel doden had gemaakt en dat de gewonde reiziger, die geen naam en geen thuis had, hun had gevraagd hem alleen te laten. Ze zouden naar hun dorp terugkeren en niemand zou hun leugen kunnen weerleggen.

Zijn kreet schalde over het zand. 'Jullie moeten me naar mijn familie brengen!'

Als antwoord wees de gids op een punt in de verte, voorbij Caleb, in de nevel aan de horizon.

'Willen jullie geld? Ik kan jullie geld geven.' Zijn vingers friemelden aan de riem om zijn middel. Hij maakte de koppel los en hield de geldbuidel in de lucht. 'Ik betaal jullie als jullie me brengen.'

Ze lieten aan niets merken dat ze hem hadden gehoord. Hij zag dat ze schrijlings op hun zadel gingen zitten en dat de kamelen overeind kwamen. De gids trok aan het hoofd van zijn kameel en reed in een rechte hoek weg van de lijn waarin ze Caleb hadden laten rijden. De jongen volgde hem. Met het geld in de buidel zouden ze een waterput en pick-ups voor hun dorpsgenoten kunnen kopen, een rijkdom waar ze niet eens van durfden dromen. Ze reden weg zonder naar hem om te kijken. Caleb smeet de geldbuidel in hun richting.

Hij vloog in een boog door de lucht, de hals sprong open.

'Ik kom er zonder jullie ook wel!'

In het zand lagen gouden munten, met de geldbuidel ertussen.

Ze liepen langs de slagboom en stapten door de open ruimte tussen de prikkeldraadrollen.

De tassen hingen om hun schouder en Marty droeg zijn reproductie.

George stond op de laadklep aan de staart van het vliegtuig en riep: 'Vooruit, jongens! Jullie gooien het vertrekschema in de war.'

Maar ze haastten zich niet. De basis was een deel van hen geworden, ze hadden er gewoond en gedood. Achter hen was het leeg. Er stonden alleen nog wat kartonnen dozen en plastic vuilniszakken vol troep. Aan het prikkeldraad hingen repen papier. Ze pakte zijn vrije hand. Ze vertrokken samen. Marty werd er een beetje verlegen van, maar hij trok zijn hand niet weg. Ze liepen in hun eigen tempo, alsof het vertrekschema niet voor hen telde.

George en zijn mannen stonden toe te kijken hoe ze onder aan de laadklep kwamen. Lizzy-Jo grijnsde en gaf Marty een kus op de wang. Er werd gefloten, gejoeld en met de voeten gestampt. Marty bloosde. Ze liepen de laadklep op en kwamen in het halfduister van het laadruim. Ze brachten twee kisten terug naar Bagram; een volle en een die op reserveonderdelen en gereedschap voor het onderhoud na leeg was. Marty bloosde omdat hij vond dat hij had gefaald. *First Lady* lag in haar kist, maar *Carnival Girl* lag in de woestijn, in stukken, verloren. Terwijl het kamp werd opgebroken en hij zijn tas had gepakt, had Lizzy-Jo hem voorgehouden hoe succesvol de missie was geweest. Hij had gevraagd of hij één keer mocht proberen de man te treffen die *Carnival Girl* had neergehaald, maar die kans had hij niet gekregen.

Marty schoof langs de wand van de romp, over de benen van George's mensen, langs de kisten met de vliegtuigen en de satellietschotel, de opgevouwen tenten en de spullen van de keuken. Ze vonden kleine canvas stoelen. Hun voeten kwamen tegen de wielen van de trailer met het vluchtleidingscentrum. Ze bevonden zich vlak bij de deur in de wand die het ruim van de cockpit scheidde. Hij ging zitten en maakte de veiligheidsgordel vast. Hij dacht niet aan Lizzy-Jo of aan de toekomst, maar aan *Carnival Girl*, die in het zand lag. Hij rouwde om het verlies, alleen…

Het lijzige Texaanse accent drong zijn gedachten binnen. 'Goed jullie te zien, luitjes.'

Hij moest van ver komen, van de plek waar *Carnival Girl* lag, in het zand. Hij keek op en zocht zijn mistige geheugen af.

'Herinner je je me niet? Ik heb jullie hier gebracht. Je ziet er beroerd uit. Heb je soms niet geslapen? Hoe is het gegaan?'

'Wel goed,' antwoordde Marty.

Lizzy-Jo zei: 'Hij heeft goed gevlogen, meer dan goed. We zijn er één kwijt, maar we hebben gedood. We hebben leden van al-Qaeda gedood.'

De piloot grijnsde breed en zei: 'Zo mag ik het horen. Jullie mogen blij zijn dat we vandaag vertrekken, want de weersverwachting voor morgen is bar slecht – storm met windstoten tot zeventig knopen. Als we zijn opgestegen, kom ik een praatje met jullie maken.'

Marty maakte de veiligheidsgordel los. Het verzoek brandde op zijn tong. De piloot verdween net in de deur naar de cockpit, de laadklep zat al dicht. De copiloot had de zware motoren gestart. Marty moest schreeuwen. 'Neem me niet kwalijk, meneer, maar mag ik u om een gunst vragen? Het is belangrijk voor me.'

Hij legde het uit; de motoren maakten meer toeren en hij moest in het oor van de piloot schreeuwen om boven het gebrul uit te komen.

Het transportvliegtuig was maximaal belast en had de volle lengte van de startbaan nodig; en dan nog leek het alsof het landingsgestel de bovenkant van het hek rondom de basis schampte. De piloot had eigenlijk meteen een bocht naar stuurboord moeten maken om volgens plan naar de Omaanse grens en het Jabal Akhdargebergte te koersen, maar na de start boog hij naar bakboord af. Marty gaf hem de coördinaten, die werden doorgegeven aan de navigator. De navigator trok potloodstrepen op een kaart en er werd een nieuwe koers bepaald. Marty hield zich vast aan de stoel van de piloot en het transportvliegtuig won hortend en stotend hoogte. Lizzy-Jo kwam op haar hurken naast hem zitten, haar vingers lagen op zijn hand op de rugleuning en klampten zich daaraan vast. Hij dacht dat ze begreep wat hij nodig had. Ze vlogen over de zandvlaktes, de duinen en de zandbergen van de woestijn. Ze vlogen over de onverharde weg. Ze kregen vragen van een verkeerstoren en de piloot zei droogjes dat de navigatieapparatuur haperde, dat ze eraan werkten en het op korte termijn zouden rechtzetten. De navigator deed zijn werk uitstekend.

Ze lag drie kilometer onder hen. Verspreid, in stukken, dood. De piloot vloog er schuin overheen. Marty had zijn neus tegen het zijraampje van de cockpit gedrukt. Hij zag een van de 7,40 meter lange vleugels en de gebroken stukken van de romp liggen. Hij wist niet hoe hij moest bidden, maar er kwamen woorden van respect achter uit zijn keel. Lizzy-Jo hield zijn schouder stevig vast, maar dit was een moment voor hemzelf. Hij rouwde... De nagels van haar vingers drongen door zijn T-shirt in zijn schouder en ze sloeg de piloot op zijn arm en gebaarde naar een plek iets voorbij het wrak.

Toen zagen ze de pijl. Hij lag op een heuvel en wees naar het open zand. Marty had het gevoel dat de felgekleurde pijl speciaal was neergelegd om vanuit een vliegtuig gezien te kunnen worden. De navigator maakte berekeningen en schreef toen op zijn blocnote in welke richting de pijl exact wees.

Lizzy-Jo zei: 'Iemand heeft een aanwijzing achtergelaten – iemand die wil dat ze te grazen worden genomen. Bedankt voor de omweg, meneer. Laten we nu maar naar huis gaan.'

Ze wonnen hoogte en koersten naar de Omaanse grens, het Jabal Akhdargebergte en de Golf van Oman. Ondertussen gebruikte Lizzy-Jo de communicatieapparatuur om de coördinaten en de kompaspeiling door te geven. Daarna keerden ze terug naar hun canvas stoelen.

Marty viel in slaap. Zijn hoofd lag op haar schouder.

De wind wakkerde aan, ze bereikten het hart, het oog van de storm. Hij had zijn ogen gesloten om ze tegen de prikkende zandkorrels te beschermen. Als hij zijn ogen open had gedaan, zou hij blind zijn geworden. Het zand kwam in golven, ranselde hem, dreigde hem uit het zadel te gooien en op de woestijnbodem te smijten. De Beautiful One leidde hem. Caleb had haar niet kunnen sturen. Hij liet de teugels loshangen en klampte zich vast aan het zadel. Als de kracht waarmee het zand tegen hem aan sloeg te groot werd, omarmde hij de nek van de kameel en hield hij zich aan haar lange haren vast. Hij wist dat ze, als ze voor dekking naar een duin reden, de juiste richting niet meer zouden terugvinden. En ook als de Beautiful One zich van de storm zou afwenden, zouden ze verloren zijn. De kracht van de storm joeg de hete, verzengende lucht tegen hem aan en drukte zijn kaftan tegen zijn lichaam. Er zat zand in zijn dichtgeknepen ogen, zijn samengeknepen neusgaten en zijn mond, en het kwam in zijn wond. Het verband waaide omhoog en het deel dat niet gehecht was, lag bloot. Hij kon niet drinken of eten. Zijn keel was rauw en kurkdroog; zijn maag was zo leeg dat het pijn deed. Caleb klampte zich, koppig als altijd, aan het leven vast.

Steeds opnieuw schreeuwde hij – in gedachten, want als hij zijn mond opendeed, zou hij vol zand waaien – dat hij niet was blijven leven om nu te falen. Zijn koppigheid gaf hem kracht. Als hij nu zou vallen, als hij nu in het zand naast de hoeven van de Beautiful One terecht zou komen, dan zou hij zijn leven hebben verknoeid... voordat het was begonnen. Hij zag geen skeletten in het zand, geen gebleekte botten van een man en een kameel, met vergane kleren en het gerafelde jute van het zadel. Hij had geen idee hoe snel de Beautiful One hem droeg, of hoe ver ze hem tegen de beukende wind in zou kunnen brengen.

Hij was alleen met zijn God en zijn bestemming.

Een dag later... De shuttlebus stond aan het eind van de steiger waar de veerboot aanlegde. De bus ging naar Camp Delta. Jed liet zijn pas zien en de bewaker liet hem het draaihekje passeren. Hij had een goede vlucht naar Miami gehad. Vandaaruit was hij met een lokale vlucht naar Puerto Rico gevlogen en daar had hij een militair toestel naar Guantánamo genomen. Zijn tas stond nog bij de receptie van het hoofdkwartier en hij had zich nog niet gemeld. Hij was meteen op de veerboot gestapt en had alleen het dossier bij zich.

Jed had het gevoel dat de bewaker hem raar aankeek toen hij zich bij het hek van de Administratie meldde, maar toen hij zijn identiteitsbewijs liet zien, werd hij doorgelaten. Misschien was de bewaker nieuw, was het een reservist die net van de straat was geplukt en hem nog niet kende. Hij liep in de zon, het licht en het heerlijke zeebriesje naar de Administratie en zag niet dat de bewaker in zijn wachthuisje de telefoon oppakte. In de zon en de zeewind voelde hij zich goed. Als hij het dossier niet onder zijn arm had gehad, zou Jed wellicht zijn vergeten waar hij net vandaan was gekomen; misschien zou hij de regen, de duisternis, de vuile straten en de wanhoop van die plek uit zijn hoofd hebben gezet.

Hij liep het trappetje van de barak op en ging naar binnen. De mannen achter de bureaus keken van hem weg, alsof ze hem niet hadden gezien. Hij liep de gang door naar zijn kamer; hij wilde het dossier veilig in zijn kluis opbergen. Hij liep langs gesloten deuren, maar daar keek hij niet naar: aan het eind van de gang zag hij een grote, volle plastic zak. Hij kwam bij zijn deur en zag dat de sticker met zijn naam erop was weggekrabd. Hij haalde zijn sleutel uit zijn zak en stak hem in het slot. De sleutel paste niet: er zat een ander slot in de deur. Hij maakte de plastic zak open. Bovenop lag de ingelijste foto van Brigitte, Arnie en hemzelf in een boot op een meer in Wisconsin.

Hij draaide zich om en beende door de gang naar de kamer van zijn baas.

Er stonden nu twee deuren open – een van een kamer die door de FBI werd gebruikt en een van een kamer van de CIA. Het leek wel alsof ze op hetzelfde moment waren geopend. De man van de CIA stond voor hem, de man van de FBI achter hem. Hun stemmen ratelden op hem af.

‘Zoek je Edgar, je baas? Die zul je hier niet vinden.’

‘Edgar is gisteren ziek geworden, hij is van Guantánamo af gevlogen.’

Jed dacht dat hij het begreep, dacht dat hij wist waarom ze hem tegenwerkten.

De man van de CIA, die voor hem stond, zei: 'En hij vloog niet in zijn eentje. Wallace ging met hem mee – alleen was Wallace niet ziek.'

De man achter hem, die van de FBI, zei: 'En Harry zat ook op dat vliegtuig – en Harry was ook niet ziek.'

Jed dacht aan Lovejoy, toen hij op die merkwaardige, achteloze manier had opgemerkt: 'Mijn ervaring is dat maar weinig superieuren een boodschapper met slecht nieuws weten te waarderen, en slechter nieuws dan dit heb ik nog nooit gehad.' Lovejoy had tegen hem gezegd dat hij dat zelf ook nog wel zou ontdekken – en daar stonden ze, voor en achter hem.

'Je zult wel denken dat je snugger bent, een held, en helemaal geen ontzettende lul. Maar je hebt Wallace genaaid, en Wallace was een goeie kerel.'

'Weet je wat ik denk, vuile klootzak? Dat jij nog niet goed genoeg bent om Harry's schoenen te poetsen... Je hebt zijn hele diensttijd kapotgemaakt, je hebt hem te schande gemaakt.'

Hij dacht aan Lovejoy, aan zijn vriendelijke manieren en aan de achterafstraatjes waar ze doorheen waren gereden... Hij dacht aan de oude mensen in de bibliotheek, aan de rector, aan een man die zag dat een jongen talenten had, aan de mannen in de garage die het verlangen van de knul om iemand te zijn niet konden bevredigen... Hij dacht aan de twee Aziatische jongens die waren gestopt waar de knul verder was gegaan... Hij dacht aan de vrouw, een moeder, met wie de knul niets meer te maken wilde hebben... Hij dacht aan het gevaar waartoe dit alles had geleid, aan het gevaar dat die knul, Caleb Hunt, nu vormde.

'Wallace moet zich dankzij jou waarschijnlijk voor de tuchtcommissie verantwoorden. Misschien raakt hij zijn pensioen kwijt.'

'En Harry zal nooit zo'n bijeenkomst bijwonen van oudere mannen die met pensioen zijn gegaan en geëerd worden. Je hebt hem te schande gemaakt, je hebt hem verdomme gebroken. En waarvoor?'

'Voor je ego, klootzak?'

'Vertrap je daar de reputatie van goede mannen voor, kleineer je ze daarvoor?'

'Dus er was een fout gemaakt – nou en?'

'Dat had onder ons moeten blijven. Jij vist toch graag, Dietrich? Mooi. Dan mag je vanaf nu twaalf maanden per jaar gaan vissen.' De man van de FBI liep terug naar zijn deur.

De man van de CIA liep de gang in. 'Je hebt twee goeie kerels kapotgemaakt. Wij maken jou kapot.'

Jed draaide zich om, liep terug en pakte de zwarte plastic zak. Hij gooide het dossier erin, boven op de foto van Brigitte, Arnie en hemzelf. Hij droeg de zak door de gang, langs de gesloten deuren. Hij dacht aan de paniek die de stad in zijn greep zou krijgen en het gekrijs vulde zijn oren. Door een waas van tranen zag hij bloed op trottoirs... En hij vroeg zich af waar Caleb Hunt was, de man die de paniek kon veroorzaken.

Er was een week voorbijgegaan... De piloot van de enorme Chinook helikopter met dubbele rotor had hun laten weten dat de Rub' al-Khali zelden werd getroffen door een storm die zo hevig was en zo lang duurde. Maar ze konden vertrekken, al zou het een oncomfortabele vlucht worden. De piloot meldde nog dat het aan de grond 134 graden Fahrenheit oftewel 36,7 graden Celsius was en wenste hun sterkte.

Wroughton was de hele vlucht misselijk geweest en Gonsalves had twee keer gebruikgemaakt van de papieren zakjes die hun waren aangeboden.

De Chinook vervoerde een peloton van de Nationale Garde, de adjunct-gouverneur van de provincie, Gonsalves en Wroughton. Het weer was de dag ervoor enigszins verbeterd, zodat de twee F-15 bommenwerpers met Saudi-Arabische piloten diezelfde middag een aanval op het grottencomplex hadden kunnen uitvoeren. Ze zaten in de Chinook om te gaan kijken of de aanval was geslaagd of mislukt.

Wroughton besefte heel goed dat hij geluk had dat hij aan boord was. Gonsalves, de bondgenoot, had het recht erbij te zijn. Wroughton werd geduld vanwege het dossier, vanwege de naam die op het dossier stond, maar Gonsalves kende de coördinaten van de plek waar de pijl lag en wist in welke richting die wees.

De bommenwerpers hadden op zevenenzeventig kilometer van de coördinaten een steile rotswand gevonden. Ze hadden gezien dat een blikje tussen de rotsen de zon weerkaatste. Ze waren er nog twee keer overheen gevlogen en hadden de ingang van de grot gezien. Die ingang hadden ze gebombardeerd. Er waren zes lasergeleide bommen van 225 kilo op de ingang van de grot gegooid.

Wroughton had gezegd, en Gonsalves had hem geloofd, dat Caleb Hunt op weg was geweest naar die grot.

Ze gingen, misselijk en ziek, op zoek naar zijn lichaam en naar de lichamen van de strijders met wie hij zich wilde verenigen toen hij door de woestijn was getrokken.

Op de plek van de coördinaten was de Chinook lager gaan vliegen. Ze voelden allebei dat de piloot zijn uiterste best moest doen om de helikopter in de lucht te houden. Ze hadden hun neus tegen de raampjes gedrukt en de kleren, de handdoeken en de deken zien liggen. De schroeivlek op de plek waar de auto was uitgebrand, was onder een tapijt van zand verdwenen; alleen het dak van de auto was nog zichtbaar. Van de neergestorte Predator zagen ze alleen een deel van de staartvleugel en de propeller – de rest was verdronken in het zand.

Ze zochten met de kompaspeiling naar lichamen en karkassen van de kamelen, maar de woestijn onder hen was leeg geweest; ze hadden alleen zand gezien.

De helikopter was aan de voet van de rotswand geland.

Wroughton was met suizende oren uit de helikopter gesprongen. Na de turbulente vlucht van de Chinook stond hij onzeker op zijn benen, maar hij liep naar de plek waar de rotsen in puin waren geschoten. Gonsalves volgde hem zwetend en klagend. Je kon er de dood ruiken. De zoete, zieke lucht van de dood werd door windvlagen meegevoerd. Hij hoorde Gonsalves opnieuw overgeven – hij begreep niet dat de man nog iets in zijn maag had. Zelf was hij rustig. De avond daarvoor had hij het volle gewicht van zijn diplomatieke status in de schaal gelegd en Bethany Jenkins naar het vliegveld gebracht, haar laten inchecken en haar naar de gate vergezeld. Hij had haar dankbaarheid voor zijn hulp aanvaard en haar op het vliegtuig gezet voor ze door een web van vragen kon worden ingesloten. Hij had zelfs niet gevraagd op welk telefoonnummer ze in Londen bereikbaar zou zijn. Ze had naar de gevangenis kunnen gaan, ze had op het Gehaktplein kunnen eindigen... Hij voelde zich prima, tot hij door de geur werd overweldigd.

Wroughton stapte over de rotsen aan de voet van de steile bergwand en drukte zijn zakdoek tegen zijn neus. Een klein gedeelte van de ingang van de grot hoog boven hem was vrij, maar het was uitgesloten dat hij in zijn linnen pak over de brokstukken van de rotsen zou klauteren. Het zonlicht viel over de bergtop. Hij bukte zich en raapte een blikje op. Het was het stuk metaal dat het zonlicht had weerkaatst en door de piloten van de bommenwerpers was opgemerkt. Wroughton maakte het voorzichtig open. Er vielen sigarettenpeuken en as uit. Zijn zakdoek beschermde hem niet. Wroughton kokhalsde. De man die de wacht had gehouden, lag onder de rotsblokken. Alleen zijn hoofd, een arm en de loop van een geweer staken eronder uit. De stank was ondraaglijk.

Wroughton zei zacht: 'U hebt wel pech gehad, meneer. U bent echt voorzichtig geweest, u bewaarde zelfs uw peuken in een blikje. Heel goed, keurig netjes, heel professioneel. Alleen kan een vliegtuig dat op drie kilometer hoogte met zeshonderdvijftig kilometer per uur overvliegt, geen sigarettenpeuken zien. En een blikje waar de zon op schijnt wel. Maar u hebt mij ook niet horen zeggen dat het leven eerlijk is.'

De mannen van de Nationale Garde kropen door de ingang van de grot – als fretten, dacht Wroughton. Ze lieten de lijken de helling af zakken of gooiden ze naar beneden. Ze waren nog niet opgezwollen, maar zo erg als het hier stonk, had hij het in Bosnië, bij de massagraven, nooit geroken. Hij kende de geur van de dood.

De gardisten legden de lijken op een rij. Het waren er zes.

De plicht riep. Het moest gebeuren.

Hij drukte de mouw van zijn jasje tegen de zakdoek voor zijn neus.

Gonsalves hield een camera voor zijn oog en werkte de hele rij doden af.

Ze vertoonden geen sporen van geweld. Er was geen wond, geen schram, geen stukje ontvelde huid te zien. Wroughton stelde zich voor hoe ze achter in de grot waren overdonderd, hoe de kracht van de explosie de tunnel in stroomde, bij hen terechtkwam, hen doodde. Wroughton had de foto uit Guantánamo en de schoolfoto bij zich. Hij bekeek hen. Ze waren allemaal levenloos, als lappenpoppen.

'Ze zien er nogal onschuldig uit, vind je niet? Het zouden m'n buren kunnen zijn.'

'Dan wordt het tijd dat je verhuist, Juan.'

'Klerelijer. Jouw mannetje zit er niet bij. Waarschijnlijk is hij door de storm te pakken genomen en ligt hij onder het zand begraven. Als je zag waar we overheen vlogen...'

Nu droegen de gardisten kisten met dekens, boeken, pannen, borden, dossiers, een typemachine en allerlei tassen uit de grot.

Wroughton zei kalm: 'Wat denk je, Juan?'

'Ik denk dat het, als je ziet waar wij overheen zijn gevlogen, ondenkbaar is dat hij het heeft overleefd. Hij was zwaargewond en hij had al een hoop ellende achter de rug. Het is daar alleen voor bedoeïenen uit te houden. De woestijn is een duivels oord. Niemand van buiten kan daar overleven. Het is ondenkbaar dat hem dat is gelukt. Opgeruimd staat netjes. Je hebt gezien hoe het er...'

Er liepen gardisten met een kist langs Wroughton. De wind moest er een kleine draaikolk in hebben gevormd, want er woei een stuk papier uit dat bij Wroughtons glanzend gepoetste schoenen neerdwarrelde.

'Juan, je staat in de kamelenstront – geen oude stront, maar verse. Heb jij hier ergens een dode kameel zien liggen? Of een stukje van een kameel? Ik in ieder geval niet.'

Hij raapte het stuk papier op en liep naar de officier van de gardisten. Hij viel de officier, die in een ernstig gesprek met de adjunct-gouverneur was verwikkeld, in de rede, liet het stukje papier zien en stelde zijn vraag. Die werd ontkennend beantwoord. Wist de officier het zeker? Hij wist het zeker. Wroughton liep terug naar Gonsalves.

'Kijk maar eens goed. Het is een winkellabel. Van een Samsonite. De koffer is een Executive Traveller, dat is vast en zeker een harde koffer. De koffer is niet naar buiten gebracht. Het label is nieuw, het is geen oude troep. De koffer is hier niet. Ik kan je vertellen, Juan, dat er een man op een kameel is langsgekomen en dat die kameel heeft staan schijten. De kameel is verdwenen en de koffer is verdwenen. En Caleb Hunt ligt hier niet.'

Gonsalves stond met een steentje de kamelenstront uit het profiel van zijn gympies te schrapen.

'Als je het mij vraagt, groeit de situatie ons boven het hoofd. Een koffer is een wapen. In die koffer zit dat waar wij tegen vechten. Een koffer, althans, de inhoud ervan, jaagt ons al de stuipen op het lijf. Maar een vermíste koffer groeit ons boven het hoofd... De toekomst ligt niet meer in onze handen. De toekomst ligt nu bij de oplettendheid van een douanier die zijn dienst er bijna op heeft zitten, of bij een meisje van de immigratiedienst met een rij van vijftig meter voor haar neus, of bij een aspirant-politieagent die iemand wel of niet verdacht vindt. We zijn van hen afhankelijk, zij houden onze toekomst in hun handen: passeert de koffer hen wel of niet, houden zij hem tegen of laten ze hem gaan, gebaren ze dat hij door mag lopen of vragen ze hem de koffer open te maken? En als die koffer er niet doorkomt, is er nog een. En nog een... Zo ziet de toekomst eruit, en als je er goed naar kijkt, word je erdoor vermorzeld.'

Ze staarden elkaar aan, geschokt door de omvang van de ramp die zich voor hun ogen aftekende, tevergeefs op zoek naar een lichtpuntje.

'Je overdrijft, je trekt voorbarige conclusies. Je loopt wel erg hard van stapel.'

'Dat weet ik, maar ik voel aan mijn water dat ik gelijk heb.'

De lijken werden in zakken de Chinook in gedragen. Daarna volgden de kisten en de tassen. De adjunct-gouverneur gebaarde hen op te schieten, alsof hij een reisleider was en ze op het schema achterliepen. Wroughton keek naar Gonsalves. Misschien dacht hij aan zijn eigen kinderen en vroeg hij zich af of zij op een dag langs een koffer zouden lopen met een geactiveerde ontsteking. Misschien dacht hij aan alle kinderen. In Bosnië had hij knappe, vriendelijke jonge mannen leren kennen die de grootste wreedheden hadden begaan. In Letland had hij waardige, charmante oude mannetjes ontmoet over wie werd gefluisterd dat ze in de concentratiekampen hadden gewerkt. Wroughton stelde zich voor dat ook Caleb Hunt knap en waardig, vriendelijk en charmant zou zijn... Hij voelde een wanhopige schaamte die hij nooit eerder had gevoeld, omdat hij zichzelf, in een perverse vlaag van jaloezie, had toegestaan de jonge man die de koffer zou gaan dragen toe te juichen. Hij was moe en voelde zich smerig, onbekwaam.

'Heb je zin om vanavond langs te komen voor een stuk pizza en een partijtje softbal, Eddie?'

'Nee, dank je.'

De Rub' al-Khali gaf zijn geheimen zelden bloot.

Duizenden jaren lang hadden alleen de domste, dapperste en fanatiekste mensen zich in de Rub' al-Khali gewaagd. Deze buitenstaanders en vreemdelingen kwamen in een leegte van zeshonderdveertigduizend vierkante kilometer. Er was niets dan zand; zandvlaktes, zandduinen en zandheuvels. Ze liepen door het vuur van de brandende zon. Ze waren niet welkom. Om hen heen lagen de botten van verdwaalde mensen en dieren. Er lagen auto- en vliegtuigwrakken van mensen die dachten dat technologie veiligheid bood. Zij hadden zich vergist. Alleen zij die geluk hadden, overleefden de vijandige woestijn. De enkeling die geluk had gehad en de hel had overleefd, zei dat de Rub' al-Khali hem voor de rest van zijn leven had getekend; zij waren andere mensen geworden. Zij hadden geen behoefte meer aan eigendommen of ideologieën. Zij hadden geen vrienden, geen geld, geen liefde en geen bezit meer nodig. De woestijnwind had hun alles afgenomen, alles behalve de drang om te bestaan – om de volgende stap te zetten, en de volgende, tot ze een ver, verborgen doel hadden bereikt. De buitenstaander of vreemdeling die het geluk had uit het zand op te rijzen, had zijn waarde getoond.

De Rub' al-Khali, oord van botten en wrakstukken, gaf de weinige mensen die haar ontberingen hadden overleefd een grote kracht, die nederig maakte. De woestijn verhief hen boven hun broeders en familie. Zij waren de dood voorbij, en kenden geen vrees meer.